Ildikó von Kürthy ist freie Journalistin und lebt in Hamburg. Ihre Bestseller wurden mehr als sechs Millionen Mal gekauft und in 21 Sprachen übersetzt. Ihr Roman «Mondscheintarif» wurde fürs Kino verfilmt, «Freizeichen» und «Blaue Wunder» werden folgen.

«Sagen Sie alle Verabredungen für den Abend ab. Legen Sie sich in die Badewanne und lesen Sie. Sie werden die Zeit vergessen und schließlich völlig begeistert – und völlig verschrumpelt – aus der Wanne steigen.» *(Suzanne von Borsody)*

«Ausgesprochen witzig und schwungvoll erzählt sind Kürthys Einblicke in die verwirrte moderne Frauenseele.» *(Der Spiegel)*

«Ildikó von Kürthys schärfste Waffe ist die Selbstironie. Und damit ist sie unschlagbar!» *(Wolfgang Joop)*

«Ildikó von Kürthy ist die Spezialistin für den schlauen Frauenroman.» *(Welt am Sonntag)*

Ildikó von Kürthy

Mondscheintarif
Herzsprung
Freizeichen

Drei Romane

Rowohlt Taschenbuch Verlag

Einmalige Sonderausgabe
Veröffentlicht im Rowohlt Taschenbuch Verlag,
Reinbek bei Hamburg, Mai 2011

Mondscheintarif
Veröffentlicht im Rowohlt Taschenbuch Verlag,
Reinbek bei Hamburg, September 1999
Copyright © 1999 by Rowohlt Taschenbuch Verlag GmbH,
Reinbek bei Hamburg
Lektorat Britta Hansen
Fotos © 1999 by Jens Boldt

Herzsprung
Veröffentlicht im Rowohlt Taschenbuch Verlag,
Reinbek bei Hamburg, Dezember 2002
Copyright © 2001 by Rowohlt Verlag GmbH,
Reinbek bei Hamburg
Fotos © 2001 by Kristin Schnell

Freizeichen
Veröffentlicht im Rowohlt Taschenbuch Verlag,
Reinbek bei Hamburg, Mai 2004
Copyright © 2003 by Rowohlt Verlag GmbH,
Reinbek bei Hamburg
Der Rowohlt Verlag dankt der NetCologne GmbH
für die freundliche Genehmigung, den geschützten Titel
«Freizeichen» für diese Ausgabe zu verwenden
Fotos © 2003 by Gabo

Umschlaggestaltung any.way, Barbara Hanke
(Umschlagabbildung: © Glowimages/Masterfile)
Gesamtherstellung CPI – Clausen & Bosse, Leck
Printed in Germany
ISBN 978 3 499 25630 1

Mondscheintarif

Happy Birthday, Tante Hilde!

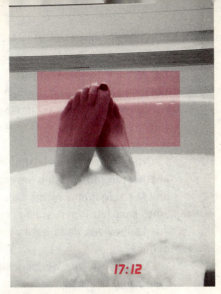

Der Fuß ist eine weitgehend unerschlossene weibliche Problemzone. Ein Satz, wie in Stein gemeißelt.

Der Fuß ist eine weitgehend unerschlossene weibliche Problemzone.

So könnte ein Artikel in einer Frauenzeitschrift anfangen. Oder in ‹Psychologie Heute›. Oder so.

Ich heiße Cora Hübsch, ich bin dreiunddreißigdreiviertel Jahre alt und gehöre zu der Mehrheit von Frauen, die auch in fortschreitendem Alter noch kein freundschaftliches Verhältnis zu ihren Füßen aufgebaut haben. Meine Zehen sind krumm wie die Zähne im Mund eines Schuljungen, der sich beharrlich weigert, eine Zahnspange zu tragen. In meiner Bauch-Beine-Po-Gruppe ist eine, deren Zehen sind so kurz, als seien sie ihr in jungen Jahren von einer scharfkantigen Glasplatte guillotiniert worden. Und meine Freundin Johanna hat Füße wie andere Leute Oberschenkel. In ihren Pumps hätten sich noch einige Zweite-Klasse-Passagiere von der Titanic retten können.

Ich versuche, mich abzulenken. Betrachte angestrengt den Haufen Zehen an meinem Körperende, um nicht über Schlimmeres nachdenken zu müssen.

Darüber zum Beispiel, dass heute Samstag ist. Schlimmer noch, es ist schon fast Samstagabend. Wann beginnt eigentlich der Abend? Gesetzt den Fall, jemand sagt: «Ich rufe dich Samstagabend an.» Was genau meint er dann damit? Heißt das: «Ich rufe dich um 18 Uhr an, um dich zu fragen, ob ich dich um 20 Uhr 30 abholen und zum teuersten Italiener der Stadt ausführen darf»?

Oder heißt das: «Ich klingle gegen 23 Uhr mal durch, um anzutesten, ob du eine vereinsamte Mittdreißigerin bist, die am Samstagabend nichts Besseres vorhat, als auf den Anruf eines smarten Typen, wie ich es bin, zu warten, der sich einmal aus Langeweile dazu hat hinreißen lassen, mit dir ins Bett zu gehen»?

Der Fuß ist eine weitgehend unerschlossene weibliche Problemzone.

Nein, es hilft nichts. Die krummen Gesellen da unten können nicht länger für meine Minderwertigkeitskomplexe geradestehen. Ich heiße Cora Hübsch, bin dreiunddreißigdreiviertel und gehöre zu der Mehrheit von Frauen, die sich auch in fortschreitendem Alter hauptsächlich mit einer Problemzone rumschlägt.

Freundinnen, lasst es uns so sagen, wie es ist: Die aller-aller-allerschlimmste weibliche Problemzone heißt: Mann.

17:17

Ist es jetzt wirklich schon bald halb sechs? Gute Güte! Warum ruft der denn nicht an? Warum gibt es Dinge im Leben einer Frau, die sich niemals ändern? Die Frage, ob man nach einmal Sex bereits Anspruch auf eine Samstagabendverabredung hat, wurde bisher nicht hinreichend geklärt.

Jemand müsste sich mal die Mühe machen, herauszufinden, wie viele Jahre ihres Lebens eine Frau damit verbringt, auf Anrufe von Männern zu warten. Bestimmt fünf. Oder zehn. Und dabei wird sie immer älter. Sie runzelt die Stirn, und das hinterlässt eine hässliche Falte über der Nasenwurzel. Sie isst mehrere Tonnen weiße Schokolade mit Crisp, Erdnussflips und Toastbrot mit Nutella. Sie ruiniert ihre Figur und ihre Zähne und damit jede reelle Chance auf einen Anruf am Samstagabend.

Muss aufhören, mein Selbstbewusstsein mit negativen Gedanken zu unterminieren.

«Ich bin attraktiv. Ich bin eine begehrenswerte Frau. Ich bin schön. Ich bin eine begehrenswerte Frau. Ich bin ...»

Telefon!

Na bitte, es klappt doch.

17:22

Das war Johanna, die wissen wollte, ob er schon angerufen hat. Johanna sagt, dass der grundlegende Unterschied zwischen Männern und Frauen nicht, wie gemeinhin angenommen, darin besteht, dass Männer den Innenraum ihrer Autos sauber und sämtliche ‹Stirb langsam›-Filme für kulturell wertvoll halten.

Der wichtigste Unterschied zwischen Männern und Frauen ist, sagt Jo, dass Männer nicht auf die Anrufe von Frauen warten. Statt zu warten, tun Männer was anderes. Schauen ‹ran›, entwickeln ein Mittel gegen Aids, verabreden sich mit einer Blondine, lesen die Aktienkurse in der ‹FAZ›, machen Muskelaufbautraining. Oder so 'n Zeug. Und das Wichtigste daran ist: Sie tun es nicht, um sich vom Warten abzulenken. Sondern sie tun es, weil sie es tun wollen. Sie vergessen dabei, dass sie eigentlich warten. Deswegen sind Männer nie beim ersten Klingeln am Telefon und klingen immer so, als hätte man sie bei etwas gestört.

Ich musste kurz nachdenken, um zu begreifen, was das bedeutete.

«Das heißt ja», sagte ich schließlich, und es war, als hätte mir jemand nach jahrzehntelanger Blindheit die Augen geöffnet, «das heißt ja, dass all die Stunden, die wir damit verbracht haben, Männer nicht zurückzurufen, umsonst waren. Die Tage, an denen wir uns nur durch übermäßigen Konsum von Choco-Crossies und Meg-Ryan-Videos davon abhalten konnten, ihn gleich am nächsten Tag wiederzusehen. Für die Katz! Was haben wir gelitten, um sie leiden zu lassen. Wir dachten, sie würden warten – und in Wahrheit waren sie vielleicht nicht einmal zu Hause, um zu bemerken, dass wir nicht anrufen!?»

«Du hast es erfasst, Cora. Du kannst einen Mann nicht warten lassen. Und wenn du mich fragst, es ist höchste Zeit, dass du deine Zeit mit etwas Sinnvollerem verbringst, als zu hoffen, dass Herr Hofmann sich bequemt, deine Nummer zu wählen.»

Sie hat ja so recht. Werde jetzt sofort aufhören zu warten und stattdessen etwas Sinnvolles tun.

Ich könnte

a) meine Steuererklärung machen,

b) meine Steuererklärung vom vorletzten Jahr oder

c) den herrlichen Sommerabend nutzen, um den Weihnachtsbaum vom Balkon zu holen und im nahe gelegenen Park zu entsorgen.

Ich werde bei einem Glas Weißwein in Ruhe darüber nachdenken.

Ich traf Dr. med. Daniel Hofmann unter erniedrigenden Umständen vor drei Wochen und drei Tagen vor der Schwingtür einer Damentoilette.

Ich war mit Johanna auf einem dieser Feste, von denen am nächsten Nachmittag in sämtlichen Klatschsendungen bei sämtlichen Privatsendern berichtet wird. Jo ist mittlerweile bedeutend genug, um zu so was eingeladen zu werden und sogar noch jemanden mitbringen zu dürfen.

«Frau Johanna Dagelsi mit Begl.» steht dann auf den Listen, die am Eingang von schmalen Mädchen in dunkelblauen Kostümen abgehakt werden.

«Begl.» bin ich. Einmal hat Johanna mich sogar jemandem vorgestellt als «Das ist Frau Cora Begl.». Sie fand das lustig, brach den ganzen Abend lang immer wieder in hysterisches Gekicher aus. Na ja. Und der Jemand war, wie ich am nächsten Tag in ‹Exclusiv – das Starmagazin› erfahren habe, der Gastgeber.

Da steh ich drüber. Ich halte nichts von Leuten, die ihre Person mit ihrer Funktion gleichsetzen. Ich gehöre nicht zu denen, die ihr Selbstbewusstsein an ihrem Posten festmachen. Das mag unter anderem allerdings daran liegen, dass ich nicht gerade einen bedeutenden Posten bekleide. Ich meine, ich rede hier wie eine, die heroisch behauptet, sie halte Diät – ohne hinzuzufügen, dass im Kühlschrank sowieso nichts Essbares ist.

Wenn ich gefragt werde, sage ich immer, ich sei Fotografin. Das stimmt ja auch. Ich bin sogar fest angestellt – und das sind nun wirklich die wenigsten Fotografen. Leider kann ich bei meinem derzeitigen Arbeitgeber mein kreatives Talent nicht völlig ausleben. Ich fotografiere Schrankwände und Couchgarnituren für die Kataloge eines führenden, überregional tätigen Möbelhauses dieses Landes. Was soll's, einer muss es ja machen. Aber warum gerade ich? Egal, ich muss nicht Heidi Klum vor der Linse haben, um mich für daseinsberechtigt zu halten. Bei mir reicht ein TV/Video-Möbel mit integrierter Minibar.

Jedenfalls hatten Jo und ich uns mächtig in Schale geworfen. Den ganzen Nachmittag hatten wir damit zugebracht, teure Fummel aus Jos Schrank zu zerren und darin durch ihren kilometerlangen Flur wie über einen Laufsteg zu stolzieren. Dabei vernichteten wir eine Flasche Sekt und hörten Donna Summer auf Endloswiederholung.

«*I'm looking for some hot stuff, Baby, this ev'ning, I need some hot stuff, Baby, tonight.*»

Das Schönste am Ausgehen ist die Vorbereitung. Es ist diese teeniehafte, alberne Vorfreude.

Ohrringe ausprobieren.

Lidschatten, der wie Pailletten über den Augen funkelt.

Einmal dunkelroten Lippenstift auftragen.

Sich in Röcke zwängen, die so kurz sind, dass jeder Mann glaubt, er müsse für eine Nacht mit mir bezahlen.

Zigaretten beim Auftragen des Make-ups im Waschbecken ausdrücken.

Herrlich!

Ich will, dass das immer so bleibt. Auch wenn es in zwanzig Jahren dann nicht mehr ‹Rouge pour les lèvres›, sondern ‹Abdeckstift für die faltige alte Lippe› heißt und wir statt einem Hauch von Seide dann blickdichte Stützstrümpfe tragen werden. Egal. Es macht Spaß.

Als Jo und ich um kurz vor acht ins Taxi stiegen, fühlten wir uns wie vierzehn – und benahmen uns auch so. Jo erzählte dem Fahrer schmutzige Witze, während ich auf der Rückbank eine Kerbe in meinem meterhohen Absatz mit schwarzem Edding übermalte. Ich fand, dass ich einfach umwerfend aussah. Jo hatte mir ihr nachtblaues Etui-Kleid geliehen, das auf geniale Weise meine Problemzonen kaschierte und meine Stärken zur Geltung brachte.

Es ist nämlich leider so, dass ich von vorne fast genauso aussehe wie von hinten. Das heißt, ich habe einen recht knackigen, runden Po – und einen weniger knackigen, aber ebenso runden Bauch. Meine Brüste sind nicht der Rede wert und liegen weit auseinander. Schaue ich die eine an, habe ich die andere schon aus den Augen verloren. Aber – Wonderbra sei Dank! – als ich an diesem Abend in mein Dekolleté hinunterschaute, blickte ich in eine tiefe, verheißungsvolle Spalte. Ach, ich war gut gelaunt und lüstern.

«*I need some hot stuff, Baby, tonight!*»

Als Jo und ich über den roten Teppich zum Eingang schwebten, spürte ich die anerkennenden Blicke sämtlicher Männer im näheren Umfeld auf mir. Ich lächelte milde, aber unnahbar.

Ich lächelte nicht mehr, als ich bemerkte, dass hinter mir Veronica Ferres ging. Habe nie verstanden, was die Männer an der finden. Sieht aus wie ein deprimierter Pfannkuchen und wird, was ihre schauspielerischen Fähigkeiten angeht, weit überschätzt. Jo befahl mir, mir nicht die Laune verderben zu lassen. Und ich gehorchte.

Es war ein herrliches Fest – abgesehen von der gähnend langweiligen dreistündigen Filmpreisverleihung zu Anfang. Erst war ich noch aufgeregt, fieberte bei jeder Siegerverkündung mit und schluckte schwer an Tränen bei den Dankesworten. Das ließ dann nach. Und irgendwann konnte ich den Scheiß nicht mehr hören.

«Wenn das im Fernsehen übertragen wird, dann kürzen die das Ganze auf 'ne Dreiviertelstunde», flüsterte Jo mir zu, während sich ein Dokumentarfilmer aus Halle bei seinem Team, ‹ohne das diese wunderbare Arbeit gar nicht zustande gekommen blablabla, deshalb gebührt der Preis eigentlich nicht nur mir blablabla›, bedankte.

«Dann schauen wir uns den Mist beim nächsten Mal eben im Fernsehen an», flüsterte ich zurück. Das war undankbar, ich weiß, denn schließlich war ich nur die «Begl.» – aber ich hatte Hunger und musste von dem vielen Sekt auf leeren Magen sauer aufstoßen.

«Darf ich mal auf die Toilette gehen, oder komm ich dann ins Fernsehen?», fragte ich Jo.

«Geh nur. Ist eh gleich vorbei.»

Ich stöckelte durch den schmalen Gang in Richtung Ausgang, nicht ohne die strafenden Blicke von Til Schweiger, Senta Berger und Mario Adorf auf mich zu ziehen. Wobei mich Letzterer, wie ich fand, eher wehmütig ansah. Vielleicht wollte der arme Mann auch aufs Klo, musste sich aber vorher noch einen Preis abholen. Draußen in der prächtig dekorierten Vorhalle (Lichterketten! Ich liebe Lichterketten!) hellte sich meine Stimmung schlagartig auf.

Hier waren ungefähr dreiundzwanzigtausend Kellner damit beschäftigt, das Büfett aufzubauen. Und was für ein Büfett! Hummer! Langusten! Lachs-Carpaccio! Vitello tonnato! Rinderbraten so groß wie mein Oberschenkel! Obstsalate! Mousse au Chocolat!

Mir lief das Wasser im Mund zusammen, während ich mich an der überladenen Tafel vorbei in Richtung Damenklo vorarbeitete. Ich stieß die Schwingtür auf und fand mich in einem unglaublichen Pinkel-Palast wieder. Überall Spiegel, überall Marmor. Neben den Porzellanwaschbecken hing nicht etwa so ein gefährlicher Heißluftgebläseautomat, unter dem man sich die Haut verbrennt, trotzdem nicht trocknet, und der Nächste, dem man die Hand schüttelt, denkt, man hätte ihn mit Exkrementen besudelt. Hier lagen, ordentlich gestapelt, frische, kleine, weiße Frottee-Handtücher bereit.

Und neben den weißen Handtuchstapeln saß eine hutzelige Klofrau auf einem Höckerchen und schaute mich erwartungsvoll an.

So was hab ich ja nicht gerne. Ich kriege Probleme beim Wasserlassen, wenn ich den Eindruck habe, dass mir dabei jemand zuhört. Es wird mir ewig ein Rätsel bleiben, wie Männer es schaffen, nebeneinanderzustehen und zu pinkeln. Wie tun sie das? Reden sie dabei? Worüber? Was ist, wenn sich der Chef neben einem erleichtert? Urinstau? Gehaltsverhandlungen?

Ich bin einmal meinem Chef-Graphiker in der Sauna begegnet. War das peinlich! Er saß auch noch neben mir. Roch streng.

«Ich finde, Menschen, die eine gewisse Position bekleiden, sollten nicht in öffentliche Saunabäder gehen», hab ich gesagt. Das war unklug, ich weiß. Aber die Wahrheit ist halt das Erste, was einem einfällt, wenn man nichts zu sagen weiß.

Jedenfalls schaute mich das kleine Klofräuchen freundlich an, und mir streikte schlagartig die Blase. Also tat ich so, als wolle ich mir nur die Hände waschen.

«Ich wollte mir nur mal eben die Hände waschen», sagte ich fröhlich. «Ist ja so heiß dadrin.»

Das Fräuchen nickte wohlwollend. Und da ich heilfroh war, in diesem Promi-Irrenhaus einem normalen Menschen zu begegnen, und ich sowieso einen ausgeprägten Hang zur Arbeiterklasse habe (ich habe mal mit einem Elektriker geschlafen), plauderten wir noch eine Weile.

Ich erfuhr Wissenswertes über die Toilettengewohnheiten von Männern und Frauen. Die Damen sind, erstaunlicherweise, weniger reinlich, dafür aber kleinlicher als Männer. Und wenn sie sich erbrechen, scheinen sie die Klofrau persönlich dafür verantwortlich zu machen und behandeln sie anschließend entsprechend schlecht. Für Männer ist das Herrenklo eher ein Ort der Entspannung. Hier können sie ganz sie selbst sein. Sie geben reichlich Trinkgeld und setzen erst kurz vor der Schwingtür wieder ihr Ich-bin-wichtig-Gesicht auf.

Dabei fiel mir siedend heiß ein, ich hatte meine Handtasche am Tisch liegenlassen und folglich auch kein Kleingeld dabei. Auweia. Wie sollte ich jetzt hier rauskommen? Sie musste ja Schlimmes von mir denken. «Erst macht sie einen auf vertraulich – dann verpisst sie sich.»

In meiner Verzweiflung plauderte ich weiter.

«Haben Sie denn schon von dem köstlichen Büfett da draußen probiert?», fragte ich. «Ich nehme an, die Angestellten des Hauses essen während der Preisverleihung?»

«Ach nein», sagte sie. «Ich habe mir ein paar Stullen mitgebracht. An das Büfett dürfen wir nicht dran.»

Was? Wie? Wieso? Da saß dieses Mütterchen auf ihrem Höckerchen in ihrem Marmor-Pissoir, wischte den Prominenten hinterher und bekam dafür nicht mal eine armselige Hummerschere?

Mein soziales Bewusstsein rebellierte. Was hätte Marx dazu gesagt? Keine Ahnung, habe nie Marx gelesen, aber genug gehört, um zu wissen, dass er sich jedes seiner grauen Barthaare einzeln ausgerupft hätte.

«Wissen Sie was!», rief ich kämpferisch. «Ich hole Ihnen jetzt von da draußen was zu essen. Was wollen Sie? Hummer? Vitello tonnato? Carpaccio?»

Sie schaute mich etwas verwirrt an. «Ach, vielleicht von allem etwas?»

Ich rauschte hinaus. Ich, Kämpferin für die Unterdrückten, Retterin der Armen. Die Jeanne d'Arc der Klofrauen! Nieder mit dem Kapital! Wir sind das Volk!

Die Preisverleihung war soeben zu Ende gegangen, und die ersten Kapitalisten drängelten sich in Richtung Büfett. Aber ich war schneller. Ich griff mir einen großen Teller und hortete darauf in Windeseile das Beste vom Besten. Ich bin zwar Einzelkind, aber mein Vater hatte einen ausgeprägten Appetit, also habe ich früh gelernt, was es heißt, ums Überleben zu kämpfen und innerhalb von Sekunden das größte Stück Braten zu erkennen und zu ergattern. Ganz oben auf den Teller platzierte ich – mahnendes Symbol für die Dekadenz der herrschenden Klasse – einen Hummer.

Teuer – aber tot.

Geschickt balancierte ich den übervollen Teller durch die immer dichter werdende Masse von dunklen Anzügen und prächtigen Roben. Ich hatte die Schwingtür am Ende des Saales im Auge. Ich sah nicht, wie Uschi Glas mit Iris Berben tuschelte, ich sah nicht, wie Mario Adorf erleichtert auf dem Herrenklo verschwand. Ich sah nur die Schwingtür, das Schild ‹Damen› und dahinter, vor meinem inneren Auge, das Klofräuchen mit ihren Stullen in der Tasche.

Zwei Meter vor dem Eingang zum Klo änderte sich mein Leben.

Aus den Augenwinkeln sah ich, wie sich ein dunkler Anzug aus einer Menschentraube löste. Der dazugehörige Mann machte zwei, drei Schritte rückwärts, um sich dann mit Schwung umzudrehen.

Dann sah ich einen fliegenden Hummer, flankiert von einer Portion Kaviar-Kartoffeln und etlichen Roastbeef-Scheiben. Das Todesgeschwader schoss auf die Schwingtür mit der Aufschrift ‹Damen› zu – die sich in diesem Moment öffnete.

Wie in Zeitlupe landete der Hummer, teuer, aber tot, in einem Dekolleté, gleich unter dem Aquamarincollier. Die Beilagen fanden ihren Platz auf dem dunkelroten Helmut-Lang-Kleid sowie auf den Prada-Sandaletten der Dame, die vor zwei Stunden einen Preis für die beste weibliche Hauptrolle gewonnen hatte.

Ich selbst lag auf einem Mann. Ich sah in seine schreck- und schmerzgeweiteten Augen, da sich mein Knie beim Fallen offensichtlich in seinen Schritt gebohrt hatte. Das war meine erste Begegnung mit den Geschlechtsteilen von Dr. med. Daniel Hofmann.

Die weibliche Hauptrolle hatte sich nach einer Schrecksekunde in die Toilette geflüchtet. Dort schloss sie sich in einer Kabine ein und war, was ich einen Tag später dann den Tageszeitungen entnahm, den ganzen Abend über nicht wieder aufgetaucht. Gegen Mitternacht hatte sie, angeblich in ein weißes Tischtuch gehüllt, den Veranstaltungsort durch einen Hinterausgang verlassen.

Während ich mich noch hochrappelte, um den sich unter mir windenden Herrn zu befreien, war das Klofräuchen schon dabei gewesen, das Büfett vom Boden aufzuwischen.

Wir tauschten einen Blick.

Verständnisvoll. Dankbar. Verzweifelt.

Der Mann war inzwischen auch auf die Füße gekommen, hielt sich die Genitalien mit beiden Händen und starrte mich an, als sei ich die Inkarnation des Bösen. Ich wusste nicht, was ich sagen sollte.

Mittlerweile umkreisten uns etliche Kellner, Fotografen und neugierige Gäste. Eine rothaarige Frau, die aussah wie eine früh und üppig entwickelte Vierzehnjährige, bahnte sich ihren Weg durch die Menge, warf erst mir einen vernichtenden Blick zu und stürzte sich dann auf den demolierten Mann.

«Dani-Schatz», rief sie mit schriller Stimme. «Was ist passiert?» Wieder ein böser Blick in meine Richtung.

«Ist schon in Ordnung», stammelte Dani-Schatz. «Geht schon wieder.» Er sah recht elend aus, wie er da in verkrümmter Pose stand. Eine Hand immer noch zwischen die Beine geklemmt, die andere haltsuchend auf dem leicht gebräunten Arm der Rothaarigen.

«Lass mal sehen, mein armes Schätzchen», jammerte sie und fing an, sich an seinem Reißverschluss zu schaffen zu machen.

«Nimm deine Hände weg, verdammt nochmal», fauchte Dani-Schatz.

«Da sehen Sie, was Sie angerichtet haben, Sie dämliche Kuh!», keifte die Dame in meine Richtung.

Ich finde, dass in Momenten äußerster Anspannung sich doch immer wieder der wahre Charakter eines Menschen zeigt. Dessen eingedenk versuchte ich, meinen wahren Charakter für mich zu behalten, schluckte die Beleidigung hinunter und beschloss, diese Frau mit Missachtung zu strafen. Schließlich ging es hier weder um mich noch um sie, sondern um den armen Mann, der nicht nur mit Unterleibsblessuren, sondern auch noch mit einer vulgären Freundin gestraft war.

Ich machte einen hilflosen Schritt auf die beiden zu. «Es tut mir so leid», nuschelte ich. «Brauchen Sie vielleicht einen Arzt?»

«Einen Arzt? Einen Arzt?» Die Frau funkelte mich mit ihren grünen Augen derart überzeugend an, dass ich keinen Moment länger daran zweifelte, dass sie gefärbte Kontaktlinsen trug. Wahrscheinlich war auch das rote Prachthaar nicht echt. Mogelpackung, dachte ich und streckte angriffslustig meine Brüste raus. War ich froh, dass ich heute welche zum Rausstrecken hatte. Das verschafft einer Frau in solchen Momenten wesentlich mehr Autorität.

«Er ist selbst Arzt. Und was Sie brauchen, ist ein Anwalt. Und zwar einen guten!»

«Komm, Carmen, jetzt mach doch nicht so ein Theater. Es geht schon wieder. War ja auch keine Absicht», murmelte Dani-Schatz beschwichtigend.

Carmen? Carmen? Dass ich nicht lache. Das war doch niemals ihr echter Name! Wahrscheinlich wechselte die Pissnelke mit jeder Poly-Color-Langzeittönung ihren Vornamen.

Schwarzes Haar: «Ich heiße Verona.»

Blondes Haar: «Mann nennt mich Cloodia.»

Ich hätte gerne etwas Schlagfertiges, Niveauvolles erwidert. So was wie: «Mir scheint, Sie treten gerade über die Ufer, Sie Rinnsal.» Habe ich mal in einem Theaterstück gehört. Aber es fiel mir in dem Moment natürlich nicht ein. Das ist ja meistens so. Wenn mein Chef blöde Sachen zu mir sagt, stammele ich auch meist nur «Äh, tja, ähem». Und es macht keinen intellektuellen Eindruck, ihn einen Tag später anzurufen und nachträglich mit einer schlagfertigen Antwort zu konfrontieren.

Ich sagte also: «Äh, tja, ähem.»

Aber das Weib war nicht zu bremsen. «Was heißt hier keine Absicht?» Jetzt keifte Frollein Carmen ihren Liebsten an.

«Sie hätte dich umbringen können! Oder noch schlimmer!»

In diesem Moment tauchte glücklicherweise Jo auf. Sie erfasste die Situation in Sekunden, grapschte sich meinen Arm und flüsterte: «Komm, wir machen uns besser vom Acker.»

Und das taten wir. Wir eilten zur Garderobe, lösten unsere Mäntel aus, und beim Hinausgehen erhaschte ich noch einen Blick auf Dani-Schatz und seine falsche Carmen.

Sie hing besitzergreifend bei ihm eingehakt, während

er tröstend auf sie einredete. Über ihre milchweiße Schulter hinweg trafen sich unsere Blicke. Ich konnte seinen Ausdruck nicht recht deuten. Ich würde sagen, es war eine Mischung aus Belustigung, Verachtung und noch irgendwas anderem. Jedenfalls fiel mir da zum ersten Mal auf, dass er ganz wunderschöne Augen hatte.

17:47

Habe den Weihnachtsbaum inspiziert, und ich bin zu dem Schluss gekommen, dass ich ihn unmöglich durch die Straßen schleppen kann, solange es draußen noch hell ist. Würde mich zum Gespött der Leute machen und womöglich im Park entdeckt und wegen unerlaubter Entsorgung von Abfall verhaftet werden. Und ich weigere mich einfach, die Möglichkeit in Betracht zu ziehen, dass ich noch immer hier sein werde, wenn es dunkel ist. Ich werde durch die lauschige Nacht spazieren, Hand in Hand ... Uuuh, stopp.

Der Anblick des Weihnachtsbaumes hat mich nachdenklich gestimmt. Ich sollte Mama mal wieder anrufen. Außerdem hat mich das beinahe nadelfreie Gerippe an meine letzte Beziehung erinnert. Sascha hatte die Tanne in seinem silbernen Mercedes 2,0-was-weiß-ich transportiert – und sich mächtig über die klebrigen Harzflecken auf den Rückenlehnen aufgeregt.

Sascha war ein Pedant, das muss man ganz klar so sagen. Und auch sonst waren wir total verschieden. Es war fast rührend, wie wir bei unserem ersten Rendezvous versuchten, irgendeine Gemeinsamkeit auszukundschaften.

Sascha hatte mich in der Sauna angesprochen, weil er meine Tätowierung auf der Hüfte für ein versehentlich haften gebliebenes Preisschild gehalten hatte. Na ja, und wie das so ist. Wenn man sich nackt kennenlernt, ist man doch immer etwas gehemmt. Aber er hatte eine angenehme Stimme, freundliche Augen und den knackigsten Arsch, den ich je gesehen hatte – und so ließ ich mich zum Essen einladen.

Am ersten Abend siezten wir uns, was ich irgendwie ganz romantisch fand. Sascha trug eine Nickelbrille und sah sehr klug aus, was er leider, wie sich herausstellen sollte, auch war.

«Was liegt denn zurzeit auf Ihrem Nachttisch?», fragte er mich gleich zu Beginn.

Da war ich aber platt. Was meinte der Mann? In Gedanken stellte ich mir meinen Nachttisch vor, so wie ich ihn heute Morgen, eine halbe Stunde nachdem ich eigentlich schon im Büro sein sollte, verlassen hatte.

Zualleroberst liegt meine Schrundencreme. Wenn man die über Nacht einwirken lässt, kann man die Hornhaut von den Füßen am nächsten Morgen ganz leicht abziehen. Daneben sitzt mein Stoffhäschen, das ich vor ungefähr 150tausend Jahren zum Geburtstag bekommen habe. Daneben steht ein ziemlich voller Aschenbecher auf etlichen unterbelichteten Schrankwand-Fotos, daneben ein Glas, in dem die Rotweinreste festgetrocknet sind, und eine Packung Johanniskraut-Dragees zur Stärkung der Nervenkraft.

Als ich in Saschas kluge, gefühlvolle, ästhetisch empfindliche Augen schaute, wusste ich, dass ich ihm diesen Anblick fürs Erste ersparen musste.

Er war bestimmt nicht der Typ, der bei Ansicht meiner Oberschenkel in unflätiges Gelächter ausbrechen oder beim Erstkontakt mit meinen Zehen auf die Toilette flüchten würde. Aber die Konfrontation mit mehreren, auch noch gebundenen Rosamunde-Pilcher-Romanen, einem leuchtenden Gummibärchen am Fußende meines Bettes und einer Stange ‹Gauloises légères› neben der Badewanne?

Nein. So viel Realität kann man niemandem in der ersten Nacht zumuten. Das wäre ungefähr so, als würde man einem Mann beim ersten Date anvertrauen, dass man bei ‹Trivial Pursuit› immer verliert und auf die Frage «Welche ist die größte Insel im Mittelmeer?» einmal geantwortet hat: «Australien.» Nicht dass mir das jemals passiert wäre. Jetzt bloß mal so, als Vergleich.

«Och», sagte ich also ablenkend. «So dies und das. Was liegt denn auf Ihrem Nachttisch?» Es empfiehlt sich immer, Fragen, die man nicht beantworten möchte, unbeantwortet zurückzugeben.

«Also auf meinem liegt zurzeit ‹Das Christentum in totalitären Regimen›. Das ist wirklich ein lehrreiches und empfehlenswertes Buch.»

Ich nickte gewichtig. Ich finde, eine Wohnung sagt sehr viel über ihren Bewohner aus. Ich lese in Wohnungen wie in Biographien.

Was sagt uns zum Beispiel eine kilometerlange Schallplattensammlung gleich neben dem Wassili-Sessel?

Folgendes: «Ich bin diskutierfreudig, habe Foucault gelesen und Verständnis, wenn du statt Sex Kopfschmerzen hast. Ich spiele einmal die Woche Squash, denke beim Onanieren an Iris Berben, würde das aber nie zugeben, liebe meine alten T.-Rex-Scheiben mehr als mein Leben, und obschon ich auch nichts gegen einen guten Champagner habe, weiß ich noch genau, wie es sich anfühlt, eine Bacardi-Cola in einen von ‹Ho Ho Ho Chi Minh›-Rufen heiseren Hals zu kippen.»

Was sagt uns das IKEA-Billy-Regal, die vollständige Karl-May-Bibliothek, der mannshohe Computer, umgeben von Millionen von Disketten?

Folgendes: «Ich liebe meine Mutter, das bilde ich mir zumindest ein, Analverkehr halte ich für pervers und Achselbehaarung für erotisch. Mein Zuhause ist das Internet, mit Jule Neigel würde ich gerne mal eine Nacht verbringen, und ich habe nichts dagegen, wenn meine zukünftige Frau fleischfarbene Strumpfhosen trägt.»

Nun ja, solche Wohnungen sind zumindest ehrlich eingerichtet. Schlimmer sind die, die versuchen, etwas zu verbergen.

Unter edelster Auslegware kann ein schlechter Charakter stecken. Hinter handbemaltem Porzellan eine dominante Mutter und unter teuersten Taschenfederkernmatratzen ein fürchterlicher Erbsenzähler. Ekelhafteste Machos vertuschen ihre Frauenfeindlichkeit gerne, indem sie im Badezimmer für ihre weiblichen Gäste Tampons in verschiedenen Größen bereitstellen.

Und ein gerahmtes Plakat aus dem ‹Museum of Modern Art› kann der aufmerksamen Frau nur eines sagen: «Mein Besitzer ist ein armes Schwein. Er hat Flugangst, war noch nie in New York, hält Picasso für die Nachfolgeband von Tic Tac Toe und sich selbst für einen guten Liebhaber.»

Meine Wohnung gehört leider zu den ehrlich eingerichteten Wohnungen. Deswegen überlege ich mir jedes Mal sehr genau, wen ich mit nach Hause nehme und wen nicht. Die Haustür zu öffnen, jemanden einzulassen, das ist, wie wenn man sich auszieht. Nach und nach kommt die Wahrheit ans Tageslicht. Mit dem Push-up-BH, der Wonder-Po-Strumpfhose, der vorteilhaft geschnittenen Jeans verabschiedet sich das Bild, das man dem geneigten männlichen Betrachter von sich selbst vermitteln möchte. In meiner Wohnung bin ich immer nackt.

Sascha hatte mein intensives Schweigen leider als Aufforderung aufgefasst, das Thema anspruchsvolle Literatur noch zu vertiefen.

«Welches Buch von Don DeLillo halten Sie für sein bestes?» Er schaute mich freundlich an und erinnerte mich an meinen Religionslehrer während meiner mündlichen Abiturprüfung.

Don DeLillo? Don DeLillo?? Verdammt, der Name kam mir bekannt vor.

«Aaah, mir gefällt sein Roman ‹Unterwäsche› total gut!», rief ich erleichtert. Ich hatte es neulich irgendwo im Schaufenster gesehen. Ein Hoch auf mein gutes Gedächtnis.

Damit, so glaubte ich, war das Eis gebrochen. Als ich am nächsten Tag Gelegenheit hatte, seinen Nachttisch persönlich kennenzulernen, schwieg Sascha dezent, was ich ihm bis heute hoch anrechne. Das Buch von diesem verfluchten DeLillo lag gleich neben der Leselampe. Und es heißt ‹Unterwelt›. Früher oder später kommt's halt raus, wenn man gebildeter tut, als man ist. In diesem Fall leider früher.

Wir verplauderten entspannt unseren ersten Abend – das heißt, Sascha plauderte, ich hörte zu. Ich stellte viele Fragen, bloß um nicht wieder in die Verlegenheit zu kommen, Antworten geben zu müssen. Und er fühlte sich sichtlich wohl. Männer lieben Frauen, die ihnen das Gefühl geben, interessant zu sein. Und sie halten jede Frau für klug, die ihnen zuhört.

Um einen nachhaltig guten Eindruck zu hinterlassen, sollte man bei der ersten Verabredung nur zwei Sätze in regelmäßigen Abständen sprechen:

1.) Erzählen Sie mehr davon, das interessiert mich sehr.
2.) Ach, das habe ich nicht gewusst.

Ich habe Sascha an diesem Abend nicht mit zu mir nach Hause genommen. Ich bin noch nicht mal mit zu ihm gegangen. Wir taten es gleich vor Ort, auf der Herrentoilette.

Wir wussten, dass wir füreinander bestimmt waren, denn nach mühsamer Fahndung hatten wir doch noch etwas entdeckt, was wir gemeinsam hatten. Sascha und ich, so fanden wir an unserem ersten Abend heraus, mochten beide kein Zitroneneis. Und wir hielten das für einen vielversprechenden Anfang.

17:53

Dr. Daniel Hofmann. Ich werde dich jetzt anrufen. Wer bin ich denn, dass ich mich hier zur Komplettidiotin mache? Glotze das Telefon an, beschäftige mich mit Weihnachtsbäumen und gescheiterten Liebesbeziehungen.

Gute Güte! Wie tief bin ich gesunken! Wenn ich ihn jetzt anrufe, wird er glauben, ich hätte Interesse an ihm. Weiß doch jedes Kind, dass man damit jeden Mann vergrault. So was verschreckt sie. Dann ziehen sie sich sofort in ihr Schneckenhäuschen zurück und sind nur durch stete und lang andauernde Missachtung und Misshandlung wieder hervorzulocken.

Andererseits: Bin dreiunddreißig Jahre alt und auf moderne Weise emanzipiert.

Das heißt: Ich weiß zwar nicht, wie man den Premiere-Decoder anschließt, kann aber einen entsprechenden Techniker bezahlen.

Das heißt: Ich habe im Selbstverteidigungskurs den Hodenquetschgriff gelernt und kann alleine nach Hause gehen.

Das heißt: Ich kann mein Filetsteak selbst erlegen, meine Höhle warm halten.

Das bringt mich direkt auf den Satz, den ich mal in einem klugen Buch gelesen habe und seither oft zitiere: «Seit mindestens hundert Jahren gibt es einfach keine Veranlassung mehr, ein Mann zu sein.»

Kann mir dann vielleicht mal jemand erklären, wie es kommt, dass ich seit zwei Stunden auf den Anruf eines Wesens warte, für dessen Existenz es überhaupt keine Veranlassung gibt?

Werde jetzt nach der eisernen Regel für solche Notfälle verfahren:

Wenn du ihn anrufen willst, dann ruf in jedem Fall vorher deine beste Freundin an. Und wenn sie wirklich deine beste Freundin ist, wird sie sagen: «Ruf ihn nicht an.» Und wenn du wirklich ihre beste Freundin bist, wirst du sagen: «Okay», und dann ein gutes Buch lesen.

In solchen Fällen stellt sich heraus, wer gute Freundinnen und was gute Bücher sind.

17:55

Johanna ist nicht zu Hause. Habe ihr aber auf Band gesprochen und dringend um Rückruf gebeten. Fühle mich jetzt wesentlich ruhiger und werde einfach aufhören mit dieser kindischen Warterei.

17:57

Weiß jetzt, warum er nicht anruft. Bin zu dick. Bin sehr unglücklich.

17:58

Fettverbrennung. Im Grunde ist das die einzige ehrliche Antwort, die man geben kann.
   Man stelle sich vor: Du triffst dich mit diesem dicklichen Endfünfziger in einer Gaststätte, in der die Servietten so steif gebügelt sind, dass man sie auch als Frühstücksbrettchen be-

nutzen könnte. Der hässliche Zwerg ist Mega-Super-Manager einer irrsinnig angesagten Firma, bei der du gerne arbeiten möchtest. Er könnte dein zukünftiger Chef sein, und natürlich möchte er eine Mitarbeiterin, die nicht nur Expertin auf ihrem Gebiet ist, sondern auch anderweitige Interessen hat.

Irgendwann wird er dich unweigerlich mit diesem Nun-zeigen-Sie-mal-was-Sie-sonst-noch-draufhaben-Blick nach deinen Hobbys fragen. «Und was machen Sie in Ihrer Freizeit?»

Wenn du klug bist, wirst du sagen:

«Ich interessiere mich sehr für dekonstruktivistische amerikanische Literatur. Darüber hinaus reise ich gerne in die Kulturmetropolen Europas. Haben Sie diese ganz ungeheuer provozierende Damien-Hirst-Ausstellung in London gesehen? Nun ja, und wenn ich dann tatsächlich mal einen Abend zu Hause bin, schaue ich mir, das muss ich ehrlich gestehen, am liebsten tschechische Avantgarde-Filme auf ‹ARTE› an. Dabei kann ich richtig schön entspannen.»

Wenn du ehrlich bist, wirst du sagen: «Fettverbrennung. Mein größtes Hobby ist Fettverbrennung. Da ich nämlich weder zu den 0,8 Prozent Frauen gehöre, die essen können, was sie wollen, und dennoch auf Partys mit ihrem Untergewicht protzen, noch zu den 4,3 Prozent Skeletten, die am Tag eine halbe Kiwi verputzen und behaupten, sie seien satt. Ich esse gern. Ich esse viel. Ich liebe die Sahnesoße auf den Fettucini, Schokobons, Pringles und den Fettrand am Steak. Und deshalb kehre ich in meiner karg bemessenen Freizeit am liebsten in einem Fitnessstudio ein. Ja, ich gehöre zu den schwitzenden Idiotinnen, die eine Stunde lang auf dem Stair-Master eine imaginäre Treppe hochsteigen. Die sich in Bauch-Beine-Po-Kursen quälen. Die bei ‹I will survive› ihre Adduktoren und Abduktoren stählen. Auf dem Laufband habe ich eine Summe von Kilometern zurückgelegt, die in etwa Ihrem Jahresgehalt entspricht. Sie fragen nach meiner Freizeit? Es gibt Zeiten, in denen ich zunehme. Es gibt Zeiten, in denen ich abnehme. Ich habe keine Freizeit.»

Jo hat so einen dickbäuchigen Manager beim Einstellungsgespräch mal gefragt, wann er denn zum letzten Mal seinen Schwanz gesehen habe. Unnötig zu sagen, dass den Job eine Dame bekommen hat, die ihrem dicken Chef seither, immer wenn seine Gattin mit den Blagen im Tessin ist, den Whirlpool mit ihren vorstehenden Beckenknochen zerkratzt.

Ich weiß auch nicht. Habe in einer Zeitschrift, die den Titel ‹Ab Kleidergröße 38 verboten› tragen könnte, etwas Entsetzliches über Claudia Schiffer gelesen: Soll 56 Kilo wiegen! Dabei ist sie 12 Zentimeter größer als ich!

Dafür hat sie hoffentlich einen schlechten Charakter und ein freudloses Dasein. Dieses Vegetieren aus dem Koffer. Heute Miami, morgen Paris, übermorgen Sydney. Nee, das ist ja auch kein Leben.

Ob Claudia schon häufig auf Anrufe gewartet hat? Kann man Claudia überhaupt so einfach anrufen?

Ob sie sich jemals mit Selbstverstümmelungsgedanken getragen hat, nach dem Besuch in einer gnadenlos ausgeleuchteten Umkleidekabine bei H&M?

Ob sie jemals bei der Anprobe auf halbem Wege in einem Minikleid ohne Reißverschluss stecken geblieben ist und die Verkäuferin um Hilfe bitten musste?

Ob sie sich jemals nach dem Sex auf dem Weg zum Klo die Bettdecke um die Hüften gebunden hat?

Weiß sie, wie es ist, einen ganzen Abend mit eingezogenem Bauch zu verbringen? Wie gedemütigt man sich fühlt, wenn man sich in einem unachtsamen Moment freundlich und nackt über den Liebsten beugt und die kleinen Brüste dabei traurig herunterhängen wie leere Sunkist-Tüten?

56 Kilo! Ich weiß genau, wie ich mit 56 Kilo am Leib aussehen würde. Ich gehöre zu den Frauen, die immer zuerst an den falschen Stellen abnehmen. Null Brust. Null Hintern. Aber Oberschenkel wie Oliver Bierhoff und Waden, die auch ohne mich, jede für sich allein, überleben könnten.

Schluss jetzt damit. Mut zur Weiblichkeit!

Man sollte sein Fettgewebe mit Stolz tragen. Ich muss meine Gedanken positivieren. An ermutigende Ereignisse denken, die mich aussöhnen mit meinem Körper.

Mal überlegen. Hmmm. Ja! Da fällt mir was Tolles ein. Hat leider wieder mit Sascha zu tun. Er hat mir das wunderbarste Kompliment gemacht, das ich je gehört habe.

Wir lagen sehr erschöpft und völlig unbekleidet unter seinem Schreibtisch. Er betrachtete mich versonnen, und während ich mir noch verzweifelt eine Bettdecke herbeiwünschte, sagte er: «Wenn ich so schön wäre wie du, würde ich den ganzen Tag lang onanieren.»

Nach dem überaus peinlichen Auftritt bei der Filmpreisverleihung – die letztendlich weder mir noch der Arbeiterklasse irgendwelchen Ruhm eingebracht hatte – fühlte ich mich ein paar Tage sehr elend.

Ich brauchte eine Zeitlang, um herauszufinden, woran das lag. Ich war weniger beschämt über das, was geschehen war, sondern vielmehr verärgert, dass ich mich gegenüber dieser entsetzlichen rothaarigen Person so hilflos gefühlt hatte. Eine Katastrophe zu verursachen ist eine Sache. Aber von einer hirnlosen Kontaktlinsenträgerin gedemütigt und gemaßregelt zu werden – diese Schmach saß tief. Zu tief.

Noch dazu hatte ich von Jo erfahren, dass Carmen in der letzten Episode einer Arztserie auf ‹RTL› die Schwesternschülerin Mona spielt, die sich in den stark behaarten Chefchirurgen verliebt, der daraufhin das Krankenhaus, Frau und zwei entzückende Kinder verlässt, um mit Mona ein neues Leben in Andalusien zu beginnen.

Nach einigen Telefonaten mit wichtigen TV-Menschen hatte Jo außerdem in Erfahrung gebracht, dass Carmen mit Nachnamen Koszlowski hieß und ihr richtiger Vorname eigentlich Ute war. Über ihr Liebesleben hatte Jo nichts herausfinden können.

Ute Koszlowski!

Ich dachte an Rache.

Ich dachte an Filmpreisverleihungen, auf denen mich Bruce Willis bittet, die Nacht mit ihm zu verbringen. «You look so attractive. I want you. And I want you now», flüstert er mir ins Ohr. Laut genug natürlich, dass es Carmen, die ihn gerade um ein Autogramm angebettelt hat, hören kann. Ich verbrachte eine Stunde vor dem Einschlafen damit, Rache-Szenarien zu entwerfen. So lange, bis Carmen schließlich ohne Mann dastand, ohne Job, ohne Haare. Doch letztendlich konnte ich nicht gegen die Realität anphantasieren.

Am nächsten Morgen regnete es in Strömen, es war für die Jahreszeit ungewöhnlich kalt, und nichts, aber auch wirklich überhaupt ganz und gar nichts, deutete darauf hin, dass dieser Tag ein schicksalhafter Tag werden sollte.

Ich schlich, wie jeden Morgen, ungeduscht und strubbelig, im Bademantel ins Treppenhaus, um die Zeitung aus dem Briefkasten zu holen. Jeden Morgen hoffe ich, dass ich dabei niemandem begegne.

Ich gehöre leider nicht zu den Frauen, die ansehnlich aussehen, wenn sie aufwachen. Das liegt unter anderem daran, dass ich abends meistens keine Lust habe, mich abzuschminken. Außerdem scheinen meine Haare nachts alles andere zu tun, als zu schlafen. Ich bin immer wieder überrascht, wenn ich morgens in den Spiegel schaue. Meist negativ. Die tollkühnsten Frisuren türmen sich auf meinem Kopf. Manchmal mache ich mir einen Spaß daraus und versuche, wie beim Bleigießen, herauszufinden, welche Bedeutung diese Haargebilde haben könnten: ‹Die unkoordinierte Strähne, die aus dem ansonsten plattgedrückten Haar am Hinterkopf herausragt, lässt heute auf ungewöhnliche Energie und Tatendrang schließen. Die Locke, die sich unvorteilhaft über die Stirnmitte windet, ist ein Zeichen für erotische Ausstrahlung und enorme sexuelle Attraktivität.›

Na ja. An diesem Morgen war mir nicht danach zumute. Ich sah aus wie ein Wischmopp, mit dem man auch gut in die Ecken kommt.

Am Briefkasten begegnete ich, schlechter kann ein Tag nicht anfangen, Frau Zappka aus dem Erdgeschoss, die gleichzeitig Hausmeisterin ist und sich für alles zuständig fühlt, besonders für das, was sie nichts angeht.

Vor zwei Monaten hatte ich eine kurze, aber laute Affäre mit dem Fahrer, der meiner Nachbarin jeden Mittag das Essen auf Rädern bringt. Zu der Zeit erwischte mich Frau Zappka, wie ich samstags um vier Uhr nachmittags versuchte, meine Post aus dem Briefkasten zu angeln. (Habe vor vier Jahren meinen Briefkastenschlüssel verloren. Seither benutze ich einen Kochlöffel, der unten mit beidseitig klebendem Klebeband umwickelt ist.)

«Na, ist wohl spät geworden, gestern Nacht», sagte eine schrille Stimme hinter mir, die mich so erschreckte, dass mir der vielversprechend aussehende Umschlag, den ich schon in greifbare Nähe heraufgezogen hatte, entglitt und wieder in den Tiefen meines Briefkastens verschwand.

«Na ja», sagte ich blöde. «Ist ja Wochenende. Kann man ja ausschlafen.»

«Sie sollten sich mal einen Schlüssel nachmachen lassen.»

Ich sagte nichts. Der vielversprechende Umschlag kam zum Vorschein. Absender waren die Gaswerke. Mist.

«Unser Haus ist ja wirklich sehr hellhörig.» Frau Zappka ließ nicht locker. Ihr Ton bekam jetzt etwas Höhnisches.

«Mmmmmh.»

«Der Sander im Zweiten hat wieder Bronchitis. Der hustet, dass bei mir im Schrank die Gläser klirren.»

«Mmmh, mmmh. Schlimm.»

«Und dieses homosexuelle Paar ganz oben. Ich habe ja nichts dagegen, aber am Wochenende kommen die nie vor vier Uhr morgens nach Haus. Und grölen im Treppenhaus, dass sogar mein Mann aufwacht, und der hat 'nen gesunden Schlaf. Na ja, na ja. Ich bin eh mal gespannt, wie lange das mit den beiden gutgeht. Weiß man ja, dass diese gleichgeschlechtlichen Beziehungen nicht von Dauer sind.»

«Mmmh ...»

«Und Sie, Frau Hübsch?»

Jetzt hatte ich eine Postkarte von Jo am Löffel kleben.

«Sie haben wohl auch wieder 'nen neuen Freund?»

Ich überflog Jos Zeilen:

«Hallo Cora-Schatz! Bekommst du noch täglich dein Essen auf Rädern? Hauptsache, was Warmes im Bauch, sach ich immer.

Har! Har! Har! Liebe Grüße aus New York!

Hab Sex im Bett und anderswo

rät dir in Freundschaft, Deine Jo»

Sehr süß. So machen wir das immer. Die letzten Zeilen unserer Briefe und Karten sind gereimt. Dabei ist Jo allerdings im Vorteil: Jo. Po. Sowieso. Irgendwo. Damenklo. Amigo. Dildo.

Auf Cora reimt sich fast gar nichts. Auf Hübsch auch nicht. Meinen besten Reim hab ich ihr von Mallorca geschrieben:

«Das Wetter geht mir an die Nieren

sogar die ganzen Putzfrauen frieren.

Wünsch mir 'nen Pulli aus Angora

mit klammen Händen grüßt

Deine Cora»

War genial. Fand ich.

«Frau Hübsch? Haben Sie einen neuen Freund? Ich hatte nur so den Eindruck. Die letzten Tage.»

Mannomann. Frau Zappka, du alte Nervensäge.

«Was? Ach so. Ja. Gewissermaßen.» Woher wusste die Schabracke von meinen erfüllten Nächten? Mir schwante Schlimmes.

«Wissen Sie, Frau Hübsch, man hört in diesem Haus ja wirklich alles. A-l-l-e-s.»

Nun, mein neuer Gefährte gehörte eben nicht zu den verklemmten, pseudomännlichen Typen, die auch im Bett nie zeigen, was wirklich in ihnen vorgeht. Ich liebte seine Lautstärke. Erstens weiß man dann als Frau immer, wann man aufhören kann, so zu tun, als würde man vor Lust vergehen. Nichts ist schlimmer als die Kerle, die plötzlich, ohne Vorankündigung fertig sind. Wie soll man denn da glaubwürdig einen Orgasmus simulieren?

Und zweitens machte es mit ihm wirklich Spaß. Rein sexuell gesehen. Ich wusste von Anfang an, dass dieser Mann nichts für Dauer war. Er verstand meine Witze nicht. Und wenn ich eines nicht leiden kann, ist es, wenn einer über meine Witze nicht lacht. Die sind nämlich gut. Meistens jedenfalls.

Zum Glück war ich an diesem Morgen blendend gelaunt und schlagfertig.

«Sie haben ja sooo recht, Frau Zappka», säuselte ich zuckersüß. «Ich höre in diesem Haus auch a-l-l-e-s. Bloß von Ihnen und Ihrem Mann höre ich nichts. G-a-r n-i-c-h-t-s. Schönen Tag noch.»

Da war die aber platt, die alte Zicke. Ha!

Aber an besagtem, schicksalhaftem Tag war ich nicht gut gelaunt, hatte die Nacht nicht mit einem grölenden Beischläfer verbracht, und auf dem Kopf sah ich so aus, wie ich mir Tina Turner vorstelle, wenn sie über Nacht von Albträumen heimgesucht wurde.

«Sie sollten sich wirklich mal einen Schlüssel nachmachen lassen», sagte Frau Zappka.

Sie kam offensichtlich vom Einkaufen und zog eine rollende Einkaufstasche hinter sich her. Um sich vor dem Regen zu schützen, trug sie eine durchsichtige Plastikhaube über dem Kopf, die mit einem Gummizug gehalten wurde und auf ihrer Stirn hässliche rote Striemen hinterlassen hatte.

«Ja, ist in Arbeit», murmelte ich. Verglichen mit Frau Zappka sah ich zwar aus wie ein hochbezahltes Model, dennoch versuchte ich, mein Gesicht hinter der Zeitung zu verbergen.

Warum tue ich mir das an? Warum dusche ich nicht, lege Make-up auf, ziehe mich ordentlich an, bevor ich die Wohnung verlasse? Verona Feldbusch, habe ich gelesen, geht nicht ungeschminkt zum Briefkasten. Und das, obschon sie es sich, im Gegensatz zu mir, wahrscheinlich leisten könnte.

Stattdessen stehe ich im fadenscheinigen Bademantel, einen Kochlöffel in der Hand, im Flur und lasse mich von einer in Plastik gehüllten Hausmeisterin demütigen. Irgendetwas läuft grundlegend falsch in meinem Leben. So viel ist sicher.

Ich ließ die Zappka einfach stehen und floh in meine Wohnung. Kaffee war alle. In der Zeitung stand unter ‹Vermischtes›, dass Carmen Koszlowski eine Rolle bekommen soll in einer Daily Soap. Das Leben ist so ungerecht.

Ich rauchte sechs Zigaretten. Und bekam Magenschmerzen. Umso besser. Ich war viel zu deprimiert, um zur Arbeit zu gehen und fünfundzwanzig Schlafsofas abzulichten. Ich wollte krank sein. Mindestens drei Tage. Ich brauchte Zeit, um mein Leben zu ordnen.

Ich wählte die Nummer meines Hausarztes. Und das Schicksal nahm seinen Lauf.

Arztpraxen sehen immer gleich aus. Ich saß im Untersuchungsraum. Rechts von mir stand eine Liege mit hellgrauem Plastikbezug und diesem übergroßen Zewa-Wisch-Und-Weg-Zeug drauf. Darüber hing ein Bild, das den menschlichen Körper von innen darstellte. Die Organe waren farbenprächtig ausgemalt und beschriftet.

Ich meine, wer würde sich so was ins Wohnzimmer hängen? Wen interessiert, wo genau die Bauchspeicheldrüse ihren Job macht? Neben dem Ultraschallgerät stand eine Skulptur. Ein Kunststoffherz, naturgetreu nachgebildet. Von blauen und roten Adern umzingelt. Äh. Ekelhaft. Ich war schlecht gelaunt. Im Bücherregal standen Werke mit Titeln wie: ‹Die dysmentionellen Funktionen der Aorta› oder ‹Der subhypertonide Patient› oder ‹Der Mastdarm, gestern und heute› oder so ähnlich.

Warum stellen sich Ärzte immer so 'n Zeug in den Schrank? Glauben sie, damit Eindruck zu schinden? Glauben sie, wir würden glauben, dass sie das alles gelesen hätten? Oder glauben sie, dass es uns beruhigen würde, zu wissen, dass sie im Falle eines akuten Mastdarmproblems ja bloß schnell unter ‹Akutes Mastdarmproblem› nachschlagen müssen?

Ich war übellaunig. Extrem übellaunig. Und es würde mir unter diesen Umständen nicht schwerfallen, bei meinem Hausarzt einen leidenden Eindruck zu hinterlassen.

«Guten Tag. Ich vertrete Dr. Bahr für die nächste Woche», sagte eine mir völlig unbekannte Stimme hinter meinem Rücken.

Auch das noch. Eine Vertretung. Wahrscheinlich

irgend so ein Veteranen-Arzt, der im Ersten Weltkrieg Unterschenkel auf Schlachtfeldern amputiert hat und jetzt von seinem Altenteil aus reaktiviert wurde. Hätte ich das gewusst. Ich wäre lieber arbeiten gegangen.

«Was haben Sie für ein Problem?» Der Weißkittel ging an mir vorbei, ließ sich auf der anderen Seite des Schreibtisches nieder und hob sein Haupt.

Er glotzte. Ich glotzte. Verging gerade eine Ewigkeit?

Mein Gehirn verabschiedete sich kurzfristig, und zu meinem eigenen Entsetzen hörte ich mich flüstern: «Dani-Schatz.»

«Nun ja, eigentlich heiße ich Hofmann. Dr. Hofmann.»

«Ja, natürlich. Entschuldigung. Ich heiße Hübsch. Cora Hübsch.»

«Ja, ich weiß. Steht in den Akten.»

«Ja, natürlich. Entschuldigung. Ich, ääh. Wie geht es Ihnen? Ich meine, geht es Ihnen wieder besser? Es tut mir so leid, was passiert ist.»

Dr. Daniel Hofmann schaute mich an. Nicht wirklich freundlich. Eher wie einen untypisch verdickten Mastdarm.

«Wissen Sie, was ich mich die ganze Zeit gefragt habe? Warum sind Sie eigentlich mit diesem Hummer in Richtung Toilette gerannt? Hat Ihnen das Ambiente nicht gefallen? Oder essen Sie Hummer aus Prinzip auf dem Klo?»

Mein Gott! Wie sollte ich das erklären? In wenigen Worten?

Ich redete um mein Leben. Und um mehr als das. Teufel auch! Dieser Mann gefiel mir. Und immerhin hatte ich schon mal Kontakt zu seinen Geschlechtsorganen gehabt.

Während ich was von ‹Putzfrau mit Stullen›, ‹Klassenkampf›, ‹Marx und die soziale Ungerechtigkeit› stammelte, betrachtete ich ihn andächtig.

Blaue Augen, dunkle Haare. So was hat man selten. Und diese Hände! Es wäre eine Sünde, wenn er mit diesen Händen nicht Klavier spielen würde. Ein paar dunkle Haare lugten unter dem Kragen seines weißen T-Shirts hervor. Das ließ auf Brustbehaarung schließen. Ich liebe Männer mit Brustbehaarung! Diese dunkle Insel auf der Brust, die sich zum Nabel hin leicht verjüngt und sich dort wieder erweitert zu einer vielversprechenden Haarverdichtung ... Nun ja.

«Es tut mir jedenfalls außerordentlich leid», beendete ich meinen verworrenen Bericht.

Er lächelte mich milde an. So, wie man einen gefährlichen Psychopathen anlächelt, der den Gutachtern im Irrenhaus versucht klarzumachen, dass er völlig normal sei.

«Vergessen wir das. Warum sind Sie heute hier, Frau Hübsch?»

Ohgottohgottohgott! Ich musste improvisieren! Magenschmerzen kamen natürlich unter diesen Umständen nicht mehr in Frage. Unmöglich der Gedanke, mir von diesem Gott, diesem Adonis, das untrainierte Bauchgewebe abtasten zu lassen.

Fieberhaft klapperte ich in Gedanken meinen Körper nach seinen vorzeigbarsten Stellen ab. Ja! Nackenverspannungen. Sehr gut. Die habe ich, seit ich einen Nacken habe, und zur Untersuchung muss man sich wohl kaum frei machen.

«Nackenverspannungen», sagte ich triumphierend. «Ich habe Nackenverspannungen.»

Was dann folgte, war das Demütigendste, was ich jemals erlebt habe. Ich musste mich bis auf die Unterwäsche ausziehen und mit abgespreizten Armen über eine imaginäre Linie balancieren. Er sagte, er wolle sehen, ob mein Becken schief stünde – aber ich glaube, er wollte sehen, wie ich in verwaschen beblümter H&M-

Wäsche mit hochrotem Kopf und abgespreizten Armen über eine imaginäre Linie balanciere. Es war entwürdigend.

Das niederschmetternde Ergebnis dieser Prozedur war, dass Dr. Hofmann eine Verkürzung meines rechten Beines um 1,3 Zentimeter diagnostizierte und mir ein Rezept über Schuheinlagen ausstellte.

«Kann ich sonst noch etwas für Sie tun?»

Ja! Ja! Sie können mir die Chance geben, alles wiedergutzumachen! Sie können mich fragen, ob ich Sie heiraten möchte! Was sollte ich tun? Was sollte ich sagen?

Hier saß ich. Tumbes, verwachsenes Trampeltier, demnächst mit orthopädischer Einlage im Schuh. Wenn ich jetzt diese Praxis verlasse, würde ich, das wusste ich genau, meines Lebens nicht mehr froh werden.

Ich dachte an Ute Koszlowski. Ich dachte an Bruce Willis. Ich dachte an Verona Feldbusch, die mal gesagt hat: «Mir ist nichts peinlich.»

Also dann. Zu verlieren hatte ich sowieso nichts mehr.

«Ja. Sie können tatsächlich noch etwas für mich tun.»

Er blickte überrascht auf. Meine Güte, war dieser Mann ein Prachtexemplar. Ich stand auf, griff über den Schreibtisch hinweg nach dem Rezeptblock und schrieb meine Telefonnummer drauf.

«Sie können mich anrufen. Bisher kennen Sie nur meine schlechtesten Seiten. Ich habe auch bessere.»

18:08

Telefon! Ach, ich fühle mich gerade so unwiderstehlich. Werde einfach nicht drangehen. Soll er mir doch auf den Anrufbeantworter sprechen. Eine Frau wie ich ist am Samstagabend nicht zu Hause.

«'tschuldige, Cora, konnte eben nicht ans Telefon gehen. Bin jetzt aber wieder erreich...»

«Hallo, Jo?!»

«Warum gehst du denn nicht gleich dran?»

«Wollte nur hören, wer's ist.»

«Ach du Scheiße. Wartest du etwa immer noch auf einen Anruf von deinem Leibarzt?»

«Na ja, nein, ja, also, nicht wirklich, ich ...»

«Sag mal, bist du nicht langsam zu alt für so was?» Jo hat eine sehr pragmatische Art. Das kann manchmal sehr hilfreich, aber unter Umständen auch recht verletzend sein.

Es ist ungefähr vier Jahre her, dass Jo zur Marketingleiterin ihrer Firma aufstieg und damit in eine Gehaltsgruppe jenseits der Neidgrenze. Der schwarze Dienst-BMW stand ihr ausgezeichnet, ebenso wie die Dolce & Gabbana-Anzüge und dieses milkywaygroße, ständig klingelnde Handy.

Innerhalb von vier Wochen fand sie ihre bevorzugte Champagnermarke heraus, wusste, wie man Totalversagern kurz und schmerzlos die Stellung kündigt und was man einem Alpha-Männchen zu antworten hat, das glaubt, eine Frau in Führungsposition sei frigide, herrschsüchtig, trage Damenbart und wolle im Grunde genommen nur mal richtig durchgevögelt werden.

«Wissen Sie», pflegte Jo dann zu sagen, «Frauen und Männer werden erst an dem Tag wirklich gleichberechtigt sein, an dem auf einem bedeutenden Posten eine inkompetente Frau sitzt.»

Ich liebe Jo. Ich bin stolz auf sie und habe an ihr gesehen, was für ein verdammtes Schicksal es sein kann, langes, lockiges blondes Haar, Körbchengröße C, einen Arsch wie Naomi Campbell und einen Verstand wie die alte Gräfin Dönhoff zu haben.

Jo ist die tollste Frau, die ich kenne, und steckt damit exakt in demselben Dilemma wie Sharon Stone, die sagt: «Mein größtes Problem ist es, einen normalen Mann zu finden.»

Und Jo findet nicht nur keinen normalen Mann. Sie findet noch nicht mal einen passenden Therapeuten. Sogar die haben Angst vor ihr. Jo hat seit einem Jahr eine Therapeutin und lebt in erotischer Diaspora. Sie wird fast immer nur von muskulösen Volltrotteln angesprochen, die nicht bemerken, dass sie bei ihr an der falschen Adresse sind.

Jo braucht einen intelligenten, souveränen Mann.

Die sind

a) selten und

b) meistens schon mit ihrer Sekretärin verheiratet.

Es ist ein Trauerspiel. Jo und ich haben darüber eine interessante Theorie entwickelt, die meines Wissens noch in keiner Frauenzeitschrift erörtert wurde:

Männer suchen sich Frauen, die zu ihren Zielen passen. Ein ambitionierter Banklehrling wird eine Frau heiraten, die auch die Gemahlin eines Vorstandsvorsitzenden werden kann. Die teuer aussieht und gerne auch einen exquisiten Beruf haben darf, den sie dann aber für die Familie und seine Karriere aufgeben kann.

Die meisten Männer haben ein Problem damit, wenn Frauen Ziele verfolgen, die nicht zu ihren eigenen passen. Das Resultat ist, dass Frauen häufig ihre Ziele ändern. Sie verzichten auf ihren Beruf, um die Kinder großzuziehen. Sie verzichten auf ihre Beförderung, weil er für seinen Job in eine andere Stadt umziehen muss.

Frauen wechseln das Ziel. Männer wechseln die Frau. So einfach ist das.

Jo hat nie ihr Ziel aus den Augen verloren, aber so manchen Mann. Ihr letzter Freund, wir nennen ihn heute nur noch Ben den Beschränkten, ging nach Süddeutschland. Er war Lehrer und wollte sich dort zum Computerfachmann umschulen lassen. «Du siehst aus wie eine Frau. Aber in Wahrheit bist du ein Mann», hatte er ihr tief gekränkt gesagt, als sie sich weigerte, ihre Stellung aufzugeben, um mit ihm nach Oberbayern zu gehen. Er ging – sie war unglücklich.

Hatte Jo in ihrer Naivität doch geglaubt, es hätte ihm nichts ausgemacht, dass sie das Fünffache seines Gehaltes verdiente. Seien wir ehrlich. Was das angeht, leben wir immer noch in der Steinzeit. Er will die Mammuts nach Hause schleppen. Sie darf daraus einen schmackhaften Eintopf kochen. Jo will ihre Mammuts selbst erlegen. Das macht sie zum Problem.

Ich bin da übrigens ganz anders. Jo gegenüber gebe ich das nur ungern zu. Aber es gibt schon Phasen, in denen ich davon träume, Haushaltsgeld zu bekommen, das Personal rumzukommandieren und ansonsten Blumenbouquets in einer Stadtvilla zu arrangieren und meinen Gatten am Abend mit zwei Kindern auf dem Arm und einer neuen Kreation von Chanel zu begrüßen.

Das darf man natürlich nicht laut sagen. Tu ich auch nicht.

«Was ist los, Cora? Träumst du gerade davon, Arztgattin zu sein und in einer Stadtvilla Blumenbouquets zu arrangieren?»

Oh. Peinlich. Ich hatte es unvorsichtigerweise anscheinend doch mal erwähnt.

«Wie wär's, wenn du bei mir vorbeikommst? Wir könnten uns Spaghetti kochen und ‹Wetten, dass ...?› gucken. Was hältst du davon? Wie in alten Zeiten?»

Ach, da wird mir ganz wehmütig ums Herz.

Ich kenne Jo schon, seit wir beide sieben sind. Damals waren die Dagelsis in unsere Straße gezogen. Am Tag nach ihrem Einzug legte ich einen in Zeitungspapier gewickelten Kuhfladen vor die Tür ihrer Eltern, zündete das Ding an, klingelte und machte mich vom Acker. Jos Vater trampelte das Feuer aus, versaute sich die Hose mit Kuhkacke, und Jo und ich wurden die besten Freundinnen.

Ich rechne es mir bis heute hoch an, dass ich mich für die Freundschaft mit einem derart gutaussehenden Mädchen entschied. Jo war schon früher eine Schönheit, und mit ihr ins Freibad zu gehen war für mich eine Angelegenheit, die sehr viel

Charakterstärke und ein gefestigtes Selbstbewusstsein verlangte. An ihrer Seite wurde ich durchsichtig. Kein Schwein guckte mich mehr an, und wenn ich zu Gesprächen etwas beizutragen versuchte, wurde ich so überrascht angestarrt, als wäre ich gerade in dieser Sekunde erst aus dem Erdboden gewachsen.

Ja, die Freundschaft mit Jo hatte mich Demut gelehrt.

«Was ist nun, Cora? Du willst doch nicht wirklich den ganzen Abend zu Hause sitzen?»

«Wollen will ich nicht. Aber ich kann, glaube ich, nicht anders.»

«Jetzt pass mal auf. Ich muss hier noch ein paar Unterlagen durcharbeiten. Wenn ich fertig bin, ruf ich dich wieder an. Entweder du gehst dann nicht ran, weil er angerufen hat und dich gerade auf dem Küchentisch vögelt. Oder du gehst ran. Und dann, schwöre ich dir, werde ich dafür sorgen, dass wir einen verdammt lustigen Abend haben.»

«Mmmmh. Weiß nicht. Wann rufst du denn ... Jo? Hallo?»

Aufgelegt. Ich wünschte, ich hätte auch ein paar Unterlagen durchzuarbeiten.

Nach meinem Besuch bei Dr. Daniel Hofmann schwebte ich wie auf Wolken. Ja! Ich hatte es gewagt. Ich war eine Heldin, so viel war schon mal klar. Egal, ob er sich melden würde oder nicht. Ich hatte mein Schicksal in die Hand genommen.

Als Erstes warf ich das Rezept für die orthopädischen Einlagen in den Müll. Dieses verkürzte rechte Bein hatte mich wacker durch dreiunddreißig Lebensjahre getragen. Und es waren gute Jahre gewesen, alles in allem.

Als Zweites versuchte ich, Jo anzurufen.

«Tut mir leid, Frau Dagelsi ist nicht im Office. Sie hat den ganzen Tag über ein Meeting», sagte ihre Sekretärin.

Office? Meeting? Wie das klingt. Sollte ich jemals in

die Situation geraten, eine Sekretärin zu beschäftigen, würde ich als erste Maßnahme wieder Deutsch als Amtssprache einführen.

Ich verbrachte den Tag in aufrechter Haltung. Ich hatte mir meine Würde zurückerobert. Ich verließ das Büro eine Stunde später als sonst und machte dann noch einen ausgiebigen Stadtbummel. Ich wollte nicht in die Verlegenheit kommen, zu Hause zu sitzen und auf seinen Anruf zu hoffen. Außerdem wirkt es sehr lässig, wenn eine Frau die Größe besitzt, einem Mann ihre Telefonnummer zu geben, und dann nicht da ist, wenn er anruft.

Und außerdem, fiel mir dann noch ein, war es ja auch gar nicht wichtig, ob er anruft. Stimmt ja. Hier ging es um die Würde der Frau. Ruf an, ruf nicht an. Ist mir doch egal. Ich bin lässig, innerlich stark.

Ich war niedergeschmettert, als mich zu Hause der Anrufbeantworter mit hämischer Doppel-Null begrüßte.

18:11

Der Anrufbeantworter hat uns Frauen eine zweifelhafte Freiheit wiedergegeben. Früher schickte der Galan seiner Angebeteten Briefe oder tauchte zu später Stunde unter ihrem Balkon auf, um ihr etwas Selbstkomponiertes zu Gehör zu bringen. Das heißt: Dame musste warten, um ihn nicht aus Versehen zu verpassen.

Dann gab es eine ungünstige Zeit von circa siebzig Jahren, wo es zwar das Telefon gab, aber keine Anrufbeantworter. Das heißt: Dame musste warten, um ihn nicht zu verpassen. Es sei denn, sie hatte, wie zu den Anfängen der Telekommunikation üblich, ein Hausmädchen, das die eingehenden Gespräche annahm und somit die Funktion eines Anrufbeantworters innehatte.

Ich weiß noch, wie ich vor etwa zwanzig Jahren auf einen Anruf wartete. Jakob Rödder, unser anbetungswürdiger Klassensprecher, hatte mir in Aussicht gestellt, mich eventuell zu einem Eishockeyspiel mitzunehmen.

Natürlich gab es in unserem Haushalt weder einen Anrufbeantworter noch ein schnurloses Telefon. Der vorsintflutliche Apparat, mit einem unerhört leisen Klingeln und einem Hörer, der in etwa so viel wog wie eine Lammschulter mit Knochen, stand im Flur. Das heißt, ich konnte mich weder in meinem Zimmer aufhalten noch laut Musik hören noch Fernsehen gucken noch baden noch duschen noch im Keller nach Schokolade suchen.

Ich war dazu verdammt, den Nachmittag in dem zugigen Flur zu verbringen. Auch, um meinem Vater zuvorzukommen.

Wie in allen klassisch strukturierten Familien hatte mein Vater als Ernährer gleichsam die Oberhoheit über den Fernseher und das Telefon. Die Emanzipation steckte noch in den Kinderschuhen, und als Familienoberhaupt war mein Vater sozusagen der alleinherrschende Anrufbeantworter unserer Kleinfamilie. Und ich hatte ihn im Verdacht, Nachrichten nicht nur zu speichern und wiederzugeben, sondern auch auf unpassende Weise zu kommentieren.

Dafür mag man nun Verständnis haben. Ich bin Einzelkind. Und der einzigen Tochter gegenüber entwickeln Väter wohl häufig einen gutgemeinten, aber in seinen Auswirkungen fatalen Beschützerinstinkt.

Ich kann nichts beweisen, aber ich glaube, dass er über Jahre hinweg meine Verehrer, teilweise schon bevor sie meine Verehrer werden konnten, am Telefon verschreckte. Aufgeschnappte Gesprächsfetzen kommen mir in den Sinn:

«Was willst du denn mal werden?»

«Was, Sie wollen nicht zur Bundeswehr?»

«Was meinen Sie damit, Sie wollen nach der zehnten Klasse abgehen?»

Aus diesem Grund hatte ich mir einen Klappstuhl neben das Telefontischchen gestellt (um die Rechnung so überschaubar wie möglich zu halten, hatten meine Eltern die direkte Umgebung des Telefons so ungemütlich wie möglich gestaltet), hatte mein Tagebuch auf die Knie gelegt und etwa eine Stunde damit verbracht, pubertäre Gedichte über die Liebe zu schreiben.

Aber damals war ich in der Kunst des Wartens noch nicht so bewandert wie heute. Vielleicht lag es auch daran, dass ich einfach noch nicht genug Frauenratgeber gelesen hatte, die meine weibliche, kindliche, unverbildete Impulsivität hemmten.

Jedenfalls hatte ich nach fünfundsiebzig Minuten keine Lust mehr. Ich wählte Jakob Rödders Nummer, um ihm zu sagen, dass ich in der letzten Stunde ununterbrochen telefoniert hätte und er ja sicher mehrmals vergeblich versucht habe, mich zu erreichen. Jakob war nicht zu Hause. Aber seine Mutter, ein aktives Mitglied der Elternpflegschaft, war am Apparat. Sie fragte mich, was ich denn mal werden wolle. Ich nehme an, Jakob war Einzelkind. Aus der Sache ist dann irgendwie nie was Richtiges geworden.

Heute, wie gesagt, hat sich die Phänomenologie des Wartens durch die Abwesenheit von behütenden Elternteilen und die Anwesenheit von Anrufbeantwortern und schnurlosen Telefonen dramatisch verändert. Und zwar sowohl für den Wartenden als auch für den, der auf sich warten lässt.

Es ist auf der einen Seite sehr beruhigend zu wissen, dass man immer erreichbar ist. Wie jetzt zum Beispiel.

Ich liege auf dem Sofa (ich liebe mein Sofa, es ist mit einem

Zebrastoff bezogen und so groß wie ein Asylantenheim). Ich höre sehr laut Barry White «*Never gonna give you up, never ever gonna stop. I like the way I feel about you. Girl I just can't live without you!*» Wenn man sich auf die Stimme konzentriert und verdrängt, dass Barry White ein unglaublicher Fettsack ist, ist diese Musik wie ziemlich guter Sex.

Gleichzeitig läuft der Fernseher ohne Ton (Barbara Eligmann gefällt mir gut, ohne Ton).

Ich blättere in einer alten ‹BRIGITTE›-Ausgabe (‹Schlank werden, schlank bleiben: Wir haben's geschafft! Vier Erfolgsstorys›).

Ich esse Mini-Dickmann's. ‹Schokoladen-Schaumküsse aus der Frischebox›. Ich find's ja albern, dass man nicht mehr Negerkuss sagen darf. Raider hieß auf einmal Twix, Leningrad wieder St. Petersburg und Karl-Marx-Stadt wieder Chemnitz. Ich meine, wer soll sich denn da noch auskennen? Gibt es eigentlich noch Serbische Bohnensuppe?

Und während ich all diese Dinge tue, liegt mein Telefon in Hör- und Reichweite auf dem Sofakissen, gleich neben meinem Ohr.

Ich könnte jetzt sogar Zigaretten holen gehen. Mein Anrufbeantworter würde tapfer Wache halten. Andererseits wäre er auch der gnadenlose Beweis dafür, dass niemand in meiner Abwesenheit versucht hat, mich zu erreichen. Das ist wiederum sehr kränkend. Früher konnte man sich zumindest noch einbilden, das Telefon habe in dieser Zeit unausgesetzt geklingelt.

Außerdem, und jetzt kommt ein wirklich wichtiger Punkt: Wer sagt mir, dass der Anrufer, in diesem Falle Dr. Daniel Hofmann, überhaupt eine Nachricht hinterlassen würde?

Das würde ich mir an seiner Stelle zweimal überlegen. Das hieße ja, sämtliche Trümpfe aus der Hand zu geben. Dann wäre er schlagartig der Wartende. Müsste auf meinen Rückruf hoffen, ohne zu wissen, ob ich überhaupt an einem weiteren Kontakt interessiert bin. Was für eine Überwindung!

Es ist sehr verzwickt. Solange die jeweiligen Standpunkte nicht eindeutig geklärt sind.

Ich hatte meinen Standpunkt jedenfalls fürs Erste ziemlich klargemacht, als ich meine Nummer in der Praxis hinterließ. Und mit jeder Stunde, die verging, hatte ich immer weniger das Gefühl, eine Heldin zu sein. Um Mitternacht ging ich ins Bett mit der Gewissheit, mich total blamiert und zum völligen Affen gemacht zu haben.

Erst am nächsten Vormittag rief Jo mich zurück. Ich war gerade im Studio und versuchte, einem Resopal-Beistelltisch («Ihr funktionaler Helfer in Haushalt und Büro») fotografisch einen Hauch von Würde zu verleihen. Von meiner Würde war bis dahin nichts mehr übrig geblieben.

«Cora, es ist da was Komisches passiert.» Jo klang seltsam verdruckst. Sonst gar nicht ihre Art.

«Was'n los?» Ich hatte im Moment wirklich genug eigene Probleme. Akuter Selbstwertverlust, begleitet von rasanter Beinverkürzung.

«Als ich gestern Abend nach Hause kam, hatte ich eine Nachricht auf Band.»

Die Glückliche. Ich nicht.

«Irgendein Daniel. Will sich mit mir verabreden. Kenne den Mann gar nicht.»

Was? Wie? Wieso? Daniel? Mein Dr. Hofmann? Ruft meine beste Freundin an? Ich fiel fast um, wo war der Boden unter meinen Füßen? Unglaublich harter Schicksalsschlag.

Ich bemühte mich um Contenance. Ich durfte Jos

Glück nicht im Wege stehen. Ganz klar. Da hatte ein Mann meine Nummer auf dem Schreibtisch liegen und sich stattdessen die Mühe gemacht, Jos Privatnummer, die über Auskunft gar nicht zu kriegen ist, herauszufinden.

Ich fühlte mich unschön an unsere Jugendzeit erinnert. Wer war in unseren Philosophielehrer verliebt gewesen? Ich. Wer hatte mit unserem Philosophielehrer geschlafen? Jo!

Aber das Schlimmste war die Sache mit Jörg gewesen. Ich hatte diesen Jungen angebetet. Ich war dreizehn, er siebzehn und nur zwei Klassen über mir, weil er zweimal sitzengeblieben war. Irgendwann rief er mich an – mein Vater war zum Glück nicht zu Hause – und fragte, ob wir uns nicht kurz treffen könnten. Ich schwebte zum Treffpunkt, sah freudig meiner Entjungferung entgegen, und was tat Jörg? Jörg überreichte mir einen Brief mit der Bitte, ihn an Jo weiterzuleiten.

Was besonders demütigend gewesen war: Jo hatte überhaupt kein Interesse an Jörg. Das empfand ich als die schlimmste Kränkung, dass Jo es sich erlauben konnte, einen Jungen abzuweisen, den ich nicht haben konnte.

Die Zeiten hatten sich nicht geändert. Wie hatte ich nur annehmen können, ein Mann, der mich neben meiner strahlend schönen, blonden Johanna gesehen hatte, könne sich von ihr unbeeindruckt zeigen und sich für mich interessieren? Bitter. Katastrophe. Glasklare Niederlage. Ich hatte nicht nur gegen Ute Koszlowski, nein, ich hatte gegen meine beste Freundin verloren.

Kann eine Frau mit so einer Schande weiterleben?

Ich denke nein.

Ich rang um Fassung.

«Bist du zu Hause? Ja? Dann spiel mir doch mal die Nachricht vor.» Igitt. Wie klein ich war. Wie masochistisch veranlagt. Streute mir selbst Salz in die Wunde. Aber ich wollte nicht, dass Jo Verdacht schöpfte. Meine Zukunft war soeben in sich zusammengefallen, jetzt musste ich Größe zeigen und meiner Freundin mein zerbrochenes Glück in die Hände legen.

«Augenblick.» Ich hörte, wie Jo ihr Band zurückspulte. «Jetzt kommt's.»

«Guten Tag. Sie haben die richtige Nummer, aber den falschen Zeitpunkt gewählt. Bitte hinterlassen Sie eine Nachricht nach dem Signalton. Peep.»

«Ja, äh, guten Abend. Daniel Hofmann hier. Ich würde gerne Ihre guten Seiten kennenlernen. Rufen Sie mich an, wenn Sie tatsächlich welche haben. Meine Nummer ist 32 06 75.»

Was? Wie? Wieso? Gute Seiten? Das habe ich doch? Das ist doch? Wie kann das? Hä?

«Was sagst du, Cora? Woher hat der Kerl überhaupt meine Nummer?»

Ja, woher? Und wieso überhaupt? Und ...? In diesem Moment begriff ich. Und brach in hysterisches Freudengeheul aus.

«Hast du noch alle beisammen? Cora? Kannst du mir mal erklären, was hier los ist?»

Als ich nach etlichen Minuten mädchenhaftestem Gekreische wieder in der Lage war, mich zivilisiert mitzuteilen, berichtete ich Jo von meiner Begegnung mit Dr. Daniel Hofmann. Von meiner Demütigung. Von meiner Beinverkürzung. Von meiner Heldentat. Und dass ich in meiner Aufregung nicht meine, sondern Jos Nummer auf das Rezept geschrieben hatte.

Eine verzeihliche Fehlleistung, wie ich finde. Schließlich rufe ich mich selbst nie an. Und Jos Nummer wähle ich ungefähr fünfmal am Tag und könnte sie ohne Zögern aufsagen, selbst wenn ich gerade in den Presswehen läge.

Ja! Ja! Jaaa! Der Sieg war mein. Ute Carmen Koszlowski, mach dich auf was gefasst! Cora Hübsch hat gerade ihren ersten Schritt zur Selbstverwirklichung getan!

Ich verabredete mich für den Abend mit Jo, um die weitere Vorgehensweise zu besprechen. Ab jetzt musste jede Maßnahme sorgfältig geplant werden.

18:17

Befinde mich in einer Phase akuter und schmerzhafter Verliebtheit. Darf mich auf keinen Fall gehenlassen.

Verliebtsein ist Marketing. Wenn du irgendwann geliebt wirst, dann kannst du so sein, wie du bist. Aber bis dahin musst du bestimmte Spielregeln einhalten, um dich für die zweite Runde zu qualifizieren.

Und eine dieser Spielregeln lautet ganz klar: Nach dem ersten Sex rufst du ihn nicht an. Nie. Unter keinen Umständen. Und zu dieser Regel gibt es keine Ausnahme.

Männer sind binär strukturierte Wesen. Das macht es einfach, mit ihnen umzugehen. Vorausgesetzt, man behält einen klaren Kopf.

Wichtig ist, Folgendes zu bedenken:

a) Für den Mann ist der erste Sex mit einer Frau wie ein Geschenk. Ein Geschenk von ihr. Deswegen bedanken sich etliche Männer nach dem Sex.

b) Aus a) folgt zwingend, dass der Mann findet, er sei jetzt an der Reihe. Er gibt zurück, indem er anruft, Rosen schickt, unangemeldet vor der Tür steht. (Gute Güte! Hoffentlich kommt Daniel nicht auf die Idee, mich spontan heimzusuchen. Muss für diesen Fall Vorbereitungen treffen! Muss sofort Badewasser einlassen und mein Epiliergerät aufladen!)

Ein Mann fühlt sich seiner Männlichkeit beraubt, wenn eine Frau ihm zuvorkommt. Die Stunden oder Tage, die zwischen dem ersten Sex und seinem nächsten Anruf liegen, sind die einzige Zeit, in der das Männchen Herr der Lage ist.

c) Erschwerend kommt hinzu: Nach dem ersten Sex wissen Frauen meist genau, was sie wollen. Alles oder nichts. Um ehrlich zu sein, wissen sie es bereits nach dem ersten Kuss. Aber manchmal kommt man aus der Nummer einfach nicht mehr raus. Männer empfinden Freiheit als einen Wert an sich, den einsamen Wolf als Ideal vom Mannsein. Deswegen brauchen sie mehr Zeit, sich zu entscheiden.

18:19

Huh! Gleich halb sieben! Verdammt nochmal, wie viel ist mehr Zeit? Werde Big Jim anrufen. Er heißt natürlich nicht wirklich Jim. Er heißt Burkhardt Matz. Jo und ich nennen ihn so, seit er uns anvertraute – er hatte Liebeskummer und ungefähr eine halbe Flasche Pernod getrunken –, dass er als Kind im Werkunterricht für seine ‹Big Jim›-Puppe eine Badehose gehäkelt hat.

Big Jim ist in vielerlei Hinsicht ein untypischer Mann. Er schreibt zum Beispiel gerne Briefe. Seine Briefe sind die einzigen, die ich aufbewahre. Sie sind wunderschön. Es ist zwar so, dass in seinem Leben nicht sehr viel passiert – er ist seit drei Jahren Single und schreibt, glaube ich, in etwa ebenso lange an seiner Magisterarbeit –, aber das, was nicht passiert, kleidet Big Jim in sehr ergreifende Worte. Er verliebt sich häufig und erzählt mir dann am Telefon so rührende Dinge wie: «Ach Cora, du solltest sehen, mit welch einer Anmut sie ihr Haar in den Nacken schiebt.»

Oder: «Wenn sie liest, bildet sich auf ihrer Stirn, zwischen den Augen, eine kleine Falte. Dann sieht sie so ernst aus, dass ich sie leicht rütteln möchte, um sie ans Lächeln zu erinnern.»

Manchmal frage ich mich, ob es wohl jemanden gibt, der mich genauso aufmerksam und liebevoll betrachtet. Ohne, dass ich davon weiß? Ist irgendjemand da draußen verzaubert von der Art, wie ich mir manchmal mit den Fingerknöcheln über den Hals streiche? Das tue ich nämlich. Zu Anfang habe ich es bewusst getan, weil ich mal gelesen habe, dass man damit einem Doppelkinn vorbeugen kann. Jetzt tue ich es, ohne darüber nachzudenken.

Gibt es jemanden, der heimlich vergeht, wenn er sieht, wie ich mittags in der Kantine Spätzle mit Soße esse? Ich glaube, dass ich dabei nämlich sehr zufrieden aussehe.

Gibt es einen, der sich aus der Ferne in mich verliebt, wenn er mich lachen hört? Ich lache ziemlich laut. Und weil ich sowieso einen breiten Mund habe, wird der dann noch breiter und spaltet mein Gesicht in zwei Hälften.

Big Jim und ich haben eine eigenartige Beziehung. Wir sind nicht verliebt ineinander, aber wir sehen es auch nicht wirklich gerne, wenn der andere sich verliebt. Wir haben dann Angst, alleine zu bleiben. Weil, Single zu sein ist gar nicht so übel, wenn man andere Singles zu Freunden hat, mit denen man darüber fachsimpeln, jammern oder jubeln kann. Jeder, der diesen trauten Kreis von Alleinstehenden verlässt, macht die Übriggebliebenen nervös. Denn irgendwann ist man vielleicht alleine übrig geblieben. Und das macht dann wirklich keinen Spaß mehr.

18:20

«Matz?»

«Sag mal, Big Jim, wie lange lässt du die Mädels warten?»

«Hä? Cora? Wo bist du? Was ist los? Was ist das für ein Rauschen in der Leitung?»

«Ich liege in der Wanne, nehme ein Entspannungsbad und lasse gerade heißes Wasser nachlaufen. Hör zu, ich muss die Wahrheit wissen. Wenn du Sex mit einer Frau hattest, wie lange wartest du, bis sie das nächste Mal anrufst?»

«Wenn ich jemals wieder Sex mit einer Frau haben sollte, werde ich sie noch in derselben Nacht fragen, ob sie mich heiraten will.»

«Sag doch mal im Ernst.»

«Gutaussehend? Blond? Vollbusig?»

«Mach keine blöden Scherze.»

«Okay. Mmmm. Also beim letzten Mal, das weiß ich noch genau, habe ich ihr am nächsten Abend einen Strauß Rosen gebracht. Außerdem hatte ich einen Picknickkorb dabei, um sie spontan in den Park zu entführen.»

«Und?»

«Ach weißt du, ich glaube, sie fühlte sich etwas überrumpelt.»

«Das kann ich mir vorstellen. Wahrscheinlich hatte sie gerade eine Gesichtsmaske aufgetragen.»

«Nein, das nicht. Im Gegenteil, sie sah hinreißend aus. Außerdem hatte sie so eine reizende Art, sich am Ohrläppchen zu zupfen, wenn sie nervös wurde. Sie schob sich dann ihr Haar in den Nacken, und ...»

«... und, was wurde nun aus euch und eurem Picknick?»

«Weder aus uns noch aus dem Picknick ist etwas geworden. Sie hat mich noch an der Wohnungstür abgewimmelt und gesagt, sie hätte gerade Besuch. Dabei konnte ich den Fernseher hören. Na ja. Ich habe ihr dann noch dreimal auf Band gesprochen. Sie hat nie reagiert.»

«Du Armer. Aber so eine Frau wäre eh nichts für dich gewesen.»

«Ach was. Und was für eine Frau, bitte schön, wäre was für mich? Aber lass uns jetzt nicht mit diesem Kram anfangen. Du willst also wissen, wie lange du noch warten musst?»

«Ja. Nein. Also jetzt mal nur rein theoretisch.»

«Klar.»

«Und, Jim ...»

«Ja?»

«Dieser Typ, also dieser theoretische Typ, der ist nicht so wie du. Verstehst du? Der ist eher so ein typischer Mann.»

«Verstehe. Also ein egozentrischer Mistkerl, karrierebewusst, mit null Einfühlungsvermögen, dem die Frauen scharenweise nachlaufen?»

«Mmmh. So ungefähr.»

«Vielleicht bin ich in dieser Sache nicht ganz der richtige Ratgeber. Aber warte mal. Klaus und Hannes sind gerade bei mir. Nimm du dein Entspannungsbad. Ich werde das Thema mit den beiden erörtern. Schalt dein Fax ein. Wir schicken dir gleich ein Statement von zwei bis drei erfahrenen Männern nach Hause. Hast du Lust, später noch mit in die Max-Bar zu kommen?»

«Äh, nun ja, ich hab wahrscheinlich noch was vor. Aber wenn nicht, dann kann ich ja nochmal ...»

«Verstehe, verstehe. Ruf mich an, wenn er sich nicht meldet.» Er kichert, der Idiot, und im Hintergrund prosten ihm seine versoffenen Kumpels zu.

«Blödmann. Ich leide.»

«Natürlich. Alles klar. Du leidest, weil du leiden willst. Wenn du nicht unglücklich sein kannst, bist du nicht glücklich.»

«Wie? Was? Was willst du damit sagen?»

«Ach nichts. Vergiss es. Ich verspreche dir, wenn wir jemals Sex haben, werde ich dich gleich am nächsten Tag anrufen. Bleib so, wie du bist.»

«Ich will aber nicht so bleiben, wie ich bin!»

«Eben.»

Aufgelegt. Sackgesicht. Das ist mal wieder total typisch. Männer können die vielschichtige weibliche Charakterstruktur einfach nicht begreifen. Noch nicht mal einer wie Big Jim. Ich bin reflektiert und verschließe meine Augen vor Problemen nicht. Schon gelte ich als launische Zicke.

Sascha zum Beispiel. Der kam grundsätzlich mindestens eine halbe Stunde zu spät zu unseren Verabredungen. Als ich ihn, wie ich fand, freundlich, aber bestimmt darauf ansprach, hieß es gleich, ich solle doch jetzt kein Problem daraus machen.

Was heißt denn kein Problem daraus machen! Es ist ein Problem, wenn man von 20 Uhr bis 20 Uhr 45 nur mit Strapsen bekleidet in der Wohnung rumlungert und der Sekt in den Gläsern allmählich seine Kohlensäure verliert, bis er aussieht wie eine Urinprobe. Das macht doch keinen Spaß! Da wird man doch mal was sagen dürfen!

Ach, ich reg mich schon wieder auf. Von wegen Entspannungsbad. Bin außerdem schon viel zu lange in der Wanne, meine Haut ist so schrumpelig, wie sie es in zwanzig Jahren auch ohne Einweichen sein wird.

Beim nächsten Mal überließ ich nichts dem Zufall. Ich hatte Dr. Daniel Hofmann zwei Tage lang zappeln lassen – das heißt, ich hoffte, dass er in dieser Zeit zappeln würde –, ehe ich ihn zurückrief. Den Zeitpunkt meines Anrufes hatte ich strategisch perfekt gewählt: Donnerstag um 20 Uhr 18.

Die Uhrzeit erweckt, nach meiner Berechnung, folgenden Eindruck:

1. Cora Hübsch ist eine an Weltgeschehen und Politik interessierte Frau. Die Tagesaktualität ist ihr Steckenpferd. Sie hält sich auf dem Laufenden und hat sicherlich interessante Ansichten über den Euro und seine Auswirkungen auf das Gefüge der europäischen Staatengemeinschaft.

Nichts kann Cora Hübsch davon abhalten, um 20 Uhr die ‹Tagesschau› zu sehen. Wahrscheinlich geht sie zwischen 20 und 20 Uhr 15 nicht ans Telefon.

2. Cora Hübsch hat kein Interesse an seichter Ablenkung und oberflächlicher Unterhaltung. Sie verbringt ihre Abende, wenn sie denn mal zu Hause ist, mit dem intensiven Studium anspruchsvoller Literatur.

‹In the Line of Fire› mit Clint Eastwood, ‹Sylvia – Eine Klasse für sich› mit Uschi Glas, ‹Meine Tochter ist der Sohn meiner toten Mutter› auf SAT 1 – banale TV-Spektakel ohne Cora Hübsch. Wahrscheinlich hat sie nicht einmal eine Programmzeitschrift.

3. Cora Hübsch ist eine souveräne Frau. Sie ruft an einem Donnerstag an. Andere Frauen würden fürchten,

dass das so aussehen würde, als hätten sie am Wochenende noch nichts vor. Cora Hübsch hat höchstwahrscheinlich am Wochenende sehr viel vor. Und wenn nicht, ist es einer selbstbewussten Frau wie ihr egal.

Um 20 Uhr 18 war ich bestens vorbereitet. Natürlich hatte ich auch an eine angemessene Hintergrundbeschallung gedacht. Jo hatte die neue CD von Van Morrison vorgeschlagen. Fast alle Männer lieben Van Morrison. «Er singt, wie wir fühlen», hatte mal ein Ex-Freund von Jo erklärt. «Ach was», hatte sie daraufhin ehrlich überrascht geantwortet, «ich dachte, Van Morrison macht anspruchsvolle Musik?»

Ich hatte mich gegen Van Morrison und für den Deutschlandfunk entschieden. Ich musste schließlich nicht nur einen Akademiker beeindrucken, sondern gleichzeitig eine rothaarige Schlampe aus dem Feld stechen. Ute Koszlowski mochte schön sein. Sie mochte Kleidergröße 38 tragen. Mochte sie doch bei RTL so viele Oberschwestern spielen, wie sie wollte!

Ich würde Dr. med. Daniel Hofmann durch meine Intellektualität gewinnen.

20 Uhr 18. Im Deutschlandfunk lief gerade ein Wortbeitrag zum Thema ‹Die Dichtung Heinrich Heines›.

Meine Zeit war gekommen.

«Hofmann?»

«Hallo? Hier ist Cora Hübsch.»

«Wie hübsch.»

Ach nee. Also wirklich. Den Scherz hatte ich in meinem Leben ein paarmal zu oft gehört.

«Den Scherz habe ich in meinem Leben schon ziemlich oft gehört», sagte ich. Cool.

«Nun ja. Bietet sich an. Hören Sie die Musik da bei Ihnen freiwillig?»

Was? Wie? Verdammter Mist. Wer kann denn ahnen, dass die beim Deutschlandfunk ihre anspruchsvollen Sendungen mit Gesangseinlagen von kurdischen Freiheitskämpfern unterbrechen?

«Oh! Nein. Das ist Radio. Ich mach mal leiser. Wie geht es Ihnen? Was machen Sie gerade?» Das hatte ich mir vorher überlegt.

Interessiert. Persönlich. Locker.

«Ich schaue gerade ‹In the Line of Fire›. Guter Film. Mit Clint Eastwood. Kennen Sie den?»

Ups.

«Nein. Ich schaue eigentlich selten Fernsehen.»

Überlegen. Intellektuell. Lässig.

«Ach? Ich liebe Fernsehen. Ich esse sogar vorm Fernseher.»

Ups. Genau wie ich, aber jetzt nicht vom Kurs abbringen lassen.

«Das ist ungesund. Man soll immer nur eine Sache tun und sich völlig darauf konzentrieren. Face your food – diese Regel habe ich von einem indischen Weisen gelernt.»

Gebildet. Überlegen. Weise. International.

«Ich weiß. Das letzte Mal, als ich mich aufs Essen konzentrieren wollte, wurde ich über den Haufen gerannt.»

Was sollte ich dazu sagen? Lieber Gott! Bis vor drei Minuten war ich eine für ihre Schlagfertigkeit anerkannte Frau gewesen! Wo war mein Temperament geblieben? Wo meine Phantasie? Wo mein deutscher Wortschatz?

«Ich weiß und möchte das wiedergutmachen. Darf ich Sie zu einem Essen einladen? Mit dem Versprechen, dass Sie den Abend unverletzt hinter sich bringen werden?»

Ahh! Das war gut. Humorvoll. Selbstironisch.

«Gern. Wann haben Sie Zeit?»

Das war nun der entscheidende Augenblick. Wann hatte ich Zeit? Darüber hatte ich mir selbstverständlich bereits Gedanken gemacht. Heute war Donnerstag. Das Wochenende war natürlich tabu. Ich würde ihm den kommenden Mittwoch vorschlagen. Ein guter Tag. Ein lässiger, emanzipierter Termin. Ich hörte mich sagen:

«Wie wär's mit morgen Abend?»

Hatte ich das wirklich ausgesprochen? Was war in mich gefahren? Meine Worte hingen schwer und bedrohlich in der Luft.

«Tut mir leid. Am Wochenende geht's nicht. Wie wär's mit Mittwoch kommender Woche?»

Shit. Shit. Shit.

«Mittwoch? Augenblick.» Ich blätterte vielsagend in der Programmzeitschrift.

«Mittwoch ginge. Allerdings erst so gegen neun.»

Gut. Hatte mit einem eleganten Schlenker meine Würde zurückerobert.

«In Ordnung. Wohin wollen Sie mich ausführen?»

Darüber hatte ich selbstverständlich bereits lange nachgedacht.

«Ich werde einen Tisch im ‹Uno› reservieren. Kennen Sie das?»

Ich finde, mit einem Italiener der gehobenen Mittelklasse kann man nichts falsch machen. Ich war einmal mit Jo im ‹Uno› gewesen. Lässige Leute. Gutes Essen. Und Kellner, an deren Arroganz man gleich merkt, dass man sich in einem angesagten Szene-Laden befindet.

«Kenne ich. Um neun?»

«Um neun.»

«Schön. Ich bin gespannt auf Ihre guten Seiten.»

«Ich auch. Bis dahin.» Ich legte auf und wusste, dass ich eine harte Woche vor mir hatte.

Allmächtiger! Sind das Schmerzen! Was soll das blöde Gerede? Männer sollen froh sein, dass sie weder ihre Tage noch Kinder bekommen müssen.

Männer sollen froh sein, dass sie sich nicht die Beine epilieren müssen! Ich habe noch kein Kind auf die Welt gebracht – aber ich bin sicher, dass ich das mit links hinkriegen werde. Schließlich überstehe ich alle vier Wochen eine Beinenthaarung.

Urgh. Diese Schmerzen! Davon macht man sich ja keinen Begriff. Das Gerät an sich sieht harmlos aus und ist in etwa so groß wie eine Tafel Ritter-Sport-Trauben-Nuss.

Ich habe es vor einem Jahr gekauft. Der Verkäufer zeigte mir eine Reihe von Epiliergeräten. Der Mann trug ein Toupet und war auch ansonsten irgendwie verklemmt.

«Dieses hier», sagte er und hob eine o.b.-blaue Verpackung hoch, «ist ganz neu auf dem Markt. Damit können Sie nicht nur die Haare an den Beinen entfernen. Es eignet sich auch für die Epilation der Achseln und der Bikinizone.» Dabei wurde er so rosarot im Gesicht, als hätte er etwas Unanständiges gesagt.

Bikinizone? Woran denkt der denn? Reicht bei seiner Frau etwa die Bikinizone bis zu den Kniescheiben?

«Dieses neuartige Gerät ist mit einem Super-Sanft-System ausgestattet. Es verursacht kaum unangenehme Gefühle und ist insofern auch für, äh, sensiblere Hautpartien durchaus, äh, vorgesehen.»

Meine Güte, der arme Mann. Er wand sich, als hätte ich von ihm verlangt, mir die Vorzüge von noppenbeschichteten Dildos zu erklären. Ich kaufte das Super-Sanft-Ding, sechs Wochen Rückgabegarantie, und ließ den beschämten Toupettträger hinter mir.

Zu Hause studierte ich erst mal aufmerksam die Gebrauchsanweisung. Das mache ich normalerweise nicht, wenn ich mir ein elektrisches Gerät kaufe. Das ist der Grund, warum ich bis heute noch nicht mit meinem Videorecorder aufnehmen kann. Ich kenne allerdings niemanden, der das kann. Diesmal allerdings, wo es um meinen Körper, meine Haare, meine Schönheit ging, nahm ich mir viel Zeit dafür.

«Während der Epilation entspannt das Super-Sanft-System Ihre Haut wie durch eine Massage. Das Zupfgefühl der Epilation

wird unterdrückt (Abb. 1). Dadurch ist die Epilation kaum spürbar. Nach der ersten Anwendung des Gerätes können Sie ein leichtes Unbehagen empfinden, weil die Haare an der Haarwurzel entfernt werden. Das geht nach wenigen Anwendungen vorüber.»

Wenn die Gebrauchsanweisungen für Videorecorder genauso schlampig geschrieben sind, wundert es mich nicht, warum ich niemanden kenne, der mit seinem Videorecorder aufnehmen kann.

‹Leichtes Unbehagen› – dass ich nicht lache. Genauso könnte man sagen, die Entfernung eines Blinddarms ohne Narkose würde bloß ein wenig ziepen. Dennoch empfand ich meine erste Epilation als eine Art Erwachsenwerden. Ähnlich dem Tag, an dem ich zum ersten Mal eine Putzfrau für meine Wohnung engagierte.

Das sind die geheimen Initiationsriten im Leben einer heranwachsenden Frau: Menstruation. Geschlechtsverkehr. Sich im Restaurant über das Essen beschweren. Putzfrau anheuern. Erstmaliges Überziehen des Dispokredits. Beinenthaarung. Geburt. Mit einem fünfzehn Jahre jüngeren Mann schlafen. Mit zwei fünfzehn Jahre jüngeren Männern gleichzeitig schlafen. Scheidung.

Aber ich schwöre bei Gott: Keine Scheidung kann so wehtun wie eine gründliche Epilation. Nicht mal eine Scheidung nach dem Super-Sanft-System.

18:28

Willkommene Unterbrechung der Epilation. Faxgerät rattert im Arbeitszimmer. Mal sehen, was sich Big Jim und seine Saufkumpane zu meinem Problem haben einfallen lassen.

Das Fax erbricht ein krakelig beschriebenes Stück Papier. Woran liegt es eigentlich, dass kein Mann, den ich kenne, eine ordentliche Handschrift hat? Die meisten können sich schon innerhalb eines einzigen Wortes nicht entscheiden, ob sie es jetzt in Schreibschrift oder in Druckbuchstaben zu Papier bringen wollen. Hinzu kommt, dass auch der Inhalt männlicher Briefe meist unterentwickelt ist.

Ich habe von Männern in meinem Leben drei handgeschriebene Faxe bekommen. Zwei davon konnte ich nicht entziffern. In dem dritten stand: «Hallo Cora! Habe meine Euro-Schecks vergessen. Sind in meinem schwarzen Blouson. Bitte um Nachsendung unter obiger Adresse.»

Das war nicht nur beleidigend unpersönlich, sondern auch grammatikalisch missverständlich ausgedrückt. Ich habe dem Absender den schwarzen Blouson geschickt, nicht ohne vorher die Taschen zu entleeren.

Hier die Zeilen von meinem Freund Big Jim:

Hallo allerliebstes Coralein!

Wir haben lange über deine Frage diskutiert. Hier die ultimative Antwort:

Normalerweise ruft ein Mann eine Frau, mit der er zum ersten Mal Sex gehabt hat, drei Tage später an. Im Regelfall am Abend. Ruft er sie vorher an, ist er eine Memme oder uneingestandener Homosexueller, der nach einem Mutterersatz sucht.

Spätestens ruft er sie an dem auf den Geschlechtsverkehr folgenden Wochenende an. In dem Fall, dass der intime Kontakt an einem Freitag, Samstag oder Sonntag stattgefunden hat, kann er sich auch bis zum nächsten Freitag oder Samstag Zeit lassen.

Wenn zwischen dem Sex und dem nicht erfolgten Anruf
a) ein Wochenende
oder
b) drei Wochentage liegen,
dann kannst du
a) die Sache vergessen und dir einen Neuen suchen
oder
b) ihn anrufen.
Wenn du ihn anrufst, hast du zwei mögliche Zielsetzungen:
1.) Ihn doch noch für dich zu gewinnen. Die Erfolgsquote

liegt bei 0,5 Prozent. Er wird dir von seinem vollen Terminkalender vorquatschen und sagen, dass er in den nächsten dreieinhalb Jahren leider sehr wenig Zeit hat. Lass es also, es lohnt den Aufwand nicht, und du fühlst dich nachher total beschissen. Du fühlst dich zwar sowieso total beschissen, aber hier geht es um Nuancen.

2.) Du rufst ihn an, um ihm zu sagen, was für ein blödes Arschloch er ist, und um deinen Ärger loszuwerden. Die Erfolgsquote liegt bei 98 Prozent. Du machst deinem Frust Luft und entlastest deinen Freundeskreis, der sich die nächsten acht Wochen keine ‹Hätte ich ihm doch bloß gesagt, dass ...›-Geschichten anhören muss. Der Typ fühlt sich ein bisschen schlecht. Mindestens drei, höchstens vier Minuten lang.

So weit, so gut, liebes Cora-Schätzchen. Wir wünschen dir noch eine angenehme Wartezeit. Sind noch bis ungefähr 23 Uhr 45 Uhr zu Hause, dann gehen wir auf die Piste. Guter Rat: Komm mit! Dann vergeht die Zeit wie im Fluge!

Kennst du eigentlich meinen Freund Klaus? Wenn nicht, wird's aber Zeit! Sind zusammen beim Zivildienst im Altenheim gewesen. Er lässt dich herzlich unbekannterweise grüßen und ausrichten, dass er gerne die Frau kennenlernen würde, die sich derart aufregen kann, während sie im Entspannungsbad liegt.

Good luck, girl!
Dein Big Jim

PS: Klaus ist übrigens seit sechs Wochen frisch getrennt und sehr bedürftig. Schätze, du hättest Chancen bei ihm.

18:31

Totale Frechheit. Als hätte ich nur bei Bedürftigen Chancen. Immerhin erwarte ich den Anruf eines Arztes. Ich rechnete nach. Drei Tage? Sex war am Mittwoch. Heute ist Samstag. Und gleichzeitig Wochenende. Das heißt, wenn er sich heute nicht meldet, habe ich verloren.

18:32

Bin sehr nervös. Und sehr deprimiert. Werde jetzt mit der Epilation fortfahren, um mich durch den äußeren Schmerz von meinem inneren Schmerz abzulenken.

18:34

Telefon!

18:35

War nur Theresa. Meine Putzfrau. Wollte mir mitteilen, dass sie schwanger ist und nach Polen zurückgeht. Meinen Haustürschlüssel schmeißt sie mir morgen in den Briefkasten.

Ob ich den Schlüssel mit meinem selbstklebenden Kochlöffel da rauskriege? Ungerechte Welt. Will auch schwanger sein. Will aber nicht nach Polen.

Muss leider wieder an Sascha denken. Immerhin habe ich in den fünfzehn Monaten, die wir zusammen waren, mindestens dreimal gedacht, ich sei schwanger. Kann mich noch gut an meine Panik erinnern und dass ich durch die regelmäßigen Einkäufe von Schwangerschaftstests, Schrundencreme und entspannenden Badezusätzen ein geradezu freundschaftliches Verhältnis zu meiner Apothekerin aufbaute.

In der Zeit mit Sascha habe ich einige interessante und, wie ich fürchte, absolut typische männliche Eigenschaften kennengelernt. Denn Sascha ist, obschon außerordentlich klug, in vielen wesentlichen Teilen ein typischer Mann.

Es ist zum Beispiel so, und ich gehe jede Wette ein, dass sich diese Beobachtung verallgemeinern lässt, dass Sascha niemals rannte. Ich fange an, um mein Leben zu laufen, wenn ich einen Feldweg überquere und in fünf Kilometern Entfernung einen Traktor herannahen sehe. Ich brauche grundsätzlich sehr lange, bevor ich mich entscheide, die Straßenseite zu wechseln. Und vor jedem Überholmanöver auf einer Landstraße würde ich mir am liebsten Mut antrinken.

Sascha hingegen latschte in provozierender Seelenruhe über vollbefahrene, vierspurige Ausfallstraßen. Ich glaube, Männer würden sich lieber überfahren lassen, lieber den Bus verpassen, lieber aus der Ferne mitansehen, wie gerade ihr Auto abgeschleppt wird, als sich dazu herabzulassen, ihren Schritt in unwürdiger Weise zu beschleunigen. Es ist sehr eigentümlich.

Ebenso erwähnenswert ist die Tatsache, dass Sascha in Anwesenheit von seinen Kumpels Max und Friedhelm zum Raubein mutierte. Es ist so, dass ein Mann unter seinesgleichen zum Männchen wird. Und dann wird er nur ungern durch seine Freundin daran erinnert, dass er noch am Tag zuvor ein anschmiegsamer Puschel war, der sich auf dem Sofa den Bauch kraulen und sich ‹Spatzi› nennen ließ, sich zum dritten Mal ‹Schweinchen Babe› auf Video angeschaut hat und ebenso zum dritten Mal ganz plötzlich was im Auge hatte an der Stelle, wo das Schweinchen krank ist und der Bauer für seinen kleinen Liebling im Wohnzimmer tanzt.

Ich meine, ich mag das irgendwie. Es ist niedlich. Als Frau ist man immer die einzige Zeugin seiner rührendsten Eigenschaften und kann Drohungen ausstoßen wie: «Wenn du heute nicht mit mir ‹Harry und Sally› guckst, dann sage ich deinem besten Freund, dass du mich manchmal Mausebäckchen nennst.»

Auf mein erstes Treffen mit Dr. med. Daniel Hofmann war ich perfekt vorbereitet. Ich betrat das Restaurant, als wäre ich Madonna, die dort mit einem Journalisten von ‹Vanity Fair› verabredet ist.

Leider war Dr. med. Daniel Hofmann noch nicht da, um meinen Auftritt würdigen zu können. Mist. Dabei war ich extra zehn Minuten zu spät. Nun konnte ich wohl schlecht meinen bodenlangen Lackledermantel, mit dem ich bei Dr. Hofmann Aufsehen erregen wollte, anlassen. Wehmütig sah ich ihm nach, als ihn der Ober zur Garderobe schleppte.

Ich hatte um einen intimen Tisch an einem der hinteren Fenster gebeten. Und einen kleinen Tisch ganz vorne am Eingang bekommen. Da, wo man Frostbeulen an den Waden bekommt, sobald die Tür aufgeht. So ist das Personal in In-Läden. Wenn sie deinen Namen nicht aus der Zeitung kennen, behandeln sie dich, als wolltest du in ihren Räumlichkeiten Feuerzeuge aus Taiwan verkaufen.

Gerade, als ich mich missmutig niederlassen wollte, trat Dr. med. Daniel Hofmann ein. Bevor er mich begrüßte, begrüßte er den Besitzer des Restaurants.

«Salvatore! Come sta?»

«Bene, bene. Grazie, Dottore! Ihre Tisch ist selbstverrrständlich frrrai.»

«Danke. Ich bin hier verabredet. Die Dame wartet schon.»

Er nickte in meine Richtung. Salvatore eilte auf mich zu. Ich versuchte, unbeteiligt zu gucken.

«Signora! Verrzaiung! Warrum aben Sie denn nichtse gesagte? Kommen Sie bitte. Kommen Sie irr entlang zu diese Tische.»

Er führte uns zu einem intimen Tisch an einem der hinteren Fenster. Mit einer Serviette wedelte er nicht vorhandene Krümel von der Tischdecke und entfernte gleichzeitig diskret das Schild mit der Aufschrift ‹Riservato›.

«Grazie, Salvatore», sagte ich gönnerhaft. Ich musste mein Gesicht wahren.

Dr. Hofmann sah umwerfend aus. Ich sah auch umwerfend aus. Ich hatte die letzten Tage so gut wie nichts gegessen. Aus zwei Gründen:

1.) Ich wollte an diesem wichtigen Abend Hunger haben. Wenn ich eins gelernt habe, dann ist es, dass

Männer Frauen mögen, die richtig zulangen. Das zeugt von Sinnlichkeit und Genussfreude. Wichtig ist natürlich, dass die Frau, obwohl sie gerne isst, dennoch schlank ist. Sonst wirkt sie undiszipliniert.

2.) Ich wollte mein enges schwarzes Kleid tragen. Und da sieht man nun wirklich jede Rundung. Als ich es das letzte Mal auf einer Betriebsfeier anhatte, wurde ich von mindestens vier Kolleginnen gefragt, ob ich ‹in anderen Umständen› sei. Sogar mein Chef wurde misstrauisch und ließ mich am nächsten Tag in sein Büro kommen, um mich zu fragen, wie lange ich denn in Mutterschutz gehen wollte. Diese Peinlichkeit wollte ich mir ein zweites Mal ersparen.

Mein Bauch war herrlich flach. Und dank einer ordentlichen Portion Maloxan hatte er auch aufgehört zu knurren. Brüste hatte ich zu diesem Anlass selbstverständlich angezogen. Und meine ‹Wonder-Po›-Strumpfhose. Die heißt wirklich so. ‹Wonder-Po, sexy lifting›. In der habe ich, wie Big Jim immer anerkennend sagt, einen ‹rattenscharfen Neger-Steiß›.

Ja, ich war gut vorbereitet. Hatte sogar einige Karteikarten mit möglichen Gesprächsthemen beschrieben und dezent in meiner Handtasche versteckt. Sollte die Unterhaltung versiegen, konnte ich unauffällig nach meinem Lippenstift kramen und dann mit einem neuen, anregenden Thema aufwarten:

«Neues Theaterstück über das Leben von Heiner Müller»,

«Diskutabler Leitartikel in der ‹Zeit› über die Außenministerkonferenz»,

«Gesundheitsreform»,

«Sterbehilfe».

Oder, mehr so aus dem persönlichen Bereich:

«Geschwisterkonstellation»,

«Der Arzt zwischen Mensch und Maschine».

Natürlich hatte ich mir zu all diesen Schwerpunktbereichen mit Hilfe von Big Jim auch interessante Meinungen besorgt. Jim hatte allerdings zum Schluss noch gemeint, ich solle einfach so sein, wie ich immer bin. Dass ich nicht lache. In was für einer Welt lebt dieser Junge eigentlich?

Ich war genau so, wie ich immer bin. Das Blöde an mir ist nämlich, dass ich nichts Besseres zu tun habe, als all die Taktiken, die ich mir zurechtlege, nicht nur nicht anzuwenden, sondern – viel schlimmer noch – auszuplaudern.

Nach zehn Minuten hatte ich Dr. Hofmann bereits von meiner Verabredungstaktik und meiner Diättaktik erzählt und meine sämtlichen Karteikarten auf den Tisch gelegt.

Nach zwanzig Minuten bot er mir das ‹Du› an, nach fünfundvierzig Minuten fragte er mich, ob ich schon mal in Therapie war, und nach einer Stunde hatten wir Folgendes herausgefunden:

- wir leiden beide unter unserem dominanten Vater.
- wir lieben Werbung und können etliche Slogans auswendig.

Ich sang ihm meinen Lieblingsspot vor: «I like those Crunchips gold'n brown. Spicy and tasty and crispy in sound! Uuuah! Crunchips! Crunch mit!» (Das wirkt gesungen natürlich viel beeindruckender.)

Daniel konterte mit dem genialen Dialog: «Sag mal, isst eine sportliche Frau wie du eigentlich Schokolade?»

«Ja klar, aber leicht muss sie sein. Wie die Yogurette.»

Ha! Ich nahm den Korken der Weinflasche, umschloss ihn mit meinen Fingern und sagte altklug: «o.b. nimmt die Regel da auf, wo sie entsteht. Im Inneren des Körpers.»

Er sagte: «Isch abe garr kein Auto.»
- wir finden beide, dass es ein zwingender Grund ist, den Fernseher auszuschalten, sobald Charles Bronson, Burt Reynolds, Chuck Norris, Hulk Hogan oder Katja Riemann darin auftauchen
- wir finden beide, dass Isabelle Adjani immer so aussieht, als müsse sie sich gleich übergeben
- wir finden beide, dass Sardellen, Kapern und Rosenkohl so schmecken, wie Isabelle Adjani aussieht
- wir lieben beide Spätvorführungen im Kino
- wir hassen Menschen, die Dinge sagen wie:

«Ich kenn doch meine Pappenheimer.»
«Alles klar auf der Andrea Doria.»
«Jetzt machen wir mal Zahlemann und Söhne.»
«Tschüssikowski.»

Es war ein herrlicher Abend. Viel getrunken. Viel gelacht. Ich muss sagen, dass Daniel für einen Arzt erstaunlich viel Humor bewies.

Die Ärzte, die ich bisher kennengelernt habe, waren immer ganz schrecklich eindimensional. Palaverten endlos über ihr Fachgebiet – wahlweise nässende Ausschläge (Hautarzt. Nicht zu empfehlen für alle, die weiterhin mit gesundem Appetit essen wollen), kleinzellige Bronchialkarzinome (Lungenarzt. Nicht zu empfehlen für alle Raucherinnen) oder Bewusstseinsspaltungen (Psychiater. Sowieso nicht zu empfehlen).

Daniel erzählte sehr lustige Sachen aus seiner schwierigen Kindheit. Die allerdings hauptsächlich für seine Eltern schwierig war. Daniel hatte nämlich nie Lust, seine Hausaufgaben zu machen. Das ist ja noch normal. Aber als er zum achten Mal unentschuldigt mit leerem Heft dastand, erdachte er eine ungewöhnliche Ausrede. Er brach in Tränen aus und sagte seiner Lehrerin, dass sein Vater vor wenigen Wochen gestorben sei. Er sei nun völlig aus dem Gleichgewicht geraten und erhoffe sich Verständnis für seine leidvolle Situation.

Zwei Monate lang wurde er von seiner Lehrerin nicht mehr belästigt. Bis zum nächsten Elternsprechtag. Vater Hofmann, kerngesund und zum ersten Mal dabei, war recht erstaunt, als die Klassenlehrerin erst seine Frau begrüßte und sich dann fragend an ihn wandte: «Und Sie? Sind Sie Frau Hofmanns neuer Lebensgefährte?»

Wir waren am unteren Etikettrand der zweiten Flasche Wein angelangt. Es wurde höchste Zeit, das Gespräch auf erotische Themen zu lenken. Meiner Erfahrung nach wirkt die Erörterung von erotischen Themen erotisierend auf die Gesprächsbeteiligten.

Ich wollte gerade loslegen und eine muntere Anekdote aus meinem Geschlechtsleben erzählen, als Daniel auf die Uhr blickte. Teure Uhr. Aber ganz schlechtes Zeichen! Hatte ich ihn etwa gelangweilt? Ohgohttohgohttohgott! War ich zu weit gegangen?

Hätte ich ihm nichts erzählen sollen von meinem immer wiederkehrenden Albtraum? (Ich gehe an einer Großbaustelle vorbei, und keiner der Bauarbeiter pfeift mir nach.) Hätte ich mein gestörtes Verhältnis zu Ordnung nicht erwähnen sollen? (Ich weiß, dass ich drei Joni-Mitchell-CDs habe, aber ich weiß nicht wo. Ich weiß, dass ich sozialversichert bin, aber ich weiß nicht wo.)

«Ich muss leider so langsam los. Muss morgen früh raus. Ich fahre zu einem Kongress nach Oldenburg.»

Wenn das keine Ausrede war, war es sicherlich ein guter Grund.

«Vielen Dank für den netten Abend», sagte ich und bedeutete gleichzeitig dem Ober, die Rechnung zu bringen. Als kluge Frau muss man wissen, wann man Tatsachen zu akzeptieren hat.

Daniel bestand darauf zu bezahlen. Eigentlich wollte

ich das ja tun. Als Wiedergutmachung. Aber so war's mir auch recht. Ich mag Männer, die bezahlen. Das finde ich männlich. Da bin ich klassisch. Ich weiß, dass ich vor vielen Jahren einmal mit einem sagenhaft gutaussehenden Kerl aus war, der sich vom Kellner Block und Stift bringen ließ, um auszurechnen, wer von uns wie viel zu bezahlen hatte. Bis dahin hatte ich noch überlegt, mit ihm ins Bett zu gehen. Aber wahrscheinlich hätte er sich auch die Taxikosten zu mir nach Hause teilen wollen.

Daniel und ich standen auf der Straße und warteten auf die Taxis, die Salvatore für uns bestellt hatte. Wir mussten in unterschiedliche Richtungen.

Was nun? Küssen? Händeschütteln? Auf Wiedersehen. Und das war's?

«Ich komme Sonntag wieder. Hast du Lust, am Montagabend zu mir zu kommen?», sagte Daniel.

Jaaaaaaaaaaaaaaa!

Jetzt cool bleiben. Ich sagte erst mal nichts.

«Ich bin ein ganz guter Koch. Und außerdem, das wird dich überzeugen, habe ich sämtliche Miss-Marple-Videos.»

Juhuuuuu! Wir sind füreinander bestimmt.

Ich machte einen auf Diva. Lächelte milde. Sagte nichts. Es ist nämlich wichtig, dass man nicht automatisch antwortet, bloß weil man etwas gefragt wird. Das wurde mir klar, als ich Melanie Griffith in dem Film ‹Wie ein Licht in dunkler Nacht› sah.

Sie ist eine amerikanische Spionin im Haus eines NS-Offiziers. Irgendwann sagt er zu ihr: «Ich weiß, warum Sie hier sind.» Und sie schweigt. Sagt nicht übereifrig was wie «Ich kann Ihnen alles erklären» oder «Die Amis haben mich dazu gezwungen». Sie schweigt. Also redet er weiter: «Ich weiß, dass Hitler Sie geschickt hat, um herauszufinden, ob ich ein treuer Nazi bin.»

Puh. Da ist sie natürlich mächtig erleichtert, dass sie

nicht gleich drauflosgequatscht und alles ausgeplaudert hat.

So mache ich das seither auch. Also, natürlich nicht immer. Eigentlich sogar selten. Meistens rede ich. Aber manchmal eben auch nicht. Ich schwieg. Ich lächelte.

«Hier ist meine Adresse.» Daniel schrieb seine Adresse auf die Restaurantrechnung. Was mich freute, weil es ein sicheres Zeichen dafür war, dass er mich nicht von der Steuer absetzen wollte.

«Um acht? Am Montag?»

Ich war im Siegestaumel. Ich hauchte ihm einen prinzessinnenhaften Kuss auf die Wange und sagte keck: «Bist du eigentlich noch zu haben?»

Wir hatten das Thema Partnerschaft im Allgemeinen und Ute Koszlowski im Besonderen an diesem Abend wohlweislich ausgespart.

«Für was?»

Blödmann. Hatte mir den Wind aus den Segeln genommen.

«Für was auch immer.»

«Da fällt mir ein», er nestelte an der Innentasche seines Sakkos herum, «das hier wollte ich dir noch geben.»

Er drückte mir etwas in die Hand, drehte sich um und ging zu dem Taxi, das gerade gekommen war.

«Also dann. Montag um acht», sagte er. Stieg ein. Und war verschwunden.

Ich stand auf der Straße. Betrachtete gerührt den kleinen Stapel Karteikarten in meinen Händen, auf denen sich Dr. med. Daniel Hofmann mögliche Gesprächsthemen für unseren Abend notiert hatte.

Montag. Um acht.

Ich war der glücklichste Mensch der Welt.

18:42

Ich schätze, ich bin der unglücklichste Mensch der Welt. Habe mich gerade auf meinen winzigen Balkon gezwängt, der um diese Jahreszeit genau von 18 Uhr 40 bis 18 Uhr 52 in der Abendsonne liegt. Doch ihre Strahlen können mein fröstelnd Herz nicht wärmen.

Uh! Schlanke Mädchen mit langen Beinen schlendern lachend durch die Straße, um sich mit Jungs zu treffen, die weiße T-Shirts tragen und sich beim Essen ihren Kaugummi auf den Handrücken kleben.

Ich hasse den Sommer. Den Frühling übrigens auch.

Im Herbst und Winter ist es ganz normal, wenn man sich einsam und deprimiert fühlt. Keiner würde einem deswegen Vorwürfe machen. Aber im Sommer! Da muss man fröhlich sein und braun an den Beinen. Aus vorbeifahrenden Cabrios werden arglose Passanten mit Remixen von Modern Talking beschallt oder mit der Single-Hit-Collection von Phil Collins belästigt.

Das bringt mich auf ein interessantes Phänomen: wie sich männliche Fahrgewohnheiten mit den Jahreszeiten verändern.

Wenn's draußen kalt ist, lassen sie ihre Motoren aufheulen und geben Gas wie die Irren. Mit neunzig durch die Straße – die, in der ich wohne, hat übrigens Kopfsteinpflaster, und wenn so eine tiefergelegte Karre drüberbrettert, klingt das, als würde ein Sondereinsatzkommando das Nachbarhaus unter MP-Beschuss nehmen.

Im Sommer lassen sie ihre Autodächer zu Hause, kurbeln ihre Fenster bis zum Anschlag runter, drehen ihre Stereoanlagen mit CD-Wechsler bis zum Anschlag auf und kriechen so langsam vorbei, dass man einen vollständigen und erschreckenden Eindruck von ihrem Musikgeschmack bekommt.

Neulich hörte einer, als er seinen roten, offenen Japaner (ich erkenne bloß BMW, Mercedes, Porsche und VW-Golf – alles andere nenne ich aus Verlegenheit Japaner) in eine Parklücke direkt unter meinem Fenster einparkte, einen Zusammenschnitt sämtlicher Wolfgang-Petry-Singles.

Ich meine, so jemandem müsste man doch die Fahrerlaubnis entziehen und das Wahlrecht. Dann blieb der Typ auch noch in seinem Auto sitzen! Fünf Minuten Wolfgang Petry.

«Du bist ein Wunder, so wie ein Wunder, ein wunder Punkt in meinem Leben.»

Ich war drauf und dran, die Ordnungshüter zu alarmieren.

«Sie hieß Jeheheessica. Einfach Jehehessica.»

Ich linste vorsichtig vom Balkon auf die Straße. Der Kerl im Japaner sah aus wie einer, dessen Freundin Jehehessica heißt.

«Es gilt für dich, mein Leben, wenn ich dich nur haben kann! Dafür steh ich grade, dafür will ich lebenslang.»

Gerade überprüfte er im Rückspiegel den Sitz seines Netz-T-Shirts. Ich konnte erkennen, dass auf seinem Nacken sehr viele, sehr schwarze Haare wuchsen. Bäh. Wahrscheinlich hatte sich der arme Mann noch nie von hinten gesehen. Im Grunde sah er aus wie Wolfgang Petry selbst. Schwarzer Oberlippenbart und eine Jeans, so eng, dass man sie nur als Potenz-Protzerei-Hose bezeichnen konnte.

«Das ist mir scheißegal, ich will dich Stück für Stück in jedem Augenblick.»

Jetzt sprühte er sich eine Ladung Odol-Mundspray in den Rachen. (Ich konnte das von weitem erkennen, benutze es selbst ab und an.)

«Der Mond ist heute voll, und leider bin ich's auch. Heute Nacht will ich zu dir!»

Dann war Ruhe.

Arme Jessica. Wie kann sie sich von einem Mann küssen lassen, der aus dem Fang riecht, wie einer, der was zu verbergen hat, und eine Jeans trägt, die keine Fragen, aber viele Wünsche offenlässt?

Wolfgang Petry stapfte breitbeinig davon, nicht ohne sich alle sieben Meter mit dieser typisch fahrigen «Arsch-essen-Hose-auf»-Bewegung ans Hinterteil zu greifen.

Es ist ebenfalls ein interessantes Phänomen, wie leicht man Unerträgliches lieb gewinnen kann, wenn man nur lang andauernd genug damit konfrontiert wird. Das gilt natürlich nicht für Männer, die sich vor dem Spiegel im Flur die Nasenhaare schneiden, oder für Mütter, die einen einmal in der Woche mit bebender Stimme fragen, ob man endlich jemanden kennengelernt habe.

Als ich zwei Wochen später zu einem Wolfgang-Petry-Konzert ging, hatte ich jedenfalls das Gefühl, einen altvertrauten Freund wiederzusehen. Ich kannte natürlich alle Songtexte auswendig. War nur etwas peinlich, dass mich meine Kollegin Sonja trotz meiner dunklen Sonnenbrille gleich erkannte und beim Mitsingen erwischte. Sie sagte, sie habe Freikarten bekommen und sei nur dabei, um den soziologisch interessanten Aspekt der Wiederauflebung des deutschen Schlagers zu studieren. Bevor sie ging, fragte sie noch, ob ich mir schon die tolle neue Doppel-CD von Van Morrison gekauft habe.

Am Ausgang traf ich Sonja dann wieder und sah noch, wie sie eilig einen «Wolfgang-Petry-Kaffeebecher» vor mir zu verstecken versuchte.

Es ist schön, auf dem Balkon zu sitzen. Ich sehe winzige Lebensabschnitte und versuche zu erraten, wie wohl der Rest dieses unter mir vorbeimarschierenden Lebens aussieht.

Diese Frau da zum Beispiel. Sieht aus, als hätte sie in ihrem Leben noch keinen Orgasmus gehabt. Trägt ihre Einkaufstüten so verkrampft, als ginge es darum, einige Topsecret-Mikrofilme aus Feindesland zu schmuggeln.

Den Kerl mit dem Schäferhund kenne ich. Ganz üble Sorte. Der sagt zur Kassiererin im Penny-Markt immer «Frollein», zählt sein Wechselgeld demonstrativ nach, während draußen sein angeleinter Köter mindestens zwei Riesenhaufen neben den Fahrradständer kackt.

Ach sieh an. Der Student aus Nummer 13 geht um diese Zeit noch joggen. Sieht recht knackig aus.

Der Typ, der hinter ihm aus dem Haus kommt, trägt, ich kann meinen Augen kaum trauen, eine Männerhandtasche unterm Arm. Das ist nun wirklich das Allerschlimmste.

Männerhandtaschen sehen aus wie Kulturbeutel. Bloß ohne Kultur. Ähnlich grotesk sind Männer, die nur in Begleitung von Regenschirmen, womöglich Knirpsen, ausgehen. Ich finde, und sicherlich stehe ich mit dieser Meinung nicht alleine da, dass Männer unter Schirmen ihre Würde verlieren.

Es ist das Vorrecht von Frauen, sich um ihre Frisur zu sorgen.

Männer dürfen den Regen und die damit einhergehende Entstellung nicht fürchten. Ein Mann mit Schirm ist wie ein Hund mit Maulkorb. Eine armselige Kreatur.

Unter mir schlendert ein Liebespaar entlang. Sie hat ihre Hand in seiner Hosentasche. Ob die beiden verheiratet sind? Nicht dass mir viel daran läge, verheiratet zu sein. Dieser furchtbare Moment, wenn er sie über die Schwelle wuchten muss. Schlimmer Brauch. Aber ich hätte nichts dagegen, gefragt zu werden. Oder, so wie die Babs vom Boris, einen Hochkaräter in meinem Drink zu finden.

Cora Hofmann. Cora Hofmann-Hübsch. Cora Hübsch-Hofmann. Klingt doch gar nicht schlecht.

Ich würde aber selbstverständlich meinen eigenen Namen behalten. Meinen Beruf würde ich eventuell aufgeben. Aber niemals meinen Namen.

Leider beantworte ich mir hier Fragen, die sich gar nicht stellen. Es ist so frustrierend. Da mache ich mir Kleinmädchengedanken über Doppelnamen, während sich der Träger der einen Namenshälfte nicht mal dazu herablässt, mich anzurufen – geschweige denn, mich zu heiraten.

Mittlerweile scheint die Sonne nur noch auf meine Füße.

Ausgerechnet.

Die Welt ist ungerecht. Marianne wohnt zwei Häuser weiter und hat mindestens zwei Stunden länger Sonne. Möchte trotzdem nicht mit ihr tauschen. Ich kann sehen, wie sie gerade Wäsche auf dem Balkon aufhängt. Wahrscheinlich Windeln. Marianne gehört zu den engagierten Müttern, die Hipp und Pampers verachten und lieber Brei aus Bio-Spinat kochen und am Tag fünf Maschinen mit Stoff-Windeln durchlaufen lassen.

Ich geh mal lieber unauffällig rein. Möchte nicht, dass Marianne mich sieht und auf die Idee kommt vorbeizuschauen. So einsam bin ich nun auch wieder nicht.

«Juhuuuu! Cora! Ist das nicht ein herrlicher Abend?»

Shit. Ich winke freundlich wie Königinmutter von Balkon zu Balkon.

«Rat mal, was der Dennis heute gemacht hat!?»

Na, solche Fragen liebe ich ganz besonders. Was soll ich denn da raten?

«Hat er zum ersten Mal ‹Mama, verpiss dich› gesagt?»

Ich weiß, dass Mütter keinen Spaß verstehen, wenn es um ihre Kinder geht. Aber ich weiß auch, dass Marianne sowieso keinen Spaß versteht. Insofern ist es eigentlich egal.

«Nein! Viel besser!» Marianne beugt sich über das Balkongeländer. Ich schätze derlei Kommunikation nicht. Komme mir vor wie ein altes Waschweib, das am Samstagabend nichts Besseres zu tun hat, als lautstark von Brüstung zu Brüstung zu tratschen. Die Tatsache, dass ich tatsächlich nichts Besseres zu tun habe, verstimmt mich zusätzlich.

«Der Dennis hat heute Morgen sein Aa ins Töpfchen gemacht!»

Ich spüre, dass es angezeigt ist, darauf mit Begeisterung zu reagieren. Die Stille zwischen unseren Balkonen hat einen enormen Aufforderungscharakter.

Aber ich bin nicht begeistert. Und ich bin auch überhaupt nicht in der Stimmung, so zu tun, als ob ich begeistert wäre.

«Tatsächlich? Und, hast du dem Haufen einen Ehrenplatz im Setzkasten vermacht?»

«Natürlich nicht.»

Das Erstaunliche an Marianne ist, dass sie zwar niemals lustig, aber auch niemals ernsthaft gekränkt ist. Nur so kann sie es mit einer Nachbarin wie mir und einem Mann wie Rüdiger aushalten. Ich glaube, sie ist das, was man ein schlichtes, sonniges Gemüt nennt. Sie verzeiht alles. Weil sie die Hälfte der ihr geltenden Beleidigungen gar nicht versteht und für die andere Hälfte Verständnis hat.

Als sie dahinterkam, dass Rüdiger sie mit einer Frau aus der Spesenbuchhaltung betrog, war sie die Ruhe selbst.

«Weißt du», sagte sie mir, «Rüdiger ist nicht gerade eine Kanone im Bett. Ich beneide diese Frau nicht besonders. Rüdiger ist ein recht guter Vater, und nachts schläft er, so wie ich, am liebsten mit geschlossenem Fenster. Letztendlich ist es das, worauf es ankommt. Ich kenne ihn besser als diese Spesenschabracke.»

Ich weiß noch, dass ich sie fast beneidete. Nicht um Rüdiger, natürlich. Aber um ihre Unkompliziertheit. Ich werde niemals unkompliziert sein. So viel ist sicher.

«Ich muss rein! Tschüss, Cora! Hab einen schönen Abend!»

Ich lernte Marianne Berger-Mohr vor vier Monaten kennen, als sich ihr zweijähriger Sohn Dennis auf meine Schuhe erbrach.

Ich mag sowieso keine Kinder. Die sind mir zu direkt. Die sagen gemeine Sachen, und man kann sich nicht mal wehren.

Als meine Cousine ihren Vierzigsten feierte, deutete ihre fünfjährige Tochter Pia fröhlich auf mich und rief:

«Guckt mal! Die Tante Cora sieht aus wie Morla, die Schildkröte!»

Alle guckten. Und das Schlimme war: Das Gör hatte auch noch recht. Ich hatte mich zwei Tage vorher von Sascha getrennt und die Nächte mit einer sich leerenden Flasche Malt Whisky im einen und dem Buch ‹Alleinsein als Chance› im anderen Arm verbracht. Wie soll man dann auch aussehen?

«Pia macht nur Spaß», sagte meine Cousine. «Du siehst hinreißend aus, Cora. Wie das blühende Leben. Ganz ehrlich.»

«Danke», sagte ich. Ich habe nichts gegen gutgemeinte Lügen.

Die Geburtstagsfeier habe ich heulend auf dem Klo verbracht. Ich konnte diese mitleidigen Gesichter nicht mehr ertragen.

Wenn du über dreißig bist und den Leuten erzählst, dass du dich gerade von deinem Freund getrennt hast, dann schauen sie dich an, als hättest du ihnen soeben anvertraut, dass du nur noch wenige Tage zu leben hast.

«Ach, du wirst auch noch den Richtigen finden», sagen sie dann. Oder: «Auch andere Mütter haben schöne Söhne.» Oder:

«Eine Frau wie du bleibt nicht lange alleine.» Aber denken tun sie etwas anderes.

Nun ja, jedenfalls habe ich also mit Kindern keine guten Erfahrungen gemacht. Und als ich Dennis – ich wollte gerade nochmal schnell zum Gemüsetürken huschen – laut schluchzend auf dem Bürgersteig stehen sah, war mein erster Instinkt, die Straßenseite zu wechseln und so zu tun, als würde ich intensiv meinen Einkaufszettel studieren.

Ich hatte aber keinen Einkaufszettel. Ich war nämlich gerade mal wieder auf Diät und wollte meinen Obsttag mit einer Kiwi beschließen. Eigentlich mag ich lieber Bananen. Aber Kiwis sind von ihrer Form her unverfänglicher. Ich habe immer den Eindruck, dass mein Gemüsetürke mich anzüglich angrinst, wenn ich eine Banane kaufe. So, als könnte ich mir keinen Vibrator leisten. Vielleicht tue ich dem Mann ja auch unrecht, aber seither meide ich bestimmte Gemüsesorten, unter anderem auch Gurken und gutgebaute Möhren.

Dennis schluchzte immer lauter, und ich wollte kein Unmensch sein.

«Wo ist denn deine Mama?», sagte ich mit freundlicher Kindergärtnerinnen-Stimme und tätschelte dem Kind den Kopf.

Der Junge sagte nichts. Schrie aber noch wesentlich lauter.

«Wie heißt du denn, mein Kleiner?» Ich hatte keine Ahnung, ob Kinder in dem Alter schon sprechen können.

Der Junge hörte auf zu schreien und sah mich ängstlich an. Immerhin. Ich fasste Mut.

«Wo wohnst du denn?», fragte ich und bemühte mich um ein kindgerechtes Lächeln.

Der Junge sagte nichts. Starrte mich an. Verzog dann das Gesicht und kotzte mir auf die Schuhe.

Ich wusste noch gar nicht, was ich nun denken sollte, als ich eine aufgeregte Stimme hinter mir hörte.

«Deniiiis! Was machst du denn da? Deniiiis!»

Daraufhin übergab sich Deniiiis gleich noch einmal. In meine Handtasche.

Eine Frau, etwa so alt wie ich, stürzte auf uns zu. Sie war sehr dünn, abgesehen von einem unglaublich ausladenden Becken. Das sah recht seltsam aus. Wie eine aufrecht stehende Python, die gerade ein Stopp-Schild verdaut. Was für ein Becken! Dennis' Geburt konnte keine schwere gewesen sein. Seine Erziehung schien da mehr Probleme zu bereiten.

«Deniiis! Hast du etwa gespuckt? Ach je, ach je! Haben Sie was abbekommen? Ach je, das tut mir leid! Das macht er immer, wenn er sich aufregt. Deniiis, böser Junge! Ach je. Warten Sie, ich habe ein Taschentuch.»

Sie förderte einen Lappen zutage, bei dem ich mir bei bestem Willen nicht vorstellen konnte, dass man damit irgendetwas sauber machen könnte. Ich wich erschrocken zurück.

«Ach, lassen Sie nur», sagte ich eilig. «Ich wohne gleich hier. Wahrscheinlich geht es mit klarem Wasser ganz leicht ab.»

«Ach, Sie wohnen auch hier? Wir sind erst vor ein paar Wochen hergezogen. Ach, es ist mir so peinlich. Ach bitte, kommen Sie doch schnell mit rein. Lassen Sie mich das auswaschen. Bitte, bitte, kommen Sie.»

Sie schob mich resolut über die Straße und klemmte sich gleichzeitig ihren jetzt wieder schreienden Sohn unter den Arm. Ich konnte mich nicht wehren und befand mich wenig später in einer ganz entsetzlich ehrlich eingerichteten Wohnung.

Ich sage nur: Schabracken mit Goldkante. Couchgarnitur mit Schonbezügen. Setzkasten mit Bleibuchstaben. Aquarium mit Guppys. Aber das Schlimmste an der Wohnung war der Mann, der vor dem Fernseher saß.

«Rüdiger! Schau mal, ich habe Besuch mitgebracht!»

Rüdiger rührte sich nicht. Ich meine, wenn einer schon Rüdiger heißt, dann ist das fast so schlimm, wie wenn einer Knut heißt. Rüdiger schaute mich desinteressiert an und machte den Fernseher lauter. Meine Güte! So ein verklemmtes Gesicht hatte ich ja in meinem ganzen Leben noch nicht gesehen. Der Mann sah aus wie ein Arsch, der sich einen Furz verkneift.

«Ach, ich habe mich ja noch gar nicht vorgestellt! Ich heiße Berger-Mohr. Marianne Berger-Mohr», sagte Marianne Berger-Mohr.

«Ich heiße Hübsch. Cora Hübsch», sagte ich.

«Ach, wie hübsch!»

Ha. Ha. Ha. Marianne freute sich über den gelungenen Scherz. Rüdiger sagte gar nichts, er machte den Fernseher noch etwas lauter und wandte sich an seine Frau:

«Wie spät ist es?»

Marianne setzte ihren Sohn auf dem Boden ab und sah auf ihre Armbanduhr.

«Viertel nach sechs.»

Rüdiger sagte: «Das habe ich mir gedacht.» Dann stand er auf und machte die Wohnzimmertür zu. Ich fühlte mich zunehmend unwohl.

Eine Stunde habe ich an diesem Abend in Mariannes winziger Küche verbracht. Während sie meine Schuhe und meine Handtasche reinigte, zwang sie mich, mehrere Gläser Eckes-Kirschlikör zu trinken und mir ihre irrsinnig langweilige Lebensgeschichte anzuhören, die ich jetzt nicht wiedergeben möchte. Erst, als sie sagte, sie sei Informatikerin, wurde ich hellhörig.

«Wie interessant.»

«Ja, findest du?» (Wir duzten uns seit dem zweiten Glas Eckes.) «Rüdiger ist auch Informatiker. Wir haben uns bei einem Weiterbildungskurs für Systemanalytiker kennengelernt. Ja, was soll ich sagen. Ein Jahr später wurde unser Dennis geboren.»

Das fand ich nun irgendwie ganz lustig. Zwei Informatiker. Man kann sich gar nicht vorstellen, dass die was über Kopulation wissen.

«Das ist ja nett», sagte ich. «Dann ist euer Sohn ja ein richtiger Gameboy.»

«Wieso?»

«Ach, vergiss es.»

Wie schon gesagt, ich schätze es nicht, wenn jemand meine Witze nicht versteht. Dennoch hielt ich es für besser, es mir mit Marianne Berger-Mohr nicht zu verscherzen. Ich habe nämlich ein recht angespanntes Verhältnis zu meinem Computer. Und mit meinem Drucker stehe ich regelrecht auf Kriegsfuß. Es kann nicht schaden, dachte ich mir, im näheren Bekanntenkreis eine Computerexpertin zu haben.

Seither kommt Marianne ungefähr einmal in der Woche vorbei, um meinen Computer zu warten und mir das Neueste aus ihrem beklemmenden Liebesleben zu berichten. Das freundschaftliche Verhältnis zu Marianne gestattet mir, hin und wieder mein Singledasein in ganz anderem Licht zu betrachten. Verglichen mit dem Sex, den Marianne mit Rüdiger hat, ist jede Selbstbefriedigung ein rauschhaftes Erlebnis.

Montag! Mein Montag. Unser Montag. Endlich Montag. Die letzten Tage hatte ich in einem Zustand extremer Anspannung verbracht.

Erst einmal hatte ich natürlich viel damit zu tun, den Abend mit Daniel aufzuarbeiten. In mehreren, vielstündigen Monologen hatte ich Jo immer und immer wieder den Verlauf wiedergegeben. Das ist wichtig. Weil man sich ja mit jedem Mal an eine neue Kleinigkeit erinnert.

Wie er mir zum Beispiel den Parmesan gereicht hatte, mit dieser entzückenden, anmutigen und doch männlichen Grazie.

Wie er den Kellner gebeten hatte, freundlich, aber nachdrücklich, noch etwas Brot zu bringen. Wie er sein Jackett ausgezogen hatte, mit einer nachlässigen, gleichzeitig aber auch dynamischen Geste.

Das waren Dinge, die erst nach und nach in mein verwirrtes Gedächtnis zurückfanden.

Ich kann es Jo nicht hoch genug anrechnen, dass sie auf meine stündlich wiederkehrende Frage «Habe ich dir eigentlich schon erzählt, wie er ...?» immer gutmütig antwortete: «Ja, das hast du. Aber erzähl es mir doch noch einmal.»

Sie ist eine verdammt gute Freundin.

Die letzten vier Tage und Nächte hatte ich damit verbracht, an Sex zu denken und wie man sich darauf vorbereitet. Eine anregende Gedankenmischung aus erotischer Phantasie und pragmatischer Strategie. Ich zweifelte nicht daran, dass es diesmal zum Äußersten kommen würde. Und, bei Gott, ich würde bereit sein.

Die aufregendsten Stunden im Leben einer Frau sind die, in denen sie sich auf ein Rendezvous mit potenziell intimem Ausgang vorbereitet. Dagegen ist der Sex selbst oft regelrecht entspannen.

Hier der Countdown im Einzelnen:

Montag, 17.45 Uhr: Ich komme von der Arbeit nach Hause. Wobei Arbeit eigentlich das falsche Wort ist. Habe versucht, mich, vor dem Computer sitzend, mit autogenem Training zu beruhigen. Habe ozeanisch grinsend in der Kantine gesessen und vergessen, mein Hähnchenschnitzel im Knuspermantel zu essen. Habe ab 16 Uhr fortwährend auf die Uhr gestarrt und um 17 Uhr fluchtartig das Gebäude verlassen. Musste dann allerdings nochmal umkehren, weil ich meinen Mantel und meinen Autoschlüssel liegengelassen hatte.

17.46 Uhr: Ich höre den Anrufbeantworter ab. Zwei Nachrichten. Bitte! Liebes Jesulein! Lass ihn nicht absagen!

Peep.

«Hallo, hier ist Jo. Lass mich raten: Ich bringe deinen Zeitplan durcheinander. Du hast noch ungefähr zwei Stunden für ein Ganzkörperpeeling, eine Gesichtsmaske und das Make-up. Ich weiß, es geht um Sekunden. Wenn du doch noch eine Minute übrig hast, dann ruf mich an. Ansonsten: Hals- und Beinbruch. Übrigens: Zieh bloß keinen Body an, sag ich dir. Den Mechanismus kapieren Männer nie. Lass doch die Unterwäsche einfach weg. Das wirkt lasziv und erspart einem diese demütigende Frickelei an den BH-Häkchen. Also: Toi, toi, toi.»

Peep.

«Cora, Liebes, hier ist Big Jim. Heute ist dein großer Abend, nicht wahr? Wollte dir alles Gute wünschen. Wusstest du übrigens, altes Casanova-Rezept, dass sich Männer vor solchen Gelegenheiten die Zähne mit Colgate mint forte putzen und anschließend mit einem Schluck Whisky ausspülen? Altes Casanova-Rezept. Kannst ja mal drauf achten. Lass dich nicht unterkriegen. Na ja, oder vielleicht doch. Liebe Grüße.»

17.48 Uhr: Ich trinke ein Glas Sekt auf meine guten Freunde und höre dazu meine «Ich-werde-Sex-haben»-Musik von Mtume.

«I will be your lollypop – you can lick me everywhere.»

Ich kann mir Zeit lassen – schließlich habe ich die Kleiderfrage schon vor Tagen mehrmals mit Jo durchdiskutiert und geklärt. Sexy, aber nicht aufdringlich. Elegant, aber nicht overdressed. Mit wenigen Handgriffen ausziehbar und nicht zu eng. Es gibt nichts Schlimmeres, als wenn man im Augenblick höchster Ekstase in der Jeans stecken bleibt oder man unbekleidet aussieht, als sei man erst vor wenigen Tagen von feindlichen Agenten gefoltert worden: Zu knappe Kleidung, zu enge Unterwäsche hinterlässt unschöne Striemen am ganzen Körper. Abschreckend ist auch, wenn der Hosenknopf einen deutlichen Abdruck unterhalb des Nabels stanzt.

Ich hatte mich für ein weich fallendes, cremefarbenes Sommerkleid entschieden. Mit einem langen Reißverschluss am Rücken und halblangen Ärmeln. Das ist sehr wichtig. Diese furchtbaren Spaghettiträger sind nichts für mich und meine ausgeprägten Oberarme. Sehe darin aus wie Axel Schulz im Negligé.

Dank einiger Besuche im Solarium würde ich auf Nylons verzichten können. In der zweiten Etappe des Entkleidens steht man sonst nämlich nur noch mit Seidenstrümpfen am Leib da. Das sieht nun wirklich total bescheuert aus. Und halterlose Strümpfe gebärden sich, meiner Erfahrung nach, auch haltlos. Entweder sie schlabbern einem plötzlich um die Fußgelenke oder klammern sich derart verbissen an die Oberschenkel, dass sie, in dieser ohnehin problematischen Gegend, die Blutversorgung unterbinden.

18.00 Uhr: Körperpflege
Duschen (mit Kiwi-Duft-Gel).
Haarewaschen (mit Orangen-Duft-Shampoo).
Kur-Packung (mit Cocos-Duft-Conditioner).
Eincremen (mit Vanille-Duft-Lotion).

18.30 Uhr: Make-up
Dank meiner leichten Bräune sehe ich nicht so schockgefrostet aus wie sonst. Rouge. Lippenstift. Wimperntusche. Das reicht.

Ich verliere hier allerdings dennoch wertvolle Minuten, weil ich mich zweimal komplett abschminken muss. Mit Wimperntusche ist das so eine Sache. Meist verklebt sie sich klumpig, sodass die Wimpern aussehen wie die Beine einer arthritischen Vogelspinne.

18.50 Uhr: Sitze im Bademantel und mit Handtuchturban am Küchentisch. Gut, dass mich Daniel so nicht sehen kann. Wie Nofretete, die nur knapp einem blutigen Massaker entkommen ist. Seit ich einmal versucht habe, mir die Zehennägel zu lackieren, ist mein weißer Bademantel übersät mit dunkelroten Flecken.

Trinke noch ein Schlückchen und bete, dass ich mit meinen Haaren heute keine unliebsame Überraschung erleben werde. Sie sind einfach unberechenbar. Habe die Kurpackung extra zehn Minuten länger einwirken lassen, um sie gefügig zu machen.

19.02 Uhr: Kleid sitzt wie angegossen. Ich brauche dringend einen Mann – nicht nur, damit er mich auszieht. Sondern zunächst, damit er mich anzieht. Zerre mir jedes Mal fast den Nackenmuskel bei dem Versuch, diesen verdammten Reißverschluss zu schließen.

Habe mich für weiße Spitzenunterwäsche entschieden. Wirkt unverdorben. Sauber. Jungfräulich.

19.15 Uhr: Neiiiiiiiin! Bitte nicht! Nicht heute! Nicht jetzt!

Habe mir die Haare geföhnt und sehe aus wie Jesus. Matte hängt uninspiriert nach unten. Wo sind meine Locken?

19.23 Uhr: Alles aus. Muss die Verabredung absagen. Nach einer Behandlung mit dem Lockenstab sehe ich jetzt aus wie Maria Magdalena auf Ecstasy.

19.27 Uhr: Muss mich beruhigen und trinke noch ein Gläschen. Jo hatte die rettende Idee, ich solle mir die Haare doch einfach hochstecken. Klasse! Aber womit? Jo schickt Fahrradkurier mit Haarnadeln und faxt mir eine Kurzanleitung für Hochsteckfrisuren.

19.45 Uhr: Ich verlasse das Haus mit schätzungsweise 83 Haarnadeln auf dem Kopf und ungefähr 1,1 Promille im Blut.

‹Hofmann› stand auf der Klingel. Das fand ich gut. Weil der Doktortitel ja eigentlich zum Namen gehört. Ihn wegzulassen deutet auf ein angenehmes Maß Understatement hin.

Das ist, wie wenn man Kirchenbänke spendet und dann nicht an jedem zweiten Sitz ein Messingschildchen anbringen lässt mit der Aufschrift: ‹Gestiftet von ...›. Na ja. Egal.

Ich war angeheitert und unwiderstehlich, als ich das imposante Treppenhaus hochstieg. Altbau. Marmorstufen mit Teppich drauf. Wow. Leider kein Aufzug. Als ich im vierten Stock ankam, war ich aus der Puste und hatte blöderweise ungefähr auf Etage zwei einen Schluckauf bekommen.

«Hallo», sagte Daniel. Er stand lässig an den Türrahmen gelehnt. Dunkelblaue Jeans und weißes T-Shirt. Ich fragte mich, wie viel Stunden Vorbereitung es ihn wohl gekostet hatte, so perfekt unvorbereitet auszusehen.

Ich lächelte verführerisch und sagte: «Hallhiiiiiiiks.»

Ach, das war mir peinlich. Der Mann musste ja denken, dass ich schon mindestens vier Gläser Sekt getrunken hatte. Wenn ich Schluckauf habe, dann richtig. Das klingt dann so, als würde man in unregelmäßigen, aber kurzen Abständen auf ein Meerschweinchen treten.

Wir verbrachten also die erste Viertelstunde unseres Beisammenseins damit, diverse Anti-Schluckauf-Techniken auszuprobieren und wieder zu verwerfen. Ein Glas Wasser trinken. Luft anhalten. Magische Formeln aufsagen. Alles umsonst.

Daniel schien sich köstlich zu amüsieren. Ich war gerade dabei, rückwärts das große Einmaleins aufzusagen, als er plötzlich sagte: «Ich muss übrigens gleich weg. Ein medizinischer Notfall. Ich hoffe, du bist nicht böse.»

«Was?» Ich erstarrte innerlich. Fand aber innerhalb von Sekunden wenigstens zu äußerer Fassung zurück.

«Das macht doch nichts. Es kommt mir sogar ganz gelegen. Ich habe noch zu arbeiten.»

«So so. Was macht dein Schluckauf?»

«Was?»

«Was macht dein Schluckauf? Ist er weg?»

Ich hörte angestrengt in mich hinein. Kein Schluckauf. Nichts. Nur gähnende, schmerzhafte Leere in meinem Inneren.

«Ist weg.»

«Siehst du. Das funktioniert immer.»

«Was?»

«Man muss den Schluckauf-Patienten zutiefst erschrecken.»

«Oh. Ja. Tatsächlich.»

Leider fiel mir nicht mehr ein. Ich überlegte, ob ich meinen Schluckauf simulieren sollte, um mich weniger bloßgestellt zu fühlen, ließ es aber. Habe in der Simulation von Schluckäufen keine Erfahrung. Mein Fachgebiet ist die naturgetreue Nachbildung von Interesse, Mitleid und Orgasmen.

Ich glaube, dass das Essen, das Daniel gekocht hatte, ganz vorzüglich war. Zumindest behauptete ich das. Irgendwas mit Nudeln. Vielleicht auch Reis. Oder Kartoffeln.

Ich glaube, wir haben uns auch recht nett unterhalten. Über die Vorzüge von Ceranfeldern. Vielleicht auch über Armbanduhren. Oder über den Palästinenserkonflikt. Ich glaube, ich habe total entspannt und lebenslustig gewirkt, obschon ich mich ständig fragte, ob

a) meine Hochsteckfrisur gerade dabei war, sich in eine ehemalige Hochsteckfrisur zu verwandeln,

b) sich Essensreste zwischen meinen Schneidezähnen platziert haben könnten,

c) mein helles Kleid womöglich im nächsten Moment eine verhängnisvolle Affäre mit der Tomatensoße anfangen würde.

Ich war so damit beschäftigt, mich zu fragen, ob ich ihm gefalle, dass ich völlig vergaß, mich zu fragen, ob er mir gefällt.

Sein Wohnzimmer, daran kann ich mich erinnern, gefiel mir gut. Nach dem Essen hatte Daniel mich mit der Bemerkung «Wir haben noch eine Verabredung mit Miss Marple» in Richtung Sofa manövriert. Ein riesengroßes, mit dunklem Samt bezogenes Möbel.

Ich weiß noch, dass ich es mit geübtem Blick blitzschnell auf verräterische Flecken hin untersuchte. Weil zum Beispiel Sperma aus Samt total schlecht rausgeht. Deswegen habe ich mich ja auch bei meinem Sofa für den Zebra-Bezug entschieden. Zebra-Bezüge behalten ihre Geheimnisse zuverlässig für sich. Daniels Sofa war fleckenfrei.

Wobei das auch nicht unbedingt was zu sagen hat. Ich kannte mal einen, ein ekeliger Typ, an den ich nur ungern zurückdenke, der hat seine Sofakissen immer umgedreht. Die saubere Seite war für seine Freundin reserviert – er war schon über fünf Jahre mit ihr zusammen, da macht ein Paar keine Flecken mehr. Und die weniger saubere Seite mussten sich seine zwei bis vier Affären teilen.

Ich ließ mich nieder und betrachtete den Raum. Alles war auf sehr lässige Weise unaufgeräumt. So wie auf den Fotos in Wohnzeitschriften: Hier und da liegt eine ‹Wallpaper› rum oder ein Bildband über das Frühwerk von Picasso, oder eine weiße Patchworkdecke hängt leger über einer Sessellehne.

Solche Dekorationen überleben nicht lange, wenn ich einen Raum betrete. Chaos ist mein ständiger Begleiter. Und so wurde es auch in Daniel Hofmanns Wohnzimmer schnell gemütlich. Ich brauche einfach einige Dinge in meinem näheren Umfeld, um mich wohl zu fühlen: Aschenbecher. Zigaretten. Feuerzeug. Weinglas. Im edelsten Fall, der hier eintrat, die dazugehörige Flasche in einem Sektkühler. Schokolade, Plätzchen oder Chipsletten.

Daniel sorgte für mein Wohl, und schon war aus diesem Raum ein Zimmer geworden, das nicht mehr ohne weiteres von einem ‹Schöner Wohnen›-Fotografen abgelichtet werden konnte.

Ich habe eigentlich noch nie einen Annäherungsversuch erlebt, der nicht irgendwie auf rührende Art unbeholfen war. Meist tun Männer eine ganze, lange Weile gar nichts, um dann plötzlich, in einem Akt der Verzweiflung, alles auf einmal zu machen.

Es erleichterte mich irgendwie, dass dieser göttliche Mediziner keine Ausnahme war. Miss Marple hatte gerade die Leiche von Cora Landscanate entdeckt, mit einer Stricknadel in ihrem Schaukelstuhl niedergemeuchelt, als Daniel seine Hand auf meinen Nacken legte, der dank Jos Haarnadeln völlig frei lag.

«Was machen die Verspannungen? Trägst du auch deine Einlagen?»

Sehr, sehr witzig. Ich beschloss, diese diskriminierende Bemerkung zu übergehen. Neigte stattdessen devot mein Haupt ein wenig zur Seite. Habe in einer Frauenzeitschrift gelesen, dass das Zeigen des weiblichen Halses bei Männern Urinstinkte hervorruft.

Es funktionierte. ‹Cosmopolitan› sei Dank! Daniel zog meinen Kopf mit einer außerordentlich urinstinkthaften Geste an sein Gesicht. Es war blöd, dass er bei dieser ersten Attacke von einer vorwitzigen Haarnadel abgewehrt wurde. Wir mussten leider lachen, was mich etwas durcheinanderbrachte. Humor und Erotik vertragen sich nicht besonders gut, wenn man sich noch nicht kennt. Das erste Mal ist eine ernste, schwierige Angelegenheit.

Geht es eigentlich anderen auch so, dass sie beim ersten Kuss nur darüber nachdenken, was man sagen soll, wenn der Kuss vorbei ist? Wahrscheinlich sollte man gar nichts sagen und sich einfach versonnen in die

Augen schauen. Das ist aber nicht meine Art. Ich fühle mich immer geradezu genötigt, die unangenehme Gesprächspause nach dem ersten Intimkontakt mit sinnfreier Konversation zu füllen. Ich sage dann so Sachen wie: «Kann ich noch ein Glas Wein haben?» oder «Kann ich noch eine Zigarette haben?» oder, früher, «Kann ich noch einen Joint haben?» Ich bin sicher, dass sich dadurch über viele Jahre meine ausgeprägten Suchtstrukturen noch verfestigt haben.

«Kann ich noch ein Glas Wein haben?», fragte ich also, als er fertig war.

«Nein», sagte er. Und küsste mich nochmal. Das gefiel mir, wobei es das Problem natürlich nicht löste, sondern nur aufschob.

Ich glaube, es war, als Miss Marple den Toten im Pferdestall entdeckte und Daniel aufstand, um die Vorhänge zu schließen. Jetzt hatte ich zum ersten Mal Gelegenheit zu bemerken, dass irgendwas anders war als sonst.

«Und wie war's?», fragte Jo, als sie mich am nächsten Morgen anrief.

«Wie war was?»

«Wie, wie war was? Jetzt tu doch nicht so. Habt ihr euch geküsst? Wart ihr im Bett? Wie ist er gebaut? Nun erzähl schon, du bist ja sonst auch nicht gerade verschlossen.»

«Eigentlich war gar nicht viel.»

«Oh.» Jo schwieg betroffen.

«Also, geküsst haben wir uns schon.»

«Nur geküsst? Sag bloß, Daniel ist einer von den Typen, die abends auf Sex verzichten, wenn sie morgens früh rausmüssen. Das erinnert mich an Olli. Weißt du noch?»

«Welcher Olli?»

«Der Blonde aus dem Reisebüro. Du weißt schon. Der

sich weigerte, mit mir im Kino zu knutschen, weil er ja schließlich Geld dafür bezahlt hatte, den Film zu sehen. Lass bloß die Finger von solchen Männern. Die sind tendenziell freudlos.»

«Nein, so war es ja auch gar nicht. Ich war's. Ich wollte plötzlich nicht mehr.»

«Du wolltest nicht mehr? Hatte er Mundgeruch oder was? Wobei dich das bei diesem Versicherungsfuzzi, wie hieß der nochmal, ach ja, Alex, ja auch nicht abgehalten hat. Weißt du noch, wie du ihm ein Fisherman's Friend geradezu aufgezwungen hast, bloß um mit ihm ohne Geruchsbelästigung ins Bett gehen zu können?»

«Also, diesmal war das anders. Und das mit Alex war ja auch nichts Ernstes. Ach, ich weiß auch nicht. Ich hatte bloß auf einmal das Gefühl, nun ja, ich weiß auch nicht, wie ich's beschreiben soll. Es war mir zu wichtig. Verstehst du, was ich meine? Dieser Mann gefällt mir gut, und ich dachte, es sei mal was anderes, es nicht bei der ersten Gelegenheit zu tun.»

«Nun ja, es ist zumindest originell. So, wie wenn man heiratet und nicht schwanger ist. Cora?»

«Mmmh?»

«Ich glaube, du bist wirklich verliebt.»

«Mmmh. Ich wollte einfach nicht, dass alles, was passieren kann, passiert. Außerdem hat deine Mutter doch auch immer gesagt: Willst du was gelten, mach dich selten. Das habe ich getan. Ich finde mich ziemlich heldenhaft.»

«Und wie hat er reagiert?»

«Überrascht.»

«Kann ich mir denken. Ist der Kerl wahrscheinlich nicht gewohnt. Wie bist du denn aus der Nummer rausgekommen?»

«Nun ja. Ich hatte doch mein Kleid an ...»

«Das cremefarbene?»

«Genau. So gegen Mitternacht bat ich ihn, den Reißverschluss wieder zuzumachen.»

«Also so weit war er immerhin schon gekommen.»

«Ich sagte, dass ich heute früh raus und viel arbeiten müsse.»

«Ich lach mich kaputt. Das hat er dir geglaubt? Klasse! Das nenne ich Emanzipation. So ein dämliches Argument hört man sonst nur von Männern.»

«Ich sage dir, Jo, als ich auf der Straße stand, war ich absolut euphorisch. Kein Sex kann so gut sein, wie keinen Sex zu haben. Ich habe alles noch vor mir. Ich habe meine Hormone besiegt. Und so ganz nebenbei bin ich dadurch wahrscheinlich noch in seiner Achtung gestiegen. Was will eine Frau mehr?»

«Wahrscheinlich hast du recht. Glückwunsch. Ist das nicht absurd? Du verschaffst dir Respekt dadurch, dass du ihm das, was er will, nicht gibst. Wahrscheinlich kann eine Beziehung nur auf Dauer funktionieren, wenn man völlig auf Sex verzichtet.»

«So weit würde ich nicht gehen. Wir sehen uns übermorgen wieder. Daniel will mich mit auf eine Sommerparty mitnehmen. Das klingt doch gut, oder?»

«Am Mittwoch? Ich dachte, da gehen wir ins ‹Massimo›?»

«Oh, das habe ich ganz vergessen. Soll ich ihm absagen?»

«Das wäre vielleicht zu viel des Guten. Erst kriegt der arme Mann keinen Sex und dann noch nicht mal eine Verabredung. Da könnte er bockig werden. Du darfst den Bogen nicht überspannen. Er soll sich als Eroberer fühlen, aber nicht als Depp. Komischerweise behagt den meisten Männern diese Rolle nicht, obwohl viele dafür wie geschaffen sind.»

«Du hast sicher recht. Bist du auch nicht böse?»

«Quatsch.»

«Was ist mit heute Abend? Hast du Zeit? Ich hab keine Ahnung, was ich am Mittwoch anziehen soll.»

«Komm vorbei, ich leih dir was. Wie hat das eigentlich mit der Hochsteckfrisur geklappt?»

«Als ich nach Hause kam, sah ich aus wie eine sturmgepeitschte Trauerweide.»

«Wir müssen über eine andere Frisur nachdenken.»

«Ich habe keine Frisur. Ich habe einfach nur Haare.»

«Okay, bis später. Soll ich was kochen?»

«Ach. Ein Salat reicht, denke ich.»

«Verstehe.»

18:58

Bin so verzweifelt, dass ich gleich ‹Heute› gucken werde. Hoffentlich gibt's heute eine ordentliche Katastrophe. Es mag ekelig klingen, es mag sogar ekelig sein – aber in solchen Momenten baut mich das Unglück anderer Leute irgendwie auf. Angesichts einer saftigen Dürre, einer fetten Hungersnot kommt einem das eigene Leid nicht mehr ganz so weltbewegend vor. Man darf sich selbst einfach nicht so wichtig nehmen.

Werde mich ab sofort nicht mehr so wichtig nehmen. Frage mich allerdings, was ich denn sonst wichtig nehmen soll. Ich sollte einem gemeinnützigen Verein beitreten. Oder zumindest mal was fürs ‹Rote Kreuz› spenden. Oder so.

Nachrichten sind langweilig. Vielleicht hätte ich bei Sascha bleiben sollen? Vielleicht sollte ich ihn anrufen?

Ich glaube, er liebt mich immer noch. Hoffe ich zumindest. Ich mag es, wenn Leute mich lieben, die ich nicht liebe. Das ist gut fürs Selbstbewusstsein. Ich kann mich noch genau an den Abend erinnern, als ich mich von ihm getrennt habe. Wochenlang hatte ich das Unvermeidliche vor mir hergeschoben. Ich trenne mich nicht gerne. Und seit ich über dreißig bin, trenne ich mich sogar noch viel ungerner. Aber es ging einfach nicht mehr, und Jo hatte mich gezwungen, es ihm endlich zu sagen.

«Du bestellst ihn um acht zu dir. Um kurz nach elf rufe ich dich an. Und wenn die Sache dann nicht endgültig erledigt ist, werde ich dafür sorgen, dass ein Kinderfoto von dir auf der Titelseite vom ‹Express› erscheint.»

Ich sah schlimm aus, als Kind.

«Wir passen einfach nicht zusammen.»

Sascha guckte traurig. Es zerbrach mir das Herz.

«Wieso denn nicht?»

«Sascha, das musst du doch auch sehen! Das Erste, was ich tue, wenn ich in dein Auto steige, ist, den Radiosender zu verändern. Ich hasse ‹Deutschlandfunk›! Und ich bin eine Schlampe. Es ist nicht so, als würde ich saure Milch in meinem Kaffee mögen, aber noch weniger mag ich mit jemandem zusammen sein, der mir jeden Morgen deswegen Vorhaltungen macht.

Ich kann es auch nicht länger ertragen, dass du mein Altpapier zum Container bringst, meine Schmutzwäsche in den Wäschekorb legst (legst! Nicht etwa stopfst!), meine Videokassetten alphabetisch sortierst oder mitten in der Nacht aufstehst, um den guten Rotwein zuzukorken, den ich offen stehenlassen habe. So geht das nicht weiter!»

«Cora, ich mag dich genau so, wie du bist. Mich stört das alles nicht. Ehrlich.»

«Mich aber!»

«Cora, jetzt sei nicht kindisch. Nur weil zwei Leute gegensätzlich sind, heißt das doch nicht, dass sie nicht zusammenpassen.» Sascha sprach mit der typischen «Hör-gut-zu-Kleines-ich-erklär-dir-jetzt-mal-die-Welt»-Stimme.

«Habe ich dir jemals von meinen Großeltern erzählt?»

Ich schüttelte unwillig den Kopf.

«Meine Großeltern waren so unterschiedlich, unterschiedlicher können zwei Menschen nicht sein. Mein Opa hatte mit achtzig noch ein Geschichtsstudium begonnen und wurde nicht müde, seiner Frau davon vorzuschwärmen und zu versuchen, sie dafür zu interessieren. Irgendwann sagte er zu ihr: ‹Magda, komm doch heute Abend mit zur Vorlesung. Es wird sicher sehr interessant. Es geht um 1848.› Und meine Großmutter strich ihm über den Kopf und sagte: ‹Ach Hans, lieber nicht. Das ist mir zu spät.›»

Ich lächelte gequält.

«Aber weißt du, genau dafür hat er sie geliebt. Sie führten eine sehr glückliche Ehe und hatten drei Kinder.»

«Wir können keine Kinder haben.»

Das, fand ich, war ein guter Schachzug, ein existenzieller sozusagen.

«Warum denn das nicht?»

«Du warst ja nicht mal damit einverstanden, wie ich meinen Wellensittich erzogen habe.»

«Hermann war, das musst du zugeben, ein völlig degeneriertes Tier. Du hast ihm seine tierischen Instinkte abgewöhnt. Und das hat ihn letztendlich das Leben gekostet.»

«Was willst du damit sagen? Dass ich Hermann umgebracht habe?» Ich merkte, wie meine Stimme einen hysterischen Unterton bekam.

«Nein, das nicht. Aber er hatte verlernt, sich zu fürchten. Jeder normale Vogel wäre weggeflogen. Dazu sind sie ja schließlich da. Hermann ist mit Sicherheit der einzige Sittich auf der Welt, der zu Tode kam, weil ein Klempner versehentlich auf ihn draufgetreten ist.»

Ich war sprachlos. Ich musste eine Weile um Fassung ringen. Hermann hatte mir viel bedeutet. Außerdem brauchte ich Zeit, um das nächste Argument vorzuformulieren.

«Und wie war das mit der Eifel!?», rief ich schließlich triumphierend. Ha! Da hatte ich ihn aber eiskalt erwischt.

«Jetzt fang doch nicht wieder damit an!», sagte er lässig, rutschte aber unruhig auf dem Stuhl hin und her. Männer werden nicht gerne an ihre Verfehlungen erinnert. Zumal sie ihre Verfehlungen selten für Verfehlungen halten.

Es war im letzten Sommer gewesen; Sascha und ich planten

unseren ersten gemeinsamen Urlaub. Ich wälzte Kataloge mit Aufschriften wie «Fernreisen» oder «Asien ganz anders» oder «Exotische Reiseziele».

Dabei stellte ich mir vor, wie ich morgens, von unserem auf Bambusstäben gebauten Bungalow aus, mit bunten Blumen im Haar zum strahlend weißen Strand laufe und meinen braungebrannten, schlanken (vorher Diät, ist klar) Körper in die azurblaue Südsee tauche, während Sascha auf der Terrasse mit einer Machete eine Kokosnuss spaltet, um dann in einer Hängematte, die zwischen zwei Palmen hängt, in deren Blättern leicht der warme Südseewind spielt, auf mich zu warten.

Ach herrlich. Ich liebe Reisevorbereitungen. Ich finde, man kann nicht früh genug damit anfangen. Aus diesem Grund halte ich auch gar nichts von Last-Minute-Angeboten. Die bringen einen um die schönste Zeit des Urlaubs: die Wochen der Vorfreude.

Das Blöde war nur, dass Sascha von meinen vorbereitenden Aktivitäten seltsam unberührt blieb. Im Gegenteil: An jedem Land, das ich ihm als potenzielles Reiseziel vorschlug, hatte er was rumzumäkeln. Bis drei Wochen vor Reisebeginn waren wir, beziehungsweise er, immer noch unentschlossen. Das hatte zur Folge, dass wir prophylaktisch eine Menge verschiedenster Malaria-Medikamente schluckten. In Thailand gibt es nämlich eine andere Malaria als in Indien, wo sich wiederum die Erreger massiv von denen aus Vietnam unterscheiden.

Eine Woche vor unserem ersten Urlaubstag hätten wir die ganze Welt bereisen können, ohne Opfer irgendeiner Krankheit zu werden. Schließlich buchte ich Vietnam.

Was soll ich sagen? Zwei Tage vor Take-off befand Sascha, dass in Vietnam die Luftfeuchtigkeit zu hoch sei, um dort angenehme Ferien zu verbringen.

Ich stornierte den Flug, und wir verbrachten zwei Wochen im Ferienhaus von Saschas Eltern in der Eifel. Es war entsetzlich.

Hätte nur noch gefehlt, dass ich mir dort einen seltenen Eifeler Malariaerreger eingefangen hätte.

Es regnete ununterbrochen. Diese feine, perfide Art von Regen, den man erst kaum bemerkt und der einen dennoch bis auf die Knochen durchnässt. Während der Rest Deutschlands, von Vietnam mal ganz zu schweigen, unter einem Hochdruckgebiet schwitzte, saßen Sascha und ich in einem Fachwerkhaus in Erkensruhr und spielten Backgammon. Ich hätte es da schon wissen müssen.

«Wir passen einfach nicht zusammen», wiederholte ich dramatisch. «Vollgepumpt mit Malariaprophylaxen saß ich zwei Wochen lang am einzigen Ort der Erde, den man beheizen musste.»

Ich sah, wie Sascha ärgerlich wurde. Ich hatte einen wunden Punkt getroffen. Recht so. Ich war wild entschlossen, die Sache hier und jetzt zu Ende zu bringen.

Okay, unsere Liebesgeschichte hatte schön angefangen. Aber was nutzt das? Sie war nicht schön weitergegangen. Ich sah, wie sich Sascha zum Gegenschlag aufplusterte.

«Cora! Verdammt nochmal! Sei doch nicht so unvernünftig! Dass du jetzt diese blöde alte Urlaubsgeschichte aufwärmst! Das ist wieder mal typisch für dich. Du bist immer so unsachlich.»

«Eben. Wir passen nicht zusammen. Ich bin immer unsachlich. Und ich bin es gerne. Warum sollte ich sachlich sein? Ich bin viel lieber persönlich.»

«Wie du meinst.»

Und das war's dann. Sascha ging. Und ich war durch eigenes Verschulden wieder Single. Ich wusste, dass ich das Richtige getan hatte. Jo war stolz auf mich. Aber ich fühlte mich sauschlecht.

Ich meine, es ist wirklich nicht so, dass ich kompromisslos bin. Ich halte mich jedenfalls nicht dafür. Ich habe bloß ein paar Angewohnheiten, von denen ich ungern ablassen möchte. Ich esse Nutella direkt aus dem Glas. Ich reinige meine Haarbürste grundsätzlich nicht. Ich schlafe bei offenem Fenster und drehe die Heizung hoch. Ich spreche nicht vor neun Uhr morgens. Ich höre nicht auf zu sprechen vor zwei Uhr nachts. Ich will sonntagnachmittags depressiv sein. Ich schaue keine französischen Filme an und lese grundsätzlich niemals die ‹Zeit›. Ich kaufe immer zu viel ein und verpacke die Reste in zweifelhafte Plastikschüsseln. Ich weiß noch, wie meine Mutter zu Besuch war. Mitten in der Nacht hatte sie Hunger bekommen, tapste zum Kühlschrank und weckte mich mit einem schrillen Schrei, weil sie fahrlässig die Schüssel mit den Überbleibseln des ‹Hühnchen chinoise› geöffnet hatte, das ich drei Wochen zuvor für Big Jim gezaubert hatte.

Ich habe ein wunderschönes altes Klavier, auf dem ich mehrmals am Tag immer dasselbe Stück spiele. Ich brauche das zur Beruhigung. Ich lege Wert darauf, meine Schmutzwäsche auf dem Badezimmerboden und nicht im dafür vorgesehenen Schmutzwäschekorb aufzubewahren. Im Schmutzwäschekorb haben mein Nähzeug, die Bedienungsanleitungen für Videorecorder und Fernseher, meine alte Zitronenpresse und die etwa dreiundzwanzig alleinstehenden Socken, die auf unerklärliche Weise ihre Partner verloren haben, ein treffliches Plätzchen gefunden. Ich gehöre zu der Generation, die ihre Kühlschranktür als Pinnwand benutzt. Vergilbte, mit Spaghettisoßenspritzern gesprenkelte Fotos meiner Freunde hängen daran, Zeitungsausschnitte und Cartoons. Mein Lieblingscartoon, der mich seit Jahren begleitet und schon diverse Kühlschranktüren geziert hat, hängt immer in der Mitte: Eine Frau hält ein kleines Männchen an der Hand, und eine zweite Frau sagt zu ihr: «Stillen Sie noch ab, oder ist das Ihr Mann?» Finde ich total lustig. Immer wenn mich in Frage kommende Männer besuchen, hänge ich allerdings eine Schlagzeile darüber, die ich vor Jahren mal aus der ‹Abendzeitung› ausgeschnitten habe: ‹Bonn in Sorge – Kohl denkt nach›. Zum Frühstück esse ich gerne kalte Bockwürstchen aus dem Glas, ich würde mich niemals von meiner riesigen Leuchtbanane trennen, die auf dem Küchenschrank steht, und ein Leben ohne meine Weckuhr, die mit der Stereoanlage verbunden ist, die mich jeden Morgen ausgesprochen laut mit *«Throughout the Years»* von Kurtis Blow weckt, käme für mich nicht in Frage.

Ich bin nicht schwierig. Wenn man mich so sein lässt, wie ich sein will, ist meine Anwesenheit keine Zumutung, sondern durchaus eine Bereicherung.

19:02

Grundgütiger! Es klingelt an der Tür! Und ich trage meine rosa Puschen mit den Bommeln!

«Hallo?», frage ich resolut in die Sprechanlage, während ich gleichzeitig die Puschen mit einem gezielten Tritt unter die Garderobe kicke, mir den obersten Knopf meines Hemdes aufknöpfe, meinen Rock ein wenig höher ziehe und die Haare hinter die Ohren streiche. Eine rührende Geste angesichts der mir wohlbekannten Tatsache, dass sie da ohnehin nicht lange verweilen werden.

«Hallo? Wer ist da?» Ich höre Stille. Höre Rauschen. Dann höre ich Schritte im Treppenhaus. Ohhh! Er ist schon drin! Irgendein Depp hat mal wieder vergessen, die Tür unten zu schließen. Werde mich bei Frau Zappka beschweren. Immer, wenn ich die Haustür offen lasse, taucht sie urplötzlich auf, um mich zu maßregeln, als täte sie den ganzen Tag nichts anderes, als durch ihren Spion zu glotzen, um mich bei einem Verstoß gegen die Hausordnung zu ertappen.

Es klingelt schon wieder! Herrje! Ich höre, wie sich jemand vor meiner Tür räuspert. Herrje! Ein Mann!

Ich linse vorsichtig durch den Spion. Es ist eigenartig, aber es ist eine Tatsache, dass ich und alle Frauen, die ich kenne, sich nicht vorstellen können, dass man durch Spione wirklich nur in eine Richtung gucken kann. Da gebärden sie sich wie Eingeborene, die zum ersten Mal einen Blick durch ein Fernglas werfen. Ich zucke also erschrocken zurück, als ich mitten in ein mürrisches Gesicht blicke. Widerwillig öffne ich die Tür.

«Hallo Rüdiger. Was gibt's?»

«Was'n mit dir los?» Rüdiger glotzt mich an, als würde ich eine Gasmaske tragen.

«Was soll los sein?»

«Hast du eins auf die Nase bekommen, oder was?»

Erschrocken taste ich mein Gesicht ab. Wie blöd von mir. Habe vergessen, das ‹Nivea-Anti-Mitesser-Pflaster› von meiner Nase zu entfernen. Jetzt ist es natürlich steinhart geworden. Werde es mit lauwarmem Wasser ablösen müssen.

«Gehst du in die Küche vor? Ich verschwinde mal kurz im Bad.»

Während ich versuche, meine Nase von dem festgetrockneten Pflaster zu befreien, höre ich, wie Rüdiger in der Küche rumort.

Was will der Kerl bloß hier? Er war erst einmal bei mir, als ich mich verpflichtet gefühlt hatte, ihn und Marianne zu meinem Geburtstag einzuladen. Damals hatte er sich abfällig über meine IKEA-Küche geäußert und über meinen Umgang. Bloß weil er der Einzige war, der einen, allerdings schlecht sitzenden, Anzug getragen und Big Jim ihn zu fortgeschrittener Stunde zu einem Schwanzvergleich aufgefordert hatte.

«Nimm dir ein Glas Wein! Steht im Kühlschrank!»

Rüdiger grunzt. Klingt zufrieden.

«Marianne fragt, ob wir dein Klappbett für heute Nacht ausleihen dürfen! Ihre Schwester ist eben überraschend zu Besuch gekommen!»

Autsch! Das Pflaster hat sich wie eine Klette an meiner Nase festgebissen.

«Klar! Das Ding steht auf dem Speicher. Hoffe ich zumindest! Bin gleich so weit!»

«Lass dir Zeit!»

Uuuh. Schmerzen! Ich habe zwar keine Mitesser, aber als

aufgeschlossene Frau probiere ich dennoch alle Neuerungen des Kosmetikmarktes aus. Ich halte mich gerne über längere Zeiträume in Parfümerien auf. Zu meinen favorisierten Freizeitbeschäftigungen gehört es, mich von Douglas-Verkäuferinnen demütigen zu lassen. Sehen immer so aus, als hätten sie am Abend eine Einladung zur Oscar-Verleihung. Ich frage mich, wann Douglas-Verkäuferinnen aufstehen müssen, damit sie genug Zeit haben, sich diese perfekte Maske aufs Gesicht zu schminken. Wahrscheinlich kurz nach Mitternacht.

«Soll ich dir auch einen Wein einschenken!?»

«Ja bitte! Ich komme gleich!»

Bei Douglas Make-up zu kaufen ist, als würde man in der Wäscheabteilung von Karstadt von Cindy Crawford bedient. Entmutigend. Entwürdigend. Entsetzlich. Und teuer. Neulich hatte mir eine dieser sorgfältig grundierten, alterslosen Kosmetik-Soldatinnen, die stets ihre Lippen mit einem dunklen Konturstift umrahmen, eine Pflegeserie «Für die reife Haut» angeboten.

«Schauen Sie doch bitte mal in diesen Vergrößerungsspiegel», sagte sie zuckersüß.

Ich will an dieser Stelle eine Warnung aussprechen: Tut es nicht!!! Freundinnen, die ihr über dreißig seid und glaubt, eure Haut sei noch nicht reif. Schaut niemals in einen Vergrößerungsspiegel.

N-i-e-m-a-l-s!

Da tun sich Abgründe auf.

Ich wankte mit zwei schweineteuren winzigen Tiegelchen mit Zellextrakten nach Hause und hatte dort erst mal eine halbe Stunde lang damit zu tun, die hartnäckigen Klebefolien mit der Aufschrift ‹Réparation› zu entfernen. Muss ja nicht jeder, der bei mir aufs Klo geht, gleich Bescheid wissen über den katastrophalen Zustand meiner uralten Epidermis. Ich brauche kein Mitleid.

«So, das wäre geschafft.» Mit rotglänzender, schmerzender Nase betrete ich meine IKEA-Küche, die durch die Anwesenheit von Rüdiger Mohr verschandelt wird. Grinsend und breitbeinig sitzt er auf meinem Küchenstuhl.

Mannomann, jetzt habe ich diesen Typen an der Backe. Hoffentlich hat er nicht vor, lange zu bleiben. Habe Wichtigeres zu tun, als mich mit dem unsympathischen Mann meiner Nachbarin zu langweilen. Ich warte schließlich auf einen Anruf.

Ein Gedanke, der mich sofort sehr unglücklich stimmt. Es ist tatsächlich schon kurz nach sieben!

Rüdiger nimmt einen großen Schluck Wein, als müsse er sich Mut antrinken.

«Wie geht's Marianne?», frage ich blöde.

«Marianne versteht mich nicht.» Rüdiger schaut erst betroffen in sein Weinglas, dann schaut er betroffen in meinen Ausschnitt, der, wie mir siedend heiß einfällt, zu gewagt ist für den unerwarteten und unerwünschten Gast.

«Eh? Wie? Wie meinst du das?» Ich versuche, auch betroffen zu gucken.

«Mich versteht eigentlich immer sowieso keiner.»

Grundgütiger! Auch das noch! Die langweiligsten Leute, die ich kenne, haben eine Beziehungskrise. Verschont mich! Rüdiger hat sonst doch auch nie mit mir geredet. Das war mir sehr angenehm.

«Sie ist schon wieder schwanger.»

«Ich hole dann mal das Klappbett vom Speicher.» Ein Versuch, das Thema zu wechseln.

«Wir brauchen dein Klappbett nicht. War nur ein Vorwand. Marianne versteht mich nicht. Ich musste einfach bloß mit jemandem reden.»

Warum mit mir? Warum ich? Ich will das nicht! Ich verstehe dich doch auch nicht, Rüdiger, du blöder Trottel!

«Es tut mir leid, das zu hören.»

Warum bin ich immer so höflich? Warum sage ich nicht, was ich denke? Aus Höflichkeit habe ich mich schon so verflucht oft in die unangenehmsten Situationen gebracht. Aber ich kann es einfach nicht lassen.

Ich weiß noch, wie mich mein Kollege Ludger Kohlberg fragte, ob ich nicht Lust hätte, nach der Arbeit noch mit ihm was trinken zu gehen. Eigentlich hätte ich ihm antworten müssen, dass ich schon allein die Frage für eine Unverschämtheit hielt. Manche Männer wissen sich einfach nicht einzuordnen. Die sind langweilig, humorlos, unattraktiv und verheiratet und fragen mich, ob ich mit ihnen nach der Arbeit noch was trinken gehen will. Da macht man sich als Frau schon Gedanken, ob man nicht die falschen Signale aussendet.

Herrn Kohlberg sagte ich das alles nicht. Ich sagte ihm, im Prinzip liebend gerne, aber es gehe leider nicht, da ich, wie er ja wisse, jeden Tag mit dem Fahrrad käme, was ausgerechnet heute leider einen Platten habe. Ich sei also sozusagen bewegungsunfähig. Aber ein andermal gerne.

Und was hatte ich davon? Von dieser wohlmeinenden Lüge, die sowohl meine Feigheit als auch sein Ego bediente? Ludger Kohlberg bot mir an, mich samt meinem platten Fahrrad in sein Auto zu laden, zu einem Drink auszufahren und dann nach Hause zu bringen. Was bedeutete, dass ich kurz vor Dienstschluss runterschlich und die Luft aus meinem Rad ließ, um nicht als Lügnerin dazustehen. Nein, Höflichkeit führt zu nichts. Ich muss daran arbeiten.

Rüdiger presst seine nichtvorhandenen Lippen zusammen. Sein Mund sieht gar nicht aus wie ein Mund, fällt mir gerade auf, eher wie eine sich plötzlich auftuende Gesichtsspalte.

Jetzt klingelt es schon wieder!

«Erwartest du Besuch?»

«Ja, äh, nein, nicht wirklich.» Mit Herzklopfen gehe ich zur Tür. Wenn das jetzt Daniel ist ...

Es ist nicht Daniel.

«Ist dieses Arschloch von Ehemann bei dir!?» Marianne wartet die Antwort erst gar nicht ab, sondern stürmt sofort in die Küche. Ich erwäge, die Wohnung zu verlassen. Bleibe dann aber doch. Aus Trotz – ich bin schließlich hier zu Hause – und natürlich aus Neugierde. Ich schließe nicht aus, dass mich das unmittelbare Erleben einer Ehekrise mit meinem erbärmlichen Bin-dreiunddreißig-und-warte-auf-seinen-Anruf-Zustand versöhnen könnte.

Interessiert, aber zurückhaltend schlendere ich hinter Marianne her. Drohend hat sie sich vor Rüdiger aufgebaut, sodass ihr ausladendes Becken sein blödes Gesicht ganz verdeckt.

«Rat mal, was er zu mir gesagt hat!?», brüllt sie und dreht sich halb in meine Richtung.

«Keine Ahnung.» Wie kriege ich dieses Paar nur wieder aus meiner Wohnung.

«Rat mal, was mein beschissener Ehemann gesagt hat, als er eben erfuhr, dass ich wieder schwanger bin!?» Marianne kommt jetzt drohend auf mich zu. Himmel nochmal, die Situation wird belastend für mich. Ohne auf meine Antwort zu warten, schreit sie: «Er hat gesagt, ich zitiere wörtlich, hör gut zu, ich zitiere wörtlich, Cora, lass dir das mal auf der Zunge zergehen: ‹Was? Schon wieder? Wie konnte denn das passieren?›»

Ich finde diese Frage einleuchtend und berechtigt, da mich Marianne über ihr dürftiges Sexualleben aufgeklärt hatte. Halte es aber für besser, das nicht zu kommunizieren.

«Der freut sich gar nicht!», schreit Marianne und bricht dann in Tränen aus.

Ich beeile mich, ihr ein Tuch von meiner Küchenrolle abzureißen, froh, etwas Sinnvolles tun zu können, und wende mich dann an Rüdiger.

«Ja, freust du dich denn gar nicht?» Ich versuche, so zu klingen wie meine letzte Therapeutin.

«Doch, doch. Ich freu mich ja», grunzt Rüdiger und verdreht seine Augen gen Decke.

«Rüdiger hat einfach Probleme, seine Emotionen zu zeigen und zu artikulieren», sage ich zu Marianne.

«Pfff. Das kann man wohl sagen. Weißt du, was er gesagt hat!? Rat mal!»

Bin ich hier bei Jeopardy oder was?

«Er hat gesagt, dass er sich zwei Dinge in seinem Leben

wesentlich ergreifender vorgestellt habe. Die Geburt seines Sohnes und das Kaufen der Eheringe. Das sei für ihn gewesen, als habe er sich beim Bäcker 'ne Nussecke geholt!»

Zum Glück muss ich nur fast lachen.

«Das sagt die Richtige!», meldet sich jetzt Rüdiger zu Wort. Er springt auf und rennt hektisch auf und ab. «Weißt du noch, was du gesagt hast, als Dennis gerade geboren war! Ich hatte extra einen wichtigen Termin verschoben, um die Nabelschnur durchzuschneiden! Weißt du noch, was du gesagt hast, als ich meinen neugeborenen, erstgeborenen, noch ganz schleimigen Sohn auf den Arm nahm!?» Rüdiger ist jetzt krebsrot angelaufen, was ihm gar nicht gut zu Gesicht steht.

«Ich hab doch nur an dich gedacht», jammert Marianne.

«Du hast gesagt: Pass mit deinem Hemd auf. Pass mit deinem Hemd auf! Das muss man sich mal vorstellen! Nennst du das etwa emotional!?»

Jetzt verfärbt sich Marianne bedrohlich.

«Du willst Emotionen!? Da hast du deine Emotionen!»

Ich besitze ja nicht viel kostbares Porzellan, aber Marianne greift zielsicher nach der Blumenvase, die meine Mutter mir mal von einer Chinareise mitgebracht hatte. Mit enormer Wucht schleudert sie das kostbare Gefäß auf den Küchenboden.

Ich sehe tausend wertvolle Scherben, ich sehe Mariannes Gesicht, leichenblass, ich sehe Rüdigers Gesicht, noch leichenblasser, und ich höre die Türglocke läuten.

19:18

Die Bilanz der letzten halben Stunde kann man nur als katastrophal bezeichnen. Ich habe keine einzige kostbare Vase mehr, dafür zahle ich jetzt Rundfunkgebühren.

Der Mann an der Tür hatte mir einen Ausweis unter die Nase gehalten und irgendwas von öffentlich-rechtlichem Rundfunk gesagt und dass ich sicherlich bloß vergessen hätte, meine gebührenpflichtigen Geräte anzumelden. Trotz der angespannten Situation, dem wildgewordenen Ehepaar, das in diesem Moment meine Küche zerlegte, reagierte ich geistesgegenwärtig.

«Ich habe gar nichts vergessen. Ich habe keine gebührenpflichtigen Geräte. Ich besitze nicht mal einen Radiowecker.» Ich schaute dem Mann fest in die Augen. Ha! Ich war auf Krawall gebürstet. Mit mir nicht.

«Und was ist das da?»

«Was ist was wo?»

Der Rächer des öffentlichen Rundfunks deutete mit überheblicher Geste über meine Schulter hinweg in Richtung Wohnzimmer. Die Tür stand leider offen und gab den Blick frei auf meinen neuen Sony-Großbildfernseher, in dem gerade der ZDF-Nachrichtensprecher das Wetter für morgen verkündete. «Das Hoch Kuno verlagert sich mit seinen westlichen Ausläufern bis in den Norden Deutschlands.»

«Äh.»

«Bitte, unterschreiben Sie hier. Wir werden die Gebühren rückwirkend für zwei Jahre erheben. Ich nehme nicht an, dass Sie das Gerät erst seit gestern haben?»

Ich schüttelte stumm und beschämt den Kopf. Fühlte mich wehrlos, ausgeliefert einer männlichen, von Männern bestimmten Männer-Welt.

Der böse Mann ging, besaß noch die Frechheit, auf der Treppe zu pfeifen, gefolgt von Marianne und Rüdiger.

«Ich werde dir den Schaden ersetzen», sagte sie kleinlaut und drückte mir einen betrüblichen, in Plastik gehüllten Scherbenhaufen in die Hand. Rüdiger sagte gar nichts. Stand bloß daneben und betrachtete interessiert die Maserung meines Parkettbodens.

«Wenn's ein Mädchen wird, könnt ihr es ja Cora nennen, als kleines Dankeschön für mich», versuchte ich ein auflockerndes Scherzwort zu sprechen.

«Nicht nötig, wir haben eine Haftpflichtversicherung», sagte Rüdiger zu meinem Parkettboden. Ich glaube, Rüdiger nahm es mir persönlich übel, dass ich ihn bei einem Gefühlsausbruch ertappt hatte. Marianne sah mich auch ein wenig konsterniert an. Das hat man davon. Da stellt man seine Küche als Schlachtfeld zur Verfügung und wird dann ganz plötzlich zum gemeinsamen Feindbild der gegnerischen Truppen.

Werde mich jetzt ermattet, wie ich bin, auf mein Zebrasofa schwingen und über mein verpfuschtes Leben grübeln. Könnte damit anfangen, meine Videokassetten alphabetisch zu ordnen.

Oder ich denke mir Kosenamen für Hoden aus. Das bringt mich vielleicht auf andere Gedanken.

Verlorene Eier.

Elmex und Aronal.

Dick und Doof.

Karius und Baktus.

Lachsack.

Kichererbsen.

Bin nicht in Stimmung. Bin unglücklich. Bin so weit, Van Morrison aufzulegen und mich mit ihm meinem Kummer hinzugeben. Draußen scheint immer noch die Sonne. Es ist eine Zumutung. Vom Italiener an der Ecke klingt Stimmengewirr und Gelächter hinauf in mein tristes Dasein. Da sitzen sie jetzt unter bunten Lampions, trinken schlechten Weißwein, essen Lasagne, werfen sich sommerliche Blicke zu und freuen sich auf Sex.

Alle, alle werden im Verlauf dieses Abends Sex haben. Nur ich nicht. Ich werde «Wetten, dass ...?» gucken und nicht ans Telefon gehen, damit meine beste Freundin nicht merkt, dass ich keinen Sex habe, sondern «Wetten, dass ...?» gucke.

Ach, ich liege so brach. Es ist eine Schande um mich.

Daniel holte mich am Mittwochabend um halb acht ab. Ich war natürlich extrem gespannt auf sein Auto. Ich gehöre schließlich zu der Generation, für die das Auto die erste sturmfreie Bude war. Ich bin, ich sage das nicht ohne Stolz, in einem VW-Bus entjungfert worden. Damit zähle ich sozusagen zur Upper-Class. Denn die meisten meiner Mitschülerinnen hat es in einem Fiat Panda, einem Käfer oder einem R4 erwischt.

Daniel fuhr in einem BMW vor, schwarz, etwa so groß wie mein Badezimmer und mit einer beeindruckenden Anzahl von Schalthebeln ausgestattet.

Sexuell gesehen, kenne ich mich in BMWs nicht aus, und so drückte ich erst einmal auf alle erreichbaren Knöpfe. Neugierdehalber natürlich, aber auch, weil ich weiß, dass Männer es mögen, wenn man ihrem Auto mit Respekt und Bewunderung gegenübertritt.

Autos, Stereoanlagen und Geschlechtsorgane sind Dinge, über die man sich als Frau, einem Mann gegenüber, immer nur lobpreisend äußern sollte.

Ich kletterte also in meinem veilchenblauen Minikleid in die Schalensitze, überhörte kokett sein Kompliment «Du siehst umwerfend aus» und widmete mich sofort demonstrativ der überwältigenden BMW-Technik.

«Oh, darf ich mal da draufdrücken!?», rief ich mädchenhaft begeistert. Woraufhin mein Sitz nach unten schnellte und mich in eine demütigende, sehr niedrige Position brachte, von wo aus ich den Straßenverkehr nur noch mühsam überblicken konnte. Daniel brachte mich wieder auf Augenhöhe und sagte: «Das ist für Leute, die mit Hut fahren wollen. Wenn du mit einer Beifahrerin zum Pferderennen nach Ascot fährst, ist das sehr praktisch.»

«Aha.» Mein Kleid war etwas verrutscht. Was wollte er damit sagen? Dass er schon mehrmals mit einer wohlbehüteten Begleitung nach Ascot gefahren war? Dass er es mag, wenn Frauen Hüte tragen? Dass ihm meine Frisur nicht gefällt? Ich beschloss, mich nicht verunsichern zu lassen, und drückte auf den nächsten Knopf. Nichts geschah.

«Und wofür ist der gut?»

«Wart's ab.»

«Was ist das eigentlich für eine Party?»

«Ein Studienkollege von mir feiert seinen Vierzigsten. Er hat irgendwo außerhalb eine Scheune gemietet und zweihundert Leute eingeladen. Wahrscheinlich größtenteils Mediziner. Ich hoffe, das klingt nicht allzu abschreckend?»

Das klang allerdings abschreckend.

«Überhaupt nicht.» Auf einmal wurde mir ganz seltsam zumute.

«Was ist das?» Vorsichtig schob ich meine Hand unter meinen Po. Mir wurde untenrum so seltsam warm. Ich erinnere mich nur noch dunkel daran, wie es sich anfühlte, als ich das letzte Mal in die Hose gemacht hatte. Aber ich fühlte mich in diesem Moment unschön daran erinnert.

«Du hast die Sitzheizung angemacht.»

«Ah, und ich dachte schon, ich litte unter Blasenschwäche.» Ups. Das war mir so unfein rausgerutscht. Ich traute mich nicht zu gucken, ob Daniel lächelte. Ich wechselte also schnell das Thema.

«Und deine Freundin Carmen? Kommt sie auch zu der Party?» Das war natürlich sehr gewagt und offensiv. Wir hatten nie über Carmen-Ute Koszlowski gesprochen. Aber ich weiß nun mal ganz gern, was auf mich zukommt. Und ich fand, es war an der Zeit herauszufinden, ob der Mann im Schalensitz neben mir ein Mann in festen Händen war.

«Carmen hat heute noch ein Shooting. Sie kommt später, wenn überhaupt.»

Ach was, ein Shooting. Aus unerfindlichen Gründen fühlte ich mich beschissen. Es ist nun mal so, dass sich alle Frauen Frauen unterlegen fühlen, die vorher noch ein Shooting haben.

Ich beschloss, darüber zu schweigen und stattdessen die Fahrt zu genießen. Immerhin hatte Dr. Daniel mich gefragt, ob ich ihn zu der Party begleiten wolle. Und wenn Ute Koszlowski erst später käme, dann würde es für sie möglicherweise zu spät sein. Ich betrachtete versonnen und begehrlich Daniels Unterarm. Ich finde männliche Unterarme erotisch, insbesondere wenn sie die Verlängerung eines BMW-Schaltknüppels darstellen. Ich bin da schlicht gestrickt. Männer verlieren in schlammfarbenen Toyotas einen Gutteil ihrer sexuellen Attraktion.

Ich lehnte mich lasziv zurück, betrachtete die vorbeifliegenden Rapsfelder und genoss die Beschallung von Lloyd Cole.

Lloyd Cole gefällt mir zwar nicht besonders, aber ich bilde mir ein, die Botschaft zu verstehen, die jemand senden will, indem er Lloyd Cole an einem Sommerabend im BMW spielt.

Und die Botschaft gefällt mir: ‹Ich fuhr nicht immer BMW. Ja, auch ich habe auf befleckten Flokatis gekifft, meine Eltern, die Atomindustrie und Helmut Kohl verachtet. Es ist eher Zufall, dass trotzdem etwas aus mir geworden ist. Und ich schäme mich dafür, dass ich mich jetzt gezwungen sehe, eine Putzfrau zu beschäftigen und FDP zu wählen.›

Oooohhh! Es geht mir ja so gut! Ich sitze neben einem schmucken Akademiker, er trägt schwarze Jeans und ein weißes Hemd, lächelt hin und wieder zu mir rüber, die Abendsonne scheint in den selbstverständlich mit Schiebedach ausgestatteten Wagen. Und Lloyd singt:

«*Are you ready to be heartbroken.*»

Ja! Herz brechen! Die eine Hälfte verschenken! Verlieben! Ich könnte so um die ganze Welt fahren!

«*You say you're so happy now. You can hardly stand.*»

:114

Stimmt. Fühlt sich immer noch an wie mit fünfzehn.

«Are you ready to be heartbroken.»

Daniel legte seine Hand auf meine. Uuhh. Das ist besser als die meisten Orgasmen, die ich in letzter Zeit so erlebt habe.

Bin Teenager! Könnte jetzt giggelnd Pina Colada trinken, auf Tischen tanzen, Overknees tragen, mir einen Schönheitsfleck auf die rechte Wange malen und mich für unwiderstehlich halten. Mmmh.

«Are you ready to bleed?»

«Aufwachen, Cora Hübsch! Wir sind da.»

Gleichzeitig mit Lloyd Cole verstummte der Motor.

«Also, wenn das hier eine Scheune sein soll, dann möcht ich nicht wissen, als was die mein Wohnzimmer bezeichnen würden.» Ich hatte mich bei Daniel untergehakt, und wir gingen auf eine Art ländlichen Holzpalast zu.

«Michael ist Schönheitschirurg. Die verdienen gut.»

Oh, Schönheitschirurg. Das war mir irgendwie unangenehm und erinnerte mich an eine Essenseinladung vor ein paar Wochen.

Da hatte ich neben einem Friseur gesessen und mich sehr unwohl gefühlt. Ständig hatte ich das Gefühl, dass sein fachmännischer Blick angewidert auf meinen verstrubbelten Haaren ruhte und er sich zurückhalten musste, mich nicht gleich an Ort und Stelle, mit Messer und Gabel, zu frisieren.

«Und Michael ist das Geburtstagskind? Haben wir eigentlich ein Geschenk?»

«Schon in Ordnung. Ich habe mich an irgendwas beteiligt, ich habe allerdings keine Ahnung woran.»

Nun ja, so sind Männer, wenn sie männlich sind und keine Frau haben. Männer sind keine versierten Schenker, meist vergessen sie ja sogar den Anlass, zu dem sie jemanden beschenken sollen. Die nettesten Präsente, die die Mütter meiner Ex-Freunde bekamen, gingen immer auf meine Initiative zurück.

Von innen sah die angebliche Scheune noch beeindruckender aus als von außen. Der riesige Raum war mit Hunderten von Lichterketten geschmückt, die von den uralten Deckenbalken hingen. Rechts war eine Bar aufgebaut, links ein gigantisches Büfett. Dazwischen, um eine Tanzfläche herum, befanden sich Dutzende von weißen Stehtischen. Sobald wir eintraten, stürzte ein Kellner auf uns zu und drängte uns ein Glas Champagner auf.

«Auf dein Wohl», sagte ich und bemühte mich um ein verführerisches Lächeln. «Vielen Dank für die Einladung. Und, falls ich's später vergessen sollte zu sagen: Ich hatte einen wunderschönen Abend.»

Ich erhob mein Glas und betete, dass Daniel nie den Film ‹Pretty Woman› gesehen hatte. Habe seither immer auf eine passende Gelegenheit gewartet, es mal anzubringen. Daniel lächelte geschmeichelt. Glück gehabt. Einmal hatte ich, ich war angeheitert, man möge mir also verzeihen, zu jemandem gesagt: «Ich habe ein Gespür fürs Geschäft und einen Körper für die Sünde.» Der Jemand antwortete: «Melanie Griffith zu Harrison Ford in ‹Die Waffen der Frauen›. Habe ich auch gesehen. Guter Film.» Ja, das war blöd, mündete aber immerhin in eine angeregte Unterhaltung über berühmte Sequenzen aus berühmten Filmen.

«Auf unser Wohl», sagte Daniel. «Ich werde es sicher nicht vergessen zu sagen, aber ich sag's jetzt schon mal: Ich hatte auch einen wunderschönen Abend.»

Ich trank einen Schluck und grinste verlegen in die Weite des Raumes. Kann meinem Gegenüber in solchen Momenten immer schlecht in die Augen blicken. Zumindest dann nicht, wenn mir wirklich was an diesem Gegenüber liegt.

Um die Situation zu entkrampfen, suchte ich die Toilette auf, zog mir die Lippen nach und sinnierte über die große Ungerechtigkeit, dass mich mein durchaus vorhandenes Selbstbewusstsein immer in den entscheidendsten Momenten verlässt. Deswegen sind es meist Volltrottel, die mir zu Füßen liegen. Die können mich nicht einschüchtern. Die beeindrucke ich mit Witz, Ironie und Schlagfertigkeit. Also wirklich, ich habe schon Verehrer gehabt, die mir selbst peinlich waren.

«Na dann, stürzen wir uns also ins Getümmel», sagte Daniel, als ich zurückkam.

In diesem Moment stürzte sich das Getümmel auf uns. Ein johlender Pulk, angeführt von einem menschlichen Kugelblitz, schwenkte auf uns zu.

«Wie schön, dass du da bist!», rief der Kugelblitz und schloss Daniel in seine kurzen Ärmchen.

«Michael, vielen Dank für die Einladung und herzlichen Glückwunsch zum Geburtstag.» Daniel griff nach meinem Arm und zog mich zu den beiden heran.

«Darf ich dir Cora vorstellen? Michael Hinz. Cora Hübsch. Und sag jetzt bloß nicht ‹Wie hübsch›. Über den Witz lacht sie nicht mehr.»

«Keine Sorge. Hallo Cora. Herzlich willkommen. Hübsch wäre ja auch wirklich eine beleidigende Untertreibung.»

«Oh, danke», sagte ich. «Ich weiß ein Kompliment aus berufenem Munde zu schätzen.»

«Ach, hat dich Daniel schon aufgeklärt? Ich weiß, ich sehe nicht aus wie ein Schönheitschirurg, eher wie einer, der dringend zum Schönheitschirurgen müsste!» Michael quietschte vor Vergnügen.

Netter Mann. So selbstironisch. Ich bin auch selbstironisch. Na ja, ich war's zumindest, bis mich die Anwesenheit von Dr. Daniel Hofmann zur Dumpfbacke mutieren ließ.

«Was ist denn mit Carmen? Kommt sie noch?», fragte Michael.

«Vielleicht später. Sie hat noch ein Shooting.»

So, damit war mir die Laune zum zweiten Mal gründlich verdorben. Aber ich lächelte tapfer und herzlich, als wäre von einer meiner besten Freundinnen die Rede.

«Ach herrje, diese Filmstars», sagte Michael und zuckte die Schultern. «Mein Typ ist sie ja nicht. Viel zu dünn, kann man nix mehr von absaugen. Da gefällst du mir viiiiel besser.» Er schaute mich freundlich und begehrlich an, als würde er im Geiste schon ein Schnittmuster auf meinen Körper zeichnen. Ich glaube, er hatte es noch nicht mal böse gemeint, dennoch fragte ich mich den ganzen Abend, ob Veilchenblau dick macht und ob ich nicht doch lieber was Schwarzes hätte anziehen sollen.

Aber es war trotzdem ein nettes Fest. Eine sturzbetrunkene Kollegin von Daniel zwang mich, mit ihr Brüderschaft zu trinken, schrie dabei «Wir Schwestern müssen zusammenhalten» und küsste mich anschließend auf den Mund.

Clarissa war, wie mir Daniel zuraunte, vor drei

Wochen von ihrem Freund verlassen worden. Angeblich, weil er fand, dass die Routine in ihrer Beziehung die Oberhand gewonnen habe. Eine Woche später hatte Clarissa ihn händchenhaltend mit einer stämmigen Brünetten im Park gesehen.

«Das ist bitter», sagte ich bestürzt. «Wenn die Neue wenigstens dürr und blond gewesen wäre. Aber wegen einer Stämmigen verlassen zu werden – das passt ja in kein Klischee und ist somit wirklich verletzend.»

Daniel schaute mich belustigt an und küsste mich ohne Vorwarnung.

«Du schmeckst lecker», sagte er.

«Nach Gauloises légères», korrigierte ich. Ich hatte gerade erst aufgeraucht. Als Raucherin wird man nicht gerne spontan von einem Nichtraucher geküsst. Immerhin hatte ich aber darauf geachtet, in den letzten Tagen keinen Knoblauch zu mir zu nehmen. Die Geschichte, die Jo mir erzählt hatte, war mir eine Warnung gewesen. Kurzfristig war sie neulich an einem Sonntagabend von einem leckeren Kollegen aus der Werbeabteilung ins Kino eingeladen worden. Am Abend vorher war sie beim Griechen gewesen und stank nach Knoblauch wie Ilja Rogoff persönlich. Durch die halbe Stadt war sie gekurvt, um eine geöffnete Apotheke zu finden. Und war sich schrecklich dämlich vorgekommen, den Notdienstler um ein wirksames Mittel gegen Mundgeruch anzuflehen.

«Was hältst du davon, wenn wir die Party jetzt verlassen und noch einen Absacker auf meiner Dachterrasse nehmen?» Ich meinte, einen leicht anzüglichen Ton aus Daniels Worten herauszuhören, zumal er sie direkt in mein Ohr flüsterte. Ich nickte lässig. Auf der Heimfahrt knutschten wir an jeder roten Ampel und hörten R. Kelly:

«Baby, we both sittin' here.
We need to get somewhere private, just you an' me.
Throw your underwear on the wall.
Who's the greatest lover of them all?
Who makes your love come down like waterfalls?
I thought you knew. Come on Baby, let's do this.»
Mmmmh. Yeah.

19:34

Telefon!

Ich geh nicht dran. Ich geh nicht dran. Das wird Jo sein, und sie wird mit mir schimpfen. Aber wenn es Daniel ist? Was, wenn er nicht auf Band spricht? Ich muss es wagen.

«Hübsch?»

«Hallo! Gleich fängt ‹Wetten, dass …?› an. Guckst du auch? Dachte, ich ruf dich vorher noch kurz an.»

«Hallo Mama.»

«Kind, wie geht's dir? Warum bist du nicht unterwegs bei dem herrlichen Wetter? Papa und ich haben heute eine wunderbare Radtour gemacht. Papa hat richtig Farbe im Gesicht bekommen. Aber du weißt ja, der wird braun, wenn er die Sonne bloß von weitem sieht.»

«Ach, ich …»

«Hast du schon von Stefanie gehört?»

«Nein, was?»

«Deine Cousine hat gestern Abend ihr Kind bekommen! Ein Junge! Was sagst du dazu?»

«Ich wusste gar nicht, dass sie schwanger war.»

«Natürlich wusstest du das, Kind. Ich hab's dir doch erzählt. Du interessierst dich einfach nicht für deine Familie.»

«Ach Mama.»

«Doch. Na egal. Jedenfalls ist die Geburt ohne Komplikationen verlaufen. Kam rausgeschossen wie ein Sektkorken, der kleine Junge. Ganz anders als bei dir damals.»

«Mmmh.» Bitte nicht das. Die Geschichte muss ich mir bei jedem Familienfest anhören. Wie mich der Arzt, weil ich so ein dickes Baby war, mit der Saugglocke holen musste. Und dass ich ganz viele Haare auf dem Kopf hatte, sodass die Hebamme sagte: «Tja, manche kommen auf die Welt und müssen gleich zum Friseur.»

Jedes Mal, wenn meine Mutter von meiner Geburt erzählt, werde ich hundert Gramm schwerer und dauern die Wehen eine Stunde länger. Einmal, als es mir wirklich zu bunt wurde, habe ich ihr gesagt, sie solle sich nicht so anstellen. Ich hätte von einer befreundeten Hebamme gehört, wenn man ein Kind bekomme, sei es so, als kacke man die dickste Wurst seines Lebens. Das hat sie wirklich gesagt, und ich fand es recht anschaulich.

Meine Mutter war tödlich beleidigt, schwieg einen Moment lang und sagte: «Ich hätte dich nie ermuntern sollen zu sprechen.»

Seither verkneife ich mir solche Kommentare.

«Stefanie ist achtundzwanzig. Und das ist ihr zweites Kind.» Ich hörte den vorwurfsvollen Ton in ihrer Stimme. Ich hasse es, dass alle weiblichen Wesen in meiner weitverzweigten Familie ständig werfen. Das setzt mich unter Druck.

«Meine Nachbarin ist auch gerade wieder schwanger», sagte ich.

«Siehst du.»

«Sie war eben mit ihrem Mann bei mir. Sie haben sich furchtbar gestritten. Sie hat sogar eine Vase vor Wut zerschmissen.»

«Doch nicht etwa die, die ich dir aus China mitgebracht habe!?»

«Äh, nein. Eine andere.» Gute Güte, wie kann ich nur so blöde sein? Hätte ich nichts gesagt, die fehlende Vase wäre ihr niemals aufgefallen.

«So, Kind, ich muss Schluss machen. Papa will noch was essen. Wir wollen nächste Woche mal bei dir vorbeischauen. Sag uns einfach, wann's dir passt. Tschühüss.»

Auch das noch. Woher bekomme ich eine neue Vase? Woher nehme ich die Zeit, meine Wohnung bis dahin gründlich zu reinigen? Sonst verbringt meine Mutter wieder die Hälfte der Zeit damit, die Küchenschränke von innen mit Essigwasser auszuwischen und die diversen Kosmetikartikel im Bad nach Sachgebieten zu ordnen. Und meine Putzfrau ist schwanger und geht nach Polen zurück. Werde jetzt Wäsche aufhängen und dann bügeln. Beides beruhigende, meditative Tätigkeiten, die Demut und Sorgfalt erfordern.

Ist es eigentlich normal, sich mit seiner Bügelwäsche zu unterhalten? Ich habe nie darüber nachgedacht. Aber heute Abend ist ein Abend, an dem ich selbst an meinen gewöhnlichsten Eigenschaften zweifle.

Diesmal hatte ich die Gelegenheit und die Gelassenheit, mir Daniels Wohnung genauer anzuschauen. Besonders die Küche, während er den Wein entkorkte, und das Bad, während ich mir hurtig im Waschbecken die Füße wusch.

Erleichtert stellte ich in beiden Räumen eine ausgewogene Mischung zwischen Reinlichkeit und Sünde fest. Im Kühlschrank konnte ich einen Blick auf zwei Tafeln Kinderschokolade, eine Flasche Wodka im Eisfach und drei Gläser rechtsdrehenden Joghurt erhaschen. Auf dem Küchentisch stand eine Schale mit Obst, daneben der Aschenbecher für Gäste, und glücklicherweise sah ich nirgends eine Getreidemühle.

Auch das Badezimmer entsprach meinen Vorstellungen vom Badezimmer eines vielversprechenden Mannes. Eine Dose Niveacreme und daneben ‹Envy› von Gucci. Eine Zahnbürste, die nicht aussah, als hätte er damit schon seine Milchzähne geputzt, ein Rasierpinsel aus echtem Dachshaar und daneben das altvertraute Pärchen: Elmex und Aronal. Puh.

Ich sage immer: Mädels, wenn ihr im Bad Davidoffs

‹Cool Water› oder Alpecin Forte oder eine Nagelfeile im Zahnputzbecher seht, dann nix wie weg. Dasselbe gilt für schwarze Satinbettwäsche und Topfpflanzen im Schlafraum, alphabetisch geordnete Videokassetten im Wohnzimmer, Trockenblumen in der Küche und ein Schlüsselbrett im Flur.

Kerzenschein auf Dachterrasse. Gutgekühlter Weißwein, warme Luft. Muss ich mehr sagen? Es war perfekt. Wir unterhielten uns noch ein wenig über die Party, fummelten dabei ein bisschen aneinander rum, bis ich mich schließlich, es war ein erhebender, außergewöhnlicher Moment, ins Schlafzimmer tragen ließ.

Ja, ich sagte: tragen! Das hatte es in meinem bisherigen Liebesleben noch nie gegeben. Normalerweise weigere ich mich strikt, diese romantisch gemeinte Prozedur über mich ergehen zu lassen. Die Gründe dafür liegen wohl auf der Hand. Aber Daniel erschien mir kräftig genug, um mich leicht zu finden.

Ich glaube, ich kann ohne Übertreibung sagen, dass ich in meinem Leben noch keinen besseren Sex hatte.

Meiner Erfahrung nach ist das erste Mal sonst immer nur deswegen aufregend, weil es das erste Mal ist. Der

Reiz des Neuen lässt einen über diverse Unstimmigkeiten, was die Choreographie betrifft, hinwegsehen. Da lässt man dann schon mal Dinge mit sich machen, die man bei klarem Verstand und spätestens beim dritten Mal schon im Keim zu ersticken weiß.

Aus naheliegenden und bereits erwähnten Gründen hasse ich es zum Beispiel, wenn man sich eingehend mit meinen Füßen beschäftigt. Ich bin auch keine Freundin von Zungen, die sich in meine Ohrmuschel bohren, oder Kopulationsstellungen, die mehr als eine durchschnittliche Gelenkigkeit voraussetzen.

Schlimm sind auch die, Jo nennt sie «Betroffenheits-Bumser», die immer noch glauben, sie hätten es auch im Bett mit einer emanzipierten Frau zu tun. Die wollen dir einfach alles recht und bloß nichts falsch machen, dass sie darüber völlig vergessen, dass der Geschlechtsverkehr ein Akt ist, der auch ihrem eigenen Lustgewinn dienen sollte.

Auf der anderen Seite der Skala unerwünschter Beischläfer sind die Ego-Rammler, die sich hingegen überhaupt nicht für die seelische und körperliche Beschaffenheit ihrer Partnerin interessieren. Und einem womöglich kurz vor Schluss ein herzhaftes ‹Chica› ins Ohr raunen. ‹Chica› ist, glaube ich, spanisch und heißt so viel wie ‹geile Schnitte›. So was mag man einem Spanier verzeihen. Aber auch nur im Urlaub.

Ich sag ja immer, dass der Königsweg in der Mitte liegt. Und das tat er in diesem Fall.

Es war wie ... wie ... der erste Schluck Champagner nach langer Abstinenz ... wie am ersten Urlaubstag jubelnd mit Kleidern ins Meer rennen ... wie ins Bett gehen, wenn man müde ist ... wie hellwach aufstehen ... wie Tiramisu nach einem guten Essen.

Ich will an dieser Stelle nicht ins Detail gehen. Wobei Detail sowieso das falsche Wort ist.

Gegen vier Uhr morgens kehrte Ruhe ein in Dr. Hofmanns Schlafzimmer. Ich betrachtete Daniels Schlaf und war überhaupt nicht müde. Sex wirkt auf mich immer sehr anregend. Ich bekomme grundsätzlich Hunger und Lust, meine Steuererklärung zu machen oder den Backofen zu reinigen. Während ich also tatendurstig dalag, überlegte ich, welches Verhalten ich nun an den Tag legen sollte.

An Einschlafen war nicht zu denken. Und an Aufwachen schon gar nicht. Ich war froh, dass ich nicht sehen konnte, wie ich aussah. Aber ich konnte es mir lebhaft vorstellen. Meine Wimperntusche war sicherlich über meinen ganzen Körper verteilt, mein Gesicht rot gefleckt, und meine Haare fühlten sich an, als hätten sie gar nichts mehr mit meinem Kopf zu tun und wollten demnächst auswandern.

Mein Bedürfnis, in diesem Zustand nicht neben dem Mann meiner Träume im unerbittlichen Tageslicht aufzuwachen, deckte sich wunderbar mit meinem Bedürfnis, lässig zu wirken. Also stand ich leise auf. Aufs Kopfkissen legte ich einen Zettel: «Hab's ja geahnt: Es war ein wunderschöner Abend. Vielen Dank.» Dann zog ich mich an und schlich hinaus.

Ich war natürlich heilfroh, dass die Haustür unten nicht abgeschlossen war. Sascha hatte mal zwei Stunden im Treppenhaus gewartet, als er am frühen Morgen aus einem fremden Bett getürmt war, bis der erste Bewohner das Haus verließ.

Ich trat auf die Straße, atmete tief durch und ging zu Fuß nach Hause. In einen neuen Tag und, wie mir schien, in ein neues Leben hinein.

20:01

«Jo?»

«Hallo! Wollte dich auch gerade anrufen. Was ist denn mit dir los? Du klingst lausig.»

«Jo, ich hab's ja sooo satt. Ich werde ihn jetzt anrufen.»

«So schlimm?»

«Mmmmh.»

«Und warum rufst du mich vorher an? Soll ich dir meinen Segen geben oder versuchen, dich davon abzuhalten?»

«Weiß nicht.»

«Hör zu. Es gibt nur einen einzigen Grund, einen Mann in dieser Situation anzurufen.»

«Welchen denn?»

«Wenn du wirklich nicht anders kannst.»

«Verstehe. Ich meld mich gleich wieder bei dir.»

20:03

«Jo?»

«Und?»

«Er war nicht da.»

«Hast du ihm aufs Band gesprochen?»

«Nee, natürlich nicht. Dann wüsste er ja, dass ich angerufen habe.»

«Cora?»

«Mmmmh?»

«Du hast 'nen Knall.»

22:05

Habe gerade Jo verabschiedet. Um halb neun war sie einfach vorbeigekommen, hatte resolut den Fernseher ausgemacht und gesagt: «Wir werden jetzt Spaß haben, ob du willst oder nicht.» Dann hatte sie Spaghetti aufgesetzt und die mitgebrachte Champagnerflasche entkorkt.

Ach, ich liebe meine Freundin. Es gelingt ihr immer wieder, mir den Eindruck zu vermitteln, ich sei in Ordnung, so wie ich bin. Wir haben Udo Jürgens gehört.

«Ich war noch niemals in New York, ich war noch niemals richtig frei, einmal verrückt sein und aus allen Zwängen flieh'n.»

Wir waren in der Laune, uns an eine schicke Hotelbar zu setzen und dort elf Vertreter für Bettpfannen zu unterhalten und auf dem Tresen tanzen zu lassen. Leider muss Jo morgen früh raus. Also beschränkten wir uns darauf, Paare zu bedauern und uns zu gut für die Männer zu finden.

«Was erwartest du?», sagte Jo. «Wenn du einem Biertrinker zehn verschiedene Sorten Champagner vorsetzt, was glaubst du, für welchen er sich entscheidet?»

«Weiß nich.»

«Für den, bei dem der Korken am leichtesten aufgeht.» Jo lachte sich kaputt. Ich lachte mich auch kaputt.

«Die meisten Paare sind doch bloß deshalb zusammen, weil sie die Hoffnung aufgegeben haben, jemand Besseres zu finden. Oder sie überbrücken zu zweit die Zeit, bis einer von beiden jemand Besseres kennenlernt.»

Ich nickte getröstet. Das tat gut. Obschon es wahrscheinlich nicht die vollkommene Wahrheit war.

«Und die anderen, Cora, seien wir ehrlich, befinden sich in einer permanenten Beziehungskrise. Und halten das auch noch für ein Zeichen von Stabilität.»

Es ist immer wieder interessant, die Frage zu erörtern, welche Daseinsform einem eigentlich mehr Probleme bereitet, die der gebundenen oder die der ungebundenen Frau.

«Wenn du einen hast, dann musst du zumindest keinen mehr suchen», sage ich weise.

«Vorausgesetzt, du hast den Richtigen. Aber selbst mit dem Richtigen wird es nach ein paar Jahren so langweilig, dass du wieder anfängst, dich umzuschauen. Dann hast du wieder dasselbe Problem, als wärest du Single, bloß dass du eben nicht mehr Single bist. Also hast du dann ein Problem mehr.»

«Ich möchte mich aber lieber zu zweit langweilen als alleine. Außerdem ist langweilig das falsche Wort. Vertraut gefällt mir besser. Und mit jemandem vertraut zu sein ist wunderschön.»

«Nein, sich jemanden vertraut zu machen ist wunderschön. Jemanden zu entdecken ist wunderschön, sich von jemandem entdecken zu lassen ist wunderschön.»

«Nichts mehr zu entdecken ist auch wunderschön. Dann ist man wenigstens vor unliebsamen Überraschungen sicher. Du kennst seine kleinen Macken, du machst nicht mehr die Tür zu, wenn du dir im Bad die Zähne mit Zahnseide reinigst ...»

«Ja, und irgendwann geht ihr zusammen aufs Klo, und du drückst ihm die Pickel auf dem Rücken aus. Und von da aus ist es nur noch ein kleiner Schritt, bis du ihn ‹Vatti› nennst und ihm das Schnitzel in mundgerechte Teile schneidest. Cora, ich sage dir, Vertrauen ist gut, Selbstkontrolle ist besser. Wenn es irgendwann so weit gekommen ist, dass er dir die Fußnägel schneidet, ist das der Anfang vom Ende.»

«Ich würde mir nie von Daniel die Fußnägel ...»

«Okay, das war in deinem Fall vielleicht ein schlechtes Beispiel. Du würdest ja sogar bei der Pediküre vor lauter Scham einen falschen Namen angeben.»

«Ich würde niemals zur Pediküre gehen. Ich leide ja schon beim Friseur Höllenqualen. Er begrüßt mich immer mit demselben Satz: ‹Schätzchen! Du siehst verheerend aus!›

Und wenn ich nach zwei Stunden rauskomme, sehe ich meistens genauso aus wie vorher, und es fällt niemandem auf, dass ich dafür 120 Mark ausgegeben habe.»

«Das stimmt doch gar nicht. Weißt du noch, als du bei Maurice warst?»

«Du meinst die Nummer mit den Lichtreflexen? Die haben 220 Mark gekostet. Und mein Chef hat mich am nächsten Tag in der Graphikkonferenz minutenlang angestarrt und schließlich gesagt: ‹Den können Sie verklagen.›»

Jo lachte sich schon wieder kaputt. Und warf ihre lange blonde Mähne nach hinten. Wenn sie nicht meine beste Freundin wäre, würde ich sie hassen.

«Weißt du, Jo, was ich mir am allermeisten wünsche?»

«Was'n?»

«Ich wünsche mir, dass jemand ‹meine Liebste› zu mir sagt.» Ich nahm noch einen Schluck. War plötzlich sentimental. «Hat zu dir schon mal jemand ‹meine Liebste› gesagt?»

«Nein. Ich weiß, was du meinst. So was sagen sie nicht. Sie sagen Schatz oder Maus oder Schatzi oder Mausi. Irgendwie kapieren Männer nicht den Unterschied zwischen der Art von Schlichtheit, in der die wahre Größe liegt, und der Art von Schlichtheit, in der die wahre Größe nicht liegt.»

«Mmmmh.»

Wir schwiegen versonnen. Ob Daniel jemals meine Liebste zu mir sagen würde? Nun, in seinem Fall wäre ich ja sogar mit Mausi zufrieden. Außerdem wäre es ein schöner Anfang, wenn er mich mal anrufen würde.

«Vergiss es, Cora, er wird es nicht sagen. Das ist zu viel verlangt. Sei froh, wenn er dich überhaupt anruft.»

Jo und ich beschlossen, auf der Stelle etwas für unsere Gesundheit zu tun, und legten ein Problemzonen-Gymnastik-Video mit Franzi van Almsick ein. Die Kassette hatte mir Big Jim zu meinem Dreißigsten geschenkt, und ich hatte so getan, als würde ich mich freuen. Dafür hatte ich ihm zu seinem letzten Geburtstag drei sündhaft teure Viagras überreicht. Und er hat auch so getan, als würde er sich freuen.

Aber das Turnen mit Franzi hat nicht viel Spaß gemacht. Was unter anderem daran lag, dass Franzi so aussah, als würde es ihr nicht viel Spaß machen. Die sieht sowieso so aus, als würde ihr überhaupt nichts viel Spaß machen. Das kommt davon, wenn man in jungen Jahren schon so viel Erfolg hat. Bin sehr froh, dass mir dieses Schicksal erspart geblieben ist.

Jo legte eine CD ein, und wir tanzten Salsa zu ‹Best of Salsa› und grölten mit, obschon wir kein Wort Spanisch können.

«*Equando semare passa, e la begra pur massa! Essa negra sankta camera equo como loko!!!*»

«Wir müssen uns damit abfinden!», schrie ich.

«Womit'n?»

«Dass der Himmel meistens voller Arschgeigen hängt!»

Jo brach prustend auf dem Sofa zusammen. Dennoch gelang es ihr, gleichzeitig ihr Glas zu einem Toast zu erheben.

«Auf Dr. Daniel Hofmann! Die Aaaschgeige! Er ahnt ja gar nicht, was ihm durch die Lappen geht! Dieser Depp! Wenn er dich nicht will, ist er nicht gut genug für dich!»

«Aaschgeige!»

«Sackgesiicht!»

«Aaschgeige!»

«Sackgesiiicht!»

«Aaaaaschgeige!»

«Sackgesiiiicht!»

«Jo?»

«Was'n?»

«Ich bin verliebt.»

«Ich weiß.»

22:20

Ich kann nicht glauben, dass er nicht angerufen hat. Bin in tiefste Selbstzweifel verstrickt. Was habe ich bloß falsch gemacht? Ich war lässig, ich war verführerisch. Eine aparte Mischung aus Zurückhaltung und Lüsternheit. Habe mich vorbildhaft verhalten, könnte in jedem Ratgeberbuch ‹So verhalten Sie sich korrekt, wenn Sie Ihrem Traummann begegnen› die Erfolgsstory der Cora H. erzählen. Mit dem kleinen Makel, dass der Erfolg ausgeblieben ist. Irgendwie hatte ich den Eindruck, ich hätte ihm gefallen.

22:25

Meiner Meinung nach teilen sich Menschen in zwei Gruppen auf: in solche, die einem sagen, wenn man was zwischen den Zähnen hat, und solche, die es einem nicht sagen.

Keine Ahnung, wie ich jetzt darauf komme. Ist ja auch egal.

22:26

Ich geh ins Bett. Kann die Anwesenheit dieser lauen Sommernacht nicht länger ertragen. ‹Schlaf mal drüber›, würde meine Mutter jetzt sagen. ‹Nachts sind alle Katzen grau. Morgen sieht die Welt schon wieder ganz anders aus.› Habe allerdings die Befürchtung, dass die Welt morgen nicht ganz anders aussehen wird. Gute Nacht.

22:30

Hab's mir anders überlegt. Bin gar nicht müde. Stehe im Nachthemd auf dem Balkon und schaue betrübt auf meinen Weihnachtsbaum. Ich kann dieses Mahnmal meiner letzten gescheiterten Beziehung nicht länger um mich haben. Werde ihn jetzt sofort entsorgen. Zum Park ist es nicht weit, und ein bisschen frische Luft wird mir guttun.

23:05

Ich bin die dämlichste, unattraktivste Kuh, die dümmste Nuss, die ich jemals kennengelernt habe. Diese Erkenntnis habe ich innerhalb der vergangenen dreißig Minuten dank eines vertrockneten Nadelbaumes gewonnen. Das geschah folgendermaßen:

Ich ließ also, wie jedes Jahr im Spätsommer oder Frühherbst, vorsichtig den Weihnachtsbaum von meinem Balkon im ersten Stock hinunter auf den Gehweg. Ich tauschte schnell mein Nachthemd gegen ein ehemals blaues, jetzt blassgrau-verwaschenes Sommerkleid und lief runter zu meinem Baum. Übrigens barfuß. Ich finde, wenn man sommernachts ohne Schuhe, einen Tannenbaum hinter sich herschleifend, durch die Straße geht, hat das so was ganz Eigenes. So was Besonderes. Manche würden es womöglich für besonders bescheuert halten. Bin mir da aber nicht sicher. Ich finde es besonders interessant und exzentrisch.

‹Nackte Füße auf nacktem Asphalt.› So könnte eigentlich auch ein Dreiteiler bei RTL heißen, in dem es um eine glutäugige Schöne geht, die sich im Dschungel einer ihr unbekannten Großstadt auf die Suche nach ihrem Vater macht, der von Schuften verschleppt wurde, die versuchen wollen, ihm das Geheimnis zu entlocken, wo er die Mikrofilme, die ihm seine Frau, eine Spionin mit tarnender bürgerlicher Existenz, auf dem Sterbebett zugesteckt hat.

Wenn alle Stricke reißen, kann ich immer noch Drehbuchautorin werden.

Stolz und exzentrisch zog ich den Weihnachtsbaum hinter mir her, eine deutliche Spur aus vertrockneten Tannennadeln zurücklassend. Ich begegnete niemandem auf dem Weg zum Park. Aber mir war sowieso alles egal. Ich hatte mit meinem Leben abgeschlossen. Sollten sie doch lachen, sollten sie mich doch verspotten. Ich hatte Schlimmeres ertragen müssen.

Dass es allerdings noch schlimmer kommen würde, erfuhr ich, als ich in den schmalen, spärlich beleuchteten Weg einbog, der von der Straße zum Park und von dort aus in ein kleines Tannenwäldchen führte, wo ich mein schütteres Bäumchen dezent zwischen seinen Artgenossen beerdigen wollte.

Mittlerweile gibt es dort schon einen regelrechten Friedhof für ausrangierte Weihnachtsbäume. Denn ich lebe seit etwa zehn Jahren in dieser Gegend.

Ich marschierte den schwummerigen Pfad entlang, als mir ein Paar entgegenkam. Arm in Arm, sich leise unterhaltend, wie sich das gehört. Um mir ihren Anblick zu ersparen und ihnen meinen, hob ich den Baum an, sodass seine kümmerliche, nackte Spitze ein wenig mein Gesicht verdeckte. Ich hätte auch lieber einen Mann statt einer Tanne im Arm gehabt. Aber was nicht ist, das ist nicht. Man muss das Beste draus machen. Mit gesenktem Blick stapfte ich weiter, war schon halb an den beiden vorbei, als mich eine Stimme wie ein Donnerschlag traf.

«Cora?»

Ich lugte hinter meinem Baum hervor. Und erstarrte. Wo war das sich auftuende Loch im Erdboden, um mich gnädig zu verschlucken? Man möge sich an dieser Stelle bitte noch einmal mein Erscheinungsbild in Erinnerung rufen: Ich stehe nachts barfuß, mit einem schäbigen Kleidchen in einem Park, mit einem Tannenbaum-Gerippe in der rechten Hand, an dem noch Lamettareste hängen und das mein schamrotes Gesicht nur unzureichend verdeckt. Ich tat das Einzige, was man in so einer Situation tun kann. Ich tat, als sei nix.

«Ach, hallo Daniel! Wie geht's?» Ich schaffte es sogar, Ute Koszlowski schmallippig anzulächeln. Die glotzte mich an, als sei ich eine Frau, die mitten im Sommer einen Weihnachtsbaum im Arm hat.

«Äh, danke, gut.» Daniel nahm hastig seinen Arm von Utes abstoßend schmalen Schultern.

Bloß nichts anmerken lassen! Cool bleiben. Nicht durchdrehen. Ehe einer von den beiden auch nur irgendetwas sagen konnte, nickte ich freundlich.

«Tja dann, schönen Abend noch», rief ich fröhlich und setzte meinen Weg fort, so würdevoll, wie es mir unter diesen Umständen möglich war.

Ich schaffte es noch, die Tanne zu ihrer Grabstätte zu schleppen, oder schleppte sie mich?, und sie dort fallen zu lassen. Dann hockte ich mich auf einen Baumstumpf, betrachtete verstört meine Füße und dachte erst mal nichts.

War das eben wirklich geschehen? Ute Koszlowski im Arm des Mannes, auf dessen Anruf ich seit Stunden wartete? Ich epiliere mir die Beine, belästige meine besten Freunde mit liebestollem Gejaule, beschwöre mein Telefon zu klingeln, während Dr. Daniel Hofmann mit einer drittklassigen, viel zu dünnen Fernseh-Soap-Schlampe Arm in Arm durch die laue Luft schlendert?

Immerhin besaß ich noch die Geistesgegenwart, mir einen Zipfel meines Kleides unter die Augen zu pressen, damit die Wimperntusche nicht verläuft, als ich anfing zu heulen.

Ich sprang auf, und während ich fünfzehn Minuten durch den Park stapfte, durchlebte ich die sechs klassischen Trennungsphasen:

1. Nicht-wahrhaben-wollen-Phase
Sicherlich lässt sich alles ganz leicht aufklären. Daniel wollte sich heute Abend von der Koszlowski trennen, um mich dann morgen, ungebunden und frei von einer belastenden Vergangenheit, anzurufen und zu bitten, seine Frau zu werden.

Es hat auch gar nichts zu bedeuten, dass er sie zu so später Stunde noch im Arm hält, obschon längst alles zwischen ihnen geklärt ist. Es ist eine Geste des Trostes, des Mitfühlens, der alten Verbundenheit. Ich kann beruhigt schlafen gehen.

2. Wut-zulassen-Phase
Diese Niedertracht! Diese Aaaschgeige! Sackgesicht! Das ist so typisch, so unglaublich typisch, feige, würdelos und männlich. Mich über seine Beziehung zu Ute Koszlowski im Unklaren lassen, rumdrucksen, einmal nett vögeln – Klassenziel erreicht – und dann zurückkehren ins gemachte Bett.

Während ich unseren ungeborenen Kindern Vornamen gebe und überlege, ob wir sie taufen lassen sollten, hat mich dieser

Sausack längst zu seinen Akten unter «Origineller Beischlaf mit stämmiger Brünetter» abgelegt.

Missbraucht worden bin ich dazu, einem furztrockenen Allgemeinmediziner einen kurzfristigen Hauch von Abenteuer zu vermitteln. Hat sich auf meine Kosten lebendig gefühlt.

Werde seinen BMwichtig mit Rasierklingen bearbeiten und ihm lächerliche Aufkleber wie ‹Bitte nicht hupen, Fahrer träumt von Schalke 04› oder ‹Ich bremse auch für Männer› mit Silikon aufs Rückfenster kleben. Werde ihm drei Monate alte Weintrauben mit einer Horde Fruchtfliegen darauf, per Kurier und hübsch verpackt, nach Hause schicken. Werde in seinem Namen eine Kontaktanzeige aufgeben mit Telefonnummer. «Sensibler, treuer Akademiker sucht passende Frau. Aussehen egal. Bitte meldet euch unter: ...»

Ich werde mich rächen, Dr. Daniel Arschloch Hofmann. Du wolltest eine wilde, kurze Nummer? Diese Nummer wird wilder und nicht so kurz, wie du gehofft hast. Hast du «Eine verhängnisvolle Affäre» mit Glenn Close gesehen? Gnade deinem Kaninchen, wenn du eines hättest!

3. Schmerz-ausleben-Phase

Niemand liebt mich. Wie konnte ich auch nur im Traum annehmen, dass dieser gutgebaute, intelligente, schöne, geistreiche, gutverdienende Mann es ernst meinen könnte mit mir. Mir! Es ist so lächerlich. Ich bin die Frau, mit der man betrügt. Von der man in lustiger Männerrunde erzählen kann mit den Worten: «Ich hatte mal eine besonders skurrile, die ...»

Keiner will bei mir bleiben. Ich werde immer verlassen. Sogar von Sascha. Das stimmt zwar nicht, aber in solchen Momenten spielen derlei Details keine Rolle. Es fühlt sich jedenfalls so an. Auf dem Höhepunkt meiner Geschlechtsreife, in dem Alter, wo ich gehofft hatte, meinen ersten vaginalen Orgasmus zu erleben, ist mein Liebesleben vorbei.

Schluss. Aus. Vorbei.

4. Positive Neuorientierungs-Phase

Diese Phase habe ich übersprungen und stattdessen nochmal von vorne angefangen.

Ich ging nach Hause. Und versuchte, der ganzen Sache etwas Positives abzugewinnen. Ich versuchte es vergeblich. Ich trottete am Eck-Italiener vorbei, wo die Leute immer noch draußen saßen, redeten, lachten, unbeeindruckt von meinem schweren Schicksal. Das hatte etwas Tröstliches. Die Welt, dachte ich, schert sich nicht um dein Befinden. Es interessiert sie nicht, dass du den Rest deines Lebens mit dem Wissen verbringen musst, dass sich eine andere deinen Mann geschnappt hat. Ich warf mich auf mein Sofa und verachtete mich dafür, dass ich vier Mini-Dickmann's hintereinander aß. Wenn mir der Kummer doch wenigstens auf den Magen schlagen würde. Nicht mal das. Mir vergeht nur dann der Appetit, wenn ich zu viel, und mit zu viel meine ich viel, viel zu viel, gegessen habe.

23:15

Mist. Habe keine Zigaretten mehr.

23:16

Werde aufhören zu rauchen. Jetzt. Muss meinem Leben einen neuen Sinn geben. Bin ab sofort Nichtraucher.

23:17

Gehe nochmal schnell Zigaretten holen.

23:18

Schleiche mit gesenktem Haupt auf die Straße. Bin ein Nichtsnutz. Schaffe es nicht mal, mit dem Rauchen aufzuhören. Kein

Wunder, dass mich keiner will. Gehe vorbei an Mariannes Haus, in ihrer Wohnung brennt kein Licht mehr, vorbei am Taxenstand, an dem keine Taxen stehen.

«Hallo Cora.»

Mmmh? Wer spricht? Ich schaue auf und bringe kein Lächeln mehr zustande. Welche bösen Schicksalsmächte haben sich bloß gegen mich verschworen? Nehmen die Demütigungen denn kein Ende?

«Hallo Ute.»

Ute Koszlowski schaut mich angeekelt an.

«Die meisten nennen mich Carmen.»

«Ist mir doch egal. Ich bin nicht die meisten.»

Ich fühle mich wie Hiob. Eine Plage nach der anderen. Womit habe ich das verdient? Für welche Sünden werde ich bestraft? Sicherlich würde sich gleich ein Schwarm Heuschrecken auf mir niederlassen, würden grüne Pockenpusteln in meinem Gesicht sprießen. Und bestimmt war zwischenzeitlich in meine Wohnung eingebrochen worden. Nein, heute war einfach nicht mein Tag. Ute strich sich affektiert eine rote Haarsträhne aus dem Gesicht und sagte:

«Ich warte hier wohl vergebens auf ein Taxi.»

«Aha.»

«Daniel ist schon nach Hause. Ich wollte eigentlich zu Fuß gehen. Hab's mir aber doch anders überlegt.»

«Aha.»

«Du hast ihn ganz schön durcheinandergebracht.»

«Hä?» Ich glotze sie mit einer Mischung aus Unverständnis und Feindseligkeit an. Was sollte das denn heißen? Wusste sie von unserer ... äh ... Begegnung? Wollte sie sich noch ein wenig an meiner Niederlage berauschen?

«Ich meine, mir könnte das ja eigentlich egal sein. Ich will mich ja auch nicht einmischen. Aber jetzt, wo ich dich hier treffe ... Wollen wir nicht noch zusammen was trinken gehen?»

Ich überlege kurz. Ein schroffes «Nein» wäre wohl hier die passende Antwort gewesen.

«Von mir aus», grunze ich unwillig. Was hatte ich schon zu verlieren? Habe ja bereits verloren.

Wir gehen die paar Schritte rüber zum Italiener, setzen uns an einen freien Tisch und bestellen einen halben Liter von der Hausmarke. Dem Kellner glubschen fast die Augen aus dem Kopf beim Anblick meiner rothaarigen, grazilen Begleiterin.

«Und ein Mineralwasser, bitte», sage ich. Genauso gut könnte ich zu einem taubstummen Aborigine sprechen.

«Und bitte noch zweimal Mineralwasser», flötet Ute-Carmen.

«Due aqua minerale! Haben Sie sonst noch einen Wunsch, bella signorina?!»

Habe ich mich, ohne es zu bemerken, in einen buckligen Greis verwandelt, oder was? Ach, mir ist alles egal. Das totale Fehlen von Selbstbewusstsein macht einen unempfindlich gegen die Missachtung von Dienstpersonal.

«Daniel hat mir viel von dir erzählt», eröffnet Ute die Aussprache.

«So, was denn?»

«Nun ja, als ihr euch kennengelernt habt, war ich ja dabei. Tut mir leid, dass ich dich so beschimpft habe, aber ich dachte, du hättest ihn wirklich verletzt. Außerdem ist es für eine Schauspielerin immer wichtig, sich heldenhaft einzumischen und eine große Nummer abzuziehen, wenn irgendwelche Fotografen in der Nähe sind. Du verstehst?»

Da ich nicht verstehe, ziehe ich es vor, vielsagend zu schweigen.

«Dein Auftritt in der Praxis hat ihn dann mächtig beeindruckt. Er war wirklich ziemlich begeistert von dir. Und ich finde es einfach völlig beschissen, entschuldige meine Offenheit, wie du ihn behandelt hast.»

Wie ich was?! Wie ich ihn was!? Das ist doch! Wie? Hä? Spinn ich oder was? Ich trank ein Schluck Wasser – der Kellner hatte beide Gläser, sowie den Vorspeisenteller auf Kosten des Hauses, vor Ute-Carmen abgestellt.

«Wie ich ihn behandelt habe? Hast du noch alle beisammen? Ich entblöde mich nicht, seit Stunden vor dem Telefon zu hocken, auf seinen Anruf zu warten! Und treffe ihn dann Arm in Arm mit dir im Park, während ich vor lauter Verzweiflung dabei bin, meinen Weihnachtsbaum zu entsorgen! Ich habe ihn beschissen behandelt!? Jetzt mach mal halblang. Ich wünsche euch beiden ja alles Gute für die Zukunft. Aber ich glaube nicht, dass ich es nötig habe, mir, ausgerechnet von dir, irgendein Fehlverhalten unterstellen zu lassen.»

Puh. Jetzt war's raus. Ich glaube nicht, dass ich jemals in meinem Leben so ehrlich gewesen bin. Fühlt sich gar nicht schlecht an. Weil, wenn man ehrlich ist, braucht man keine Angst zu haben, bei irgendwas erwischt zu werden. Das ist so, als würde man den Bauch nicht einziehen. Eine ganz neue Erfahrung für mich. Irgendwie gut.

«So langsam wird mir einiges klar.»

Sicherlich eine ganz neue Erfahrung für sie. Schön, so haben wir beide an diesem Abend unseren Horizont erweitert.

«Du bist verliebt in Daniel, oder?»

Scheiße, ja, dachte ich.

«Scheiße, ja», sage ich.

«Hör zu, nur weil ich lesbisch bin, heißt das nicht, dass ich nichts von Frauen verstünde.»

«Du bist lesbisch!?», schreie ich entgeistert.

«Pssst, nicht so laut.»

«Du bist lesbisch», flüstere ich begeistert.

«Nun ja, in meinem Beruf sollte man so was nicht an die große Glocke hängen. Schließlich müssen mir die Zuschauer glauben, dass sich mindestens einmal die Woche ein stark behaarter Oberarzt in mich verliebt. Daniel ist mein Freund, seit er bei mir eine Reizung des Blinddarms diagnostiziert hat. Seither begleitet er mich manchmal zu öffentlichen Veranstaltungen, damit die Leute erst gar nicht anfangen, sich über meine sexuellen Neigungen Gedanken zu machen.»

«Ja, aber wieso ...?» Mein Weltbild, mein Feindbild – alles brach in sich zusammen. Ich schätze es nicht, wenn man mich ohne Vorwarnung meiner sämtlichen Vorurteile beraubt.

«Wieso er dir das nicht gesagt hat?»

Ich nicke mitgenommen.

«Warum ziehst du einen Wonderbra an, wenn du mit ihm verabredet bist? Warum tust du so, als würde er dir nichts bedeuten, obschon du bis über beide Ohren verliebt bist? Warum rufst du ihn nicht zehnmal am Tag an, wenn dir danach zumute ist? Du hast das Ich-bin-lässig-Spiel so gut gespielt, dass sich Daniel nicht sicher war. Er wollte auch ein bisschen cool wirken, deshalb hat er dich über uns nicht aufgeklärt. Ich habe ihm gleich gesagt, er soll das lassen, so was führt nur zu Verwicklungen. Aber als du dann nach eurer ersten gemeinsamen Nacht einfach abgehauen bist – da hattest du das Spiel gewonnen. Damit hast du ihn überzeugt, dass du es nicht ernst meinst. Meine Güte, der Mann ist unglücklich!»

Ich schweige. Und schweige. Dann fange ich an, hysterisch zu kichern. Dann fange ich an zu heulen. Dann sprudelt es aus mir heraus.

«Wasbinichnurfüreineblöde Pute. Unddubistwirklichlesbisch? Dasistja,dasistja,dabeiwollteichdochnurcool,meinegütebinich bescheuertunddugl aubstwirklichdasser ... !?»

Ute-Carmen griff nach meiner Hand, und in diesem Moment hätte ich mich in sie verlieben können. Wenn ich nicht schon verliebt gewesen wäre. Ach, ich war verstört. Und glücklich. Und beschämt.

«Als ich meine Freundin kennengelernt habe, war es genauso.»

«Du hast eine Freundin?» Ich war fast ein bisschen enttäuscht.

«Ja, seit vier Jahren. Ich traf sie bei einem Casting für irgend so eine völlig bescheuerte Nachtschwestern-Rolle. Sie ist

Kamerafrau. Ich sah sie und brachte keinen vernünftigen Ton mehr raus. Die Rolle habe ich natürlich nicht bekommen. Und nachher gab's noch so einen kleinen Umtrunk, und ich war zu allen nett, charmant, offen. Bloß sie habe ich behandelt, als hätte sie eine ansteckende Krankheit.»

«Mmmh.» Ich nicke verständnisvoll.

«Und am Ende des Abends – ich hatte schon mindestens zehn Telefonnummern von Verehrern und Verehrerinnen zugesteckt bekommen, die mich alle einen Scheißdreck interessierten – kam sie zu mir.»

«Und?»

«Sie fragte mich, ob wir nicht zu alt seien für solchen Kinderkram. Sie habe keine Lust mehr auf diese Spielchen, und wenn ich sie mögen würde, dann solle ich es ihr gefälligst zeigen. Sie sei schließlich keine Therapeutin und habe es satt, das dämliche Verhalten anderer Leute zu interpretieren. Seither sind wir ein Paar.»

«Und, seid ihr glücklich?»

«Ja, wir sind glücklich. Ich trage mich einmal in der Woche mit Trennungsgedanken, ich kann es nicht ausstehen, dass sie ihre Wäsche niemals in den Wäschekorb tut. Sie hält mich für eine oberflächliche TV-Chi-Chi-Else mit einem ausgeprägten Kontrollzwang und nötigt mich, nachts um zwei Grundsatzdiskussionen über die lesbische Frau in der westlichen Gesellschaft zu führen. Wir sind glücklich. Trotzdem. Oder deshalb. Keine Ahnung. Ich will keine andere Frau.»

Ich bin so gerührt, dass ich leider wieder anfangen muss zu heulen. Ute trinkt ihr Glas aus und stellt es mit resoluter Geste auf den Tisch und winkt dem Kellner, der innerhalb von Nanosekunden neben ihr steht und untertänigst verspricht, die Rechnung zu bringen. Hi, hi. Vergebliche Liebesmüh. Ich kann mir ein Grinsen nicht verkneifen. Ute eine Lesbe. Das finde ich irgendwie gerecht.

«So. Und weißt du, was du jetzt tust?»

«Ja, ich weiß», schluchze ich lachend.

23:58

Nein, ich werde vorher keine Stimmübungen machen. Ich werde nicht Lloyd Cole auflegen. Ich werde mir nicht auf einem Zettel notieren, was ich sagen soll. Schließlich sind wir ja nicht mehr im Kindergarten. Ich bin wirklich zu alt für solche Spielchen.

Meine Finger zittern ein wenig. Kein Wunder. Wie lange ist es her, dass ich einen Mann angerufen habe? In einer solchen Situation? Ich verstoße gegen sämtliche Ratgeberregeln. Cora Hübsch ist eine Revolutionärin! Cora Hübsch bricht alle Tabus! Cora Hübsch ist erwachsen geworden!

Ob ich die Mitternachtsnachrichten als Hintergrundbeschallung laufen lassen sollte? Oder vielleicht was Klassisches? Chopin? Schumanns Kinderszenen? Nein! Schluss damit!

Ich werde ganz ich selbst sein.

Wie bin ich eigentlich?

Es wird mir schon wieder einfallen.

00:01

«Hofmann?»

«Hallo Daniel. Hier ist Cora.»

«... na endlich. Cora, meine Liebste.»

Vorläufiges Ende.

Herzsprung

*Für Susanne — mein liebes Bisschen,
für David (Scheff)
und für meinen Frisör («Schätzchen,
du siehst verheerend aus!»)*

Samstag, 5:30

Ich habe einen schlechten Charakter und eine gute Figur. Und wie jeden Morgen, kurz bevor ich die Augen öffne, danke ich dem Schicksal dafür, dass ich so bin, wie ich bin. Und wie jeden Morgen freue ich mich über meine diversen Vorzüge.

Ich kann gut einparken, und noch besser kann ich «Nein» sagen. Erst gestern habe ich ein lästiges, übergewichtiges Frauenzimmer niedergeschlagen, das sich an der Käsetheke zwischen mich und meinen Gouda light drängelte. Ich meine, sie war wirklich nicht an der Reihe. Und ich, ich bin wirklich nicht zu übersehen.

Zurzeit bin ich dabei, mich von meinem Liebhaber zu trennen. Er langweilt mich mit seinem ewigen Gefasel von Hollywood, wo er gerade seinen ersten Kinofilm dreht. Ich mag es nicht, wenn Männer ständig über sich reden. Wann soll ich denn dann über mich reden?

Nein, ich habe nie zu den Primeln gehört, die glauben, man wird bewundert, wenn man bloß genug bewundert. Mit großen Augen hochgucken. «Aah!», und «Ooooh!», rufen, als würde man gerade Zeuge des Olympiade-Eröffnungs-Feuerwerks. Pah. Ich bin nur ein Meter sechzig groß, aber ich schaue schon lange zu keinem mehr hoch. Jeder ist so groß, wie er sich fühlt. Und man fühlt sich größer, wenn man runterguckt. Männer lieben dich, wenn du sie erniedrigst. Frag mich nicht, warum. Es ist so.

Mein Liebhaber zum Beispiel – ich möchte seinen Namen nicht nennen, denn er ist sehr bekannt, sehr reich und natürlich sehr verheiratet – hat die Dreharbeiten mit Winona Ryder unterbrochen, als ich ihm vergangene Woche am Telefon andeutete, dass er mir nichts Schlimmeres antun könne, als sich von seiner Frau zu trennen. Und was hab ich davon? Winona tobt vor Wut am Set. Mein Liebhaber droht mir mit Scheidung – von seiner Frau. Und ich bin guter Dinge, weil mir der zauberhafte Chopard-Ring hervorragend steht. Ich habe nie eingesehen, warum ich nach einer Affäre nicht reicher sein sollte als vorher – und zwar nicht nur reicher an Erfahrung. Daher bevorzuge ich Trennungen kurz nach Weihnachten oder Geburtstagen.

Ich selbst mache grundsätzlich keine Geschenke. Früher hatte ich Freundinnen, die bastelten ihren Männern Adventskalender. Vierundzwanzig kleine Säckchen mit vierundzwanzig kleinen Sächelchen drin. Uuuh, das macht klein! Heute habe ich keine Freundinnen mehr.

Ich schenke nicht, ich koche nicht, und ich entschuldige mich nie. Frauen haben Angst vor mir. Weil ich ihre Männer haben könnte, wenn ich bloß wollte. Dabei könnten die alle beruhigt in ihre Puschen schlüpfen, «Wetten dass …?» gucken und viele Zwiebelringe essen. Ich will keinen von deren Männern.

Ich habe einen schlechten Charakter und eine gute Figur … Es ist kurz nach halb sechs … Es ist Samstagmorgen … Es war nur ein Traum … Nur ein Traum …

5:35

Manchmal, wenn ich aufwache, so wie jetzt, dann fühle ich mich gestärkt durch einen Traum. Ich kann mich nicht genau erinnern, aber es bleibt das Gefühl eines guten Gefühls. Wie soll ich sagen? Ich mache die Augen auf und weiß genau, wer ich bin. Aber ich weiß auch genau, wer ich sein könnte.

Ich habe einen guten Charakter und eine schlechte Figur. Aber ich schwöre bei allem, was mir heilig ist – bei meiner Shiseido-Gesichtsbürste, bei meiner Oma Amelie Tschuppik und bei meiner Whitney-Houston-Doppel-CD –, ich werde mich ändern. Ja, ich werde mich ändern. Mit einem guten Charakter muss man sich heutzutage genauso wenig abfinden wie mit übergewichtigen Oberschenkeln. Alles eine Frage der Disziplin.

Draußen wird es langsam hell. Ich liebe es, im Sommer zusammen mit dem Tag aufzuwachen. Das ist die Zeit, in der Träume am besten gedeihen. Ein paar frühe Vögel beginnen sich verhalten zu unterhalten, die Kommode vor dem Bett nimmt langsam Formen an, die Bettwäsche wird allmählich wieder farbig. Rosa und hellgrau, Blumen an den Rändern.

In den wenigen Minuten zwischen Nacht und Tag habe ich manchmal das Gefühl, ich könnte mich neu entscheiden. Könnte geräuschlos aufstehen, könnte geräuschlos mein Leben verlassen und geräuschlos ein anderes betreten.

Es gibt nur zwei Gelegenheiten, bei denen ich mich ähnlich schwerelos fühle, versucht, etwas völlig Neues zu beginnen. Wenn Audrey Hepburn in «Frühstück bei Tiffany» auf der Fensterbank sitzt und «Moon River» singt:

There's such a lot of world to see,

dann bekommt die Sehnsucht ein Gesicht. In New York mit einer Gitarre auf einer Fensterbank schlank sein, sich nicht um die Beschwerden des Nachbarn scheren: «Miss Golightly!» Eine Katze und den falschen Mann lieben und singen können. Ja, das.

Oder: Mit dem Auto fahren. Auf einer schnurgeraden Straße. Allein. Wie Thelma und Louise. Bloß ohne Louise.

Ich bin eine sehr gute Autofahrerin. Das unterscheidet mich von den meisten anderen Frauen. Sonst unterscheidet mich leider nichts von den meisten anderen Frauen. Ich entschuldige mich oft, wobei ich nicht sicher bin, ob ich überhaupt schuld habe. Ich hadere häufig mit meiner Frisur, mit meinen brüchigen Fingernägeln und mit meinem Körperfettanteil. Ich hole zehn Fremdmeinungen ein, bevor ich meine eigene Meinung beschließe, und ich halte jeden Tag für einen guten Tag, an dem ich dreihundert Gramm weniger wiege als am Abend zuvor.

Aber, Schwestern, die ihr mit fünfzehn Kilometern pro Stunde auf jede Kreuzung zukriecht, die ihr das Lenkrad umkrampft wie ein erschossener Cowboy seinen Colt und auf der Landstraße dreißig Minuten hinter einem Trecker herfahrt aus Angst zu überholen: ICH KANN GUT AUTO FAHREN. Und nicht nur das: Ich kann sogar gut einparken.

Auto fahren ist Freiheit. Ich kann jederzeit abbiegen. Wenn ich einen Wegweiser sehe, auf dem «Quakenbrück» steht, dann kann ich beschließen, dass ich in «Quakenbrück» mein Glück finden werde. Dann blinke ich, nehme die Ausfahrt und beginne ein neues Leben. So einfach ist das. In meinen Träumen.

Es ist Samstagmorgen. Es ist kurz nach halb sechs. Ich heiße Amelie «Puppe» Sturm, ich werde morgen zweiunddreißig Jahre alt und nicht mehr ganz die Alte sein – und das ist auch das Einzige, was ich im Moment mit Sicherheit über mich sagen kann.

Denn ich werde mein Leben ändern, bevor diese verdammte Kommode Formen annimmt und meine Bettwäsche wieder Farben hat. Nichts wird sein, wie es war. Ich werde mein Leben entrümpeln und meine Gewohnheiten ablegen. Werde leichten Herzens von allem Abschied nehmen – abgesehen natürlich von meinem Friseur Burgi, meiner liebsten Freundin Ibo, meinem Hund Marple und meinem Sixtuwohl-Fußspray. Eine Frau in meinem Alter muss wissen, was sie auf ihre Reise ins neue Leben mitnimmt und was sie zurücklässt. Eines jedenfalls brauche ich ganz bestimmt nicht mehr …

Ich drehe mich um:

Philipp von Bülow sieht immer so aus, als rechne er damit, gleich fotografiert zu werden. Sogar wenn er schläft, könnte man meinen, er würde nur so tun, als ob er schläft, um möglichst überzeugend und gut auszusehen.

Ich bin sicher, sollte Philipp jemals Gast im «Big Brother»-Container sein, er würde sich lieber drei Monate lang am Einschlafen hindern, als sich einmal von der Nation beim Schnarchen zuhören zu lassen.

Philipp riecht immer gut. Er rülpst grundsätzlich nicht und er stößt auch nie auf – keine Ahnung, wo er das Zeug lässt. Kein Pickel verirrt sich je in sein Gesicht, und sein dunkelblondes Haar ist an den Schläfen von jenem silbrigen Grau durchwirkt, welches schon Richard Gere zu einem ernst zu nehmenden Mann machte und auf Cindy Crawford einen intensiven, wenn auch nicht lang anhaltenden Eindruck machte.

Dankbar bin ich für die wenigen Momente, in denen Philipp von Bülow so aussieht, als sei er ein ganz normaler Mensch.

Jetzt zum Beispiel: leichtes, asthmatisches Röcheln. Jedes Ausatmen erinnert geruchsmäßig an die letzte Nacht, erzählt von etlichen Cohiba-Zigarillos, noch mehr Wodka-Tonics und einem Absacker-Grappa. Philipps Mund steht halb offen und ein Mundwinkel zeigt schräg nach unten. Wie eine Tür, die schief in den Angeln hängt. Philipp von Bülow sieht in solchen Momenten aus, als hätte er nicht mehr alle Tassen im Schrank. Das sind die Momente, in denen ich ihn am allermeisten liebe.

Das Unperfekte rührt mich. Die blasse Haut. Die verklebten Haare. Ich schaue ihn an und weiß, dass er sich schämen würde, wenn er sich und mich jetzt so sehen könnte. Selten bin ich ihm näher, als wenn er so schläft wie jetzt. Als würde ich endlich sein wahres Gesicht sehen. Ich will ihm sanft die Augenbrauen mit den Fingerspitzen nachzeichnen und seine schmalen Lippen umküssen.

Mir ist übrigens aufgefallen, dass die guten, interessanten, schwierigen Männer, die den Frauen niveauvoll wehtun können, immer schmale Lippen haben. Typen mit vollem Mund sehen doch immer leicht so aus, als würden sie mit beliebigen Geliebten ohne mittlere Reife gerne uneheliche Kinder zeugen.

5:37

Philipp schmatzt leise im Schlaf und drückt sich mein Kuschelkissen an die Brust. Es ist ein eigentümliches Phänomen: Da ich leicht friere und sehr anlehnungsbedürftig bin, schlafe ich jede Nacht auf meinem Lammfell ein, mit meinem prall gefüllten Kuschelkissen im Arm. Es geht nicht anders. Selbst übers Wochenende verreise ich stets mit einem sehr großen Koffer, da ich ohne diese Schlafutensilien niemals das Haus verlassen würde.

Doch jeden Morgen, den ich in den vergangenen Jahren neben Philipp von Bülow erwacht bin, liegt er auf meinem Lammfell und hält mein Kuschelkissen so innig umschlungen wie Mel Gibson seinen nach vielen Tagen aus den Fängen des bösen Entführers befreiten Sohn in «Kopfgeld». Keine Ahnung, was nachts in unserem Bett passiert.

Wir sind seit zweieinhalb Jahren ein Paar. Ein Hamburg-Berlin-Paar. Ein Paar der verlängerten Wochenenden. Ein Paar, das jeden Tag dreimal telefoniert und sich die Gute-Nacht-Küsse fernmündlich verabreicht. Wir haben alles doppelt: Zahnbürste, Haarbürste, Nagelschere, Pinzette, Nachtcreme, Tagescreme. In jeder Stadt eine. Bloß mein Kuschelkissen und mein Lammfell schleppe ich ständig hin und her. In jedem Leben muss es Dinge geben, die es nur einmal geben kann. Frage mich, wie Phillip während der Woche schläft, wenn er nachts nicht jemandem etwas wegnehmen kann.

Er schmatzt schon wieder im Schlaf.

Ach, mein Bülowbärchen.

Diesen phantasievollen Kosenamen hatte ich zunächst nur gewählt, um Philipp zu ärgern. Das ist anfangs auch gelungen, weil der Adelige ja nicht gerne seinen Namen zur allgemeinen Belustigung freigibt. Aber wie das so ist. Wenn man sich nur lange genug über etwas ärgert, gewöhnt man sich am Ende daran. Meine Scheibenwischer, um diese Theorie mal zu veranschaulichen, gaben drei Monate lang ein lautes metallisches Klacken von sich, wenn sie ihren Dienst verrichteten. Und da, wo ich lebe, in Hamburg, haben Scheibenwischer viel zu tun. Klacker klock ... Klacker klock ... Bin fast wahnsinnig geworden.

Keiner fand die Ursache. Und dann eines Tages, ohne Grund, ohne Reparatur, funktionierten sie wieder geräuschlos. Und was geschah? Ich konnte diese bedrückende Stille kaum ertragen.

Übrigens, auch das eine eindrucksvolle Bestätigung meiner These, vermisse ich bis heute auch die beiden Zeuginnen Jehovas, die ein Jahr lang jeden Dienstagabend vor meiner Tür standen und mir was vom Paradies erzählen wollten, und dass da gar nicht mehr so viele Plätze drin frei seien. Habe sie immer weggeschickt, jeden Dienstag gegen 19 Uhr 30. Seit sechs Wochen sind sie nicht mehr gekommen, und ich überlege, ob ich in der Jehova-Kundenzeitschrift «Der Wachturm» eine Suchanzeige aufgeben soll. Ja, ich bin sicher, ebenso würde mein Philipp seinen ungeliebten Kosenamen vermissen. Aber das ist vermutlich ziemlich naiv gedacht.

Meine schlechteste Eigenschaft ist: Naivität. Ich meine, ich arbeite daran, aber solche festgetretenen Charakterzüge sind verdammt schwer loszuwerden. Ich geh mir ja selbst damit auf die Nerven, aber ich bin wirklich sehr leicht zu beeindrucken. Rechne immer damit, dass man mir die Wahrheit sagt. Glaube bis heute an die Treue – nicht an meine allerdings, aber das ist ja auch was anderes. Zähle nie das Wechselgeld nach und glaube jedem, der sagt, dass er in seinem Leben noch keine faszinierendere Frau als mich kennen gelernt hat.

Diese Kombination fataler Charakterzüge hat sich im Laufe meines Lebens manches Mal als ungünstig erwiesen. Vier Monate meines Lebens habe ich zum Beispiel mit einem Oberlippenbartträger verplempert, der mich, damals süße siebzehn, auf der Straße ansprach, ob er mich als Model casten dürfe.

«Du wirst das sicher ständig gefragt», sagte er. Und ich glotzte ihn blauäugig an und sagte «Hmpf.» Weil mich das noch überhaupt nie jemand gefragt hatte. Ich strich mir mit einer irrsinnig modelhaften Geste mein Haar aus der Stirn und nölte gelangweilt: «Ach, ich weiß nicht...»

Was soll ich sagen? Am selben Abend habe ich mit dem Oberlippi geschlafen und tags darauf meinen super-super-netten ersten Freund verlassen. Damals war er nur eine Klasse über mir, aber heute ist er Kinderarzt in München. Siggi, wenn du das liest: Verzeih mir!

Model bin ich nicht geworden. Der Schuft, der mir mein Urvertrauen raubte, war Autoverkäufer, trank Wasser aus Dosen, trug Polyester-Unterhosen und sagte so Sachen wie: «Wenn ich meine Hose aufmache, dann denkst du, die Feuerwehr hätte einen Schlauch liegen lassen.»

Ich schäme mich, dass ich so lange gebraucht habe, diesen Schmutzfink zu durchschauen. Übrigens: er hat mich nach vier Monaten verlassen. Angeblich wegen eines Models.

Naivität und die mangelnde Fähigkeit zu Brutalität haben mich weitere zweieinhalb Jahre gekostet. Das war die Zeit mit Honka. Er hieß eigentlich Rüdiger, aber weil er so wahnsinnig lieb, wohlerzogen und harmlos war, hatten sie ihn schon in der Schule nach dem berühmten Massenmörder getauft.

«Mein Spitzname ist das Schlimmste an mir», hatte sich Honka mir vorgestellt. Hätte ich geahnt, dass das ernst gemeint war, hätte ich mich erst gar nicht auf ihn eingelassen. Aber unsere Begegnung war mir schicksalhaft erschienen: Sein Hund hatte mich angesprungen und vom Fahrrad geworfen, ich hatte mir den Fuß verstaucht, Honka hatte mich ins Krankenhaus gefahren – und war dort ohnmächtig geworden. Ich wollte unbedingt wissen, wie die Geschichte weitergehen würde. Ich war Mitte zwanzig und wusste noch nicht, dass man Männer meiden muss, denen noch nicht mal ihr eigener Hund gehorcht.

Honka war das, was man pflegeleicht nennt. Er zog sich zurück, wenn ich meine Ruhe haben wollte – selbst wenn ich meine Ruhe gar nicht haben wollte, sondern bloß mal gerne von ihm gestört worden wäre. Er tröstete mich, als meine beste Freundin für ein Studienjahr nach Australien ging. Er brachte mich nach Hause, wenn ich auf Partys sturzbetrunken anfing, den Gastgeber zu bepöbeln. Er ertrug es mit stoischer Ruhe, dass ich Cannabis-Pflanzen auf dem Balkon unserer WG züchtete und unseren Nachbarn, einen Polizeihauptwachtmeister, bat, sie zu gießen, während wir im Urlaub waren. Er hielt den Schirm über mich, wenn es regnete. Wenn ich in der Sonne lag, stellte er sich den Wecker, um mich alle fünfundvierzig Minuten umzudrehen und einzucremen. Er machte mir Obstsalat, damit ich genug Vitamine bekam. Wenn ich ihn anschrie, verließ er schweigend den Raum und kam nach einer halben Stunde wieder, um zu fragen, ob ich mich abgeregt hätte und wir jetzt gemeinsam «Tatort» kucken könnten. Er lackierte mir die Fußnägel, massierte mir die Kopfhaut, und, hätten wir geheiratet, er wäre bestimmt bereit gewesen, einen Doppelnamen zu tragen: Rüdiger Meier-Sturm. Bäh!

Ich meine, nichts gegen Männer, die ihren angebeteten Frauen jeden Wunsch von den Augen ablesen. Aber es ist ein schmaler Grat zwischen Mann und Memme. Zwischen Kavalier und Beckenrandschwimmer. Wer will schon einen, der sich alles gefallen lässt? Ich hatte mal einen, nach dem warf ich im Streit eine Flasche Pellegrino. Im Restaurant. Ich verfehlte ihn nur knapp. Er lächelte, ging und war für drei Tage verschwunden. Drei Tage! Als er zurückkam, küsste er mich und sagte: «Schätzchen, ich liebe es, wenn du wütend wirst.»

Das, liebe Freunde, ist männlich. Das macht Eindruck.

Nichts ist schlimmer an einem Mann, als wenn er Frauen versteht. Doch, vielleicht eines: Wenn ein Mann in der Lage ist, seine Gefühle zu zeigen und über sie zu sprechen. Das ist enorm verunsichernd und raubt jeder Beziehung die Basis.

Es ist zwar wahr: Ich kenne keine Frau, die ihren Mann nicht wenigstens zweimal in der Woche anpflaumt, er sei emotional verkümmert und sie wünsche sich nichts sehnlicher, als dass er ihr mitteile, was in ihm vorgehe. Aber wahr ist auch: Es gibt nichts Entwürdigenderes, als wenn Männer mitteilen, was in ihnen vorgeht.

Wer will das wissen, wenn es deinen Liebsten vor unterdrücktem Schluchzen schüttelt, während er sich das Finale von «Dornenvögel» ansieht? Oder wenn er abends unvermittelt den Fernseher ausknipst und sagt: «Ich will jetzt mal ganz offen mit dir über meine inneren Verunsicherungen sprechen.»

Seien wir ehrlich: Emotionen sind Frauensache. Da kennen wir uns besser aus. Das ist unser Revier. Da machen wir einfach die bessere Performance: hysterische Anfälle, mit zerbrechlichen Gegenständen werfen, Heul- und Lachkrämpfe, aus Beziehungsratgebern zitieren und in der Badewanne weinend Randy Crawford hören – irgendein Grund findet sich immer.

Das einzige Gefühl, das Männer offen zeigen dürfen, ist ihre Liebe zu uns. Und den blanken Hass, wenn eine weibliche Schnecke im Fiat Punto direkt vor ihnen sicherheitshalber schon mal bei Grün bremst. Weil auf Grün folgt ja bekanntlich manchmal ganz, ganz plötzlich Gelb – und die siebenundsechzig Fahrstunden sollen ja nicht umsonst gewesen sein.

Aber zurück zu Honka. Dieser Mann war so unangreifbar, so perfekt, so irrsinnig langweilig, so gar nicht schwierig, so waaaahnsinnig lieb, dass ich es zweieinhalb Jahre nicht übers Herz gebracht habe, mich von ihm zu trennen.

Zweieinhalb Jahre habe ich mich nicht getraut, ihm zu sagen, dass ich ihn nicht liebe, weil ich fürchtete, er könne das persönlich nehmen. Für eine Trennung fiel mir einfach kein triftiger Grund ein.

Ich hielt aus und betrog ihn ab und zu mit irgendwelchen gepiercten DJs und leicht verführbaren Volleyballern, um meinen Kindern und Kindeskindern später mal wenigstens ein bisschen was von einer wilden Jugend erzählen zu können.

Es kam, wie es kommen musste. Honka verließ mich. Er war beim Joggen mit einer stämmigen Apothekenhelferin zusammengeprallt, hatte sich dabei die Schulter ausgekugelt, und von da an hatte dieses Berserker-Weib alles in die Hand genommen. Ist ja auch total einleuchtend: Weichei braucht Hartei. Frauenversteher braucht Hausmeisterin. Eine männliche Memme braucht einen weiblichen Chef.

Dennoch, es traf mich aus heiterem Himmel, als Honka eines

Abends, kurz vor den «Tagesthemen», meine Hand nahm und um ein Gespräch bat.

«Ach du liebes bisschen», dachte ich zunächst gelangweilt, «was hat er denn jetzt schon wieder?» Kurz befürchtete ich einen Heiratsantrag. Oder wollte er mit mir besprechen, was wir meinen Eltern zu Weihnachten schenken? Ich ging jedenfalls innerlich in Abwehrhaltung und hörte im Grunde schon nicht mehr richtig zu, als er zu sprechen begann.

«Püppchen», säuselte Honka, und ich gähnte nach Innen. «Püppchen, ich habe mich in eine andere Frau verliebt und möchte mich von dir trennen.»

Ich muss ihn etwa zwei Minuten lang völlig verständnislos angestarrt haben.

«Nun ja, mehr gibt es eigentlich nicht zu sagen», sagte er schließlich, um was zu sagen. «Möchtest du, dass ich gleich gehe?»

Ich glotzte ihn immer noch an, so als ob ... na ja, so wie man halt glotzt, wenn man von einem Mann verlassen wird, den man noch nicht mal liebt. Das ist besonders beschämend. Ich meine, man ist es ja gewohnt, von Männern verlassen zu werden, von denen man nicht verlassen werden möchte. Das ist dann ein großer, dramatischer, würdevoller Schmerz. Darüber gibt es Romane und Ratgeberbücher. Das hat jeder mal erlebt. Da wird man ordentlich bemitleidet, und keiner macht einem Vorwürfe, wenn man vor schierem Kummer innerhalb von drei Wochen vier Kilo zunimmt.

Aber man ist doch nicht zweieinhalb Jahre aus Mitleid und, zugegeben, auch Feigheit mit einem Mann zusammen, um dann von dem verlassen zu werden. Da hätte man sich die ganze Zeit des Aushaltens ja sparen können!

«Siehst du», sagte meine Freundin Ibo später, «du hättest ihn eben schon viel früher verlassen sollen.»

«Natürlich hätte ich ihn längst verlassen, wenn ich gewusst hätte, dass er mich verlassen würde!»

Ach, die Diskussion war eine fruchtlose.

Jedenfalls wusste ich auf Honkas Abschiedserklärung nichts zu erwidern. Er wiederholte seine Frage:

«Püppchen, möchtest du, dass ich gleich gehe? Ich würde nämlich ganz gern noch die ‹Tagesthemen› gucken.»

Ich sah auf die Uhr, zuckte mit den Schultern und sagte: «Ich habe mich zweieinhalb Jahre mit dir gelangweilt, da kommt es auf die halbe Stunde auch nicht mehr an.»

Ja, ich weiß, das war billig und total niveaulos. Ich bin auch nicht stolz darauf. Aber ich war eben so unheimlich gekränkt, dass ich mir diese Niedertracht nicht verkneifen konnte.

Honka, wie immer, nahm es mir gar nicht übel. Jedenfalls hat er sich die «Tagesthemen» noch angeschaut, bevor er aus meinem Leben verschwand, um bei dem der Apothekenhelferin mitzumachen.

Honkas Frau leitet heute einen Betrieb, in dem Verschlusskappen für Medikamentenröhrchen hergestellt werden. Honka selbst ist, soweit ich weiß, zum dritten Mal in Mutterschutz.

Welcher Idiot hat eigentlich behauptet, man würde aus Erfahrung klug? Zwar war ich nach Honka fest entschlossen, mir Männer niemals wieder deshalb auszusuchen, weil sie zu meinen schlechtesten Eigenschaften passen – aber es ist mir nicht wirklich gelungen. Leider habe ich mich nie in die Männer verliebt, die ich für menschlich wertvoll hielt. Das sind alles meine besten Freunde geworden: Tom, der enorm sexy aussieht, mir seine Gewichtsprobleme anvertraut und keiner Frau über den Weg traut, die es ernst mit ihm meint.

Und Jo, der Poet, der so klug ist und zart. Der eine habilitierte Miss World bräuchte, eine, die lüstern wird, wenn sie einen Themenabend auf Arte schaut.

Und Frank, der zum dritten Mal und wieder sehr glücklich verheiratet ist. Der Glückliche.

Ich selbst bin eher unglücklich. Nein, unglücklich ist wohl das falsche Wort. Aber irgendwas stimmt immer nicht. Ich hänge aber auch irgendwie an meinen Problemen. Sie sind meine treuen Begleiter, sorgen für Kurzweil und Gesprächsstoff.

Ich zitiere ja nicht besonders häufig Klassiker deutscher Wortkunst – dafür kenne ich immerhin vieles von Gegenwartskünstlern wie Ally McBeal, Seinfeld und Xavier Naidoo auswendig –, aber an dieser Stelle sei der gute Goethe erwähnt, der einst schrieb:

«Nichts ist schwerer zu ertragen, als eine Reihe von guten Tagen.»

Der Mann war klug. Ich hätte es selbst nicht besser ausdrücken können.

Wenn ich mich abends auf einer Party unwiderstehlich fand, habe ich garantiert am nächsten Morgen einen Pickel auf dem Kinn. Und zwar einen von denen, die wehtun, ohne dass man sie anfasst.

Wenn ich nach einem spitzenmäßigen One-Night-Stand modern und wortlos das Appartement verlassen will, dann wurde garantiert mein Auto abgeschleppt. Ich muss also zurück und kleinlaut bitten, beim zuständigen Polizeirevier anrufen zu dürfen.

Wenn ich früh ins Bett gehe, überhöre ich morgens den Wecker.

Wenn ich abends keinen Alkohol trinke, habe ich tags darauf Kopfschmerzen und geschwollene Lider.

Wenn ich mich verliebe, dann in den Falschen.

Wenn ich verlassen werde, dann vom Richtigen.

Wenn ich abnehme, dann ist es nur Wasser.

Und wenn ich ein CD-Überspielgerät geschenkt bekomme, dann freue ich mich sehr darüber, weiß aber genau, dass ich das Ding niemals werde bedienen können.

Es ist immer was los bei mir. Ich will es nicht anders. Sobald ich ein Problem gelöst habe, schaffe ich mir ein neues an.

Es gab allerdings einen Moment, da musste ich annehmen, ich hätte auf einen Schlag keine einzige noch so klitzekleine Schwierigkeit mehr.

Als ich Philipp von Bülow kennen lernte, dachte ich, dass sich der Himmel aufgetan und das liebe Jesulein persönlich befohlen hätte: «Jetzt, Freunde, jetzt ist die Kleine da hinten mal an der Reihe!»

5:38

Will reflexartig gerührt zu meinem schmatzenden Lebensgefährten rübergreifen, ihm «Guten Morgen, Bülowbärchen» ins Ohr flüstern und dann, etwas lauter: «Ich bin schon wach. Schläfst du etwa noch, mein Liebster?» Denn ich bin nicht gerne alleine wach. War ich noch nie. Ich kann es auch nicht gut leiden, wenn der Mensch, der neben mir liegt, als Erster einschläft. Fühle mich dann vernachlässigt, einsam und außerdem im Nachteil, weil ich ja auch lieber schlafen möchte, als mich darüber zu ärgern, dass ich als Einzige noch wach bin. Ich habe also einige Methoden ausgearbeitet, jemanden so zu wecken, dass er denkt, er sei von selbst aufgewacht. Oder ich erfinde Gründe, die ein frühzeitiges Wecken dringend erforderlich machen: «Ich hatte einen Albtraum.» «Du hattest einen Albtraum.» «Du hast ganz schlimm geschnarcht.» Oder: «Ich glaube, es ist jemand in der Küche.»

Ich bin mir noch nicht sicher, welche Strategie ich heute Morgen anwenden werde, robbe ein wenig näher heran an meinen Süßen, strecke meine Hand liebevoll aus ... als mir gerade noch rechtzeitig einfällt, dass ich Philipp von Bülow ja gar nicht mehr liebe. Und zwar seit gestern Abend.

Ich mag da ja etwas empfindlich sein, aber gestern hat er den Bogen wirklich überspannt und zu viel Zeit mit dieser Pissnelke verbracht, dieser Schweinenase, dieser spindeldürren Übelkrähe. Nein, ich habe nichts gegen die Frau persönlich, wirklich nicht. Sie ist seine Klientin, er handelt ihre Verträge aus, und er kann ja nichts dafür, dass sie so dünn und so naturblond ist – und vor drei Jahren mal eine Affäre mit ihm hatte.

«Nichts Ernstes. Das war rein sexuell», versuchte Philipp zu scherzen, nachdem er mir unvorsichtigerweise von dieser Liaison berichtet hatte.

Bente Johannson ist, ich erwähnte es schon, hauptberuflich unterernährt. Sie kommt aus Schweden, was ihr bedauerlicherweise diesen niedlichen, nordischen Au-pair-Mädchen-Akzent beschert. Sie ist etwa eins achtzig groß und hat selbstverständlich als Model in Paris, Mailand und New York gearbeitet. Seither benutzt sie gerne auch mal Amerikanismen, bei denen sie ihren ohnehin schon unnatürlich großen Mund aufreißt, als wolle sie gerade einen Doppelwhopper mit einem Happs verschlingen.

«Hi Phil, my Darling», sagt die schwedische Schlampe immer zu Philipp und zeigt dabei ihr Zäpfchen. Mich hingegen begrüßt sie meist gar nicht – was ich sehr begrüße.

Bente hat Philipp bedauerlicherweise nicht nur zu ihrem Anwalt erkoren, sondern auch zum Berater in allen Lebenslagen. Sie informiert ihn über ihre Krisen und ruft ihn fünfmal am Tag in der Kanzlei an, wenn sie sich am Set vom Regisseur, von einem Beleuchter oder einfach nur generell schlecht behandelt fühlt.

Seit einem Jahr arbeitet Bente leider erfolgreich als Moderatorin der RTL2-Reality-Show «Der Eisprung deines Lebens». Da werden fünfzehn Kandidatinnen «auf einem einsamen Ei-Land» – so die irre originelle Werbung – ausgesetzt, auf dem es bloß ein paar Hütten, viel halbtrockenen Sekt und vier Kerle gibt. Wer nach zwölf Wochen, sprich zwei Zyklen, schwanger ist, kommt ins Finale.

Die Ultraschallbilder gibt's wöchentlich zum Runterladen im Internet, und nach den Geburten wird per DNA-Test bestimmt, wer von den Männern die meisten Kinder gezeugt hat. Der bekommt die Siegerprämie von 250 000 Mark. Die Mütter dürfen alle ihr Leben lang umsonst bei Esso tanken, und jedes der Gewinner-Kinder bekommt zur Einschulung einen Garantievertrag für einen Moderatoren-Job bei RTL2.

Behinderte Kinder, so eine Klausel in den Verträgen, dürfen

später in mindestens vier Werbespots der «Aktion Mensch» mitspielen.

Philipp hat mir erzählt, dass Bente diese Show nur sehr widerwillig moderiere und ihr eigentlich etwas in Richtung «Spiegel-TV» oder «Aspekte» vorschwebe.

Dass ich nicht lache. Har! Har! Har!

Wahrscheinlich hat sie deshalb, um ihrer Sehnsucht nach seriösen Inhalten Ausdruck zu verleihen, jüngst das Angebot angenommen, sich für den «Playboy» auszuziehen.

Wenn man mich fragt, ich halte große Brüste ja für absolut überbewertet.

Einmal, Philipp und ich waren noch kein halbes Jahr zusammen, gingen wir mit Bente, ihrem damaligen Begleiter und ihrer besten Freundin essen. Natürlich im Borchardt, wo der Bundeskanzler auch gerne speist und wo Bente Johannson immer einen Tisch bekommt, auch wenn sie nicht reserviert hat, und wo Normalsterbliche keinen Tisch bekommen, auch wenn sie reserviert haben.

Ich selbst habe einmal mit Ibo in der langen Schlange der Namenlosen, der gedemütigten Nobodys gestanden und eine Stunde auf unseren reservierten Tisch gewartet – den dann die Frau bekam, die gerade erst gekommen war. Ich glaube, es war Hannelore Elsner oder die nordrhein-westfälische Landwirtschaftsministerin.

Bente bestellte eine Suppe und dann einen kleinen Salat. Ihre Freundin, eine schwarze Gazelle, aß nur einen kleinen Salat und kicherte, wenn Philipp einen Witz machte – auch dann, wenn er bloß versuchte, einen Witz zu machen. Ich glaube, sie nahm einfach nur jeden noch so winzigen Anlass wahr, um zu zeigen, wie gut ihre perlweißen Zähne in ihrem Erdal-schwarzen Gesicht zur Geltung kamen.

Bentes Begleiter sagte den ganzen Abend gar nichts, sah dafür aber blendend aus. Wie Pierce Brosnan. Wahrscheinlich wollte er den guten Eindruck, den er mit seinem Äußeren erweckte, nicht durch Wortbeiträge zunichte machen. Insofern also ein kluger Mann.

Eigentlich hörten alle Philipp zu. Nun ja, alle außer mir. Denn ich kenne die Geschichten über Thomas Gottschalk mittlerweile auswendig. Oder die Story, wie ein Mann die «Bild»-Zeitung verklagte, weil sie über den tragischen Tod seiner Frau unter der Schlagzeile berichtet hatte: «Margot (42) wurde nur 41 Jahre alt.»

Brüllendes Gelächter.

Ich widmete mich verschwiegen dem mittelmäßigen Schnitzel. Früher habe ich immer artig gelacht über Witze, die ich schon kannte, oder über solche, die ich schlecht fand oder nicht verstanden hatte. Versuche seit geraumer Zeit, mir das abzugewöhnen.

Als ich mir als Einzige eine Nachspeise bestellte, schien mich Bente zum ersten Mal zu bemerken: «Du, Pippi», sagte sie und nippte an ihrem stillen Wasser, «ich finde das ganz toll, wenn jemand einfach das isst, worauf er Lust hat, ohne auf die Figur zu achten. How should I say? Das ist so genussorientiert.»

Ich implodierte und dachte: «Bente Johannson, du widerliches Skelett! Ich kann abnehmen, wenn ich will, aber an deinem dämlichen Gesicht kannst du nichts mehr ändern! Ich bin klug, ich bin lustig. Ich habe den Mann, den du wolltest, und ich habe fest vor, meine Bauchmuskeln zu trainieren!»

Ich sagte: «Ähhh? Ach ja? Danke. Mein Name ist übrigens Puppe.»

Sie sagte: «Oh, how sweet!» Und ich sah, wie sie Philipp zuzwinkerte.

Das war der Beginn einer lebenslangen Feindschaft – zumindest von meiner Seite aus. Wir sind uns noch drei-, viermal begegnet. Zunächst beschloss ich, sie nicht mehr zu grüßen. Was aber nicht weiter auffiel, weil ich sie ohnehin nie gegrüßt hatte. Leider gab Bente mir auch keine Gelegenheit, sie schlecht zu behandeln, da sie mich völlig ignorierte.

Ich litt sehr. Auch darunter, dass Philipp kein Verständnis für meine Seelenqual zeigte: «Das hast du doch gar nicht nötig. Bente ist meine Klientin und eine gute Bekannte, weiter nichts. Und sie ist einfach eifersüchtig auf dich.»

«Warum das denn?»

«Weil du so natürlich bist.»

Ich weiß, dass er das als Kompliment meinte. Aber trotzdem fühlte ich mich in Bentes Anwesenheit wie ein Aborigine im Jil-Sander-Flagship-Store, wie unoperiert neben Ramona Drews, wie unbekleidet neben Giselle Bündchen, wie ungebildet neben Hans Magnus Enzensberger und so weiter.

Es fällt mir bis heute schwer, mich in der Gesellschaft der Reichen und Schönen zurechtzufinden – zumal die meisten reicher und schöner sind als ich.

Gestern Abend jedenfalls, Philipp und ich wollten noch einen Absacker in der Paris Bar nehmen, ist mir der Kragen geplatzt. Kaum hatten wir die Eingangstür passiert, ertönte ein schriller Schrei: «Phil! Honey! Endlich!»

Bente Johannson sprang vom Stuhl, riss mein Bülowbärchen an sich und zerrte ihn in die Nähe der Toiletten.

Ich stammelte noch was wie: «Ach, Bente, angezogen hätte ich dich fast nicht erkannt», aber sie war schon außer Hörweite. Ich stand bedröppelt vor dem Tresen und versuchte so zu tun, als könnte ich mich nicht entscheiden, zu welchem meiner zahlreichen Bekannten ich mich setzen sollte.

Ich war heilfroh, dass ich Sylvia an einem der Tische entdeckte. Sylvia ist die beste Schauspielerin Deutschlands und die anstrengendste Person, die ich kenne. Und die einzige Frau auf der Welt, die es gewagt hat, sich von ihrem Mann zu trennen, obwohl sie über vierzig und er unter vierzig ist. Ich habe sie sehr gern. Besonders, weil sie mich so gern hat.

In ihrem Metier sind Frauen nämlich in der Regel nicht nett zueinander. Entweder sie schnappen sich gegenseitig die Rollen oder die Männer weg. Und da ich keine Rollen habe, muss ich wohl ganz besonders auf meinen Mann aufpassen.

Philipp kümmerte sich vierunddreißig Minuten lang nicht um mich. Davon halte ich nichts. Da bin ich typisch weiblich. Wenn ich anwesend bin, dann will ich auch wahrgenommen werden. Und zwar möglichst ausschließlich. Wenn nicht, dann gibt es Probleme.

Mit Sylvia sprach ich über die Vorteile jüngerer Männer.

Philipp ist acht Jahre älter als ich. In zwei Monaten feiert er seinen Vierzigsten. So, wie ich gestimmt war, pries ich die Vorzüge eines jungen Liebhabers so schwärmerisch, dass selbst Sylvia, die sich zurzeit die Zeit mit einem Zweiundzwanzigjährigen vertreibt, skeptisch wurde.

Während unseres Gesprächs äugte ich fortwährend Richtung Toilette: Bente redete mit großen Gesten aufgeregt auf Philipp ein. Den Kopf warf sie dabei immer wieder zurück wie die Damen in den Werbespots für Haarfestiger.

Ich versuchte, mich auf Sylvia zu konzentrieren, die mir von einem Film berichtete, in dem sie mal wieder die betrogene Ehefrau spielen sollte.

«Weißt du was, Puppe, die Produzenten wollen einfach nicht wahrhaben, dass eine Frau jenseits der vierzig noch gerne fickt.»

Ich zuckte ein wenig zusammen, weil Sylvia, wie es ihre Art ist, sehr laut gesprochen hatte.

«Ist das denn so?», fragte ich hoffnungsvoll.

Ich bin zwar erst Anfang dreißig, aber vor die Wahl gestellt, zwischen Sex und einem neuen Film mit Hugh Grant, also ganz ehrlich, da müsste ich schon einen Moment überlegen ...

«Natürlich ist das so!», trompetete Sylvia. «Mit fünfunddreißig hatte ich meinen ersten vaginalen Orgasmus. Und seither wird es immer besser!»

Ein junger Typ mit künstlerisch wertvollem Ziegenbärtchen schaute interessiert herüber und fragte, was wir trinken wollten.

Sylvia ging gegen ein Uhr. Mit dem Ziegenbärtchen am Arm. Sie küsste mich auf den Mund und sagte zum Abschied: «Hör mal, Kleine, das ist ja nicht mit anzusehen. Geh gefälligst nach Hause oder hau deinem Philipp eine in die Fresse.»

Fünf Minuten starrte ich verwegen in mein Weinglas.

Sehe mich ausholen.

Sehe Philipps entsetztes Gesicht und seine geschwollene Wange. Blut rinnt langsam aus seinem Mundwinkel.

Sehe mich lächeln.

Ich stupse Bente Magermilchschnitte Johannson gegen das knöchrige Brustbein und sage: «Mädchen, geh nach Hause was essen.»

Dann wende ich mich wieder Philipp zu.

Er starrt mich an, weiß nicht, wie ihm geschieht.

Ich sage: «Süßer, du bist zwar adelig und hast einen guten Hintern, aber ich bin Amelie Puppe Sturm, und ich hab was Besseres verdient.»

Dann drehe ich mich auf dem Pfennigabsatz um, winke mit zwei Fingern dem schwarzen Kellner, der original aussieht wie Denzel Washington, lege meinen Arm um seine Hüften und gehe langsam mit ihm hinaus – nicht ohne meinen ansehnlichen Po keck zu wiegen.

Jaaaah ...

Ich seufzte wehmütig.

Dann ging ich nach Hause.

Grußlos. Gedemütigt. Aber mit dem festen Vorsatz, am nächsten Morgen meine Würde zurückzuerobern.

5:40

Eine offenbar äußerst verärgerte Amsel reißt mich aus meinen trüben Überlegungen. Vom Balkongeländer schleudert sie böse Stakkato-Flüche in den dämmrigen Morgen, meckert, was das Zeug hält.

Meckern finde ich gut. Tu ich auch gerne. Aber immer nur meckern, das reicht auf Dauer nicht.

Zwanzig vor sechs. Ich weiß, warum ich so früh aufgewacht

bin. Das passiert mir sonst nie. Schon gar nicht nach so einer Nacht. Aber heute ist der Tag, an dem ich endlich das tue, womit ich sonst nur drohe.

Schwestern! Wie oft habt ihr ein Glas gegen die Wand geschmissen, zumindest in Gedanken, habt böse gebrüllt: «Mir reicht's! Mich siehst du nie wieder!» Habt eindrucksvoll nach eurem Kulturbeutel und – um zu beweisen, dass es euch wirklich ernst war – nach eurem Skin-Repair-Konzentrat von Clarins gegriffen und türenschlagend das Haus verlassen? Das Haus, in dem sich zur selben Zeit euer Mann ein Glas guten Rotwein eingeschenkt und den Fernseher eingeschaltet hat, mit dem Wissen, dass ihr innerhalb der nächsten zwanzig Minuten sowieso wieder in der Tür stehen würdet?

Wie oft seid ihr zurückgekommen, weil er euch nicht nachgelaufen ist?

Wie oft habt ihr erneut das Gespräch gesucht, obwohl ihr der Meinung wart, dass es nichts mehr zu sagen gäbe?

So oft wie ich?

Dann solltet ihr eine Selbsthilfegruppe gründen für Frauen, die zu viel drohen und zu wenig handeln. Allerdings ohne mich. Ich mach jetzt zur Abwechslung mal Ernst.

Ich entwinde Philipp vorsichtig mein Kuschelkissen. Zentimeter um Zentimeter ziehe ich unter seinem schlafenden Körper mein Lammfell hervor. Er schmatzt vernehmlich, drückt ein Stück Decke energisch an sich und dreht sich brüsk um. Sein Haupthaar, von hinten besehen, sieht aus wie der Schlafplatz einer Herde Ziegen, die diesen erst kürzlich verlassen haben.

Sollte dies das Letzte sein, was ich beim Abschieds-Anblick von Philipp von Bülow denke?

Von mir aus.

Ich gehe in die Küche und stelle die Espressomaschine an, von der Philipp bis heute glaubt, ich könne sie nicht bedienen.

5:42

Ich glaube, was Philipp von Bülow an mir gefiel, war, dass ich ihn überraschte. Nun, ich muss zugeben, dass es keine angenehme Überraschung war, aber ein Mann mit seinem Beruf ist so viel Peinlichkeit gewohnt, dass ihn so leicht nichts aus der Ruhe bringt.

Philipp und sein Seniorpartner Julius Schmitt sind die prominentesten Prominentenanwälte in Berlin. Philipp handelt zum Beispiel Werbeverträge aus, und ein gut Teil seines Vermögens stammt aus Thomas Gottschalks Gummibärchen und Steffi Grafs Deo Roller. Ich glaube, Philipp hatte auch mit diesem sagenhaft peinlichen Spot zu tun, in dem Johannes B. Kerner für einen rechtsdrehenden Joghurt warb. Dafür hat sich Philipp immer ein bisschen geschämt, aber ich finde, er hätte vorher wissen können, dass bei Johannes B. immer was rauskommt, wofür man sich schämen muss.

Philipp verklagt auch Zeitschriften, die Unwahres über seine Mandanten verbreiten, oder verteidigt reiche Menschen. Letztens wurde ein Bankier von seinem Nachbarn verklagt, weil die vier alten Eichen, die zwischen der Bankiersvilla und dem freien Blick auf den Schlachtensee standen, nachts von einem Trupp Kosovo-Albaner gefällt wurden. Philipp hat den armen Mann rausgeschlagen.

Ts, ts, ts, da kauft man sich 'ne Hütte für sechs Millionen, baut das Ding für drei Millionen um, macht einen Landschaftsarchitekten und eine Horde Gärtner reich – und das Einzige, was die Kumpels auf der Housewarming-Party fragen, ist «Wattn? Nich ma Blick uff'n See?» Nein, das geht ja auch wirklich nicht.

Philipp hat viel Entwürdigendes erlebt. Er hat mal zwischen den Zeilen angedeutet, dass er Jürgen Drews und Jenny Elvers vertreten hat. Und trotzdem: Mit so was wie mir war er überfordert.

Philipp hatte seine Schwester in Hamburg besucht, die ihren Geburtstag feierte. Es muss so gegen halb drei Uhr morgens gewesen sein, als er während des Rückwegs zum Hotel schlagartig nüchtern wurde. Später hat er in heiteren Runden immer gern erzählt, was sich ihm da für ein Anblick bot:

«Es war eine warme Sommernacht, und ich ging zu Fuß ins Hotel Atlantic zurück. Als ich in die Schmilinskystraße einbog, stank es plötzlich nach verkokeltem Plastik. Ich sah einen relativ kleinen, offensichtlich sehr aufgeregten Menschen in einem dunklen Kapuzenshirt um einen rauchenden Gegenstand herumhopsen. Völlig grotesk! Ich wollte gerade über mein Handy die Polizei rufen, als sich der kleine Mensch umdrehte und mich völlig erschrocken ansah.

Es war eine Frau! Wegen der Kapuze konnte ich nur ihr Gesicht sehen. Eigentlich nur ihre Augen – riesengroße, runde braune Augen. Und darüber nur noch die Überreste von Augenbrauen. Alles in allem sah sie aus wie ein angebranntes Monchichi-Bärchen. Ich weiß noch, dass ich dachte, sie könnte gut bei den nächsten Olympischen Spielen als Maskottchen mitmachen. Wir starrten uns einige Sekunden an. Hinter ihr qualmte es, und es stank erbärmlich. Ich fragte sie, was denn passiert sei, und sie fragte mich, ob ich nicht einfach weitergehen und so tun könne, als hätte ich nichts bemerkt. Eine Träne lief aus einem dieser Riesenaugen. Direkt in mein Herz hinein. Ich nahm sie in den Arm und sah über ihren Kapuzen-Kopf hinweg den Brandherd: Ein Briefkasten, aus dem Flammen loderten. Ich war auf einmal komischerweise sehr glücklich.»

Ach, klingt das aus seinem Mund nicht herrlich romantisch? Das war es natürlich nicht. Es war vollkommen idiotisch! Eine dumme Sache, die sich jedoch ganz leicht erklären lässt.

Ich habe ja bereits meinen Freund Honka erwähnt, der sich wegen einer joggenden Walküre von mir getrennt hatte. Ich kam damals recht schlecht damit zurecht. Ich war seit zwei Wochen unfreiwillig Single, der Sommer war heiß, ich hatte vor Kummer vier Kilo abgenommen, fand mich gut aussehend, unbeschlafen und schlecht gelaunt und war in jener Nacht ganz sicher, dass ich niemals wieder glücklich werden würde, wenn ich Honka nicht zurückgewänne.

Nun gut, ich hatte mich mit ihm gelangweilt, hatte ihn betrogen. Aber das gab einer anderen noch lange nicht das Recht, sich mit ihm zu langweilen und ihn zu betrügen.

Ich setzte also alles auf eine Karte. Auf eine Postkarte. Ich schrieb: «Honka, du bist mein Leben! Komm zurück zu mir, und du wirst es niemals bereuen! Für immer dein Püppchen.»

Ich warf die Karte gegen zwei Uhr nachts in den Briefkasten. Nächste Leerung: sieben Uhr.

Um zwei Uhr zwanzig wurde mir bewusst, dass ich der größte lebende Trottel war.

Was hatte ich getan!?

Was!?

Wenn es nach Mitternacht wärmer ist als zweiundzwanzig Grad, dann neigen Frauen dazu, Dinge zu tun, die sie bei fünfzehn Grad zu Recht niemals tun würden. Hitze macht dämlich. Und es würde mich nicht wundern, wenn es in den südlichen Ländern Europas wesentlich weniger Hochschulabsolventen gäbe als in den kalten und niederschlagsreichen Regionen des Kontinents. Ich wohne in Hamburg, und ich bin solche Hitze nicht gewohnt. Ich wollte Honka doch gar nicht zurück! Bloß nicht! Wahrscheinlich würde er aufgrund seiner widerwärtigen Wahrheitsliebe meine Karte sogar seiner neuen Apotheken-Schlampe zeigen. Grundgütiger! Was sollte ich tun?

Ich vermummte mich mit meinem Kapuzen-Shirt, das ich sonst nur im Winter im Dunkeln zum Joggen anziehe, und schlich zurück zum Briefkasten des Grauens.

Zehn Minuten lang versuchte ich, diese vermaledeite Karte herauszufischen. Brach mir fast das Handgelenk. Musste zeitweilig befürchten, bis zum nächsten Morgen in dem entsetzlichen Schlitz festzustecken. Gegen zwei Uhr vierzig packte mich die schiere Verzweiflung. Ich war jetzt zu allem bereit. Ich rannte nach Hause und war drei Minuten später mit einem selbst gebastelten Brandsatz zurück: «Bild»-Zeitung plus Brennspiritus. Ich tränkte das Papier üppig, warf es in den Briefkasten und schickte ein brennendes Streichholz hinterher.

Nichts geschah.

Einundzwanzig.

Zweiundzwanzig.

Dreiundzwanzig.

Beunruhigt linste ich durch den Briefkastenschlitz – der just in diesem Moment eine Qualmwolke ausspieh. Dicht gefolgt von einer Stichflamme.

Ich dachte an «Die letzten Tage von Pompeji» und daran, wie peinlich es wäre, durch einen explodierenden Briefkasten mein Leben zu verlieren. Ich roch meine verbrannten Augenbrauen, schmeckte Ruß auf meinen Lippen, hopste panisch um das qualmende Ding herum und schwor mir gleichzeitig, niemals jemandem, auch nicht meiner besten Freundin Ibo, etwas von dieser Torheit zu erzählen. Also wirklich. Andere haben uneigennützig Molotowcocktails gegen das Springer-Hochhaus geworfen. Und ich? Soll ich meinen Kindern sagen, dass ich tollkühn einen Postkasten bombardiert habe, in den ich eine völlig hirnrissige Karte geworfen hatte? Lieber nicht.

«Das Herz einer Frau ist ein tiefer Ozean voller Geheimnisse.»

Das sagte schon Gloria Stuart als die uralte Rose in «Titanic», bevor sie den fetten Klunker ins Meer fallen ließ.

Und mein Briefkasten-Geheimnis würde ich ganz tief, sozusagen in den Mariannen-Graben meines Herzens-Ozeans versenken.

Der Briefkasten hörte einfach nicht auf zu kokeln. Ich drehte mich angewidert um – und sah mein Schicksal.

5:45

«Na, du dickes Marple», sage ich, und wie jeden Morgen verbessert sich meine Laune schlagartig bei ihrem Anblick.

Sie kommt mir verschlafen im Flur entgegen, ich klemme sie unter den Arm und trage sie ins Badezimmer. Sie stöhnt dabei wie eine drittklassige Hure, die einen Orgasmus vortäuscht.

Philipp hat mir streng verboten, Marple ins Badezimmer zu lassen. Unhygienisch! Ins Bett durfte sie natürlich auch nicht. Er sah es ebenso ungern, wenn sie sich in der Küche rumtrieb. Aber heute ist es mir ein Vergnügen, alle seine Vorschriften zu missachten. Bevor ich endgültig gehe, werde ich auch noch ein paar Wattepads ins Klo werfen, die Butter nicht in den Kühlschrank zurückstellen, zwei, drei Runden mit Pfennigabsätzen über das frisch abgezogene Parkett drehen und Krümel von meinen leidenschaftlich geliebten Butterkeksen zwischen den Sofakissen zerbröseln.

Es ist doch viel schöner, wenn man weiß, dass man im Leben des anderen Spuren hinterlassen hat.

Ich setze Marple vorsichtig auf den großen Waschtisch und schaue uns im Spiegel an.

Puppe und Marple.

Marple ist ein chinesischer Faltenhund. Eigentlich heißt sie Miss Marple. Wegen Miss Marple. Weil die genauso aussieht und auch genauso ist. Über und über faltig, mit einem bärbeißigen Charakter und einer Neigung, immer dann aufzutauchen, wenn man am wenigsten mit ihr rechnet und sie auch am wenigsten vermisst.

Meine Marple ist aprikosenfarben, hat dickes Fell mit kurzen Haaren, und sie sieht aus, als sei ihr die Haut, in der sie steckt, mindestens drei Nummern zu groß. Die vielen, schweren Falten auf ihrer Stirn, die fast bis über die Augen lappen, verleihen ihr einen Ausdruck von Nachdenklichkeit und Schwermut.

Oder, wie Philipp es ausdrückt: «Die sieht aus, als hätte sie gravierende Probleme.» Marple trat vor drei Jahren in mein Leben, als ich sie einer Bekannten abnahm, die sie für teures Geld als Welpe gekauft hatte und zwei Wochen später eine Hundehaarallergie bekam. Vielleicht war sie ja auch allergisch gegen Marples Anblick. Sie ist wirklich sehr, sehr hässlich.

Philipp hat sich immer geweigert, bei Tageslicht mit ihr spazieren zu gehen. In seine Kanzlei hat er sie selbstverständlich nie mitgenommen. Er sagt, es würde seine Autorität untergraben, wenn er mit einer schrumpligen, sabbernden Aprikose an der Leine ins Büro komme.

Als wir das erste Mal bei ihm übernachteten, hatte Philipp für Marple einen großen, wahnsinnig hässlichen Hundekorb besorgt. Erst war ich total gerührt, weil ich dachte, mein neuer, göttlicher Freund will, dass sich meine kleine Marple an den Wochenenden pudelwohl fühlt. Aber er stellte den Korb in den ungemütlichsten Winkel seiner 180-Quadratmeter-Altbauwohnung: in eine winzige Kammer zwischen Bügelbrett, Wäscheständer und Weinregal.

Ich wollte nicht kompliziert erscheinen, schwieg äußerlich gelassen und schubste Marple nachdrücklich in die Abseite. Mein Fehler.

Noch heute plagen mich Gewissensbisse und Albträume.

Aber in jener Nacht hatte ich keine Zeit für ein schlechtes Gewissen, weil ich zu sehr damit beschäftigt war, bei Philipp von Bülow den Eindruck zu erwecken, ich sei eine erstklassige Liebhaberin. Gerade knabberte ich mich an seiner Wirbelsäule hinunter – ganz so, wie ich es in dem Ratgeber «Heiße Tipps für heiße Nächte» gelesen hatte –, als mich ein ohrenbetäubendes Scheppern aus dem Konzept brachte.

Marple hatte wohl schlecht geträumt – das kann leicht passieren in fremder und wenig heimeliger Umgebung – und im Schlaf gegen das Bügelbrett getreten. Das wiederum war gegen den Wäscheständer gefallen, der seinerseits das Weinregal mit sich riss. Marple lag verblüfft und reglos in einer riesigen roten Weinlache, die ich, kontaktlinsenlos, versehentlich für eine Blutlache hielt. Ich weiß noch, wie ich klagend vor meinem Hund auf die Knie fiel und schrie: «Sie ist tot! Philipp, du Schwein, du hast sie umgebracht!»

In dem Moment erhob sich Marple, schüttelte sich den Wein aus dem Pelz und wedelte erfreut mit dem Schwanz. Mir fiel ein Stein vom Herzen, und heute kann Philipp auch darüber lachen. Glaube ich zumindest.

Das klingt wie Slapstick? Das bin ich gewohnt. Mein ganzes Leben klingt wie mittelmäßig erfunden. Mir passieren ständig solche Sachen, die, wenn man sie am nächsten Tag in fröhlicher Runde erzählt, klingen, als wolle man aufs Billigste versuchen, die Aufmerksamkeit auf sich zu lenken.

Ich mache leider recht viel kaputt. Nicht nur Gegenstände. Auch Pointen, hoffnungsvolle Gesprächsansätze und gute Stimmungen. Leider tue ich das nicht mit Absicht, dafür bin ich nicht bösartig genug. Philipp hält mich für trampelig und ungeschickt. Ich persönlich bin eher der Ansicht, dass ich oft einfach kein Glück habe. Und dann kommt manchmal auch noch Pech dazu.

5:47

Mein Spiegelbild sieht heute besser aus, als ich befürchtet hatte. Gut, meine Haare scheinen zwar recht willkürlich über meinen Kopf verteilt, aber mein Gesichtsausdruck ist entschlossener, als ich ihn von mir kenne. Wegen meiner runden braunen Augen sehe ich sonst nämlich immer irgendwie beeindruckt aus. Als würde ich sie vor Verblüffung weit aufreißen. Dabei reiße ich sie gar nicht auf. Die sind von Natur aus so weit offen. Leider wirke ich dadurch so, als würde ich mich für das interessieren, was andere Leute mir erzählen.

«Männer fühlen sich von dir zu Unrecht verstanden», sagt meine Freundin Ibo immer. «Du schaust sie an wie eine Mischung aus erschrockenem Rehkitz und erfahrener Nachtschwester.»

Aber ich schaue gar nicht. Ich will bloß was sehen! Es ist wirklich schlimm. Meine Augen sehen offenbar aus wie offene Ohren. Und jeder blökt da rein. Und wenn die dann noch meinen Spitznamen hören, fällt auch die letzte Hemmung, mir etwas vorzuenthalten, was ich nicht wissen will.

«Puppe? Wie süß! Das passt so gut zu dir!»

Seit ich mich überhaupt an mich erinnern kann, nennen mich die Leute Puppe. Und das liegt an meiner Großmutter Amelie Tschuppik.

Meine Mutter wollte ihrer Mutter eine besondere Freude bereiten, indem sie ihre Tochter auf den Namen Amelie taufte. Ein schrecklicher Name, daran kann es keinen Zweifel geben, und das sah Oma Amelie Tschuppik nicht anders.

Als sie mich zum ersten Mal sah, brach sie in dröhnendes Gelächter aus. Ich krakeelte wie am Spieß, und ich muss wohl sehr klein, sehr verhutzelt und mit viel Kopfhaar gesegnet gewesen sein. Ich sah eindeutig seltsam und lustig aus, und trotzdem war meine Mutter ziemlich beleidigt, weil Mütter es wohl generell nicht mögen, wenn man sich angesichts ihrer Babys kaputtlacht. Vergleichbar empfindlich sind nur noch Männer bezüglich ihres Genitals und Frauen bezüglich ihrer neuen Frisur.

Amelie Tschuppik jedenfalls machte sich über meine Frisur lustig: «Manche sind kaum auf der Welt und müssen schon zum Friseur!», über meine vielen Falten: «Himmel! Das Kind sieht ja älter aus als ich!» – und sagte schließlich: «Nun denn, meine kleine Puppe, wenn ich so einen blöden Vornamen hätte, würde ich auch schreien wie am Spieß.»

Der Überlieferung nach gab ich daraufhin sofort Ruhe. Und von diesem Moment an war ich Puppe. Meine Mutter nannte mich nur noch Amelie, wenn ich mich weigerte, den Tisch abzuräumen oder heimlich im Gartenhäuschen geraucht hatte.

So heiße ich also Puppe und sehe auch so aus. So, als würde ich lachen, wenn man mir auf den Bauch drückt, oder automatisch die Augen schließen, wenn man mich auf den Rücken legt.

Philipp meint immer, ich solle zur Mordkommission gehen oder Klatschreporterin werden. Da müsste ich die Leute dann einfach nur lange genug anschauen, bis sie mir gestehen würden, wo die Leichenteile versteckt sind oder mit welcher Frau sie aus Versehen ein Kind gezeugt haben. Zum Glück habe ich aber schon einen Beruf, mit dem ich sehr zufrieden bin.

Meine Berufswahl war ein Zufall, und mir wird immer ganz warm ums Herz, wenn ich daran zurückdenke.

Es ist fünf Jahre her, da lernte ich versehentlich Ibo kennen. Ibo heißt mit vollem Namen Ingeborg Himmelreich, sie ist zwei Köpfe größer als ich, hat kurze blonde Haare, eine robuste Figur, einen robusten Charakter und die strahlendsten blauen Augen, die ich jemals gesehen habe. Sie könnte Werbung für gefärbte Kontaktlinsen machen – ohne gefärbte Kontaktlinsen zu tragen.

Wir mochten uns auf Anhieb. Ich hatte ihr Kaffee über die Bluse geschüttet, woraufhin sie erfreut sagte: «Endlich mal ein menschliches Wesen in diesem langweiligen Laden.»

Ingeborg Himmelreich war Betriebswirtschaftlerin und hatte drei Tage vorher in der Buchhaltung von Soldemanns Flachgewebe angefangen, dem größten Auslegewarehersteller Hamburgs. Ich arbeitete seit einem Jahr dort und fragte mich jeden Tag aufs Neue, warum.

Ich hatte Innendekorateurin gelernt, dann Graphik-Design nicht zu Ende studiert, danach mit Germanistik angefangen und schließlich Kunstgeschichte nach drei Semestern aufgegeben. Ein paar Monate lang entwarf ich CD-Cover für Undergroundbands. Mit sechsundzwanzig beschloss ich, Geld zu verdienen, und nahm das Angebot von Sondermann an, Auslegware zu designen.

Ich meine, welcher Idiot designt Auslegware? Ich habe mich in meinem ganzen Leben noch nicht so dermaßen geschämt, wenn ich abends auf Partys gefragt wurde, was ich beruflich mache. Dazu kam: Ich persönlich mag ja sowieso lieber Parkett.

Im Gegensatz zu mir hatte sich Ingeborg Himmelreich nicht damit abgefunden, bei Soldemanns Flachgewebe unglücklich zu werden. Für sie war die Buchhaltung dieses Betriebes so uninteressant, dass sie sich nach drei Monaten einen Termin bei Soldemann junior geben ließ, in sein Büro schritt, ihm ihr Kündigungsschreiben auf den Schreibtisch legte und sagte: «Es tut mir Leid, Herr Soldemann, aber Sie haben die Probezeit nicht bestanden.»

Bis heute beneide ich Ibo für diesen Auftritt. Ich liebe große Auftritte – sie gelingen mir nur leider selten.

An dem Tag, an dem Ibo kündigte, verließ ich mit ihr zusammen das Büro, murmelte was von Frauenleiden, und wir setzten uns an die Bar des Alsterpavillons.

Ingeborg Himmelreich und Puppe Sturm betranken sich vom späten Nachmittag an. Selbstverständlich mit Champagner. Veuve Cliquot. In Piccoloflächchen. Siebzehn Stück. Ibo sagte, davon habe sie immer geträumt: sich als freiwillig Arbeitslose mit Schampus-Piccolöchen unter den Tisch zu trinken. Zum Schluss haben wir direkt mit den Fläschchen angestoßen und dazu laut gerufen: «Nichts ist flacher als Flachgewebe!»

Weit nach Mitternacht schwankten wir zu mir nach Hause und verbrachten die Nacht kichernd in meinem Doppelbett. Ich aß sehr viele Butterkekse, während Ibo darüber fachsimpelte, ob man eigentlich auch rot wird, wenn man sich im Dunklen schämt. Das brachte mich auf einen ganz anderen Gedanken, nämlich: Wie nennt man wohl einen Findling, bevor er gefunden wird?

Und warum macht man das Radio leiser, wenn man im Auto sitzt und nach einer Straße sucht?

Wir sprachen lange darüber. Ich kann nur mit Ibo solche Fragen erörtern, die jeder andere für völlig schwachsinnig halten würde. Einmal saßen wir einen ganzen Abend lang zusammen, und es machte uns viel Spaß, sämtliche uns bekannten Putzmittel für Wortspiele zu missbrauchen. Von den «Omo-Sexuellen» bis zu den «Ferien auf Sagrotan».

Ein anderes Mal dachten wir uns trendige Namen für Friseurgeschäfte aus. Ausnahmsweise hatte ich die beste Idee: «Hair Force One».

Ingeborg Himmelreich ist eine sehr kluge Frau, und ich bin wahnsinnig stolz, dass ich ihre beste Freundin bin, und das, obwohl ich nie zu Ende studiert habe. Ingeborg sagt immer, bei ihrem Aussehen hätte sie keine andere Wahl gehabt, als klug zu werden. Ich finde das ziemlich kokett. Okay, sie ist nicht der Bringer, den Männer sofort saftelnd zum Drink einladen. Man sieht ihr leider an, wie intelligent sie ist, und deshalb kommt sie von vorneherein für etwa fünfundsiebzig Prozent der Männer nicht infrage. Ich hingegen werde von jedem Volltrottel schamlos beplaudert und wecke Beschützerinstinkte in Männern, die sich lieber vor mir in Acht nehmen sollten. Nur wenn ich mit Ibo ausgehe, traut sich keiner dieser Deppen mehr an mich ran. Wir haben also meist unsere Ruhe.

In jener Nacht in meinem Doppelbett schauten wir «Frühstück bei Tiffany» auf Video, lackierten uns gegenseitig die Fußnägel, und als wir «Moon River» hörten, musste ich weinen wegen der Sehnsucht nach irgendwas.

There's such a lot of world to see

Ich glaube gegen halb drei Uhr morgens hatten wir die Idee, die uns innerhalb von viereinhalb Jahren glücklich und ziemlich wohlhabend machte.

Um halb sechs war alles beschlossen.

Um halb sieben standen wir auf und begannen den Tag mit einer Hand voll Aspirin und einem letzten Glas Champagner.

Ich kündigte am nächsten Tag und wurde mit Ingeborg Inhaberin des Café Himmelreich.

5:50

«Na, Marple, gleich geht's los!», sage ich aufmunternd – was Marple bedauerlicherweise zum Anlass nimmt, mit ihrem verkümmerten Schwänzchen zu wedeln. Mit einem Streich fegt sie Philipps Dachshaar-Rasierpinsel, seinen Zahnputzbecher aus französischem Porzellan und seine Manschettenknöpfe mit dem eingravierten Familienwappen vom Waschtisch. Die Kostbarkeiten plumpsen ins Waschbecken, in dem ein paar meiner BHs einweichen, und Marple bekommt einen Schwall Seifenlauge ab.

Ich weiß, dass mein Hund trottelig und hässlich ist, aber im Gegensatz zu anderen habe ich Marples Vorzüge sofort erkannt: Neben so einem Hund siehst du immer gut aus, und du kannst an seiner Seite alt werden, ohne dich alt zu fühlen und ohne dass es besonders auffällt.

Du findest dich morgens unansehnlich? Krähenfüße unter den Augenlidern?

Deine Stirn sieht aus, als könne man dir eine Verschlusskappe aufschrauben?

Dein Dekolleté ähnelt der Sahel-Zone nach einer besonders langen Dürre-Periode?

Kopf hoch, lächeln, Miss Marple anschauen. Schlimmer geht's immer. Das ist wie Aufwachen neben Mutter Theresa. Wie ein Freibadbesuch mit Inge Meysel. Wie Sauna mit Ilja Rogoff. Da hat man immer automatisch die besseren Karten.

Ich setze meinen nassen Hund in die Badewanne, rubble ihn mit Philipps Handtuch trocken und hänge es anschließend an seinen Platz zurück. Es ist kurz vor sechs, und Philipp wacht am Wochenende freiwillig niemals vor halb elf auf. Bis dahin müsste das Handtuch wieder trocken und ich mit Sack und Pack auf der Flucht sein.

Auf der Flucht. Das klingt nach wütendem Hundegebell im Nebel, nach dem Licht von Taschenlampen, das die Schwärze der Nacht zerschneidet, nach einem pockennarbigen US-Marshall mit dem Gesicht von Tommy Lee Jones, der sagt: «Riegelt das ganze Gelände im Umkreis von zwanzig Meilen ab. Ich will, dass ihr das Mädchen findet. Amelie Puppe Sturm darf nicht entkommen!»

Amelie Puppe Sturm wird – einsam, aber stolz – in den erwachenden Tag hineinbrausen. Ihre Hände – zart, aber entschlossen – auf das vibrierende Lenkrad gelegt. Ihr Haar – wild, aber unheimlich gut sitzend – im Morgenwind flatternd. Sie wird Gas geben, einen schmalen Zigarillo zwischen den dunkelrot geschminkten Lippen, ihrem Hund die Nackenfalten kraulen und hinkefüßige Kleinwagen per Dauerlichthupe aus ihrem Weg scheuchen.

Und um halb elf wird sie in hämisches Lachen ausbrechen bei der Vorstellung, wie der ehrwürdige Herr Philipp von Bülow seinen gepflegten Leib unter die Dusche stellt und ihn anschließend sorgfältig abrubbelt mit einem Handtuch aus edelstem Mischgewebe: dreißig Prozent Baumwolle und siebzig Prozent feinstes, aprikosenfarbenes Hundehaar.

5:55

Telefon!
 Wie?
 Telefon!

Ich plane meinen Aufsehen erregenden Abgang, ich schrubbe gerade mein Gesicht mit meinem Shiseido-Bürstchen, um abgestorbene Hautzellen zu entfernen, und ausgerechnet jetzt klingelt das verdammte Handy von Philipp von Bülow?

Panisch versuche ich, das Klingeln zu orten. Wo hat der Kerl sein Telefönchen gelassen? Die verdammten Dinger sind ja heutzutage so klein, die kannst du versehentlich einatmen und wunderst dich dann, warum deine Bronchien klingeln.

Ich husche hektisch auf Zehenspitzen von Zimmer zu Zimmer.

«Düü dü dü dü dü dü düüüü»

Die Klingelmelodie von «We are the champions» scheint von überall zu kommen, um mich zu verhöhnen. Ich habe Philipp immer gesagt, dass ich dieses Klingelsignal lächerlich finde und er dadurch offensichtlich jeden auf sein leider völlig intaktes Selbstbewusstsein aufmerksam macht. Und das muss doch wirklich nicht sein.

We are the Champions, my friend!

Wo ist das Telefon!? Wo? Wenn Philipp aufwacht, ist mein ganzer Plan dahin! Höre ich nicht schon ein ärgerliches Stöhnen aus dem Schlafzimmer? Schritte in Richtung Flur?

And we'll keep on fighting till the end

Da! Endlich!

Ich finde das winzige Ding in Philipps Sakkotasche. Ich fummle es ungeschickt heraus – nicht ohne das Innenfutter einzureißen – und drücke auf die grüne Anruf-annehmen-Taste. Im selben Moment erstirbt das Klingeln. Ich lasse das Handy sinken und lehne mich schwer atmend gegen die Wand.

Hat Philipp was gehört?

Wird er meine Flucht vereiteln?

Wird er mir meinen großen Auftritt vermasseln, indem er gleich aus dem Schlafzimmer tritt, sich die Augen reibt und sagt: «Püppchen, holst du die ‹Süddeutsche›, oder soll ich gehen?»

Ich lausche lange.

Nichts.

Stille ringsherum.

Nur Marple tapst durch den Flur, auf der Suche nach mir, und freut sich mächtig, als sie mich schweißgebadet im Ankleidezimmer findet.

«Ist ja gut, meine kleine Dicke», sage ich, als sie fröhlich wedelnd auf mich zukommt. Zum Glück neigt sie nicht dazu zu bellen, um auf ihre Empfindungen aufmerksam zu machen. Ganz im Gegensatz zu mir.

Ich beuge mich zu Marple hinunter, schlinge meine Arme um sie und höre in diesem Moment, dass Philipp von Bülows Handy zu mir spricht:

«Nachricht liegt vor.»

«Nachricht liegt vor.»

«Nachricht liegt vor.»

5:58

Im Nachhinein scheint es mir, als ob ich es schon vorher gewusst habe. Aber ich wusste es nicht. Ich schwöre es. Es mag naiv gewesen sein, blauäugig, dämlich, idiotisch. All das. Aber ich hatte wirklich keine Ahnung.

Bis zu diesem Moment wollte ich Philipp von Bülow doch bloß eine Lektion erteilen. Ich wollte wutschnaubend wegfahren, vielleicht zurück nach Hamburg. Wollte mich auf der Flucht fühlen, ohne es zu sein. Wollte ein Drama aufführen, ohne zu leiden. Wollte achtundvierzig Stunden lang seine Anrufe nicht beantworten, mich bei Ibo über ihn beschweren und mich dann doch gnädig zu einem Versöhnungsgespräch bereit erklären.

Das war es, was ich wollte. Das hatte ich schon öfter mal gemacht. Alle drei Monate ergreife ich jede Gelegenheit zur dramatischen Interaktion. Das hält die Liebe jung und die Beziehung abwechslungsreich. Ja, ich neige zu Überreaktionen, will daran aber nichts ändern, weil es mein Leben interessanter macht, als wenn ich immer angemessen reagieren würde.

Philipp von Bülow hatte mir bis zu diesem Moment nichts wirklich Schlimmes getan. Und wenn ich nicht so früh aufgewacht wäre, wenn ich nicht aufgestanden wäre, um meine kleine, dramatische, aber harmlose Showeinlage in Angriff zu nehmen, wenn ich meinem Zorn schon gestern Abend freien Lauf gelassen hätte, wenn wir nicht in die Paris Bar gegangen wären, wenn ich nicht diesen dämlichen Brief an Honka in diesen vermaledeiten Briefkasten gesteckt hätte – ja, dann wäre mir all das erspart geblieben.

5:59

«Nachricht liegt vor.»

Soll ich? Oder soll ich nicht?

Ich habe nie viel von Diskretion gehalten. Wenn jemand ein Geheimnis haben will, dann soll er es vor mir verbergen. Und wenn er es nicht gut genug verbirgt, dann kann er mir nicht böse sein, wenn ich es herausfinde. Das war immer meine Einstellung.

Gut, ich neige zur Schnüffelei, ich gebe es zu. Und ich kenne keine Frau, die diese Neigung nicht mit mir gemein hätte. Ich möchte sogar so weit gehen, zu behaupten, dass Diskretion bei Frauen eine behandlungsbedürftige Störung darstellt.

Man stelle sich vor: Eine Frau liest die mit selbst gemalten Herzchen verzierte Postkarte, die an ihren Freund adressiert ist, nicht. Krankhaft.

Man stelle sich vor: Eine Frau informiert sich aus dem offen herumliegenden Filofax ihres Liebsten über dessen Termine für die kommende Woche *nicht*. Bedenklich.

Man stelle sich vor: Eine Frau findet auf seinem Schreibtisch einen unverschlossenen Umschlag mit dem Vermerk «Persönlich» und schaut nicht hinein. Oder hört auf seinem Handy die Ermunterung «Nachricht liegt vor» und wählt nicht die Mailbox an. Völlig unweiblich, völlig unrealistisch.

Ich persönlich finde Schnüffelei erst dann verwerflich, wenn man dabei Spuren hinterlässt. Ich würde Briefumschläge niemals aufreißen, niemals fremder Leute E-Mails lesen, wenn es die Funktion «Als neu behalten» nicht gäbe, und nie in seinem Portemonnaie nach verdächtigen Quittungen suchen, wenn ich nicht ganz sicher wäre, dass er gerade sehr fest schläft.

Nein, ich bin nicht misstrauisch. Ich bin neugierig, und ich will was erleben. Schnüffeln macht Spaß, weil man dabei ja was entdecken könnte, was dann vielleicht keinen Spaß macht.

Eine Logik, die sich sicherlich nicht jedem ganz leicht erschließt. Meist findet man ja sowieso nur raus, dass Männer tatsächlich nichts zu verbergen haben. Und irgendwie ist das den meisten Frauen dann auch wieder nicht recht. In dem Punkt sind wir einfach wahnsinnig dialektisch. Ich meine, jetzt mal ehrlich: Wer will denn schon einen treuen Mann? Wer will einen, um den man sich keine Sorgen machen muss? Wer will einen, dem du, wenn er für vier Wochen alleine in den Robinson-Club in die Türkei fährt, auch noch «Viel Spaß» wünschen musst?

Dein Mann ist treu? Na herzlichen Glückwunsch! Vielleicht weil ihn außer dir keine haben will?

Als Ibo beispielsweise zum ersten Mal betrogen wurde und es herausfand – das war ein Fest! Sie war mit Heiner vier Monate zusammen, als sie übers Wochenende zu ihren Eltern fuhr und montags mit zwei gezielten Griffen in seine Hosentasche eine Restaurantrechnung fand, die mit seiner Aussage «Ich war mit Martin, Udo und John einen Happen essen und dann noch Billard spielen», irgendwie nicht recht vereinbar war: Fünfhundertachtzig Mark für zwei Menüs im Hamburger Sterne-Restaurant Le Canard.

Ingeborg sah Heiner einmal streng an, und er gestand alles: Ex-Freundin überraschend vorbeigekommen. Wiedersehen gefeiert. Viel getrunken. Nichts von Bedeutung.

Männern kann ja viel nichts bedeuten.

Aber Ingeborg zeigte sich unversöhnlich und war nicht bereit, sich die Gelegenheit entgehen zu lassen.

Endlich ein passender Anlass!

Sie haute Heiner eins mit der Handtasche über die Rübe, sagte kein Wort mehr, packte ein kleines Köfferchen, rief ein Taxi und verschwand. In eine Suite des feinsten Hotels der Stadt.

Dort verbrachte sie die Nacht Cocktails schlürfend auf ihrem Balkon. Wohlwollend betrachtete sie ihr Handy, das abwechselnd klingelte oder verzweifelte SMS von Heiner empfing.

Als sie mich gegen drei Uhr morgens anrief und von Heiners Untat berichtete, sagte ich überrascht: «Was!? Das hätte ich ihm niemals zugetraut.»

Ibo war zum Glück nicht beleidigt. Sie kicherte und sagte: «Ich auch nicht.» Und dann fing sie an zu weinen.

Ich fuhr zu ihr auf die Dachterrasse.

Sie empfing mich mit den Worten: «Was soll die Heulerei? Ich liebe ihn ja noch nicht mal. Ich bin nur so gekränkt, dass mich ein Mann betrügt, der mir nichts bedeutet.»

Ich dachte an meine unselige Erfahrung mit dem ungeliebten Honka und sagte weise: «Wenn du ihn nicht liebst, dann kannst du ihm auch vergeben.»

Und so war's dann auch. Ibo und Heiner haben sich zwei Monate später getrennt, weil Heiner Ibo nicht verzeihen konnte, dass ihr seine Untreue so wenig ausgemacht hatte.

Die Handhabung von Wahrheit und Diskretion unterscheidet Männer und Frauen wesentlich. Frauen wollen belogen werden. Männer wollen noch nicht mal die Wahrheit wissen.

Aber das ist ein weites Feld. Und ich komme bei Gelegenheit auf das Thema zurück.

6:10

Ich öffne eine Flasche sehr, sehr teuren Rotwein. Ich meine, mich zu erinnern, dass Caroline von Monaco das Tröpfchen schicken ließ, nachdem Philipp die «Bunte» wieder mal zu einer horrenden Schmerzensgeldzahlung gezwungen hatte.

«Carolines künstliche Brüste» lautete, glaube ich, die Titelzeile. Oder war es «Caroline: Schwanger von Boris Becker?».

Ich weiß es nicht mehr genau. Eine Zeit lang glaubte ja beinahe jede Schwangere, ihr Kind sei von Boris Becker.

Ich stehe mit der Flasche in der Hand im Wohnzimmer und betrachte den Scheiterhaufen meiner Liebe.

«Nachricht liegt vor.» Jetzt nicht mehr.

Lustig ist das nicht. Aber irgendwie tragisch-komisch.

Ich muss lachen, obwohl mir nicht danach zumute ist.

Im Flur habe ich Philipps Anzüge zu einem Haufen aufgetürmt. Sicher anderthalb Meter hoch. Als Anwalt braucht man ja jeden Tag was Repräsentatives. Ein Dutzend Kaschmir-Pullover und seidene Boxershorts sind auch dabei. Die hellen Sommeranzüge von Jil Sander und den karamellfarbenen Cordanzug von Gucci habe ich ganz nach oben gelegt, weil die ja so empfindlich sind.

Ich schenke mir ein Gläschen ein, trinke zwei Schlückchen – soll man ja eigentlich wirklich nicht vor dem Frühstück –, ich sage «Prost» und schütte den Rest der Flasche über den Kleiderhaufen.

Die edlen Stoffe saugen den Wein auf, als seien sie in ihrem vorherigen Leben ehrgeizige Wischlappen gewesen. Besonders der helle Cord scheint geradezu danach zu gieren.

Ich sehe mir selbst zu bei dem, was ich tue.

Sehe die Flasche in meiner Hand und sehe mein Gesicht. Meine Augen leuchten. Ich sehe sehr entschlossen aus und konzentriert. Als würde ich eine äußerst knifflige Aufgabe zu meiner vollsten Zufriedenheit bewältigen.

Gibt es Momente, die sich so gut anfühlen, wie sie in Erzählungen klingen? Oder erfährt man Genugtuung, Rache, Erleichterung, Glück immer erst in der Erinnerung, in der Verarbeitung?

Ich gebe zu, manche Dinge habe ich nur gemacht, um sie nachher erzählen zu können. Ich glaube zum Beispiel, dass ich wesentlich länger Jungfrau gewesen wäre, wenn ich nicht das große Bedürfnis gehabt hätte, auf dem Schulhof etwas zu den Gesprächen beitragen zu können. Und tatsächlich hat mich der eigentliche Akt weit weniger begeistert als die anschließende Schilderung in Anwesenheit meiner damals zwölf engsten Freundinnen.

Erleben ist schön. Aber erzählen ist schöner.

Ist es nicht so, dass wir erst in unserer Erinnerung bestimmen, wie der Moment, an den wir uns erinnern, wirklich war? Partys, Sex, Bewerbungsgespräche, Prügeleien, Petting: werden solche Erlebnisse nicht erst dann wirklich gut, wenn wir sie unserer besten Freundin bei mehreren Gläsern Gavi di Gavi und zwei Packungen Gauloise legères erzählen?

Ich hätte nie mit Thomas Kling geschlafen, hätte nie Michael Thalheim geküsst, wäre nie mit Jan Gehrmann an die See gefahren, wenn man mir vorher das Versprechen abgenommen hätte, dass ich niemandem davon erzählen dürfe.

Mädchen, seid ehrlich: Was hättet ihr alles nicht getan, wenn ihr keine Freundinnen hättet für die Nachbereitung? Wie langweilig wäre euer Leben, wenn ihr euch nicht ständig bemühen würdet, etwas zu erzählen zu haben?

Ich liebe dieses Thema. Aber jetzt genug davon.

Was ich sagen wollte, ist: Den guten Rotwein über Philipp von Bülows teure Anzüge zu gießen ist das Beste, was ich je in meinem Leben gemacht habe.

Abgesehen vielleicht von meiner längst überfälligen Entscheidung für gefärbte Kontaktlinsen im letzten Jahr. Und besonders schön ist: Ich weiß um die Genialität des Augenblicks, in dem Moment, in dem ich ihn erlebe. Das ist selten. Dafür muss man dankbar sein.

Mein dickes Marple steht leise winselnd hinter mir. Der Geruch des Weins, der Anblick der sich rasch ausbreitenden roten Pfütze erinnert sie wahrscheinlich an ihre erste schreckliche Nacht in dieser Wohnung. Ihre faltige Stirn wirkt jetzt besonders besorgt. Ich nehme Miss Marple auf den Arm und drücke sie fest an mich.

Mein Hund und ich, wir haben genug gelitten.

Sie steckt mir ihre Nase ins Ohr. Ich bin mir bewusst, dass ein zartes Baby oder ein verstörtes Kleinkind an Marples Stelle die Situation irgendwie dramatischer gestaltet hätten. Aber man kann es sich ja nicht aussuchen.

Das ist mein Leben.

Das ist nicht Hollywood.

Aber es ist schlimm genug.

Ich schaue noch einen Moment lang zu, wie sich die Weinlache langsam zu einem Rinnsal verjüngt, das sich munter auf den cremefarbenen Berber zubewegt.

«Unser fliegender Liebesteppich», pflegte Philipp ihn neckisch zu nennen.

Ach Gottchen.

Ich hole eine Tube Elmex aus dem Bad und drücke sie über ein paar Nadelstreifenanzügen aus. Das tut gut. Weiß man ja, dass Zahnpasta Stoffe für immer und ewig entfärbt.

Ich atme tief durch. Und packe meine Sachen.

6:30

Leise ziehe ich die Tür hinter mir zu.

Aus.

Vorbei.

Sozusagen aus und vorbei.

Ich recke heroisch das Kinn in die Höhe und versuche eine gute Figur zu machen, während ich meinen schweren Koffer, die große Reisetasche und zwei Plastiktüten die Treppe herunterwuchte. Marple hopst ausgelassen um mich herum und wedelt so heftig mit ihrem Schwanz, als wolle sie ihn abschütteln. Wie immer verliert sie auf den letzten Metern des glatten Steinflures vor lauter Übermut den Halt, dreht sich einmal um ihre eigene Achse und schlittert dann, alle viere von sich gestreckt, gegen die Eingangstür.

Dong.

Jedes Mal dasselbe. Marple hat sich schon daran gewöhnt und quittiert den Zusammenstoß mit diesem typischen «Pfffffffft-hhhhhüüüü». Einem Geräusch, als würde man aus einem sehr prallen Reifen sehr plötzlich sehr viel Luft rauslassen.

Ich habe gleich vor der Haustür geparkt. Ich hieve mein Gepäck in den Kofferraum, öffne das Verdeck und setze Marple auf den Beifahrersitz. Ich fahre einen metallic-himmelblauen Fiat Spider. Und zwar nicht irgendeinen Spider, sondern den ersten von Pinin Farina designten, ein wunderbares und einzigartiges kleines Cabriolet mit anbetungswürdigen Türgriffen und zungenförmigen Auswölbungen auf der Motorhaube.

Ich habe es gekauft, als Ibo und ich im zweiten Jahr unserer

Selbständigkeit in den schwarzen Zahlen waren, und zwar in verdammt schwarzen Zahlen. Auf der Beifahrertür steht in roten Buchstaben: www.cafe-himmelreich.de. Ich halte das für eine gute Werbung, weil ich einen himmelblauen Fiat Spider für das lässigste Auto halte, das eine Frau fahren kann, die sogar mit Stilettos nicht mal eins siebzig groß ist.

Mein Auto ist wie ein Kuschelteddy, den man an sich drückt in der Fremde, wenn man nicht einschlafen kann. Mein Zuhause, mein Trost, mein Stückchen Heimat in schweren Zeiten fern von daheim.

Ich kenne wenig Frauen, die zu ihrem Auto eine so emotionale Beziehung haben wie ich zu meinem. Bei Ibo zum Bespiel musst du dir die Hosenbeine hochkrempeln, wenn du als Beifahrer einsteigen willst. Bei allem, was sie im Auto tut, hinterlässt sie Spuren. Sie erledigt ihre Post, wenn sie an roten Ampeln steht. Sie isst beim Fahren Bananen, Hustenbonbons und Schokoriegel. Briefumschläge, Rechnungen, Postkarten, Obstschalen, Bonbonpapier – alles schmeißt sie neben sich auf den Boden.

Außerdem lagert Ibo Dinge, für die in ihrer Wohnung kein Platz mehr ist, im Kofferraum. Die Rollerblades zum Beispiel, zwölf Bände «Meyers Konversationslexikon» und die multifunktionale Küchenmaschine, die sie von ihrer blöden Patentante zu Weihnachten bekommen hat. Und wenn Ibo im Stau steht – und Ibo steht jeden Morgen im Stau –, dann dreht sie den Rückspiegel zu sich und zupft sich die Augenbrauen.

Das ist doch ekelhaft! Egal, wo man in ihrem Auto hinlangt, sofort hat man Ibos ehemalige Brauen an den Fingern kleben. Oder man spießt sich beim Einsteigen die Pinzette in den Hintern, die immer auf dem Beifahrersitz für Ibos Zupf-Anfälle bereitliegt.

«Ich sag's dir, Puppe, Augenbrauenzupfen kann zur Sucht werden», sagt Ibo.

Und seit ich selbst damit angefangen habe, weiß ich, dass sie Recht hat. In diesem Punkt habe ich also Verständnis für Ibo. Ansonsten habe ich kaum Verständnis für Ibo. Wir mögen uns von Herzen, sind aber grundverschieden. Und es schmerzt mich, mit anzusehen, wie wenig Wert sie auf die wirklich wichtigen Dinge des Lebens legt: Kleidung, Body-Mass-Index, Männer, Klatsch und Image.

Insofern passt ihr Auto eigentlich ganz gut zu ihr. Im Grunde genommen fährt Ibo auch gar kein richtiges Auto, sondern einen Opel Astra.

«Hauptsache, es bewegt sich und fährt nach links, wenn ich nach links will», sagt sie immer.

Wahrscheinlich suchen Frauen ihre Männer oftmals nach ähnlich bescheidenen Kriterien aus. Deswegen gehen so viele Beziehungen schief.

Ich habe Ibo jedenfalls verboten, dass auch sie auf ihrer Tür Werbung für unser Café Himmelreich macht. Damit würde die völlig falsche Zielgruppe angesprochen werden. Schlimm genug, dass das Café einer Opel-Astra-Fahrerin gehört. Ich möchte nicht auch noch Opel-Astra-Fahrerinnen als Kundschaft haben.

Ingeborg bedeutet ihr Auto nichts, und sie hat einfach nicht richtig nachgedacht, bevor sie es kaufte. Das ist immerhin besser als die Leute, die lange nachdenken und dann trotzdem das falsche Auto kaufen. So wie die gelifteten Schabracken, die manchmal in Philipps Kanzlei kommen, um ihren Ehevertrag einzuklagen, weil ihre Männer sie wegen Frauen verlassen haben, die in zehn Jahren ebenfalls als geliftete Schabracken in Philipps Kanzlei kommen werden, um ihren Ehevertrag einzuklagen.

Die sind so teuer angezogen, die würden sicherlich 80 000 Mark Schaden verursachen, wenn sie plötzlich explodieren würden. Die haben Stunden in Boutiquen verbracht, über die Imagewerte von Labeln gebrütet, ihre Handtasche auf die Garderobe und die Garderobe auf ihre Augenfarbe abgestimmt. Die denken ständig darüber nach, wie sie worin aussehen, und sehen trotzdem ganz furchtbar beschissen aus.

Das kann man Ibo nicht vorwerfen. Sie verschwendet keine Zeit, um schlecht auszusehen.

Ich hole einmal tief Luft, drehe den Zündschlüssel um und nehme mir vor, ab jetzt alles anders zu machen, als ich es gewohnt bin.

Wohin hat es mich denn gebracht, alles so zu machen, wie ich es gewohnt bin?

Ich sehe mich gezwungen, mich in Herrgottsfrühe aus dem Staub zu machen. Gekränkt, gedemütigt, gereizt, gemeingefährlich. Ich war viel zu lange verständnisvoll. Mit mir kann man's ja machen. Ich bin ja so natürlich. Und so offen. Und so freundlich.

Ich bin ein Trottel.

Aber das, Freunde, das ist jetzt vorbei. Ich habe eine beste Freundin, einen fantastischen Friseur, besitze die Hälfte eines gut gehenden Cafés, einen chinesischen Faltenhund und ein himmelblaues Fiat-Spider-Cabriolet. Ich lass mir von keinem mehr was sagen.

Jetzt ist Schluss mit natürlich.

Jetzt werde ich böse.

6:33

Ich gebe Gas. Und es scheint mir in diesem Fall angemessen, mit quietschenden Reifen auf den Kurfürstendamm einzubiegen. Ich habe das lange nachts auf unbeleuchteten und einsam gelegenen Parkplätzen geübt. Denn nichts ist peinlicher als ein missglückter Kavalierstart, bei dem man den Motor abwürgt und dann müde belächelt als Allerletzter von der Ampel wegkommt.

Das ist wie:

im Stadion auf zwei Fingern pfeifen wollen, und es kommt nur Spucke raus,

mit arrogantem Blick quer über die leere Tanzfläche stolzieren und erst beim Hinsetzen merken, dass man einen langen Streifen Klopapier hinter sich herzieht, der sich in der Strumpfhose verfangen hat.

Leider keiner in der Nähe, der meine actionfilmmäßig quietschenden Reifen würdigen könnte. Kaum jemand ist um diese Zeit unterwegs. Kein Geschäft öffnet hier vor zehn, und niemand steht samstags früher auf als nötig.

Ich kenne den Ku'damm nur voll. Voll mit Menschen, voll mit Autos, voll mit Geräuschen. Und wie jeder Ort, den ich nur belebt kenne, berührt es mich eigenartig, ihn unbelebt zu sehen.

Es ist das gleiche Gefühl wie ganz früher nach einer Party.

Wenn meine Eltern zur Kur waren, und ich Freunde eingeladen hatte. In der Küche stand das kalte Büffet mit Nudelsalat und Käsehäppchen. Süßer Sekt und Bier im Kühlschrank. Im Wohnzimmer lief laut Police.

Im Schlafzimmer meiner Eltern verlor Christine Merkstein, die in Deutsch neben mir saß, ihre Unschuld. Im Bad übergab sich Georg Seitz, der Schlechteste in Mathe, weil er zu viel Martini Rosso getrunken hatte. Joachim gab mir einen Zungenkuss, tanzte mit mir vor der Schrankwand, und Sting sang:

> *Roxanne! You don't have to wear*
> *that dress tonight*
> *Walk the streets for money*
> *You don't care if it's wrong or if it's right*
> *Roxanne!*

Und um eins war alles vorbei. Die Freunde gegangen, der Zungenkuss fertig geküsst, der Asti Spumante leer, der Martini leer, das Haus leer. Kein Ort ist leerer als der, der gerade noch voll war.

Nie war ich einsamer als an solchen Orten. Wenn der Trubel vorbei ist. Wenn du noch glaubst, das Lachen und die Stimmen zu hören. Aber es ist alles still. Es riecht noch nach Menschen, nach Freunden, aber sie sind nicht mehr da. Es riecht nach Rauch, aber keiner fragt mehr, ob es noch Zigaretten gibt. Es riecht noch nach Schweiß, aber keiner schwitzt. Du hast keine Menschen mehr um dich, sondern nur noch die Spuren, die sie hinterlassen haben. Ich weiß noch immer, wie das ist. Als wäre es gestern gewesen. Dabei ist es so verdammt lange her.

Ein Kehrfahrzeug schleicht vor mir her. Macht den Ku'damm sauber für den Samstags-Ansturm. Ich überhole den Wagen langsam. Wer sitzt drinnen? Egal. Es ist der einzige Freund, den ich im Moment habe. Jeder, der jetzt wach und auf der Straße ist, ist mein Freund. Ich schaue in die Fahrerkabine und winke blöde.

Der Mann sieht mich nicht. Er schaut konzentriert in seinen rechten Außenspiegel, damit er auch jedes Fitzelchen Müll erwischt. Er hat eine orange Schirmmütze tief in die Stirn gezogen, eine Zigarette hängt in seinem Mundwinkel. Sicher ein Mann, der seinen Kummer mit sich alleine ausmacht.

Ich bin ganz froh, dass er mich nicht gesehen hat. Der hätte bestimmt nicht zurückgewinkt. Männer neigen generell nicht zum Zurückwinken. Sie freuen sich auch nicht, wenn man in der Kantine laut «Juhuuu, Olaf!», ruft, ihnen abends in der Kneipe von hinten die Augen zuhält und vergnügt fragt: «Rahat mal, weher das iihiist?» Oder auf dem Bahnsteig bei ihrem Anblick gerührt stehen bleibt, die Koffer fallen lässt und brüllt: «Wer kommt in meine Armeeee!!??»

Mit so was kommen sie ganz schlecht zurecht. Sie mögen es recht amüsant finden, anderen Menschen beim Emotionenhaben zuzuschauen, halten aber spontane Positiv-Regungen an sich selbst für unpassend. Es sei denn bei großen Sportereignissen sowie überraschenden Siegen ihres Heimatfußballvereins. Philipp sagt immer: «Puppe, überleg doch mal: Wenn wir beide so emotional wären, wie sähe dann unser Mobiliar aus?»

Philipp ist vernünftiger als ich. Und, das hatte ich schnell gemerkt, er gehört zu der Sorte Mann, die viel mit sich alleine ausmacht.

Ich hingegen mache eigentlich nie etwas mit mir alleine aus. Dafür bin ich einfach nicht der Typ. Wenn ich was erlebe, will ich es erzählen. Wenn ich nichts erlebe, will ich es auch erzählen. Wenn ich Kummer habe, dann will ich möglichst auch viele andere damit belasten. Wenn ich Schmerzen habe, ist viel Aufmerksamkeit die beste Medizin. Wenn ich fröhlich bin, dulde ich keinen Griesgram in meiner Nähe. Wenn ich ein Problem habe, dann beteilige ich möglichst viele Menschen an der Suche nach einer Lösung. Das ist wie bei Großfahndungen: Je mehr Spürhunde mitschnüffeln, desto schneller ist der Übeltäter gefasst.

Bei Philipp ist es genau andersrum: Je mehr ihn bewegt, desto weniger sagt er. Er grübelt gerne, fällt einsame Entscheidungen, leidet stumm und wirft mir dann aber gerne – das ist wirklich völlig absurd – mangelnde Empathie vor.

«Du kreist ja nur um dich selbst», unterstellte er mir erst neulich wieder beleidigt. Ich hatte den ganzen Abend aufgeweckt und interessant von meinen Stammgästen im Café Himmelreich erzählt und dabei vergessen, mich nach dem wichtigen Gerichtstermin zu erkundigen, den Philipp an dem Tag gehabt hatte.

Zugegeben, er hatte vor etlichen Wochen einmal angedeutet, dass es für seine Karriere von Vorteil wäre, wenn Iris Berben den Prozess gegen ihren Friseur gewinnen würde. Der hatte ihr eine Dauerwelle verpasst, mit der sie aussah wie Michael Jackson, als der noch mit den Jackson Five sang. Und sie hatte sich daraufhin nicht getraut, einen Fernsehpreis in Empfang zu nehmen, den dann statt ihrer Hannelore Elsner bekam.

Gut, ich gebe zu, ich hatte versäumt, danach zu fragen. Oder genauer: Ich hatte die Sache komplett vergessen. Aber Philipp ist selber schuld. Er schafft es einfach nicht, mir zu vermitteln, was ihm wirklich wichtig ist. In seinem Bemühen, männlich und überlegen und unaufgeregt zu wirken, klingt aus seinem Munde alles unwichtig. Aus meinem hingegen klingt alles wichtig – was eine Gewichtung zugegebenermaßen auch erschwert.

«Philipp», sagte ich vorwurfsvoll, «du erzählst einfach zu wenig von dir.»

«Was soll ich denn erzählen? Das, was ich zu sagen habe, kenne ich doch alles schon.»

Ich glaube, damit ist alles gesagt über die tiefe Kluft zwischen den Geschlechtern.

Philipp, auch das hatte ich schnell gemerkt, gehört zu der Sorte Mann, die nach der Arbeit Zeit für sich braucht.

Das hat sich mir, ehrlich gesagt, nie erschlossen. Wozu braucht denn einer Zeit für sich, wenn er stattdessen Zeit mit mir verbringen kann? Wozu in Ruhe Zeitung lesen, wenn ich doch bereit bin, alle wichtigen Ereignisse des Tages anschaulich und detailliert zu berichten und noch dazu zu kommentieren?

Ich kenne viele Männer, die Zeit für sich brauchen – und wenig Frauen, die dafür Verständnis haben. Was meistens dazu führt, dass der Mann in der Stunde, in der er Zeit für sich haben will, mit seiner Frau zankt, weil die keine Stunde Zeit für sich haben will.

Philipp und ich, das war uns sehr bald klar, passten überhaupt nicht gut zusammen. Und ich wertete das als viel versprechend. Ich meine, wenn einer so ist wie ich, kann ich ja auch alleine bleiben. Dann würde ich ja gar nicht auffallen.

Ich halte nicht viel von Harmonie. Völlig überbewertet. Genauso wie Ausgeglichenheit, Gelassenheit und Diskussionsfähigkeit. Dass Philipp und ich niemals ein harmonisches Paar abgeben würden, war eigentlich im ersten Moment unseres Kennenlernens sicher: Wir standen eine Weile sprachlos vor dem schmelzenden Briefkasten, in dem meine Liebespost an Honka verschmorte. Wir wärmten unsere füreinander schlagenden Herzen daran wie an einem prasselnden Kaminfeuer, und ich war mir der ungeheuren Romantik und Intensität des Augenblicks völlig bewusst, als Philipp von Bülow sich räusperte, sein Handy rausholte und sagte: «Ich werde dann jetzt mal die Polizei rufen. Wenn Sie möchten, kann ich Sie ja in dem Schadensersatzprozess vertreten. Ich denke, ich kriege Sie da ohne Vorstrafe raus. Mit einer empfindlichen Geldbuße müssen Sie allerdings rechnen.»

Ich schaute ihn strahlend an. Was redete der Mann denn da? Merkte er denn nicht, dass gerade etwas unglaublich Wunderbares geschah? Egal, dachte ich, Hauptsache einer merkt es. Ich war mir meiner Sache sehr sicher und sagte: «Ach, wissen Sie, wir sollten das auf meine Weise regeln. Lassen Sie uns einfach gehen.»

Und dann hakte ich mich bei ihm ein, und er widerspricht mir bis heute nicht, wenn ich sage, dass wir seit jenem Augenblick ein Paar sind.

Als ich am nächsten Morgen aufwachte – sehr früh, denn immer, wenn es mir besonders gut oder besonders schlecht geht, wache ich sehr früh auf –, hatte ich erst richtig Gelegenheit, den Mann zu betrachten, der mir da so unerwartet über den Weg gelaufen war.

Wir hatten selbstverständlich die Nacht zusammen verbracht, weil die Schicksalhaftigkeit unserer Begegnung jedes Taktieren, jede Spielerei, jedes Warten bloß um der Coolness willen überflüssig gemacht hätte.

Ich weiß noch, wie überraschend und angenehm ich es fand, zur Abwechslung mal neben einem Mann aufzuwachen, den man gerne auf leeren Magen anschaut.

Viele Menschen, natürlich nicht nur Männer, bieten in den frühen Morgenstunden ja keinen schönen Anblick. Da hält man lieber die Augen geschlossen, bis der Angebetete im Bad war, wenn man ihn weiterhin anbeten möchte.

Als Philipp an unserem ersten Morgen aufstand, freuten sich meine Augen. Er ist wesentlich größer als ich, was allerdings keine Kunst ist. Sein Haar ist dunkelblond und sehr fein und sehr glatt, sodass es ihm beim kleinsten Windhauch in die Augen fällt. Wie bei Tom Cruise in «Mission Impossible 2».

Schon allein für seine Nase hätte Philipp das «von» verdient, weil sie sehr aristokratisch gekrümmt aus seinem schmalen Gesicht hervorragt. Er hat helle Haut, und wenn er unrasiert ist, sieht er bereits nach einem Tag irgendwie aufregend zwielichtig aus, so als würde er in einem Hinterhof Geschäfte mit Elektroartikeln machen, die beim Transport vom Lkw gefallen sind.

Philipp hat braune Augen. Schnelle Augen, die meist unterwegs sind, wie ein Rüde beim Spaziergang um den Block, um alles möglichst gleichzeitig zu erfassen.

Mein Philipp ist schlank, aber nicht dünn, hat lange Finger und lange Zehen und – Gott sei Dank – einen Hintern, der diesen Namen verdient.

Es gibt ja leider viele Männer – arme Kreaturen! –, die so aussehen, als hätten sie ihren Arsch zu Hause vergessen. Die in Jeans wirken, als ginge der Rücken in gerader Linie in die Oberschenkel und dann in die Kniekehlen über. Und das, wo doch laut Umfragen Frauen den Männern zuerst auf den Po schauen. Oftmals ein Blick ins Leere.

Es gibt eigentlich nichts, was ich an Philipps Äußerem auszusetzen habe. Nun, seine Unterarme sind vielleicht nicht ganz so stark behaart, wie ich es gerne hätte, und die kleine Haarinsel auf seiner Brust gleicht eher einer von der Flut bedrohten Hallig. Aber man kann nicht alles haben, sage ich immer. Was natürlich nicht heißt, dass ich im Grunde genommen nicht doch gerne alles hätte. Mit Philipps Aussehen war ich sehr zufrieden, von Anfang an. Mehr Sorgen, ich habe das bereits angedeutet, bereitete mir sein Charakter. Juristen sind ja meist mühsame Menschen. Sie sind es gewohnt, Recht zu haben, und wenn sie nicht Recht haben, dann tun sie einfach sehr überzeugend so, als hätten sie Recht.

Ich hingegen zweifle gerne und ausdauernd an mir. Und eigentlich kommt keiner von uns jemals auf die Idee, dass ich bei einer Meinungsverschiedenheit Recht haben könnte. Das führt ab und an zu kuriosen Verwicklungen.

«Du, Philipp», sagte ich, nachdem ich bereits vier Monate lang in seiner Berliner Wohnung Wochenendgast war und mich dort gut auskannte, «was, glaubst du, sind das für komische Dinger da an der Decke?»

Philipp warf einen flüchtigen Blick nach oben und runzelte die Stirn: «Püppchen, mach dir darüber keine Gedanken.»

Philipp sagt häufig, ich solle mir keine Gedanken machen. Aber das ist leichter gesagt als getan.

Am nächsten Wochenende waren die seltsamen Dinger an der Decke mehr geworden. Ich stieg auf einen Stuhl, um sie näher betrachten zu können. Es war widerlich.

«Philipp», sagte ich bei nächster Gelegenheit, «das da an deiner Decke sind kleine Maden. Und ich glaube, es werden mehr.»

Philipp schaute diesmal etwas länger nach oben, sah mich mitleidig an und sagte geduldig: «Puppe, die Maden kriechen an der Decke in Richtung Fenster. Das ist ein gutes Zeichen. Die wollen hier raus, weil sie nichts zu fressen finden.»

Ich dachte, dass das wohl der größte Blödsinn ist, den ich je von einem Menschen mit Abitur und Studium vernommen habe, aber ich sagte bloß: «Mmmmh. Wenn du meinst.»

Es ist wirklich nicht leicht, einem Juristen zu erklären, dass er Unsinn redet – und schon gar nicht, wenn man selbst nur abgebrochene Kunsthistorikerin ist.

Während sich Philipp im Bad für den Samstagseinkauf zurechtmachte, zweifelte ich noch ein wenig an seiner Aussage, betrachtete die ekelhaften Dinger über meinem Kopf und machte mich auf die Suche.

Ich wurde fündig, als sich Philipp gerade mit seiner neuen Pavoni-Maschine einen Cappuccino machte: Die Pinienkerne in Philipps Küchenschrank hatten sich in einen zuckenden Klumpen verwandelt. Entgegen Philipps Theorie schienen es sich die Maden hier recht gut gehen zu lassen.

Statt mir dankbar zu sein, dass ich seine Wohnung vor einer Maden-Invasion gerettet hatte, dass ich mich sogar bereit erklärte, das Nest des Bösen mit Sagrotan auszuheben, war Herr Dr. jur. von Bülow ein wenig … nun ja: angepisst.

Nicht nur dass er Maden hatte – er hatte auch noch Unrecht. Das reduzierte seine Laune ein ganzes Wochenende auf ein kaum erträgliches Minimum. Und als ihm am Sonntagabend eine Made, die ich bedauerlicherweise übersehen hatte, von der Decke direkt in seine Trüffel-Ravioli fiel, dachte ich, das Ende unserer Beziehung würde nahen.

«Das findest du wohl auch noch lustig, oder was?», raunzte er.

Leider musste ich lachen.

Nun ja. Der Abend endete damit, dass ich Hund, Handy und Zahnbürste unter den Arm nahm und die Nacht heulend bei meinem Friseurfreund Burgi auf dem Sofa verbrachte.

«Männer empfinden Kritik als Majestätsbeleidigung», sagte Burgi und kraulte mir fürsorglich den Nacken. «Gib ihm einfach das Gefühl, dass er ein Gott ist, und du wirst keine Probleme mehr mit ihm haben.»

Burgi heißt eigentlich Burkhard Ginster und ist sehr schwul und ziemlich wohlhabend. Neben Udo Walz ist er der gefragteste Friseur der Hauptstadt. Und da Bente Johannson schon zu Udo geht, entschied ich mich für Burgi. Nichts wäre schrecklicher für mich, als, durch Klemmen im Haar bis zur Unkenntlichkeit entstellt, unter einer Trockenhaube zu sitzen und den frohlockenden Ruf zu hören: «Pippi! What a lovely surprise! Das hätte ich nie gedacht, dass du so viel Geld für deine Frisur ausgibst.»

Bei Burgi fühle ich mich sicher. Ich finde es irre chic, einen Friseur in Berlin zu haben.

Ich kenne Burgi nun fast so lange, wie ich Philipp kenne. Und ehrlich gesagt – jede Frau, die den richtigen Friseur gefunden hat, wird mich verstehen –, wüsste ich nicht zu sagen, welcher von beiden der wichtigere Mann in meinem Leben ist.

Burgi ist mir wirklich ein guter Freund. Er ist so dramatisch veranlagt wie ich. Er ist ein Mädchen, was seine Gefühle anbelangt, aber vom Kopf und seinen Gelüsten her ist er eben doch ein Mann. Sehr lehrreich.

Natürlich und unglückseligerweise ist Burgi ein großer Fan von Philipp. Irgendwie sind viele Menschen Fans von Philipp. Viele fühlen sich durch seine scheinbar genetisch bedingte Arroganz eingeschüchtert. Und weil sie glauben, jeder, der sie schlecht behandelt, sei was Besseres als sie, buhlen sie darum, von ihm gut behandelt zu werden. Frauen lieben an ihm diesen überzeugenden Ihr-interessiert-mich-alle-nicht-im-Geringsten-Blick. Halten ihn automatisch für begehrenswert, so wie sie jeden Satz, den er von sich gibt, für intelligent halten, bloß weil sie ihn nicht ganz verstehen.

Männer haben Respekt vor ihm, weil er viel verdient. Und Schwule verzehren sich nach Philipp, weil ihm sein Haar so dekorativ in die Stirn fällt und er überhaupt nicht tanzen kann. Das finden sie männlich. Und das geht mir, ehrlich gesagt, ähnlich.

Männer, die tanzen können, sind keine Herausforderung. Genauso wenig wie Männer, die ihre Gefühle artikulieren, sich den Geburtstag ihrer Mutter merken und gut singen können. Nein, solche sind mir unheimlich. An denen kann man nicht mehr rumerziehen, die braucht man nicht verändern, die kann man nicht beschimpfen, die kann man nicht gezielt verachten zwecks Wiederaufrichtung des eigenen Selbstbewusstseins. Ich würde mich sehr, sehr langweilen mit einem Mann, der so ist, wie ich ihn mir wünsche.

Burgi und ich mögen den gleichen Typ Mann. Oft bringe ich ihm Fotos mit: Philipp mit aufgeknöpftem Hemd an eine kalifornische Palme gelehnt, Philipp in Shorts im türkisfarbenen Wasser der Costa Smeralda stehend. Philipp im Brioni-Dreiteiler vor seinem Schreibtisch eine Hand beschützend um die Schultern von Thomas Gottschalk gelegt.

Burgi sammelt schöne Männer. Und für jedes Foto bekomme ich eine Kopfmassage gratis. Mmmhhhm.

Philipp hat natürlich keine Ahnung, dass mein Friseur ihn verehrt. Wohlmöglich würde das sein Selbstbewusstsein noch steigern – und das ist nun wirklich etwas, was ich dringend vermeiden möchte.

6:35

Scheint es mir nur so, oder haben Männer tatsächlich wesentlich weniger Probleme als Frauen? Ich glaube, wenn es keine Frauen gäbe, hätten Männer gar keine Probleme.

Ich fahre durch das schlafende Berlin und wünsche mir, ich wäre ein Mann. Vielleicht kann ich, zumindest für eine Weile, einfach so tun.

Zehn Gründe, ein Mann zu sein:

1. Ich könnte endlich aufhören, meine Beine zu rasieren oder immer neue Techniken auszuprobieren, die mir nur schlimmen Juckreiz und fiese Pusteln bescheren.
2. Ich würde mitten im Streit aufstehen, joggen gehen, nach einer Stunde aufgeräumt wiederkommen und fröhlich fragen: «Und, Schatz, hast du dich inzwischen abgeregt?»
3. Ich würde mitten im Streit aufstehen, mich an einen beliebigen Tresen setzen, mir von einer beliebigen Frau sagen lassen, wie toll ich bin, um sicherzustellen, dass ich die Schuld nicht bei mir suchen muss.

4. Ich müsste nicht vor jeder Gala-Veranstaltung stundenlang überlegen, was ich anziehen soll, und drei Tage vorher aufhören, feste Nahrung zu mir zu nehmen.
5. Ich würde bis tief in die Nacht mit meinem besten Freund Billard spielen und ihm nicht erzählen, dass ich heute meinen Job verloren habe.
6. Ich würde immer denken, dass ich Recht habe.
7. Ich würde immer denken, dass ich nicht zu dick bin.
8. Ich würde immer denken, dass Frauen unverständige und im Grunde unverständliche Wesen sind.
9. Ich würde Probleme lösen, statt nur über sie zu reden.
10. Ich würde um meinen Kummer nicht viele Worte machen und lieber ein paar Bierchen mehr trinken.

Auch ich werde meinen Kummer diesmal mit mir alleine ausmachen. Ich werde diese eigenartige Variante der Problembewältigung ausprobieren. Ich werde nicht sofort meine drei besten Freundinnen anrufen, diverse Meinungen einholen, um mir dann, eventuell, eine eigene zu bilden. Ich werde ruhig und besonnen handeln, mich zurückziehen, auf einer langen Autobahnfahrt meine Mitte erspüren, meine Gedanken ordnen und dann an einer Raststätte halten, um zwecks Stärkung meines Egos mit einem gut gebauten Fernfahrer zu schlafen.

Männer schlafen auch immer mit irgendwelchen Frauen, wenn sie sich mies fühlen. Und Männer können Papst werden und Präsident der USA und Chef von Daimler-Chrysler.

Verdammt, die Jungs müssen irgendwas richtig machen.

Kann ich auch.

Bin lonely Rider.

Wortkarg.

On the road.

Löse meine Probleme ganz allein. Werde niemanden anrufen ...

6:36

«Hrrrmpphhhhhwasssnnhmmmhä?»

«Ibo, ich weiß, es ist verdammt früh, aber es ist sehr dringend.»

«Pfffhhhhh?»

«Bitte wach auf! Halloo! Ibo!»

«Mmmhspspinnstndu?»

«Es ist wirklich wichtig. Es ist nämlich, weißt du ... weil ... Ich habe gerade ... ich habe gerade Philipp verlassen.»

Ihr Schlaf ist Ibo heilig, aber ich merke, wie sie hellwach wird. Sehe vor mir, wie sie sich in ihrem Bett aufsetzt, die Haare struppig, Make-up-Reste auf Gesicht und Kopfkissen verteilt, Wollsocken an den Füßen. Ibo friert auch immer so wie ich und schläft das ganze Jahr über mit Socken und von September bis Mai zusätzlich mit einem wollenen Nierenwärmer.

Ja, auf meine Freundin Ingeborg ist Verlass.

Ich höre sie sagen: «Och, Puppe, schon wieder? Ruf mich in vier Stunden nochmal an. Dann bin ich wach und ihr seid bestimmt schon wieder zusammen.»

Aufgelegt.

Hä?

«Ibo?»

Aufgelegt?

Ich schaue verdutzt mein Handy an. Ist es leer? Spontane Entladung? Kaputt? Oder was?

Nichts dergleichen.

Ich muss rechts ranfahren, um mich zu sammeln. Ich werfe einen Blick auf Marple, die auf dem Beifahrersitz liegt und mich wie immer melancholisch anschaut.

Mir kommen die Tränen, weil ich, wie so oft, mein Schicksal schlimm und mich selbst ungerecht behandelt finde.

«Marple», flüstere ich tragisch, «jetzt sind wir ganz auf uns allein gestellt.»

Ich finde, das Gute an mir ist ja, dass ich zwar zu melodramatischen Überreaktionen neige, mir darüber aber jede Sekunde absolut bewusst bin – was ich selbstverständlich niemals zugeben würde. Ich inszeniere meine Gefühls-Opern gern sehr bewusst und, wie ich finde, sehr gekonnt. Und ich mag es gar nicht, wenn man mich dabei unterbricht. Während ich schluchzend meine Sachen packe oder das Gesicht in meinen bebenden Händen vergrabe oder mit italienischem Feuer zwei, drei Gläser vom Tisch fege, sagt Philipp gerne mal so Sachen wie:

«Jetzt atme doch erst mal tief durch.»

Oder: «Du willst dich doch partout aufregen.»

Oder: «Jetzt hör doch mal auf mit dieser Show!»

Das ist so, als würde einer im Theater bei der Schlussszene von «Romeo und Julia» aufstehen und dann laut Richtung Bühne rufen:

«Also, Leute, jetzt mal den Ball flach halten, ja.»

Es stört mich, wenn man meine Gefühlsübertreibungen nicht

ernst nimmt. Ich gebe mir dabei schließlich Mühe. So ein Können, das fällt ja nicht vom Himmel.

Gut, ein bisschen Talent habe ich schon geerbt. Von meiner Mutter, von der ich auch meinen kleinen Wuchs, meine Neigung zu runden Hüften, meine braunen Augen und meine Liebe zu fetthaltigen Speisen habe.

Meine Mama ist wirklich sehr emotional. Erst kürzlich hat sie wieder mal das Ehebett zersägt, weil sie sich von ihrem Mann nicht richtig ernst genommen fühlte. Man muss dazu sagen, dass mein Vater eine Seele von Mensch ist. Ruhig, besonnen, sehr westfälisch. Lothar Sturm, ein Fels in jeder Brandung. Aber wenn es ihm zu bunt wird, dann geht er einfach ein paar Stunden Fahrrad fahren.

«Olga», sagt er, wenn sie mal wieder schimpft und mit Scheidung droht, «ich geh ein wenig vor die Tür. Du kannst dich doch genauso nett mit mir streiten, wenn ich nicht dabei bin.»

Und wenn er wiederkommt, ist zwar meistens irgendwas kaputt, aber meine Mutter in der Regel wieder friedlich.

Ich darf mich zu dieser frühen Stunde also nicht wundern, dass Ibo den Ernst der Lage nicht erkennt. Woher soll sie auch wissen, dass es diesmal kein Zurück gibt? Wie soll sie ahnen, dass diese Trennung endgültig ist, wo es die letzten drei doch auch schon waren? Bestimmt geht sie davon aus, dass sich auch dieser Sturm in Kürze legen wird und es am besten ist, so lange in Deckung zu bleiben. Ich darf ihr diese Reaktion nicht übel nehmen. Wenn ich Ibo später alles in Ruhe erzähle, wird sie beschämt sein, um Verzeihung bitten, dass sie mich in dieser schweren Stunde allein gelassen hat. Und ihre Reue wird mir Trost genug sein.

Außerdem, fällt mir an dieser Stelle ein, wollte ich ja eigentlich sowieso mit meinem Schmerz allein sein.

Ich fahre am Hotel Adlon vorbei. Hier durfte ich mit Philipp mal einer Filmparty beiwohnen. Stellte dabei fest, dass ich zu dick bin und Russell Crowe kaum größer ist als ich. Habe seither fünf Kilo abgenommen, um mich in die Welt des Glamours runterzuhungern und so morgen Abend alle in meinen kleinen Schatten zu stellen.

Toll.

Drei Monate Disziplin.

Joggen mit Pulsuhr am Morgen.

Salat ohne Öl am Abend.

Dazwischen viel Obst und keine Schokolade.

Und wozu die ganze Tortur? Alles umsonst.

Morgen um 20 Uhr 15 werden alle Augen auf Berlin gerichtet sein. Aber mich wird keiner sehen. Die Bambi-Verleihung – laut Einladung die «bedeutendste deutsche Auszeichnung, die an nationale und internationale Stars aus Kino und Fernsehen verliehen wird» – muss ohne mich stattfinden.

6:50

Ich fahre am Prenzlauer Berg vorbei Richtung Autobahn.

Ein Niemand fährt Richtung Niemandsland.

Irgendwo in Berlin-Mitte, in einer gerade sehr angesagten Boutique namens «Das schöne Leben» hängt ein enges, purpurrotes Abendkleid mit einem Rückenausschnitt bis zum Po. Der Stoff ist mit goldfarbenem Glitzer durchwirkt, perfekt passend zu meinen kastanienfarbenen Haaren, meinen dunklen Augen und den goldenen Sandaletten, die hinten im Kofferraum liegen. Mein Traumkleid musste ein bisschen gekürzt werden, klar, das bin ich bei meiner Größe gewohnt. Aber es musste um die Hüften herum auch noch zwei Zentimeter enger gemacht werden – und so was hatte ich noch nie erlebt.

«Du kannst es am Samstag Nachmittag abholen», hatte der Verkäufer gesagt. Und noch flötend hinzugefügt: «Chérie, egal, wohin du damit gehst, du wirst die Schönste sein.»

Morgen wollte ich endlich mal so schön sein wie nie zuvor. Ich wollte über den roten Teppich schweben. Wollte, dass Philipp stolz auf mich ist. Wollte, dass Boris Becker mich in einer Abstellkammer belästigt, dass sich Claudia Schiffer bei meinem Anblick beschämt in ihre Garderobe zurückzieht, dass George Clooney den Veranstalter nach meiner Telefonnummer fragt und Bente Johannson, die Blödziege, nach Belgien auswandert, um dort mit Margarethe Schreinemakers jeden Morgen verkniffen durch die Ardennen zu joggen.

Philipp hat mir, das muss ich zugeben, nie das Gefühl gegeben, dass er nicht stolz ist auf mich. Wenn ich mich bei einer Gala deplatziert fühlte, war ich immer selbst schuld an diesem Gefühl.

Philipp sagt immer: «Die Leute lieben dich, weil du der einzig normale Mensch bist auf solchen Veranstaltungen.»

Aber ich finde, das ist kein guter Grund, geliebt zu werden.

Sonntag.

Bambi-Tag.

Und mein zweiunddreißigster Geburtstag.

Sonntag sollte mein Ehrentag sein und mein Durchbruch als Diva. Stattdessen verlässt Amelie Puppe Sturm tief verletzt die

Welt der Stars, bevor auch nur einer gemerkt hat, wie toll sie eigentlich ist.

6:59

Autobahnauffahrt. Schrebergärten rechts und links. Es ist ein herrlicher Sonnentag. Der laue Wind weht mir ins Gesicht, zerwühlt meine Haare so zärtlich, wie mein Vater es früher tat, wenn er mir auf seine unbeholfene Art zeigen wollte, wie sehr er mich liebt.

Radio Berlin spielt «Just the two of us» von Bill Withers:

> *Darling, when the morning comes*
> *And I see the morning sun*
> *I want to be the one with you*
> *Just the two of us*
> *We can make it if we try*
> *Just the two of us*
> *you and I*

Ich denke an Tom Bisping, der mich verließ, als ich siebzehn war. Ich hatte nicht erwartet, diesen Schicksalsschlag zu überleben. Stundenlang habe ich dieses Lied gehört, weil es unser Lied war, weil es so ganz besonders wehtat, dieses Lied zu hören, und weil man, wenn man mit siebzehn Liebeskummer hat, all das tut, was ganz besonders wehtut.

> *Good things might come to those who wait*
> *Not to those who wait too late*
> *We got to go for all we know.*

Jetzt bin ich fast zweiunddreißig. Und mein Herz hat immer noch keine Hornhaut.

*To make those rainbows in my mind
when I think of you some time.*

Es tut immer noch ganz besonders weh.

Wie beim ersten Mal.

Ein Sommermorgen im Cabrio.

Die Liebe mal wieder hinter mir.

Keine Ahnung, wohin.

7:00

We look for love, no time for tears ...

Und was tut Amelie Puppe Sturm?

Sie weint.

7:02

Ich denke schon, man kann sagen, dass Philipp und ich uns gegenseitig ganz neue Welten eröffneten. Für ihn, der sein Leben lang bedient wurde – erst von seiner Mutter, später von seiner ersten Frau, dann von seiner Sekretärin –, war es recht interessant, den Blickwinkel einer professionellen Bedienung kennen zu lernen. Zumal ich ja nicht bediene, sondern meine Gunst gewähre. Ich übersehe Gäste, die mir nicht gefallen. Solche, die «Hallo!» rufen oder mit einer Münze auf den Tisch klopfen, können lange warten. Und wen ich partout nie wiedersehen will, dem verbiete ich zu zahlen.

«Ich suche mir meine Gäste sorgfältiger aus als du dir deine Klienten», hatte ich Philipp gesagt. Und als er zum ersten Mal nach Hamburg kam, um mein Himmelreich zu besichtigen, war er, glaube ich, wirklich beeindruckt.

Das Café Himmelreich ist aber auch wunderschön. Ein großer Raum, mit Stuck verziert, mit deckenhohen Fenstern, Jugendstilsäulen und roten Lederbänken.

In der Weihnachtszeit dekoriere ich das Café mit meiner einmaligen Kollektion von Lichterketten und einem Drei-Meter-Tannenbaum mit roten Schleifen und goldenen Kugeln. Und draußen vor dem Eingang steht ein beleuchteter Weihnachtsmann, der winkt und «Ho Ho Ho» ruft, wenn jemand vorbeigeht.

Geöffnet haben wir von zehn bis zehn. Sonntags gibt es das beste Brunch-Buffet der Stadt, mit gefüllten Pfannkuchen, frischen Waffeln, Krabbenrührei, Lachspastete und Kaviar-Kartoffelsalat.

Am meisten liebe ich den Mittag im Himmelreich. Um diese Zeit kenne ich fast jedes Gesicht und manche Geschichte dazu. Einige Gäste wollen bloß ungestört Zeitung lesen und bedanken sich mit einem Lächeln, wenn ich ihnen ungefragt den Espresso bringe, den sie nicht bestellt, sich aber gewünscht haben. Ach, es ist schön im Himmelreich. Ingeborg und ich sind ein perfektes Team. Sie sorgt dafür, dass der Laden läuft, und ich sorge dafür, dass er dabei gut aussieht. Wir haben inzwischen vier Angestellte, sodass die Damen Himmelreich und Sturm nur noch in Ausnahmefällen am Wochenende arbeiten müssen.

Freitagmittag fahre ich in der Regel nach Berlin, Montagmorgen zurück nach Hamburg.

In Philipps Wohnung musste ich es mir erst mal gemütlich machen. Sie sah aus wie die Behausung eines gut verdienenden Junggesellen, dem sein Büro wichtiger ist als sein Wohnzimmer. Zwar äußerst geschmackvoll eingerichtet, aber meiner Meinung nach entsetzlich minimalistisch. Hier eine Art-déco-Lampe, dort ein Marktex-Sofa, im verglasten Bücherschrank viele Biographien und einige Erstausgaben von Benn und Musil. Ich habe Philipp geraten, sein Schrankzimmer mit einem extra Vorhängeschloss gegen Einbrecher zu sichern, ebenso das Badezimmer.

Als Philipp zum ersten Mal bei mir zu Hause seinen Kulturbeutel auspackte, brach mir der kalte Schweiß aus.

«Ich muss meine Hausratsversicherung aufstocken», murmelte ich erschrocken beim Anblick seiner Clarins-Kollektion und des Rasiersets in Sterlingsilber.

Mittlerweile, das muss ich allerdings zugeben, hat sich durch Philipps Einfluss und Beratung der Wert meiner Garderobe und Kosmetikausrüstung ebenfalls drastisch erhöht. Ich sage euch, das macht keine lange mit, im Marmorbad neben dem Liebsten zu stehen, der sich gerade das Gesicht mit einem hundertsechzig Mark teuren Reinigungs-Mousse einschäumt, und selbst die Make-up-Reste mit einem seifenfreien Waschstück zu entfernen.

Seit ich Philipp kenne, haben sich mir ganz neue Shopping-Welten erschlossen, an denen ich bisher achtlos vorbeigegangen war. Trotzdem husche ich immer noch gerne bei H&M rein, um auf die Schnelle zwei Kilo Klamotten zu kaufen. Ja, ich habe es nicht verlernt, durch die einfachen Dinge des Lebens Glück zu empfinden. Mir geht auch nach wie vor nix über Kartoffelrahmsuppe aus der Dose, Bifteki vom Griechen für DM 13,90 und Fritten rot-weiß. Bloß Tüten-Parmesan, den kriege ich nun wirklich nicht mehr runter.

Ich finde, dass ich für Philipps Leben eine Bereicherung darstelle. In seiner Wohnung zum Beispiel habe ich viel mit Lichterketten und bunten Hinstellerchen gearbeitet, um es uns behaglich zu machen. Zwischen Küche und Flur dekorierte ich dann noch einen Glasperlenvorhang in Pink-Rosa-Blau, der, nach meinem Empfinden, einen wirklich interessanten Kontrast zu der Edelstahl-Optik der Bulthaupt-Küche bildet. Das war eine Überraschung, als Philipp an dem Abend aus dem Büro kam!

Er kann seine Freude manchmal nicht so zeigen, aber ich weiß, er ist im Grunde seines Juristen-Herzens sehr gerührt, dass ihm endlich mal jemand ein bisschen Farbe ins Leben schleppt. Auch wenn es nicht unbedingt seine Lieblingsfarben sind.

Philipps Schlafzimmer – kalkweiße, kahle Wände, weißes Bett, weiße Makosatin-Bettwäsche – wirkt schon deshalb mittlerweile gemütlicher, da immer etliche meiner Kleidungsstücke auf dem Boden herumliegen, mein Kuschelkissen sonnengelb ist und ich Philipp bestimmt einmal im Monat ein neues Stofftier schenke.

«Freu dich doch, denn vor mir hast du in einem Schwarzweiß-Film gelebt», habe ich ihm mal gesagt.

«Ja, und noch dazu in einem Stummfilm», war seine Antwort.

Es ist richtig, dass ich viel rede. Das liegt aber daran, dass ich so viel zu sagen habe.

Wenn ich mal nichts sage, dann meist

in Situationen, wo Kommunikation dringend erforderlich ist und zum guten Ton gehört. Es wird langsam besser, aber anfangs machten mir Philipps Celebrity-Freunde schon etwas zu schaffen. Ich neige dazu, Menschen, die ich aus dem Fernsehen kenne, anzustarren, aber nicht anzusprechen. So wie ich es von der Glotze gewohnt bin. Wenn ich RTL gucke, sage ich ja auch nicht: «Guten Tag, Sascha Hehn, schön, Sie kennen zu lernen.» Nein, ich glotze und schweige. Übrigens bin ich oft enttäuscht, wie sehr die Realität einen Menschen verunstalten kann.

Til Schweiger: Meine Körpergröße!

Veronica Ferres: ein Mondkalb!

Katja Riemann: Ausstrahlung wie ein Brotmesser!

Johannes B. Kerner: genauso fad wie im Fernsehen!

Hape Kerkeling: dicklich und schüchtern – eine von uns!

Obwohl, nein, schüchtern bin ich eigentlich nicht. Ich bin es bloß nicht gewohnt, einen guten Eindruck machen zu müssen. Das hemmt mich irgendwie – zumal ich den Eindruck ja nicht für mich, sondern für Philipp schinden muss, für den es bei solchen Veranstaltungen ums Prestige geht. Nicht auszudenken, wenn ich ihm durch unpassende Bemerkungen oder schlechte Witze auf Kosten von anderen – meine Spezialität – die Kundschaft vergraulen würde. So blieb mir eben so manches derbe Scherzwort in der Kehle stecken und wurde dort zu einem hinderlichen Klumpen.

Und wenn ich dann doch was sagte, ungern erinnere ich mich an eine Videopreis-Verleihung, brachte ich mich nicht selten in ganz besonders unangenehme Situationen.

Eine kleine Gruppe, zu der bedauerlicherweise auch ich gehörte, stand um die Frau von Michael Schumacher rum. Die erzählte, dass ihr Mann manchmal noch ganz irre spontan Blumen mitbringen würde. Wahrscheinlich die nutzlosen Dinger, die er bei Siegerehrungen immer in die Hand gedrückt bekommt, dachte ich, sagte es aber klugerweise nicht. Stattdessen nahm ich Corinna Schumachers Bemerkung zum Anlass, einen lustigen Witz zu erzählen:

«Sagt die eine Frau: ‹Du, mein Mann hat mir Blumen mitgebracht. Da muss ich heute Abend wohl wieder die Beine breit machen.›

Sagt die andere: ‹Wieso, habt ihr denn keine Vase?›»

Corinna machte einen schnellen Abgang. Blödes Weib. Was ihr Mann an Kinn zu viel hat, hat sie an Humor zu wenig.

Ich schwöre, mit Ibo hätte ich mich auf dieser Verleihung kaputtgelacht. Wir hätten gelästert, dass die Schwarte kracht. Über Mutter Beimer, die aussieht wie eine Litfaßsäule. Darüber, dass ich mich beim Anblick von Franka Potente freue, dass Erfolg mittlerweile auch ohne gutes Aussehen zu haben ist. Und dass ich Hella von Sinnen schon allein dafür liebe, dass sie dicker ist als ich und trotzdem gute Laune hat.

Mit einem Mann kann man nicht gut lästern, schon gar nicht, wenn er in einer Runde mit anderen Männern steht. Dann empfindet er Klatsch als unter seinem Niveau. Er findet sowieso einiges in Gesellschaft als unter seiner Würde, womit er dann bereits im Taxi auf dem Weg nach Hause kein Problem mehr hat.

Dann darf man ihn auf einmal wieder bei seinem Kosenamen nennen, ihm den Nacken kraulen, bis er schnurrt. Ihm das Hemd aus der Hose zerren, um die Hand auf diese entzückende Stelle über dem Po zu legen, wo meist ein paar zarte, fast immer blonde Haare wachsen. Ihn nötigen, zuzugeben, dass die Frauen des Abends fast alle unappetitlich dürr waren, und ihn schwören lassen, dass es nur eine gibt, eine einzige Göttin, Geliebte von fulminanter Schönheit, von der er den ganzen langen Abend die Augen nicht abwenden konnte.

Ich bin stolz auf Philipp, wenn er sich weltmännisch im feinen Tuch und auf glänzenden Budapestern vor mir durch die Menge schiebt. Meine Hand hält, hier jemanden begrüßt, mich vorstellt, als «Besitzerin meines Herzens und des schönsten Cafés in Hamburg», ein paar kluge Sätze sagt zu Einschaltquoten, den Landesmedienanstalten und der diffusen Rechtslage, was die Wiederholung von Mehrteilern in synchronisierter Fassung angeht. Dann schwillt meine Brust um eine Körbchengröße, weil er mir so gut gefällt. Möchte am liebsten auf ihn deuten und eine kurze Durchsage machen: «Sehen Sie, meine Herrschaften! Vom Scheitel bis zur Ledersohle: alles meins!» Das ist Besitzerstolz.

Aber mein Herz geht auf, wenn sich Philipp von Bülow im Taxi die Armani-Krawatte lockert und fragt: «Meinst du, es kommt noch was im Fernsehen, Püppchen?»

Wenn er seine Nase an meinen Hals drückt, ganz tief einatmet und sagt, dass ich besser rieche als frisch zubereitetes Popcorn, als warmer Apfelkrapfen oder leicht gebräuntes Kartoffelgratin.

Wenn er sagt, dass er sich klammheimlich wieder kaputtgelacht hat über meine schlechten Witze, weil das eindeutig die besten des Abends waren.

Wenn er sagt, dass mein Hund Marple sympathischer aussähe als die meisten Preisträgerinnen.

Wenn er den Arm um mich legt und sagt: «Puppi, du hast wieder alle bezaubert mit deiner natürlichen Art.»

Dann lächle ich und denke: «Hmmmmm. Die natürliche Art werde ich mir schon noch abgewöhnen.»

7:35

Ich weine seit ungefähr zehn Kilometern nicht mehr.

Ich liege auf einem dieser Rastplatz-Tische, an denen Familien, die aus braunen Ford-Kombis quellen, gerne ihr Picknick machen.

Ob diese Menschen sich sonntagsmorgens sagen: «Du, Kurt, das Wetter ist so schön, lass uns doch mal wieder ein Picknick am Rastplatz Stolper Heide/Ost machen»?

Die Idylle hier ist eigenartig. Laster fahren dröhnend an mir vorbei. PKW sind um diese Zeit noch nicht viele unterwegs. Und ein brandenburgisches Rapsfeld macht sommermorgendliche Geräusche: Zikaden schrammeln, Amseln singen, ein Trecker rumpelt über einen Feldweg. Schon komisch, dass das Motorengeräusch eines Treckers für mich zur Gattung der naturnahen Geräusche gehört.

Ich schaue jetzt schon seit geraumer Zeit in den hellblauen Himmel, an dem sich die Vorboten für anhaltend schönes Wetter häufen: hoch fliegende Schwalben und einige scharf umrissene, schneeweiße Schäfchenwolken. Gut, ich bin klein, aber wenn ich so lange in den Himmel schaue, dann fühle ich mich auch klein. Aber gut klein. Aufgehoben. Behütet.

Marple geht mit sich alleine Gassi. Ich habe die Arme hinter meinem Kopf verschränkt und kaue auf einem Grashalm. Das tue ich, seit ich zwölf bin, «Tom Sawyer» gelesen habe und ein echter

Lausbub werden wollte, der immer, wenn er nachdenkt, auf einem Grashalm kaut und in den Himmel schaut.

Soll ich umkehren?

Ihn zur Rede stellen?

Ihn niederschlagen?

Kann das alles ein Missverständnis sein?

Spricht irgendetwas für Philipps Unschuld?

Habe ich überreagiert, wie es so meine Art ist?

Oder habe ich diesmal unterreagiert, weil ich den Schuft am Leben gelassen und statt seiner Existenz nur seine Anzüge ruiniert habe?

Bei meiner Uraltjugendfreundin Katharina Pütz wäre Philipp sicher nicht so glimpflich davongekommen. Kati fand vor drei Jahren heraus, dass ihr Freund, ein freiberuflicher Programmierer, seit einem halben Jahr eine Affäre hatte – und zwar mit seinem Bankberater! Daraufhin ließ sie sich ein Schaumbad ein mit der Geschmacksrichtung Fichtennadelöl – beruhigend und entspannend –, legte sich zwanzig Minuten ins heiße Wasser, rasierte sich die Beine, cremte sich sorgfältig ein, schwebte, nur mit einem Turban auf dem Kopf bekleidet, in sein Arbeitszimmer, nahm seinen Laptop und die Disketten mit den Sicherheitskopien, ging zurück ins Bad und versenkte alles im duftenden Fichtennadelöl-Badewasser.

Dann packte sie ihre Sachen und verschwand für immer aus seinem Leben.

«Gluck, gluck, gluck», sagt sie strahlend zum Ende der Geschichte, die sie immer wieder gerne erzählt. Mittlerweile ist sie mit einem Immobilienmakler verheiratet, der in Münster und

Umgebung hochpreisige Objekte vermittelt, hat eine Tochter und ein Verhältnis mit dem Junior-Chef ihres Mannes.

Wir telefonieren mindestens einmal im Monat, und immer, wenn ich meine Eltern besuche, sehe ich auch Kati. Wir sind beide in Hohenholte, einem Dorf bei Münster, aufgewachsen, und wenn wir uns wiedersehen, tun wir Dinge, die wir als junge Mädchen getan haben. Tun so, als sei die Zeit stehen geblieben. Gehen spazieren über die Felder, in denen wir als Dreizehnjährige gelegen, auf Grashalmen gekaut und von den Jungs zwei Klassen über uns geträumt haben. Halten unsere nackten Füße in ein Bächlein, in das mittlerweile wahrscheinlich sehr viel Abwasser geleitet wird. Sitzen abends auf der Terrasse meiner Eltern, denken daran, wie es war, dienstagabends «Dallas» zu gucken, mit der Angst vor dem Mittwoch und der Doppelstunde Französisch um acht.

Wir denken daran, wie schlecht wir beide in Latein waren, und dass ich bei Kati in Englisch abgeschrieben habe und sie bei mir in Mathe – allerdings meist die Fehler. Wir denken daran, wie oft wir Pädagogik und Kunst geschwänzt und stattdessen in einer Kneipe am Prinzipalmarkt mit dem Rauchen angefangen haben.

Kati und ich, wir haben zusammen zu Nenas «99 Luftballons» und zu «Depeche Mode» getanzt. Wir waren auf einem «The Cure»- und auf einem «Duran Duran»-Konzert, wir haben Michael Jackson live gesehen, als er noch seine naturgegebene Hautfarbe hatte. So was schweißt zusammen.

Wir sitzen auf der Terrasse, und wir reden und reden. Wir sind wie sechzehn, und irgendwann kommt meine Mutter zu uns raus, im Bademantel und mit unmöglichen Pantoffeln an den Füßen, streicht Katharina über den Kopf, gibt mir einen Kuss auf die Stirn und sagt:

«Gute Nacht, ihr beiden. Ich geh schlafen. Wann soll ich dich morgen wecken, mein Liebchen?»

Was soll ich bloß tun?

Soll ich nach Hause fahren?

Mit Katharina auf unserer Terrasse das weitere Vorgehen besprechen?

Soll ich vom nächsten Flughafen aus in den Süden aufbrechen, weil, wenn man schon unglücklich ist, es besser ist, dabei braun zu werden?

Marple bellt auf dem Rapsfeld ein paar Ossi-Maulwurfhaufen an. Ich schaue auf die Uhr. Habe ihn vor zwanzig Minuten angerufen. Hoffentlich kommt er bald.

Ich hatte die Stadtgrenze von Berlin gerade mal zehn Minuten hinter mir gelassen, da erschien mir das Alleinsein bereits unerträglich. Dreizehn Kilometer später weinte ich heftiger und versuchte, mich durch einen Wortbeitrag des Deutschlandfunks abzulenken.

Nach zwanzig Kilometern Schmerz und Pein, als ich auf dem Radiosender «Oldies but Goldies» in einen Beatles-Song reingeriet, war es um mich geschehen.

Yesterday
All my troubles seemed so far away
Now it seems as though they're here to stay
Oh I believe – in yesterday.

Ausgerechnet.

Ich fuhr auf die rechte Spur, wo ich mich sonst nie aufhalte, und setzte den Blinker.

Ob Philipp noch schlief?

Wusste er noch gar nicht, dass sich sein Leben veränderte und er nichts mehr zum Anziehen hatte?

Why she had to go,
I don't know, she wouldn't say.

Ich fuhr raus auf den Rastplatz, hielt und riss mein Handy aus meiner Handtasche wie ein akut bedrohter Cowboy seinen Colt.

Bin kein lonely rider.

Bin bloß lonely.

Yesterday
Love was such an easy game to play,
Now I need a place to hide away,
Oh I believe in yesterday.

Ich stellte das Radio ab. Nix mit yesterday. Heute ist heute. Und heute ist ein Scheißtag. Und jetzt habe ich die Nase voll, das alles alleine durchzustehen. Zwei Stunden alleine sind Leistung genug für jemanden, der seine Sorgen üblicherweise im Sekundentakt an seinen interessierten Freundeskreis übermittelt.

«Hallo?», sprotze ich, von Tränen geschüttelt, ins Handy. «Du, es ist was passiert ... Ja, es ist wichtig, ich bin so unglücklich.»

Weinen. Schluchzen. Kurzes Sammeln.

«Kannst du kommen?»

Zitterndes Stimmchen. Bedürftig.

«Rastplatz Stolper Heide/Ost.»

Fiepen.

«Ist bloß fünfundzwanzig Kilometer weg. Auf der A10.»
Hoffnungsvoll.

«Ja? Danke!! Bitte beeil dich!!!»

8:10

«Endlich!»

Ich springe auf und winke Richtung des dunkelgrünen MGs, der langsam auf den Rastplatz rollt.

Mir kommen fast die Tränen, so froh bin ich, ihn zu sehen. Der MG hält.

Kennzeichen: B – BG – 2500.

BG, das steht für Burkhard Ginster.

2500 steht für seine Genital-Länge. 25 Zentimeter. Angeblich, der alte Blender. So klein, wie Burgi ist, würde der nach vorne kippen oder aussehen, als hätte er drei Beine, wenn das stimmen würde.

Er mag mit seiner Genitalgröße schwindeln, aber sonst ist auf meinen Freund und Friseur Burkhard immer Verlass.

Er steigt aus. Mit einem Picknickkorb in der einen Hand und einer Kühlbox in der anderen. Burgi trägt eine Schirmmütze mit der Aufschrift «Schlampe» und einen dunkelroten Kimono mit goldenem Drachen auf dem Rücken. Er sieht aus wie ein Heterosexueller, der sich an Karneval als Schwuler verkleidet hat.

«Ich liebe es, Klischees zu befriedigen und die Leute in ihren Vorurteilen gegenüber Homosexuellen zu bestätigen», sagt Burgi immer. Aber ich weiß es inzwischen besser. Auf Burgi treffen die Klischees schlicht und einfach zu. Er ist ein Schwuler wie aus dem Lehrbuch.

«Ich hab an alles Wichtige gedacht», sagt Burgi.
«Frühstück!» Er hebt den Picknickkorb.
«Champagner!» Er hebt die Kühltasche.
«Bloß zum Anziehen hatte ich keine Zeit mehr.»

8:20

Burkhard Ginster ist ein Mensch, der sich nicht konzentrieren kann, wenn die unmittelbare Umgebung seinen eigenwilligen Sinn für Ästhetik beleidigt.

Gerührt schaue ich Burgi zu, wie er aus dem Rastplatz Stolper Heide einen schönen Ort macht.

Er breitet eine weiße, mit rotem Klatschmohn bedruckte Tischdecke aus. Teller, Besteck, Leinenservietten. Eine Tupper-Box mit diversen Rohmilchkäsen, eine mit Roastbeef und Schweinebraten mit Kruste. Konfitüre, drei Sorten Brot, Croissants. Dazu ein Döschen Beluga Kaviar und zwei Flaschen Veuve Cliquot.

Ich war oft bei Burgi zu Hause, habe ihn zu den unmöglichsten Zeiten überfallen, wenn ich wegen einer Trennung von Philipp mal wieder kurzfristig eine Unterkunft brauchte. Ich habe ihn erwischt, wie er auf dem Sofa lag, Mon Cheri in rauen Mengen aß und dabei zum zwanzigsten Mal «Jentl» mit Barbra Streisand anschaute.

Ich mag den Film ja nicht so sehr gerne. Ist mir streckenweise zu bedrückend. Ich sehe nicht gern Filme, wo es mir nachher schlechter geht als vorher. Deswegen halte ich auch nichts von künstlerisch wertvollen Filmen ohne Happy End oder von künstlerisch wertlosen Filmen ohne Happy End. Dafür bin ich einfach zu sensibel. Ein unerwarteter Todesfall wie der von Shelby in

«Magnolien aus Stahl» (großartig übrigens die mürrische Shirley McLaine mit dem Satz: «Ich bin nicht verrückt – ich bin nur seit vierzig Jahren verdammt schlecht gelaunt»), eine unglückliche Liebe wie im «Englischen Patienten» (gute Güte, wie sie da in der kalten Höhle ohne Licht die letzten Sätze in ihr Tagebuch schreibt) oder auch unschuldig ermordete Tiere (wie der zutrauliche Wolf namens Socke in «Der mit dem Wolf tanzt», auf den die ruchlosen Soldaten ein Wettschießen veranstalten) – bei so was kann ich nicht an mich halten.

Schlimm ans Herz gehend auch die Szene in «Während du schliefst», wo Sandra Bullock an seinem Bett sitzt und sagt: «Warst du jemals in deinem Leben so einsam, dass du dich die Nacht über mit einem Mann unterhalten hast, der im Koma liegt?»

Einmal, Philipp war mit einem Haufen dröger Anwälte unterwegs, lag ich auf seinem großen Sofa rum, aß Low-Fat-Pringles und geriet beim Zappen in «Jenseits von Afrika».

Als Philipp nach Hause kam, dachte er, alle meine Freundinnen seien schwanger und hätten geheiratet, ohne mir Bescheid zu sagen.

Ich saß schluchzend auf dem Boden und konnte Philipp nur in Bruchstücken berichten, was geschehen war. Von der Farm am Fuße der Ngong-Berge. Von der Liebe zwischen Karen und Denys. Und wie er sagt: «Ich möchte nicht am Ende meines Lebens feststellen, dass ich das Leben eines anderen gelebt habe.»

Und wie er sich schließlich doch für sie entscheidet, weil sie ihm «die Freude am Alleinsein verdorben hat». Und wie er verunglückt und sie ihn begraben lässt auf dem Hügel, «wo die Löwen so gerne ihren Mittagsschlaf halten mit Blick auf die Ngong-Berge».

Philipp versuchte, Verständnis zu zeigen für meine seelische Zerrüttung. Ich kann Tage unter so was leiden. Ich meine, bei alten Filmen heule ich oft schon bei der Eröffnungsfanfare ...

Wie war ich jetzt darauf gekommen?

Richtig. Was ich eigentlich sagen wollte war, dass ich meinen Freund Burgi schon oft überrascht habe. Aber es kam niemals vor, dass er keinen Kaviar und keinen Champagner im Kühlschrank hatte. Es ist fast so, als habe sich Burgi sein Leben lang für den Moment bereitgehalten, in dem Amelie Puppe Sturm samstagmorgens um halb acht anruft und ihn umgehend zum Rastplatz Stolper Heide bestellt.

Zufrieden betrachtet Burgi sein Werk. Sogar an Sitzkissen hat er gedacht.

Er hat noch keine Frage gestellt, seit er angekommen ist. Keine Vorwürfe gemacht. Was für ein Freund!

Er setzt sich mir gegenüber auf das Kissen, mustert mich eindringlich, greift nach meiner Hand und sagt:

«Schnuppelchen, egal was passiert ist, was du auf jeden Fall brauchst, ist eine neue Frisur.»

Leider muss ich lachen und gleichzeitig weinen und gleichzeitig mit Champagner anstoßen und mir gleichzeitig die Haare aus dem Gesicht streichen, weil die wirklich ganz schön runtergekommen sind.

«Und jetzt, Püppchen, erzähl mir alles von Anfang an.»

9:30

«Du hast was!?»

Ich fahre erschrocken zusammen. Bisher hatte mir Burgi fast die ganze Zeit schweigend zugehört und nur ab und an ein paar sachliche Zwischenfragen gestellt oder mitfühlende Bemerkungen gemacht. Der offensichtliche Vorwurf bringt mich aus dem Konzept.

«Wie? Wieso? Warum denn nicht? Burgi, was ist denn los? Du bis ja ganz blass geworden. Also ich finde, Philipp kann ganz froh sein. Er ist doch noch glimpflich davongekommen.»

«Glimpflich davongekommen?» Burgi schüttelt seinen kleinen Kopf, der mich immer ein wenig an den meines verstorbenen Nymphensittichs Ikarus erinnert.

Ich gab ihm den Namen, weil wir damals in der Grundschule gerade gelesen hatten, wie Ikarus zu nah an die Sonne flog und seine Flügel schmolzen. Mein Ikarus war eines Nachts aus seinem Käfig geklettert und hinter die Nachtspeicherheizung meines Kinderzimmers gefallen. Der Geruch versengter Federn hatte mich geweckt – allerdings zu spät. Lange Zeit hatte ich Schuldgefühle deswegen und mich gefragt, ob ich – nomen est omen – durch die unglückliche Namensgebung sein Schicksal negativ beeinflusst habe.

Burgi hat sich vor Aufregung einen Cohiba-Zigarillo angesteckt. Ich weiß, dass er eigentlich gar keine Zigarillos mag, aber er findet, dass sie einfach besser aussehen als Zigaretten. Wenn keiner guckt, raucht er Ernte 23.

«Schnuppelchen, trägt Philipp nicht viel Brioni?»

«Mmmmh.»

Burgi verzieht vor Schmerz das Gesicht. «Das tut weh, Puppe. Das tut wirklich weh. Ich meine, die Anzüge kann er wegschmeißen. Schnuppelchen, ich glaube, das wird er dir nie verzeihen.»

Hä? Hör ich richtig? Was heißt denn hier verzeihen?

«Was heißt denn hier verzeihen?»

«Mein Liebes, Männer sind, was ihre Autos, ihre Anzüge und ihre Schwänze betrifft, extrem empfindlich. Nein, Püppchen, diesmal bist du zu weit gegangen. Ich schätze ja deinen Hang zur Dramatik, und du weißt, dass ich dich immer unterstützt habe. Auch damals, kurz vor Weihnachten ...»

«Burgi, hör mal!»

«... als du dich drei Tage bei mir versteckt hast – übrigens mit deiner gesamten Skiausrüstung –, damit Philipp glauben sollte, du seist ohne ihn nach St. Moritz gefahren.»

«Burgi, hör auf, das ist doch ganz was ...»

«Ich halte auch diesmal zu dir, Püppi. Aber ich an Philipps Stelle ... Also wenn das meine Brioni-Anzüge gewesen wären ... Vergiss nicht, ich bin ja irgendwie auch ein Mann. Nein, ich fürchte wirklich, Schnuppelchen, den Typen bist du ein für alle Mal los. Das lässt keiner mit sich machen.»

Burgi seufzt laut und schaut mich bekümmert an.

Spinn ich oder was? Was ist denn hier los?

«Hast du nicht mehr alle beisammen? Du tust gerade so, als hätte ich Philipps Garderobe in einem grundlosen Anfall von Vandalismus zerstört. Was heißt denn hier, ‹er wird mir das nicht verzeihen›? Das ist mir doch total egal!»

Jetzt werde ich laut, wie immer, wenn ich mich ereifere. Ein Erbe meiner Mutter, die auch immer die ganze Nachbarschaft an den Auseinandersetzungen mit meinem Vater teilhaben lässt.

Frau Röben wohnt gleich im nächsten Haus zur Linken, hat sich sogar schon mal bei meiner Mutter beschwert. Und zwar darüber, dass man bei ihrem Gebrüll die Antworten meines Vaters ja gar nicht hören könne, und ob meine Mutter eine Vorstellung davon habe, wie unbefriedigend es sei, von einem Streit nur die eine Hälfte mitzubekommen.

Ich fahre fort: «Ich bin doch diejenige, die nicht verzeihen wird! Und was heißt hier ‹den bin ich ein für alle Mal los›? Natürlich bin ich ihn los! Und weißt du, warum? Weil ich ihn nicht mehr will! Das Maß ist voll! Ich habe schließlich auch meinen Stolz!!!»

«Aber woher denn so plötzlich? Damit konnte Philipp doch nicht rechnen.»

Da bin ich platt. Und wahnsinnig gekränkt. Wozu hat man denn Freunde? Doch nicht, damit sie einen kritisieren! Schon gar nicht in einem emotional so heiklen Moment.

Burkhard Ginster hatte doch noch nie Verständnis für typisch männliches Verhalten. Warum ausgerechnet jetzt?

Burgi dreht an seinem Siegelring herum.

«Sag mal, warum trägst du eigentlich einen Siegelring, Burkhard?»

«Wie kommst du denn jetzt darauf?»

«Sag doch mal. Du bist doch gar nicht adelig, oder?»

«Das weiß man nie so genau.»

«Finde ich total peinlich, wenn einer 'nen Siegelring trägt und nicht adelig ist.»

«Püppchen, ich weiß, du bist beleidigt.»

«Bin ich nicht.»

«Aber unter Freunden soll man sich doch wohl die Wahrheit sagen, oder?»

«Und warum musst du unbedingt heute damit anfangen?»

Jetzt ist Burgi gekränkt. Und es tut mir auf der Stelle Leid.

«Burgi, entschuldige, aber ich muss mich kurz sammeln. Gib mir einen von deinen ekligen Zigarillos, und versprich mir, dass du mich erst dann weitersprechen lässt, wenn ich das blöde Ding aufgeraucht habe.»

Mir wird auf angenehme Weise ein wenig schwindelig. Ich habe vor zwei Jahren aufgehört zu rauchen, aber ich finde, dieser Moment ist ein guter Moment, um wieder anzufangen.

Was geschieht hier eigentlich?

Bei welcher miserablen deutschen Komödie, die niemals in die Kinos hätte kommen dürfen, schaue ich gerade zu?

Da sitzen zwei Menschen auf einem Rastplatz, der eine sieht aus wie ein homosexueller Wellensittich, die andere wie ein zerrupftes Maskottchen, das keinem mehr Glück bringt. Er im Kimono, mit den neuesten Nikes an den Füßen und einer schwarzen Persol-Sonnenbrille im Haar. Sie in Jeans und einem blauen T-Shirt mit aufgedruckten Pril-Blumen. Sie liebt Pril-Blumen, weil sie sie an alte Zeiten erinnern, die sie, besonders zurzeit, für die besseren Zeiten hält.

Ihre verheulten Augen hat sie hinter einer lila getönten Sonnenbrille versteckt, und die mehr als schulterlangen Haare neigen zur Lockenbildung an den unmöglichsten Stellen. In Ihrem Schoß liegt der Kopf eines sehr, sehr hässlichen Hundes, der ab und an vernehmlich seufzt. Keine zehn Meter von ihnen entfernt hat ein Laster geparkt mit der Aufschrift «Tag und Nacht – da lacht die Fracht!».

Mein Raucher-Schwindel verstärkt sich, und ich überlege, wer meine Rolle in dieser Klamotte spielen könnte. Jetzt mal international gedacht, würde ich sagen: Julia Roberts. Vielleicht auch Cameron Diaz.

Wobei mich das ja total erschüttert hat, dass die Julia Roberts zum Beispiel gar kein erfülltes Liebesleben hat. Hat die Hochzeit mit ihrem Verlobten, dem Kiefer Sutherland, den ich ja ohnehin nicht so attraktiv finde, abgeblasen, weil er sie einen Tag vor der Trauung – einen Tag vorher! – betrogen hat. Außerdem, hat sie mal erzählt, traut sich ja auch kein Mann, die Julia Roberts anzusprechen.

Ein Phänomen, unter dem ich leider nicht leide.

Und Cameron Diaz, die hat sich über zu wenig Sex mit ihrem Freund beklagt. In der «Bunten». Mich hat das irgendwie total erleichtert. Ich meine, stell dir vor, du bist Cameron Diaz und hast nur einmal im Monat Sex. Da fühlst du dich doch – vorausgesetzt, du bist nicht Cameron Diaz – gleich hunderttausendmal besser.

Auf nationaler Ebene wäre es wohl das Schlimmste, wenn ich von Veronica Ferres dargestellt werden würde. Oder – auch keine schöne Vorstellung – von Mariele Millowitsch. Weil, mit der können sich immer alle stinknormalen Frauen identifizieren. Und welche Frau möchte denn schon, dass sich alle stinknormalen Frauen mit ihr identifizieren können?

Für die Verkörperung von Burgi kommt natürlich international nur Rupert Everett infrage. Groß! Einfach groß, sein Auftritt in

«Die Hochzeit meines besten Freundes», mit dem Satz: «Mein Name ist Bond. Jane Bond.»

Philipp Sackgesicht von Bülow könnte unter den deutschen Mimen sehr schön von dem abstoßenden Mathieu Carrière oder dem widerwärtigen Klaus Löwitsch dargestellt werden. Bente Johannson könnte man mit der ollen Riemann besetzen. Da weiß der Zuschauer wenigstens sofort, dass er es hier mit einem ganz besonders üblen Feindbild zu tun hat.

Grundgütiger! Wie bin ich nur hineingeraten in diese Schmierenkomödie, die sich mein Leben schimpft? Was habe ich bloß falsch gemacht?

Leider gehöre auch ich zu den Frauen, die den Fehler immer zunächst bei sich selber suchen. Wäre ich die Wetterfee bei Pro 7, ich würde mich jedes Mal entschuldigen für das Tief, das ich ansagen müsste. Wäre ich Prüfer beim TÜV, ich würde von morgens bis abends um Verzeihung bitten wegen der Roststellen, die ich entdecke. Es ist ganz schlimm: Wenn mich einer auf offener Straße anrempelt, murmle ich «Pardon». Wenn einer meinen Witz nicht versteht, denke ich, der Witz ist schlecht. Wenn einer mein Essen nicht mag, denke ich, ich koche schlecht. Wenn einer mich nicht mag, denke ich, ich bin potthässlich.

Ist das genetisch bedingt?

Haben Frauen ein Sorry-Chromosom mehr als Männer?

Ja, ich habe es vor langer Zeit herausgefunden und dennoch bisher nichts daran ändern können: Der Fehler an Frauen ist, dass sie sich schuldig fühlen. Der Fehler an Männern ist, das sie sich nicht schuldig fühlen.

Ich bin der festen Überzeugung, dass es die Welt zum Besseren revolutionieren würde, wenn man in Zukunft Eltern verbieten würde, ihren Töchtern die Worte «Entschuldigung», «Verzeihung» und «Tut mir Leid, das war ganz klar mein Fehler» beizubringen.

12:00

High Noon.

Marple hält ihre kurze Nase in den Fahrtwind, und ihre Ohren flattern wie Bettwäsche an der Leine an einem stürmischen Tag. Ich überhole eine Frau mit Baby-an-Bord-Aufkleber am Auto. Sie trägt eine orange-braune 70er-Jahre-Bluse mit psychedelischem Wellenmuster, das früher gerne für Teppichböden in Kantinen gewählt wurde.

Retro ist ja wieder total in.

Eigentlich eine ungewöhnliche Bluse für eine Frau, die in einem zahnbelagfarbenen Jetta auf keinen Fall schneller als hundertzehn fährt. Aber es nützt ihr und ihrem unscheinbaren Äußeren rein gar nix. Denn das Interessante an ungewöhnlicher Mode, an ungewöhnlichen Haarfarben, an ungewöhnlichen Accessoires wie Neon-Kopftüchern, Straußenfedern im Haar, grünen Strasssteinen auf der Stirn, rosafarbenen Kaninchenfellhandtaschen, durchsichtigen Gummistiefeln, Che-Guevara-Feuerzeugen, Pelz-Bikinis, Schlangenleder-Handy-Überziehern, Kuhfell-Kostümen ...

Was wollte ich jetzt sagen?

Ach ja! Hier eine meiner unbedingten Wahrheiten: Ungewöhnliches sieht nur an ungewöhnlichen Menschen ungewöhnlich aus!

Im Rückspiegel sehe ich noch, wie der Jetta zum Überholen ansetzt und so einen mit 250 heranbrausenden BMW zu einer Vollbremsung nötigt.

Eigentlich verachte ich BMW-Fahrer. Die investieren meist wesentlich mehr Aufwand in die Pflege ihres Autos als in die ihres Charakters. Ja, meiner ganz persönlichen Statistik nach stecken in BMWs meist Männer, die, um sich erfolgreich in ihnen zu fühlen, dicht auffahren, rechts überholen und alten Damen in noch älteren, aber tipptopp-gepflegten Polos den Parkplatz wegschnappen. Aber dieser hat meine Solidarität, weil ich genau weiß, wie ihm jetzt zumute ist. Mordgelüste im Straßenverkehr sind mir nicht fremd. Da besonders Frauen sich an so dusselige Regeln wie Geschwindigkeitsbegrenzungen und Überholverbote halten, entstehen kilometerlange Staus. Es ist völlig klar: wenn alle Verkehrsteilnehmer sämtliche Verkehrsregeln beachten würden, ginge auf Deutschlands Straßen absolut gar nichts mehr.

Für mich sind Verkehrsregeln unverbindliche Richtlinien.

Vielleicht ahnt es der ein oder andere bereits: Ich halte nicht viel von Frauen hinterm Steuer. Ehrlich gesagt halte ich gar nichts von Frauen hinterm Steuer. Ich merke sofort, wenn eine Frau vor mir fährt. Und ich werde sofort aggressiv.

Die suchen Parkplätze immer in Zeitlupe. Sie blinken minutenlang, ohne abzubiegen. Sie verlangsamen vor Wegweisern mit mehr als zwei Angaben auf Schritttempo. Im Nebel halten sie lieber gleich ganz an, und wenn du einen Termin hast, dann sag ihn lieber ab, wenn du in einer engen Straße hinter einer Frau stehst, die versucht, rückwärts in eine stattliche Lücke einzuparken.

Es ist nicht unbedingt so, dass Frauen schlechter fahren als

Männer – sie fahren nur aus anderen Gründen schlecht. Es ist wie im Leben: Männer verursachen Unfälle, weil sie sich über-, Frauen weil sie sich unterschätzen.

Interessant ist allerdings, von allen Amateur-Fahrerinnen gern zitiert, die Statistik, dass Frauen viel weniger Unfälle verursachen als Männer.

Nach meiner Theorie geht es auch da wieder zu wie im richtigen Leben: Männer können die Verhaltens- und Reaktionsweisen von Frauen nur schlecht verstehen und so gut wie gar nicht vorhersagen. Das gilt für den Straßenverkehr und für Beziehungen. Wenn eine Frau links blinkt, gehen Männer kurioserweise davon aus, dass sie auch nach links abbiegen wird. Wenn eine Frau auf die Frage «Ist was mit dir?» antwortet «Nein, was soll denn sein?», gehen Männer davon aus, dass nix ist.

Etliche tausend Jahre leben wir nun schon zusammen auf Mutter Erde, und noch immer glauben die Männchen, die Weibchen würden sagen, was sie wollen. Das ist keine besondere Intelligenzleistung.

Ich finde nicht, dass Frauen sagen sollen, was sie wollen. Aber sie sollten, da muss ich wirklich mein eigenes Geschlecht rügen, nicht rechts blinken und links abbiegen. Für den Straßenverkehr bedeutet das nämlich, dass Frauen sehr viele Unfälle provozieren, an denen sie laut Straßenverkehrsordnung entweder nicht schuld oder aber überhaupt nicht beteiligt sind. Sie tuckern davon und merken gar nicht, was für ein Chaos sie hinter sich angerichtet haben.

Ich drehe den Rückspiegel zu mir, schaue in mein Gesicht und schicke zum hundertsten Mal ein Dankgebet Richtung Burgi, der jetzt wieder zu Hause ist oder schon auf dem Weg in seinen Salon.

Um eins kommt Doris Schröder-Köpf. Zum Blondieren und Spitzenschneiden.

Wie alle Schwulen hält auch Burgi sich am liebsten raus, wenn es darum geht, Partei zu ergreifen, sich zu entscheiden oder einen konkreten Rat zu geben. Burgi ist ein großer Tröster und sagt aufmunternde Sachen wie:

«Du bist eine Göttin, Puppe, er wird ohne dich nicht leben können.»

Oder: «Kleines, keine zehn Tage und du hast einen Neuen, der viel besser aussieht.»

Oder: «Mein armes, armes Schätzchen! Was kann ich nur für dich tun? Soll ich mich von Carlos trennen, damit du mit deinem Kummer nicht so alleine bist?»

Burgi konnte mir nicht sagen, was ich tun soll, aber er gab mir das Wichtigste, was man einer Frau auf den neuen Lebensweg mitgeben kann: eine neue Frisur.

Er hatte nicht nur Frühstück und Alkohol dabei, sondern auch noch seinen Notfall-Koffer für hysterische Supermodels, die sich weigern, ihre Suite zu verlassen, weil ihre Haare angeblich nicht sitzen.

Burgi arbeitete am Rastplatz Stolper Heide zwar unter erschwerten Bedingungen, weil er das Wasser zum Ausspülen der Haarfarbe in einer Schüssel aus dem Raststätten-Klo holen musste, aber er hat Großartiges geleistet.

Ich finde, ich sehe jetzt aus wie eine, mit der nicht zu spaßen ist. Mindestens zehn Zentimeter Haar habe ich am Rastplatz gelassen, und die dunklen Büschel werden wohl im Moment vom warmen Sommerwind in die Weite der ostdeutschen Rapsfelder hinausgetragen.

Ich habe jetzt, was ich mir lange gewünscht, mich aber nie getraut habe: ziemlich kurze Haare. Fransen im Nacken, ein paar dunkelrot gefärbte Strähnen fallen mir in die Stirn. Mit meiner natürlichen Anmut kann ich mir Haare hinter die Ohren schieben, wodurch mein Gesicht nicht mehr ganz so rund und maskottchenhaft aussieht.

Burgi selbst war restlos begeistert von seinem Werk und verfluchte mich, dass es erst zu einer derartigen Krise kommen musste, um mich frisurmäßig zu emanzipieren.

Zum Abschied gab er mir noch eine Kassette «Passend zur Frisur» und eine Kassette «Der Tränenschocker für die Stunde der Not» mit auf den Weg. Dann nahm er mich in die Arme: «Püppchen, willst du nicht mit mir zurück nach Berlin fahren? Du könntest mit ihm reden. Vielleicht klärt sich alles auf?»

«Ach, Burgi, ich brauche erst mal etwas Zeit für mich.»

Wow! Das hatte ich noch nie in meinem ganzen Leben gesagt. Die Worte fühlten sich fremd an in meinem Mund – aber gut. Und sie passten zu meiner neuen Frisur.

«Diesmal mach ich alles anders als sonst. Wart's nur ab. Der erste Schritt ist schon getan. Ich habe Strähnchen, ich habe eine neue Frisur, und ich habe eine neue Handy-Nummer.»

«Was hast du?»

«Ich hab gleich heute Morgen beim D1-Service angerufen und gesagt, dass ich unter meiner alten Nummer ständig von einem obszönen Stöhner belästigt werde.»

«Davon hast du mir ja gar nichts erzählt,» sagte Burgi beleidigt. «Ein echter Perverser? Hättest ihm doch mal meine Nummer geben können.»

«Du Trottel, das war doch gelogen. So hab ich jedenfalls innerhalb von einer Stunde eine neue Nummer bekommen. Ich hätte es einfach nicht ausgehalten, für Philipp erreichbar zu sein, seine Nachrichten, sein Bitten, sein Jammern abzuhören, das ständige Klingeln auszusitzen …»

«Ich glaube, da hättest du dir keine Sorgen machen müssen. Der ruft bestimmt nicht an.»

«Was?»

Grundgütiger! An diese Möglichkeit hatte ich nicht eine Sekunde lang gedacht. Ich hatte mich unerreichbar machen wollen.

Wird Philipp überhaupt nicht merken, dass ich unerreichbar bin, weil er nicht versucht, mich zu erreichen?

Eine Katastrophe!

Und am schlimmsten: Ich würde es nun, durch meine eigene Schuld, nie erfahren. Diese Unsicherheit würde mich sicherlich den Rest meines Lebens quälen. Blöder Fehler. Aber andererseits: Seine Qual würde in jedem Fall größer sein. Und darauf allein kommt es an. Trennungen sind nun mal schmerzhaft, aber ich fühle mich immer gleich wesentlich besser, wenn ich weiß, dass der andere mehr leidet als ich.

12:27

Wieder allein.

«Was willst du denn jetzt machen?», hatte Burgi mich natürlich gefragt. Aber ich hatte keine Antwort gewusst.

«Fährst du nach Hamburg?»

«Weiß nicht.»

«Du kannst doch nicht so einfach ins Nichts fahren!»

«Mmmh.»

«Wie, mmmmh? Ich mach mir Sorgen, wenn ich nicht weiß, wo du bist.»

Da waren mir die Tränen gekommen. Weil ich zum ersten Mal in einer Situation war, die ich selbst wirklich tragisch fand und in der ich nicht nur so tat, als ob. Mal was anderes. Ein ganz neues Gefühl. Sehr intensiv jedenfalls.

Und dann war mein lieber Burgi in seinem grünen MG in die Sommerlandschaft entschwunden, und ich fühlte mich derartig verlassen, dass ich einen meinem Naturell so gar nicht entsprechenden Entschluss fasste: Meine neue Strategie heißt Ablenkung. Ab sofort denke ich nur noch an angenehme, heitere Dinge. Denn eine Person, an die man nicht denkt, kann man auch nicht vermissen. Ist ja logisch. Ein gelassenes Lächeln wird stetig meinen Mund umspielen. Ich werde mir schöne Sachen ausmalen, meine Phantasie dazu benutzen, mir glorreiche Heldengeschichten auszudenken, in denen ich natürlich der Held bin.

Ich könnte zum Beispiel zwanzig Kinder aus einem Schullandheim retten, in dem eine Bombe versteckt ist. Anschließend würde ich die Bombe finden und in letzter Sekunde entschärfen. Oder ich wäre ein berühmter Filmstar und würde den Oscar für die beste weibliche Hauptrolle bekommen. Ach, herrlich, ich habe schon Stunden auf langen Autofahrten damit zugebracht, an meiner Dankesrede für die Oscar-Verleihung zu feilen:

«Meine Damen und Herren, verehrte Academy, lieber ...»

Wie geht es Philipp wohl in diesem Moment?

Wach ist er inzwischen.

Ob er unglücklich ist?

Hoffentlich.

Ach, ich wollte doch verdammt nochmal nicht darüber nachdenken, aber beim Autofahren schlagen die Gedanken Purzelbäume neben der Fahrbahn, machen Rast auf dem begrünten Mittelstreifen und legen plötzlich den Rückwärtsgang ein, während man selbst mit hundertfünfzig geradeaus fährt und nicht weiß, wohin man eigentlich unterwegs ist.

Ob er versuchen wird, mich zu finden?

Aber wie?

Und vor allem: warum?

Vielleicht ist er froh, mich los zu sein, und hofft inbrünstig, dass ich nicht wiederkomme?

Vielleicht hat er bereits eine bundesweite Fahndung nach der Mörderin seiner Anzüge veranlasst?

Ob er sehr böse ist?

Oder ist er erleichtert, weil er durch meinen für ihn zwar kostenintensiven, aber letztendlich doch zügigen Abgang ein Problem weniger zu lösen hat?

Verflucht, ich merke, wie ich in Kummer und Selbstmitleid versinke. Die Wut der letzten Stunden war mir lieber. Wut empfinde ich als produktiv. Wut setzt Energie frei, macht schnell und entschlossen. Wer wütend ist, leidet nicht. Kummer ist passiv, macht langsam und zweifelnd. Jetzt bloß nicht an Philipps gute Seiten denken, an schöne Zeiten, an große Gefühle und anbetungswürdige Körperteile.

Nicht an Philipps Nacken, der nach frisch gewaschenem Kleinkind riecht. Nicht an seine Ellenbogen, die so rührend verschrumpelt sind, als habe er sie von einem 95-Jährigen transplantiert bekommen. Nicht an seinen Bauchnabel denken, der einen enormen Durchmesser hat. «Wie heißt der Bürgermeister von Wesel!?», habe ich oft morgens in Philipps Bauchnabel gerufen und mich kaputtgelacht. Und Philipp hat brav «Esel!» gerufen. Und wenn ein Tag so begann, dann ist es meistens ein guter Tag geworden.

Ich habe Philipp immer am meisten für das geliebt, was er nicht zu sein scheint. Seine Oberfläche ist die des ernsthaften, korrekten, am Erfolg orientierten Anwalts, der seine Anzüge in Geschäften kauft, wo man seinen Namen und seine Größe kennt.

Philipp von Bülow, der in Bewerbungsgesprächen – als er sich noch bewerben musste – auf die Frage «Was wollen Sie werden?» immer antwortete: «Ihr Chef.»

Die meisten Menschen, die ihn nicht gut kennen, können sich nicht vorstellen, dass Philipp im Grunde seines Herzens ein zärtlicher, ja sogar sentimentaler, ja sogar humorbegabter Mann ist. Wobei ich unter Humor verstehe, dass jemand herzlich über meine Witze lacht.

Nein wirklich, wenn keiner kuckt, ist Philipp total reizend. Kaum einer weiß zum Beispiel, dass der große Philipp von Bülow längst ausgestorben wäre, wenn er nicht immer dafür sorgen würde, dass sich jemand um ihn kümmert.

Als Nachzügler-Nesthäkchen mit drei älteren Schwestern wurde ihm die Begabung, Leute in seinen Dienst zu stellen, in die

Wiege gelegt. «Möglichst lange bei den Eltern wohnen und dann zu den Kindern ziehen» – das sei, sagt er, wenn er zu Scherzen aufgelegt ist, seine Devise gewesen. Dann lachen immer alle, ich auch, aber im Grunde meint er das gar nicht so scherzhaft.

Man kann nicht sagen, dass Philipp lebensuntauglich ist. Aber er weigert sich einfach, manche lebenserhaltenen Maßnahmen zu erlernen. Das Abwiegen von Tomaten im Supermarkt zum Beispiel. Er will sich mit dieser Materie einfach nicht beschäftigen. Er sagt, er hat schon genügend mentale Herausforderungen in seinem Berufsleben, da sähe er es nicht ein, warum er sich nach Feierabend noch mit Gemüsewaagen auseinander setzen soll oder mit der Thematik «angekettete Einkaufswagen». Da stellt er sich lieber bewusst tollpatschig an und schaut so lange hilflos umher, bis er bedient wird.

Eigenartigerweise wird er damit zum Liebling aller Verkäuferinnen. Die freuen sich, dass sie was können, was der berühmte Herr Prominentenanwalt nicht kann, wiegen ihm das Gemüse an der Kasse, verkaufen ihm halbe Brote, wo es eigentlich nur ganze gibt, und führen ihn laut schwatzend durch die Weiten des Supermarktes, wenn er mal wieder vergessen hat, wo sein Frühstücksmüsli steht.

Um diesen Habitus – Mann nach Kindchenschema – nicht zu gefährden, geht Philipp mit mir am Wochenende nur in Läden einkaufen, wo er nicht bekannt ist.

«Eine Frau in meinem Leben», war seine Rechtfertigung, «würden mir die Damen an der Supermarktkasse womöglich nicht verzeihen.»

Eine noch wichtigere Rolle als die Supermarkt-Damen spielt

Selma Moor, seine Sekretärin in der Kanzlei. Sie ist Mitte fünfzig, unverheiratet, gedrungen, großbusig, mit einem dragonerhaften Ton und einem Herzen aus purem Gold.

Sie koordiniert Philipps Termine und sorgt für seine geregelte Nahrungsaufnahme. Holt ihm mittags Salat oder Sushi ins Büro und kümmert sich darum, dass er sich auch abends ausgewogen ernährt, indem sie Restaurants nach ernährungswissenschaftlichen Kriterien bucht. Ich nehme an, dass Selma für uns auch den Überraschungs-Kurzurlaub in Rom organisiert hat.

Ach. So schön.

Rom, wo Philipp davon überzeugt war, Italienisch zu können, und die Tatsache, dass die Italiener ihn kaum oder gar nicht verstanden, an seiner Überzeugung nichts änderte.

Lieber nicht dran denken.

Und auch nicht an das Picknick in Howacht an der Ostsee, mit Nudelsalat und russischen Eiern. Philipp hat mein Menü verspottet – und restlos aufgegessen.

Aus dem Picknick wurde ein ganzes Wochenende im Hotel Genueser Schiff unterm Reetdach direkt am Strand. Frühstück am Meer, Barfuß-Spaziergänge, minderwertige Literatur im Strandkorb lesen, kreischend über Wellen hopsen, viel Sex in alten Bauernbetten und tiefer Schlaf von Ostseerauschen begleitet, gewiegt, getröstet und gestreichelt.

Ich liebe die Ostsee. Sie ist immer da, wo man sie vermutet und wo man sie beim letzten Besuch zurückgelassen hat. Sie ist zuverlässig und sanft. Ganz anders die unberechenbare Nordsee. Ich erinnere mich ungern an einen Ausflug nach St. Peter-Ording in Begleitung eines Mannes, dessen Namen ich zu Recht vergessen habe. Ich weiß noch, wie ich voller Vorfreude die Dünen hinaufrannte, die Hosenbeine hochkrempelte und «Meer! Meer!», rief.

Na toll. War Ebbe. Und wir mussten einen Kilometer laufen, ehe ich in der ersten salzhaltigen Pfütze stand, und nochmal einen Kilometer bis zum echten Meer. Nein, solche launischen Gewässer schätze ich nicht. Ich mag sowieso keine Überraschungen, auch nicht solche, die von der Natur inszeniert sind.

Ich finde, die Nordsee hat was Zickiges, was Mädchenhaftes. Wie eine Diva mit Kopfschmerzen. Wie Marlene Dietrich, wenn sie ihre Tage hatte. Wäre die Nordsee eine Frau, sie würde sich sicherlich im Restaurant die Lippen anmalen und einen Suppenlöffel als Spiegel benutzen. Sie würde beim Sex schmutzige Worte stöhnen, ihrem Liebhaber den Rücken zerkratzen, und wenn sie nachher im Bett eine Zigarette rauchte, müsste er den Aschenbecher für sie halten.

Die Nordsee wäre eine Frau, die gut einparken und noch besser «Nein» sagen kann, eine Frau mit guter Figur und mit schlechtem Charakter. Ich mag sie nicht, die Nordsee, sie macht mir Angst. Ach, ich wünschte, ich wäre so wie sie.

Aber Freundinnen, die ihr wie ich charakterlich eher der Ostsee oder der Binnenalster gleicht, vergesst nicht: Stürme toben in jedem Gewässer. Pfützen können überraschend tief sein. Und auch in Teichen haben schon Menschen ihr Leben gelassen.

12:45

Jedes Mal freue ich mich über diese Abfahrt. Jedes Mal denke ich, wie reizend es sein müsste, auf die Frage nach meiner Adresse sagen zu können: «Ich wohne in Herzsprung.»

Jedes Mal denke ich, dass ich irgendwann mal diese Abfahrt nehmen werde, um nachzuschauen, wie es so ist, in einem Ort, der Herzsprung heißt.

Jedes Mal freue ich mich über diese Abfahrt – aber diesmal nicht. Wenn ich das nächste Mal hier vorbeifahre auf dem Weg nach Berlin, dann werde ich nicht auf dem Weg zu ihm sein. Vielleicht wird Burgi mich dann erwarten, um meine Frisur zu warten. Vielleicht wird Sylvia mich hin und wieder zu einer Premierenparty oder einer Preisverleihung mitnehmen. Bis dahin werde ich bestimmt mindestens Kleidergröße vierunddreißig tragen und nur andeutungsweise und sehr würdevoll nicken, wenn ich an Philipp von Bülow vorbeischwebe. Und dann wird er sehen, was er nicht mehr hat, seit er mich nicht mehr hat, und ich werde mir einbilden und einreden, dass ihm dieser Anblick wehtut.

Nein, beim nächsten Mal, wenn ich an der Ausfahrt Herzsprung vorbeifahre, wird mein Herz vor Vorfreude keinen Sprung machen. Ich werde nicht laut juchzen wie sonst, weil es nicht mehr weit ist bis zu meinem zweiten Zuhause. Weil es dann nicht mehr lang dauert, bis der Freitagabend beginnt, den Philipp und ich kein einziges Mal mit anderen Menschen geteilt haben. Das war immer unser Abend, der Abend, den Philipp mir Woche für Woche schenkte. Von Anfang an. Wie ein kostbares Geschmeide auf dunklem Samt in einer Schatulle, die mit diesem satten, teuren Ton zuschnappt.

Wie viele Freitagabende haben Philipp und ich insgesamt erlebt? Wie viele Wochen hat das Jahr? Wie viele Freitagabende haben zweieinhalb Jahre? Ich war ja immer schlecht im Kopfrechnen, aber es müssten wohl ungefähr hundertdreißig sein. Unsere

Urlaube und die Wochenenden, die Philipp bei mir in Hamburg war, abgezogen, bleiben etwa hundert.

Hundertmal bin ich vorbeigefahren an Herzsprung, während Philipp gerade dabei war, meinen Freitagabend zu verpacken. Rosenduftendes Badewasser einließ. Oder mir zuliebe einen Liebesfilm in der Videothek auslieh. Kerzen anzündete und für ein selbst bestelltes Essen den Tisch deckte. Oder gebadet und gecremt, duftend und lüstern sich selbst als schönstes Geschenk von allen ins Bett legte, Champagner im Kühler auf den Nachttisch stellte und alle Stofftierchen mit dem Gesicht zur Wand drehte.

Und manchmal, wenn diese einzigartigen Freitagabende zu Ende gingen, wenn wir gegessen, getrunken, gelacht, geredet, geliebt hatten, dann nahm Philipp mein Gesicht beim Einschlafen in beide Hände. Und in meinem Leben war ich niemals vorher glücklicher gewesen.

Hundertmal Freitagabend. Hundertmal Herzsprung.

13:05

Wird man eigentlich beim Cabrio-Fahren braun? Ich frage mich das, weil die Sonne auf meine Stirn und Arme brennt und weil ich etwas Farbe ganz gut vertragen könnte. Ich werde zum Glück schnell braun und sehe dann – zumindest bilde ich mir das ein – ein wenig exotisch aus. Ich nehme an, diese Haut habe ich von meinem ungarischen Großvater. «Ostblock-Pigmentierung» nennt es meine Mutter. «Balkan-Braun» hatte es dagegen ein Trottel genannt, mit dem ich nur einen halben Sommer, sprich drei Wochen lang liiert war. Ich meine, ich bin kein Fleisch gewordener Brockhaus, aber wer Ungarn dem Balkan zuschlägt, braucht mit meiner Zuneigung nicht länger zu rechnen.

Ich mache das Radio lauter, weil da gerade ein Lied von Driza Bone läuft, das hervorragend zu meinem künftigen Charakter passt.

Wild und gefährlich.

> *This is the last time*
> *that you're gonna hurt me, baby*
> *This is the last time*
> *that you're gonna make me cry.*

Yeah. Oh Yeah.

Fühle mich sehr gefährlich.

Ich ziehe mir im Rückspiegel die Lippen nach, trommle den Rhythmus auf dem Lenkrad und singe den Text mit, den ich natürlich auswendig kann, weil ich mir zwar keine Namen, keine Telefonnummern und keine Gesichter merken kann, aber jeden Text von jedem dämlichen Popsong, den ich irgendwann mal gehört habe. Ich kann sogar Lieder auswendig, deren Sprache ich gar nicht verstehe.

«Girl from Ipanema» zum Beispiel geht so:

> *A ducorpo du rado duamsch poeumo e balan-*
> *cado e fica maschlinda pour casa damuor.*

Ich kann mir abstruse Texte merken, aber, wie gesagt, ist es mit meinem Namensgedächtnis nicht weit her. Deswegen habe ich auf jedem Juristen-Empfang und jeder Promi-Party immer gedacht, ich hätte wahnsinnig viele neue Leute kennen gelernt. Dabei hatte ich bloß vergessen, dass Philipp mir die Hälfte schon beim letzten Mal vorgestellt hatte.

Jemanden nicht wiederzuerkennen, ist schlimm genug. Noch schlimmer ist es allerdings, wenn man glaubt, man erkennt jemanden wieder. Das hat manches Mal zu unschönen Irritationen geführt.

Julius Schmitt, Philipps Seniorpartner in der Kanzlei, war beim letzten Dinner mein Tischherr, und ich habe ungelogen den ganzen Abend gedacht, ich säße neben Prinz Ernst-August von Hannover, der Philipps Klient ist. Das Missverständnis klärte sich erst auf, als ich generös und, wie ich dachte, ganz in Philipps Sinne erklärte:

«Wissen Sie, ich habe die Aufregung damals ja nicht verstanden, als Sie gegen den türkischen Pavillon gepinkelt haben. Die Empörung kam bestimmt von Frauen, und die sind doch bloß neidisch, weil sie nicht im Stehen pissen können.»

Philipp hat erst neulich noch gesagt, kein Mensch habe sein Leben in so kurzer Zeit um so viele Pointen und Peinlichkeiten bereichert wie ich.

«Dann hast du jetzt wohl eine Ahnung, wie viel Lustiges ich noch zu erzählen habe», antwortete ich, «denn schließlich lebe ich schon ein ganzes Leben lang mit mir zusammen.»

Schluss mit lustig.

Noch achtundsechzig Kilometer bis Hamburg. Aber was soll ich da eigentlich? In meiner Wohnung hocken, Urlaubsbilder in Fitzelchen reißen, lange Nadeln in Stofftiere bohren, die er mir geschenkt hat, die Telefonschnur kappen, um mir einreden zu können, er würde mich im Minutentakt anrufen?

Ich könnte, um mich abzulenken und meinen neuen, schlechten Charakter auszuprobieren, im Café Veneto, dem Konkurrenzunternehmen vom Himmelreich, ein paar Gäste bepöbeln. Oder im Freibad ein paar fiese, dicke Kinder ins Wasser schubsen.

Oder meinen drei Jahre älteren Bruder anrufen und ihm endlich mal sagen, wie beknackt ich seine letzten fünf Weihnachts- und Geburtstagsgeschenke fand. Und dass ich ab sofort nie wieder so tun werde, als würde ich mich über Wiegemesser und Hummerzangen freuen, weil ich nicht kochen kann und es auch nicht lernen will. Und dass ich es sagenhaft peinlich finde, dass er seine drei Kinder nach Romanfiguren benannt hat. Die Zwillinge Demian und Goldmund gehen auf das Konto von Hermann Hesse, die zweijährige Tochter Malina auf das von Ingeborg Bachmann.

Wenn ich mich beeile, schaffe ich es noch vor Ladenschluss nach Hause. Dann könnte ich schnell bei Karstadt in der Lebensmittelabteilung vorbeischauen, um die Verkäuferin zu verhauen, die mir letztens eine Tiefkühltüte in Rechnung gestellt hat, die ich von zu Hause mitgebracht hatte. Oder im Dunkeln die Fitnesstrainerin überfallen, die mich fünf Minuten nach Beginn der Latino-Aerobic-Stunde bat, doch lieber einen Kurs für Anfänger zu besuchen, da ich die Rhythmik der übrigen Kursteilnehmer durcheinander brächte.

Ich könnte auch nach Hohenholte fahren und meiner Grundschullehrerin Frau Robbe Angst und Schrecken einjagen. Als Rache dafür, dass ich in der Theatergruppe nicht ein einziges Mal die Prinzessin oder Königin spielen durfte, sondern immer bloß als Schweinehirt und Lumpensammler besetzt wurde.

Ja, ich könnte mich daranmachen, endlich all die zu bestrafen, gegen die ich mich nie zur Wehr gesetzt habe. Das wäre ein Fest! Und es würde mich sicher auf andere Gedanken bringen. Ach ja, zu Hause ist es doch am schönsten.

Nur noch fünfundsechzig Kilometer.

Drücke auf den Sendersuchlauf.

Igitt, nix Schlimmeres als Chris de Burgh mit «Lady in Red». Aufsteigende Übelkeit bei UB 40 mit «Red, red wine» – das grässlichste Lied, das mir je zu Ohren gekommen ist. Allerdings ganz dicht gefolgt von «Don't worry, be happy».

Da! Ich traue meinen Ohren kaum.

Meine Vergangenheit!

Nicht zu glauben!

Last night a D. J. saved my life, yeah!

Sehe mich in enger gemachten Röhrenjeans und Robin-Hood-Stiefeln auf der Tanzfläche des Number One stehen. Metallic-Lippenstift auf dem Mund und Strassschmuck um den Hals. Die Arme meines Sweatshirts habe ich selbst abgeschnitten.

Ich habe gerade zum ersten Mal rumgeknutscht. Wusste seinen Namen schon damals nicht. Und dass er sich kurz vorher übergeben musste, das hatte mir meine Freundin Kati freundlicherweise erst nachher erzählt.

Last night a D. J. saved my life with a song.

Verflucht nochmal, ist das lang her. Vierzehn war ich. Hatte langes Wuschelhaar, aber dafür ein gut frisiertes Mofa, natürlich eine Vespa Ciao, spielte Handball und konnte essen, was ich wollte, ohne zuzunehmen.

Ich weiß noch genau, wie die erste Zigarette schmeckte, die ich geraucht habe. Eine Krone, die ich Amelie Tschuppik aus ihrer

Schachtel geklaut hatte. Sie schmeckte natürlich nicht gut, aber sie schmeckte aufregend, nach Leben und Abenteuer.

«Haste mal 'ne Kippe?», sagten wir damals. Und wir sagten «Das ist ja echt asozial», wenn uns etwas missfiel. Und ich glaube, wir sagten «astrein», wenn wir etwas gut fanden, was ja gar nicht so oft vorkam. Wir tranken Persico Apfelsaft und gerne auch süßen Wein oder Asti Spumante oder Bockbier und wurden sehr schnell betrunken.

> *And if it wasn't for the music*
> *I don't know what I'd do.*

Wir hopsten auf der Tanzfläche rum und übten vorher vor dem Spiegel, wie wir dabei am lässigsten aussehen würden. In der Schule schrieben wir unsere Klassenarbeiten mit Pelikan-Füllern gefüllt mit schwarzen Tintenpatronen und verachteten die Geha-Fraktion und die, die bei Matheaufgaben immer noch hyperkorrekt mit dem Geodreieck zwei Striche unters Ergebnis machten und Rechtschreibfehler mit Tintenkillern korrigierten.

Wir schwärmten für Jungs aus der zehnten Klasse, die mit gelben Enduros zur Schule kamen, wir schauten im Kino «Flashdance», schwänzten fast jede Woche Religion oder Kunst und trafen uns in den Pausen auf den Toiletten, um Benson & Hedges zu rauchen und die Mädchen zu bewundern, die schon Sex gehabt hatten.

> *Last night a D. J. saved my life*
> *from a broken heart*
> *Last night a D. J. saved my life with a song.*

Das Rührende an dem Lied, wenn man es nach so langer Zeit wieder hört, sind die mickrigen Special Effects. Wahrscheinlich soll das da im Hintergrund ein Gewitter sein, aber es klingt wie eine Klospülung. Das ist so, wie wenn man heute den «Weißen Hai» sieht: lustig. Großer künstlicher Fisch mit großen künstlichen Zähnen trinkt literweise künstliches Blut. Aber damals habe ich mich schon gegruselt, wenn ich bloß das Filmplakat an den Bushaltestellen sah.

Ich finde es irgendwie belastend, dass etwas in meinem Leben achtzehn Jahre her ist und ich mich hervorragend daran erinnern kann. Morgen werde ich zweiunddreißig sein. Dann wird mein erster Liebeskummer zwanzig Jahre her sein, mein erster Geschlechtsverkehr fünfzehn Jahre, mein Abitur vierzehn Jahre und mein erster Strafzettel wegen Falschparkens dreizehn Jahre.

Himmel, wie das klingt: «Vor zwanzig Jahren ...»

Meine Vergangenheit nimmt zu. Und meine Zukunft ab. Ich bin kinderlos und unbemannt und sagenhaft unglücklich. Im Grunde bin ich in den letzten Jahren keinen Schritt weitergekommen. Bloß älter geworden.

Ich möchte so gerne mal einen Mann haben, mit dem ich gemeinsam zurückblicken kann. Mit dem ich nicht nur eine Gegenwart und eine Zukunft teile, sondern auch eine Vergangenheit. Sich alleine erinnern finde ich bedauerlich. Das macht schwermütig. Aber zusammen kann man in Erinnerungen und alten Zeiten schwelgen, kann lachen und sich freuen, dass man schon so lange beieinander ist, dass man einen so großen, wertvollen Schatz an gemeinsam Erlebtem besitzt. Ich hätte gerne eine Liebe, für die es sich lohnt, Fotoalben anzulegen. Dicke Alben in rotem Leder, auf die goldene Jahreszahlen geprägt sind.

Goldene Jahre.

Unsere Goldenen Jahre.

Weihnachtsfeste. Geburtstagspartys. Gemeinsame Reisen. Gemeinsame Freunde. Gemeinsame Kinder. Fotos von lachenden Gesichtern, die von Album zu Album faltiger werden, aber fröhlich bleiben. Fotos von Wohnungen, neuen Nestern und Höhlen, die gemeinsam bezogen werden. Fotos von Liebe. Die sich verändert. Die nicht vergeht. Ein ganzes Regal voll mit Alben. Voll mit Leben. Gemeinsamem Leben.

«Piiiep ... Achtung, hier ein dringender Verkehrshinweis: Vollsperrung der A 24 Richtung Hamburg hinter Gudow wegen eines umgestürzten LKW. Ich wiederhole: Vollsperrung der A 24 ab Gudow. Autofahrern wird empfohlen, die Autobahn in Zarrentin zu verlassen. Piiiep ...»

«... saved my life from a broken heart ...»

Na bravo. Erst Trennung, dann Vollsperrung. In meinem Leben geht aber auch alles schief. Es ist tatsächlich genauso, wie meine Großmutter Amelie Tschuppik nach dem Genuss von vier Mirabellen-Likörchen zu sagen pflegte: «Der Teufel scheißt immer auf den größten Haufen.»

17:45

Endlich.

Habe drei verdammte Stunden bis auf die Insel gebraucht.

Ich hatte die Vollsperrung als Wink des Schicksals mit dem Zaunpfahl interpretiert und mein Ziel geändert.

An der Raststätte Hüttener Berge ging ich nochmal mit Miss Marple Gassi, wobei sie gegen ihren Willen fast von einem lüsternen Bobtail begattet worden wäre. Erst als ich den Besitzer des

Tieres wütend anschrie, er möge bitte sofort seinen ekelhaften Lustmolch von meinem Shar Pei entfernen – ich benutze bei solchen Gelegenheiten gerne die chinesische Fachbezeichnung für Faltenhund –, unterband dieser den bloß einseitig erwünschten Paarungsakt.

Dann hatte ich endlich mal ein bisschen Glück im Leben und bekam den letzten Platz auf dem Autozug. Ich freute mich wieder mal sehr über meine Ledersitze, da Marple sich wegen ihres sensiblen Magens während der ruckeligen Überfahrt mehrmals übergeben musste.

Aber jetzt fühle ich mich für alle Mühen belohnt.

Ich mag Strände am frühen Abend. Der Sand ist noch warm von der Sonne, das Licht liegt wie Blattgold über allem und macht die Welt zu etwas Kostbarem. Meine nackten Spreiz-Senk-Füße sehen bei dieser Beleuchtung ungewohnt edel aus, und selbst Marple, die hechelnd neben meinem fliederfarbenen Badehandtuch sitzt, wirkt im Abendgold wie eine teure chinesische Antiquität.

Sansibar. Ich mag diesen Strand besonders gern. Schon sein Name klingt so nach weit weg, nach ganz weit weg. Klingt nach Frauen mit Blumengirlanden um den Hals, nach türkisfarbenen Buchten und Korallenriffen. Klingt nach dem uralten Hit von Achim Reichel, den ich jedes Mal summe, wenn ich hierher komme:

Ich hab die ganze Welt gesehen,
von Singapur bis Aberdeen
wenn du mich fragst, wo's am schönsten war,
sag ich: Sansibar!
Aloha heja hej aloa heja hej aloa heja hej!

Sansibar! Der Traumstrand auf Sylt zwischen Rantum und Hörnum.

Als Kind habe ich hier zweimal im Schullandheim Puan Klent meine Ferien verbracht. Hatte furchtbares Heimweh und schlimme Angst vor einem Meergeist namens Ekke Nekkepen. Die Heimleiterin Fräulein Nießen – ich erinnere mich bis heute an ihr Gesicht, in dem die Augen so weit hervorstanden, dass ich glaubte, sie würden im nächsten Moment herausfallen und über den Fußboden kullern – erzählte uns beunruhigende Gutenachtgeschichten.

Wie Ekke Nekkepen nachts durch die Dünen streift, auf der Suche nach seinem Lieblingsessen: lecker, lecker Kinderfleisch. Und wie er dann vor lauter Hunger, wenn er nichts Besseres findet, Nacht für Nacht ein Stück vom Strand abbeißt. Deswegen liegt Sylts schmalste Stelle bei Puan Klent, dem Reich des grauenhaften Ekke Nekkepen.

Man kann sich leicht vorstellen, dass ich als Achtjährige nach solcherlei Geschichten einige schlechte Nächte in meinem Jugendheim-Etagenbett verbrachte. Was meinen Schlaf zusätzlich beeinträchtigte, waren die Quallen, die uns Mädchen nachts gerne von den Jungs ins Bett gelegt wurden.

Damals war Jens, ein wirklich schöner Junge, unsterblich in mich verliebt. Er konnte das allerdings nicht so zeigen und kompensierte seine Gefühle, indem er mir die größten Quallen ins Bett legte und seine Flatulenzen mit einem Feuerzeug entzündete, wenn ich in der Nähe war. «Fürze abfackeln» hieß das damals bei den Jungs, und ich ahnte bereits zu jener Zeit, dass ich es in Liebesdingen einmal nicht leicht haben würde.

Trotzdem habe ich Sylt geliebt und bin mit fast jedem meiner Freunde hingefahren, um ihnen voller Besitzerstolz meine Insel zu zeigen.

Natürlich bin ich auch mit Philipp hier gewesen. Aber der kannte Sylt schon. Seniorpartner Julius Schmitt besitzt hier eine, wie er sagt, «Hütte».

Diese Hütte trägt den Namen Wellenbrecher, liegt direkt am Strand von Rantum und besteht aus vier miteinander verbundenen Reetdachhäusern. Seinen Fuhrpark versteckt Julius Schmitt in einer unsichtbaren Garage unter den Dünen.

Obwohl er schweinereich ist, mag ich Julius. Das liegt zum Beispiel daran, dass er auf meine Frage, wie viele Millionen er denn so habe, antwortete: «Meine Vermögensbildung ist abgeschlossen.»

Julius ist viel zu sehr von sich selbst überzeugt, als dass er es noch nötig hätte, arrogant zu sein.

18:05

Wird Zeit, dass ich mich bei Ibo melde.

Die Arme kann mich nicht erreichen, weil sie meine neue Handy-Nummer nicht hat. Weiß überhaupt nicht, was geschehen ist, und macht sich sicher furchtbare Sorgen. Hoffe ich zumindest. Obwohl jetzt um kurz nach sechs sicher gerade Hochbetrieb im Himmelreich ist.

Die Gäste haben den schönsten Teil des Wochenendes noch vor sich, sind entspannt und freundlich.

Ist es überall auf der Welt samstags um kurz nach sechs besonders schön?

Marple hat angefangen, ein Loch zu buddeln. Ich betrachte sie gerührt wie eine Mutter ihre wohlgeratene Tochter.

«Ibo? Hallo, ich bin's.»

Im Hintergrund höre ich die vertrauten Himmelreich-Geräusche: Stimmengewirr, die Espresso-Maschine, jemand schäumt gerade Milch auf, Geschirrklappern, leise Musik von Randy Crawford.

Ibo liebt Randy Crawford. Sie hat vor zehn Jahren schon zu «One day I'll fly away» geheult. Heute macht sie den Café Latte am besten, wenn sie «Wild is the wind» singt:

Love me, love me, love me, say you do ...

Ja, auch in meiner Ibo steckt ein sentimentales Seelchen. Aber sie verbirgt es meist gut.

«Puppe! Sag mal, spinnst du!»

«Wieso? Es geht mir nicht g...»

«Du hast doch wohl 'nen Hackenschuss! Ich versuche seit Stunden, dich zu erreichen! Was ist mit deinem verdammten Handy los!?»

«Ich hab die Nummer gewechselt. Ibo, es tut mir ...»

«Die Nummer gewechselt? Sag mal, hast du eine Ahnung, was heute hier los war! Du kannst doch nicht so einfach abhauen! Dein Typ hockt hier rum und will von mir wissen, was eigentlich los ist. Und er glaubt mir nicht, dass ich keine Ahnung habe.»

«Philipp ist im Himmelreich?»

Obschon mir das nichts bedeuten sollte, kann ich mein Herz nicht von einer drastischen Geschwindigkeitsübertretung abhalten. Vor Freude. Weil er offenbar nach mir sucht. Oder vor Schmerzen, weil es mir doch nichts nützen würde, wenn er mich fände? Keine Ahnung. Wahrscheinlich beides.

«Ibo, was hat er denn gesagt?»

«Also, Puppe, ich habe ja keine Ahnung, was hier läuft. Aber eines kann ich dir sagen: Der Mann ist verdammt sauer. Und so wie ich das sehe, auch zu Recht. Er sagt, du hättest seine Anzüge mit Rotwein übergossen und den Teppich ruiniert. Stimmt das?»

«Ich hatte meine Gründe, das kannst du mir glauben. Du weißt genau, wie sehr mir daran gelegen ist, dass mein Partner ordentlich gekleidet ist.»

«Jetzt sag mir endlich, was passiert ist. Ich werde hier noch wahnsinnig. Warte mal, ich nehme das Telefon mit in die Küche ...»

«Ibo? Ich versteh dich nur noch ganz schlecht. Ibo?»

«Ja, ja. Ich muss ein bisschen leiser reden. Philipp sitzt an Tisch drei und äugt schon ganz misstrauisch zu mir rüber. Der ahnt sonst womöglich noch, dass ich mit dir spreche. Also, was war los? Lass nichts aus, übertreibe nicht, korrigiere die Fakten nicht zu deinem Vorteil. Sag mir einfach genau, was passiert ist.»

Ach, das tut gut.

Wenn ich mit Ibo spreche, weiß ich genau, dass ich nicht zu heulen, zu jammern oder zu brüllen brauche. Das beeindruckt sie überhaupt nicht, weckt weder Mitleid noch Solidarität in ihr. Sie ist nur an Fakten interessiert, anhand derer sie sich ihre Meinung und ihr Urteil bildet.

Ich hole tief Luft. Es gilt, sie von der Schwere des Vergehens zu überzeugen. Wobei ich mir keine Sorgen mache, denn alles, wirklich alles spricht gegen den unwürdigen Philipp von Bülow.

«Du erinnerst dich doch noch an Bente Johannson?»

«Natürlich.»

«Gestern Abend haben wir sie in der Paris Bar getroffen. Sie hat sich sofort auf Philipp gestürzt und ihn in eine Ecke gezogen. Das kam mir gleich so komisch vor. Am nächsten Morgen wollte ich Philipp erst mal kurzfristig verlassen, aber dann klingelte sein ...»

«Puppe, also jetzt mal bei allem Respekt. Du hast sie doch nicht mehr alle beisammen. Ehrlich. Die Geschichte hat mir Philipp vorhin auch erzählt. Ich weiß, dass du es hasst, wenn er dich stehen lässt und sich mehr als fünf Minuten nicht um dich kümmert. Und ich weiß, dass Bente Johannson ein rotes Tuch für dich ist. Das reicht gerade mal, um eine seiner älteren Boxershorts in Rotwein zu tunken. Aber all die teuren Anzüge? Puppe, das ist völlig maßlos.»

«Ibo, jetzt lass mich doch erst mal zu Ende erzählen! Du glaubst doch nicht im Ernst, das sei der Grund, warum ich ... hallo ... Ibo?»

«Wart mal 'nen Augenblick.»

Ich höre Geräusche.

Ihre Stimme wird lauter:

«Nein, wie kommst du darauf? Nein, das ist sie nicht. Verdammt, geh wieder an deinen Tisch, sie will auch gar nicht mit dir reden.»

Gerangel.

Jemand greift sich den Telefonhörer.

«Puppe? Bist du das!?»

Es ist mein Philipp! Mein Bülowbärchen mit der markanten, tiefen Stimme, mit der er auch Sean Connery synchronisieren könnte. Mein Philipp, der bestimmt heute Morgen keine Muße hatte, sich zu rasieren, dem die Bartstoppeln, von denen die ersten silbern glänzen, so wunderbar gut stehen. Man muss wissen, mit Dreitagebart sieht mein Philipp aus wie Clint Eastwood nach einem langen Ritt durch die Wüste von Nevada: männlich, verwegen, durstig.

«Puppe? Verdammt! Sag was!»

Sein lieblich Stimmchen klingt allerdings recht verärgert. Wenn er wütend ist, schwillt über seinem rechten Auge eine Ader an. Sie schimmert blau und gibt ihm etwas Unberechenbares, und das, obwohl er überhaupt nicht unberechenbar ist. Mein Philipp weiß immer genau, was er tut, selbst im Zorn bleibt er der kühle Denker.

Jetzt bloß nicht sentimental werden. Warum ist er eigentlich zornig? Was fällt ihm ein, mich anzubrüllen? Mich, die Leidende, die Geschundene, das Opfer. Ich bin im Recht, und es ist seine Schuld, dass ich wieder Single bin!

«Puppe, sag mir sofort, was dieses Theater soll!»

Ich schweige.

«Wo bist du!? Ich will dich auf der Stelle sehen! Verdammt nochmal, was ist nur in dich gefahren? Du schuldest mir eine Menge Erklärungen!» Er schnauft böse in den Hörer.

Ich halte die Luft an.

Dann höre ich mich mit fremder, klirrend kalter Stimme sagen: «Ich schulde dir gar nichts.»

Ich schalte mein Handy aus, lasse mich zurückfallen auf mein

Badetuch, schaue in den wolkenlosen, zärtlichen, weichen Sommerabendhimmel.

Und in meinen Augen beginnt es zu regnen.

18:30

Ich weiß nicht, ist Eifersucht eine schlechte Eigenschaft? Ich persönlich finde Eifersucht immer dann in Ordnung, wenn sie unbegründet ist.

Ach, was habe ich für köstliche Szenen inszeniert, was für tragische Ein-Frau-Stücke aufgeführt, an die ich mich bis heute gern erinnere. Im Grunde habe ich mir die Eifersucht angeschafft, um diesen erquickenden und ergiebigen Quell interessanter Dramen zu haben. Diesen Ausschnitt menschlicher Abgründe wollte ich keinesfalls brachliegen lassen.

Ich mag es, mich aufzuregen, besonders wenn ich ganz genau weiß, dass es keinen Grund gibt, mich aufzuregen. Das ist so herrlich wie krank sein, ohne sich krank zu fühlen. Wie getröstet zu werden, ohne traurig zu sein. Wie eine Wärmflasche gemacht zu bekommen, ohne Bauchweh zu haben.

Ich habe mich in die wunderbarsten Eifersüchteleien hineingesteigert, einfach um meinem Leben ein wenig mehr Farbe und mir selbst ein wenig mehr Gesprächsstoff zu geben.

Ich war zum Beispiel drauf und dran, Sebastian, meinen zweiten festen Freund, wegen Nena zu verlassen. Sie hatte gerade ihren Hit «99 Luftballons». Sebastian hatte sich, nach ihrem Konzert, lobend über ihre Frisur geäußert. Ich war tagelang beleidigt. Nein, die korrekte Formulierung ist wohl: Ich tat tagelang so, als sei ich beleidigt.

Ich kann mir alles einreden, wenn ich es wirklich will. Ich kann meine Zweierbeziehung durch zuvorkommende Kellnerinnen bedroht sehen, durch amerikanische Schauspielerinnen und, wenn ich mir sehr viel Mühe gebe, sogar durch unbekleidete Schaufensterpuppen. Ich will wirklich nicht unbescheiden wirken, aber ich halte mich für eine Naturbegabung in Sachen «Eifersucht, und wie man alles noch viel schlimmer macht». Ich könnte da wirklich Seminare an der Volkshochschule anbieten.

Und dennoch. Obschon ich aus jeder Mücke einen Elefanten mache, habe ich niemals wirklich mit dem Schlimmsten gerechnet. Ich habe es seltsamerweise nie in Erwägung gezogen, dass ich betrogen werden könnte. Und das, obwohl ich – ein Umstand, der mir wirklich hätte zu denken geben können – mehrmals betrogen worden bin.

Sebastian ist mit einer glubschäugigen Blondine intim geworden, während ich im Krankenhaus lag und mir drei Weisheitszähne rausoperiert wurden. Er hatte nichts Besseres zu tun, als es mir am Tag nach dem Eingriff zu beichten. Ich heulte drei Nächte lang – als hätten geschwollene Backen nicht schon gereicht. Ich sah aus wie ein Ochsenfrosch kurz vor der Explosion.

Ich habe Sebastian natürlich verziehen. Das hat aber leider nicht viel genutzt, weil er sich schon für die Glubschäugige entschieden hatte. Übrigens eine Wahl, die ich bis heute weder billigen noch auch nur in Ansätzen nachvollziehen kann.

Auch meine ganz, ganz große Liebe ist fremdgegangen. Ben Koppenrath – Erbe einer Buchhändler-Dynastie in Köln, wo ich drei Semester, ich glaube, Germanistik studiert habe – betrog mich mit meiner damaligen Mitbewohnerin. Das Unfassbare war, dass die dicker war als ich und wirklich nicht besser aussah.

Ich bin mir nicht sicher, was besser zu verkraften ist: wenn der Liebste bei seinem Seitensprung guten oder schlechten Geschmack beweist.

Ich persönlich habe, glaube ich, weniger Probleme, wenn ich mit seiner Affäre nachher ein bisschen angeben kann. Es wirft ja auch kein gutes Licht auf einen selbst, wenn man einen Mann liebt, für dessen Geliebte man sich im Freundeskreis genieren muss. Andererseits ist es auch nicht schön, wenn sich alle, denen man sein Leid klagt, klammheimlich wundern, warum der Typ überhaupt zu dir zurückgekehrt ist, nachdem ihn so ein Rasseweib rangelassen hat.

Was ich Ben damals zugute halten konnte, war, dass er anscheinend im Moment der frevelhaften Tat sehr betrunken war. Um nochmal altklug an dieser Stelle meinen Kumpel Goethe zu zitieren: «Mit diesem Trank im Leibe siehst du bald Helenen in jedem Weibe.»

Nach zwei Karaffen Sangria war aus meiner moppeligen Mitbewohnerin Ute eine schöne Helena und aus unserer gemeinsamen Wohnung ein Tatort geworden.

Interessant ist, dass Männer ihre Untreue gerne als biologische Notwendigkeit verkaufen. Treue hingegen empfinden sie als quasi übernatürlichen Akt der Selbstbeherrschung, für den sie Anerkennung und Lob erwarten. Genauso, wie wenn sie mal das Bad putzen.

«Fremdgehen ist wie onanieren», sagte schon der von mir ansonsten sehr geschätzte Howard Carpendale.

Um an dieser Stelle keinen falschen Eindruck zu erwecken: Selbstverständlich war ich rein unfreiwillig auf seinem Konzert im Berliner Kongresszentrum. Philipp hatte ihn wegen irgendwas juristisch beraten und zwei Freikarten bekommen. Die verfallen zu lassen wäre unhöflich gewesen, fand ich.

Bei den ersten zwei Liedern tat ich noch völlig unbeteiligt. Orientierte mich an Philipp von Bülow und schaute wie er immer wieder demonstrativ auf die Uhr, um mich so von der Darbietung auf der Bühne zu distanzieren. Nach einer halben Stunde hörte ich mich klatschen und mit ungewohnt schriller Stimme «Howie!

Howie!» schreien. Nach einer Stunde musste ich die Dame neben mir um ein Tempo bitten. Ich hatte während eines Liebeslieds was ins Auge bekommen.

In der Pause kaufte ich mir einen Carpendale-Schlüsselanhänger und einen Carpendale-Kaffeebecher und ein Leuchtobjekt in Herzform, das ich in der zweiten Hälfte bei allen langsamen Liedern schwenkte.

Beim finalen Medley hielt mich dann nichts mehr auf dem Sitz.

«Deine Spuren im Sand – Tür an Tür mit Alice – Nachts, wenn alles schläft – Hello again – Wem erzählst du nach mir deine Träume.»

Konnte eigenartigerweise die meisten Texte auswendig. Ich drängelte mich Richtung Bühne, um dem Künstler möglichst nah zu sein. Was völlig unnötig war, weil

Philipp selbstverständlich zur After-Show-Party in Anwesenheit des Interpreten eingeladen war. Aber ich bin so. Die Begeisterung hatte mich übermannt. Und ich zeige meine Gefühle nun einmal gerne. Außerdem fühlte ich mich von der Menge um mich herum unterstützt und mitgerissen. Wenn alle begeistert sind, bin ich's auch. Wenn alle traurig sind, bin ich's auch. Man könnte mich zur Beerdigung einer mir völlig unbekannten Person schicken, ich würde bitterlich weinen, wenn um mich herum genügend Tränen flössen. Im Grunde ein Phänomen wie auf der England-Fähre: Kotzt einer, kotzen alle.

Howard kam mir auf der Bühne ganz nah, und ich könnte schwören, dass er viele Sekunden lang nur mich angeschaut hat.

Wahrscheinlich lernen die so was auf Seminaren für Superstars und Spitzenpolitiker: «Wie gucke ich so in eine Menge rein, dass jeder glaubt, ich würde nur ihn anschauen?»

Die beiden Frauen rechts und links von mir kreischten hysterisch «Howiiiiiiiie!». Blöde Ziegen. Als seien sie gemeint. Ich drehte mich um und schaute in die wogende Menge. Alle sangen mit, umarmten sich, winkten. Ich stellte mir vor, ich stände dort oben im Scheinwerferlicht und die würden alle mich meinen: «Puppe! Puppe!»

Ja, ich glaube, ich hätte die nötige Bühnenpräsenz.

Tausende fingen an zu schunkeln, rechts, links, rechts, links. Menschen wie Seegang. Ich entdeckte Philipp sofort. Der Einzige in der ganzen Halle, der sich nicht bewegte und die Arme vor der Brust verschränkt hatte – wie ein Sonderschullehrer, der in der großen Pause Aufsicht hat.

Ich bin sicher, dass Herr Carpendale mit seiner Onanie-Theorie vielen Männern aus den Abgründen ihrer Seelen gesprochen hat. Merkwürdigerweise wird Frauen diese Art der Selbstbefriedigung am lebenden Objekt nicht so gerne zugestanden. Bei Frauen muss es immer gleich was zu bedeuten haben.

Na, ich weiß nicht. Habe gelesen, dass mittlerweile mehr Frauen ihre Männer betrügen als andersrum. Das hat mich irgendwie gekränkt, weil ich diesen Trend anscheinend verpasst habe. Ich bin zwar nicht aus Prinzip treu, sondern eher aus Schüchternheit – aber das Ergebnis ist schließlich dasselbe.

Ich meine, gut, Honka habe ich natürlich betrogen. Einige andere auch, aber das ist etliche Jahre her. Da war ich noch jung und zellulitisfrei und, auch das muss man sagen, viel weniger anspruchsvoll.

Ich mag mittlerweile nur noch mit Männern schlafen, die mir sympathisch sind. Solche, bei denen ich mir wenigstens dreißig Minuten lang einbilden kann, ich könnte mich im Prinzip auch in sie verlieben. Aber ich treffe einfach nicht oft verliebenswerte Männer. Nicht mal solche, bei denen ich es mir mit viel gutem Willen einreden könnte. Und wenn, dann schaue ich immer ganz schnell weg, weil ich nicht möchte, dass der Betreffende denkt, ich fände ihn verliebenswert.

Insofern bin ich mittlerweile treu, ohne es sein zu wollen. Irgendwie auch doof. Ich sollte versuchen, das zu ändern. Sollte lernen, mich wie ein Mann zu verhalten – also wie eine Frau ohne Emotionen, dafür aber mit schlechtem Charakter. Betrügen, benutzen und dann bye, bye.

Zum Betrügen ist es jetzt leider zu spät. Bin ja wieder Single. Aber, es wäre doch gelacht, wenn sich nicht jemand zum Benutzen finden ließe.

19:10

Natürlich hat er Ibo nicht erzählt, was wirklich vorgefallen ist. Er denkt wahrscheinlich selbst, ich würde wegen des unerfreulichen Abends in der Paris Bar eine pompöse Show abziehen. Er hat keine Ahnung – und folglich kein schlechtes Gewissen. Er weiß nicht, dass ich es weiß. Er weiß nicht, dass ich die Nachricht auf seinem Handy abgehört und dann gelöscht habe. Er weiß theoretisch, dass ich Grund habe, ihn zu verlassen, aber er weiß nicht, dass ich den Grund kenne.

Wird er es jemals erfahren? Von mir nicht. Soll er sich doch sein Leben lang fragen, was in jenen schicksalhaften frühen Morgenstunden wirklich geschehen ist. Soll er ruhig glauben, ich hätte mich von ihm getrennt, ohne zu wissen, dass er mir den Grund geliefert hatte. Soll er ruhig glauben, ich hätte einfach aufgehört, ihn zu lieben. Ja, das wirft ein gutes Licht auf mich. Puppe Sturm geht, weil sie gehen will. Nicht, weil sie gehen muss. Ich stehe als Siegerin da – obschon ich alles verloren habe. Aber das braucht Philipp von Bülow nicht zu wissen. Ich werde schweigen – wie es sonst eigentlich nicht meine Art ist.

Würde jetzt gern mit jemandem reden. Ibo kann ich erst am späten Abend zu Hause anrufen, denn wer weiß, wie lange Philipp noch im Himmelreich sitzt und eingehende Anrufe überwacht. Wenn es mir nicht so total egal wäre, würde es mich ja freuen, dass er extra meinetwegen nach Hamburg gefahren ist, um dort mein Café zu observieren.

Vielleicht hat er ja auch schon einen Privatdetektiv engagiert? Oder lässt Suchmeldungen über sämtliche Musiksender schicken? Er weiß, dass ich Wortbeiträgen im Radio nichts abgewinnen kann. Vielleicht ist er gerade in meiner Wohnung, liegt auf meinem Bett und drückt sich mein Nachthemd ans tränennasse Gesicht?

Auweia, hab ich den hübschen Delphin-Dildo weggeräumt, bevor ich gestern Morgen nach Berlin aufgebrochen bin?

Vielleicht fährt Philipp gerade unsere Orte ab?

Unsere Glücks- und Liebesorte.

Der versteckte Steg an der Alster, wo wir vergangenen Sommer herrlich gepicknickt haben, bis wir von einem misanthropischen Schwan, der mir in die Füße beißen wollte, in die Flucht geschlagen wurden.

Die Waldlichtung im Niendorfer Gehege, wo wir uns unbeobachtet glaubten – und erst beim Anziehen feststellten, dass wir das nicht waren.

Die Bank im Jenischpark, wo wir ganze Nachmittage damit verbracht haben, uns gegenseitig aus unseren Lieblingsbüchern vorzulesen.

Das La Scala in Eppendorf, wo die nette Kellnerin immer ungefragt zwei doppelte Portionen Spaghetti Aglio Olio brachte.

Und schließlich der Briefkasten, wo alles anfing. Ein paar dunkle Brandflecken sind unter dem neuen Anstrich noch zu erahnen, und der Briefschlitz ist ein bisschen verzogen – wie ein schief lächelnder Mund. An unserem zweiten Jahrestag sind wir abends dorthin gegangen.

Philipp hat den Champagner, ich hab die Gläser getragen. Und dann haben wir angestoßen mit unserem Liebesbriefkasten, und ich schwöre, ich hatte nicht den leisesten Zweifel an der guten Absicht des Schicksals, das uns zusammengebracht hat. Ich war mir sicher, dass dieser Mann richtig für mich war. Ganz sicher. Genauso sicher, wie ich mir damals war, als ich an meinem achtzehnten Geburtstag zum ersten Mal ein Spielcasino betrat und meine ganzen hundert Mark auf die achtzehn setzte.

Schluss mit dem Romantisieren. Schließlich habe ich damals auch meine hundert Mark verloren. Und jetzt stellt sich halt raus, dass der richtige Mann eben doch der falsche war. Kann passieren. Kein Grund, Trübsal zu blasen.

Mein Haar sitzt gut, mein Bauch ist flach, weil ich den ganzen Tag noch nichts gegessen habe. Ich bin weit unter vierzig, mein Hund gibt Pfötchen auf Kommando, mein Auto hat kein Dach, meine Bikinizone keine Stoppeln, und unweit von mir liegen drei junge Männer in der Abendsonne, von denen einer recht interessiert zu mir herüberlächelt.

Oder bilde ich mir das nur ein? Na und? Wenn er jetzt noch

nicht interessiert ist, wird er's bald sein. Die Zeiten der Selbstzweifel sind vorbei.

Ich grinse aufmunternd in seine Richtung und versuche dann, möglichst reizvoll in Richtung Wasser zu schlendern. Trage zum Glück meinen Push-up-Bikini. Eine Erfindung, die den Nobelpreis verdient – was mir alle Frauen, die noch vor zehn Jahren so gut wie brustlos ins Wasser gehen mussten, bestätigen werden.

Versuche mir vorzustellen, was der leckere Junge sich wohl denkt bei meinem atemraubenden Anblick: «Klasse Figur. Fragwürdiger Charakter. Gefährliche Ausstrahlung. Wie ein Bond-Girl: Du weißt schon vorher, dass sie versuchen wird, dich nachher umzubringen, aber du schläfst trotzdem mit ihr.»

Ich streiche mir lässig durchs Haar und bete, dass ich die Frisur auch ohne Burgis Hilfe nach meinem Bad im Meer wieder hinkriege. Ich werfe noch einen koketten Blick über die Schulter, um zu kucken, ob er kuckt.

Er kuckt. Gut so.

Miss Marple moppelt hinter mir her. Ich gehe langsam ins Wasser, Schritt für Schritt. Anmutung wie Brooke Shields in «Die blaue Lagune». Auf in den Kampf.

19:45

Habe zwanzig Minuten voll kindlicher Freude und dennoch anmutig und gleichsam eine unwiderstehliche Erotik ausstrahlend im Wasser geplanscht. Spürte ständig die Blicke des hübschen Jungen. Ich gab mir mit jeder einzelnen Bewegung Mühe. Als stünde ich vor einem waaahnsinnig berühmten Regisseur, der seine Hauptdarstellerin sucht.

Wenn ich weiß, dass ich beobachtet werde, bin ich ja nicht mehr ich selbst. Und ich halte viel davon, nicht ich selbst zu sein. Wenn ich beobachtet werde, beobachte ich mich automatisch auch. Und tue das, was ich sehen wollen würde beim Mich-selbst-Beobachten. Das klingt jetzt etwas kompliziert. Aber es lohnt sich, meinem verschlungenen Gedankenpfad zu folgen.

Wäre es nicht besser, wir alle würden uns zu jeder Zeit so benehmen, als würden wir wissen, dass wir von einem Menschen, dem wir gefallen wollen, beobachtet werden?

Wir würden nicht mehr in der Nase bohren, sondern immer ein Taschentuch benutzen.

Wir würden keine schlimmen Schimpfwörter mehr brüllen, wenn sich vor uns eine Frau in den fließenden Verkehr einfädeln will und dabei den Verkehr zum Stillstand bringt.

Wir würden nicht mehr schlecht über Leute reden, die nicht anwesend sind, und viel öfter Arte und viel seltener RTL 2 gucken.

Wir würden gütig lächeln, wenn uns kleine Kinder an der Supermarktkasse den Einkaufswagen in die Kniekehlen rammen oder sich mit schokoladeverschmierten Händen an unsere sandfarbene Wildlederhose klammern, um das Gleichgewicht nicht zu verlieren.

Wir würden uns in Geduld üben, wenn wir in der Buchhandlung von einer Praktikantin bedient werden, die noch niemals zuvor eine Bestellung in den Computer eingegeben hat.

Wir würden uns nicht gehen lassen. Würden regelmäßig unsere Mitesser ausdrücken, abgestorbene Hautzellen entfernen, beim Arbeiten am Computer nicht an den Nägeln kauen oder kaum verheilte Pickel wieder aufkratzen. Und wir würden den Müll trennen.

Ja, diese Welt wäre eine bessere Welt, wenn wir uns alle beobachtet fühlen würden. Wir wären alle so perfekt, wie ich es war beim Bad in der vom lieblichen Rot der untergehenden Sonne beschienenen Nordsee.

Als ich ganz erschöpft von meiner schauspielerischen Leistung den Wellen entstieg, war der Strand menschenleer.

Ich hatte mein Bestes gegeben – und keiner hatte mir dabei zugeschaut.

Der hübsche Junge war fort.

Bin Darstellerin ohne Publikum.

Bin schön ohne Spiegel.

Singe ohne Zuhörer.

Tanze ohne Musik.
Lache ohne Freude.
Bin toll ohne Applaus.
Bin Frau ohne Mann.
Bin unglücklich.
Natürlich.
Was sollte ich auch anderes sein?

20:10

Herbert schaut mich an, als hätte er mich noch nie gesehen. Als würde er befürchten, ich könne Ungeziefer einschleppen.

Ich denke: Wieso ist das Leben derartig ungerecht? Wieso ist es gut zu denen, denen es doch sowieso gut geht, und schlecht zu denen, die wirklich schon genug Mist am Hals haben?

«Hallo, Herbert, alles klar?», versuche ich möglichst selbstsicher zu sagen. Aber ich höre selbst, dass es klingt wie «Bitte, Buana Massa, schenk mir deine Gunst und gib mir wenigstens einen Tisch in der miesesten Ecke.»

«Wir sind voll», sagt Herbert wie ein Richter, der ein Urteil spricht, gegen das es keine Berufung gibt.

Herbert ist der Gott von Sansibar. Ihm gehört das legendäre Restaurant in den Dünen. Eine Bretterbude, die er vor Urzeiten für wenig Geld gekauft und dann vergrößert hat.

Heute muss man Wochen vorher reservieren, es sei denn, man ist bekannt. Und ich dachte ehrlich gesagt, ich sei bekannt. Hatte damit gerechnet, zum besten Tisch geführt zu werden, vorbei am neidvoll blickenden Plebs. Hatte damit gerechnet, von Herbert persönlich nach meinen Wünschen und nach meinem Befinden gefragt zu werden, und sogar gehofft, er würde sich eine paar Minuten an meinen Tisch setzen und mich so vor den anderen Gästen adeln. Stattdessen höre ich mich nun untertänigst murmeln: «Ich bleibe auch nicht lange. Nur eine Viertelstunde oder so.»

Herbert schaut mich an, als hätte ich nässenden Ausschlag, und kurzzeitig hoffe ich, dass er mich doch noch wiedererkennt.

Ich war zuletzt im März hier, und Herbert hatte eine kleine Verbeugung gemacht und mich herzlich willkommen geheißen. Ich war Teil einer sehr geschlossenen Gesellschaft, die den fünfzigsten Geburtstag von Julius Schmitt feierte.

Herbert hatte Philipp sogar mit Namen begrüßt, und ich weiß noch, dass ich es mir damals leisten konnte, den Sansibar-Gott nur eines kurzen Blickes zu würdigen und für einen simplen Gastwirt zu halten.

Nach dem Dessert kam Herbert an unseren Tisch und erzählte uns seine Lebensgeschichte. Dass er nie Urlaub mache, weil er ja quasi im Paradies lebe. Dass ihm sein Ruhm nie zu Kopf gestiegen sei und er bis heute jeden Gast unabhängig von Rang und Namen wie einen König behandle.

«Dahinten ist noch ein Stuhl frei. Aber nur bis halb neun.»

Herbert dreht sich weg und begrüßt einen Gast mit weit ausholendem Handschlag und der Frage, wie es der Familie gehe.

Ich nicke dankbar und überlege kurz, ob ich sagen soll, dass ich übrigens mit Julius Schmitt verabredet sei. Aber ich traue mich nicht. Muss dringend noch arbeiten an meinem schlechten Charakter.

Nun sitze ich auf dem schlechtesten Freiluftplatz, den man haben kann: ein erbärmliches Grüppchen Tische und Stühle zwischen parkenden Autos, gegenüber dem Aufgang zur Veranda. Ein Klappstuhl, dessen Beine im Sand versinken, mit Blick auf die guten Plätze. Das ist ungefähr so, wie wenn man im einzig hässlichen Neubau einer Straße wohnt, in der sonst nur prächtige Gründerzeitvillen stehen.

Was soll ich tun? Aufstehen und laut sagen, dass ich mal Russel Crowe in Echt gesehen habe? Dass ich ein Szene-Café in Hamburg führe? Dass ich eine neue Frisur vom zweitbesten Friseur Berlins habe? Dass mein Hund zwar hässlich, aber selten ist? Dass ich Julius Schmitt kenne und dass ich die Freundin von Dr. von Bülow bin? Verzeihung, die Ex-Freundin.

Ja! Ich bin derartig toll, ich kann es mir sogar leisten, einen Anwalt zu verlassen, der im berühmtesten Restaurant von Sylt mit Namen bekannt ist! Ich sitze auf einem Klappstuhl und habe den Mut, einen zum Teufel zu schicken, den man niemals auf einen Klappstuhl setzen würde!

«Herbert», sage ich leise, «Herbert, wenn du wüsstest, dann würdest du mich auf einen Thron setzen.»

Ich bestelle eine Flasche Veuve Cliquot, was die Augenbraue des Kellners wenigstens für eine Millisekunde respektvoll in die Höhe schnellen lässt.

Champagner auf'm Klappstuhl.

Amelie Puppe Sturm lässt sich ab sofort nicht mehr schlecht behandeln. Ich rufe den Kellner nochmal zurück und sage ihm, er möchte noch ein Schälchen Kaviar für mich und ein Schälchen Evian für meinen Shar Pei bringen.

Der Kellner nickt gehorsam, und ich lehne mich zurück, um über etwas nachzudenken. Irgendwas, was mich ablenkt von dem, worum meine Gedanken kreisen würden, wenn ich sie denn ließe.

Ich persönlich halte ja sehr viel von Ablenkung und Verdrängung. Das Talent, verdrängen zu können, kann gar nicht hoch genug bewertet werden und ist etwas, was Männer ungerechterweise können und Frauen erst mühsam lernen müssen.

Da besuchen wir jahrelang für teuer Geld Therapeuten. Machen Urschrei-Kurse, um unsere Wut rauszulassen, aquarellieren in der Toskana, um unsere Mitte zu finden, quatschen Jungianern, Freudianern und Adlerianern die Hucke voll, gehen zu Eheberatern, Paarberatern, Sexualberatern, Erziehungsberatern und Karriereberatern. Ständig suchen wir Rat. Ständig sind wir auf der Suche nach jemandem, der für uns unsere Probleme löst.

Freundinnen! Ich habe den ultimativen Rat: Behaltet eure Probleme. Verdrängt sie einfach. Ab damit in den Hinterkopf, von wo aus sie sich nach längerfristiger Nichtbeachtung beleidigt ins Unterbewusstsein zurückziehen. Da versuchen sie dann ein bisschen Schaden anzurichten, was ihr natürlich nicht bemerkt, weil ihr mit was anderem beschäftigt seid. Eure Probleme werden sich langweilen, wie der Klassenclown in der letzten Reihe, wenn sich keiner zu ihm umdreht, und sich irgendwann vor lauter Langeweile selber lösen. Ja, das ist meine Theorie.

Männer sind Meister der Ablenkung. Die merken ja oft gar nicht, dass sie ein Problem haben, weil sie ständig irgendwelche Termine haben. Wenn die Haarausfall bei sich feststellen, gehen sie schnell Squashen und nachher ein Bierchen trinken. Werden sie von der Liebe ihres Lebens verlassen, schlafen sie mit einer, die wenigstens größere Brüste hat. Fühlen sie sich einsam, gehen sie ein Bierchen trinken. Sind sie traurig, gehen sie in einen Film, wo sehr viele Menschen auf sehr unschöne Weise ums Leben kommen – das heitert sie auf. Und anschließend gehen sie noch ein Bierchen trinken.

Wenn Frauen sich weniger Zeit nehmen würden, über sich selbst, ihre Beziehung, ihre Kinder, ihre Eltern und die Probleme ihrer sieben engsten Freundinnen nachzudenken, dann hätten sie weniger Probleme.

Männer lenken sich von unerwünschten Gefühlen ab. Frauen kosten sie aus. Ja, sie legen sich sogar bei Kerzenschein in die Badewanne und hören Lieder, die alles nur noch schlimmer machen. Sie hören sie laut, und sie hören sie immer wieder.

Hier nun meine persönliche Top Vier der Songs, die Frauen in Phasen seelischer Zerrüttung auf keinen Fall hören sollten. Alle vier sind großartig und von mir gewissenhaft erprobt.

Die anbetungswürdige Nummer eins, ja, es kann nur einen geben: R. Kelly mit «When a woman's fed up».

Ich habe dieses Lied unvorbereitet gehört, im Auto, samstagmorgens auf dem Weg zur Lebensmittelabteilung von Karstadt-Eppendorf.

Stell es dir so vor: Es beginnt harmlos, vielleicht bloß ein ganz kleines bisschen beunruhigend, aber du ahnst noch nichts Böses. Machst etwas lauter. Etwas berührt sanft dein Herz, du hast das Gefühl, auf etwas zu warten, auf etwas zu hoffen. Und dann holt es dich ein. Erwartbar und doch plötzlich:

But now the up is down
And the silence is sound

> *I hurt you too too many times*
> *Now I can't come around.*

Ich sage euch, ich musste rechts ranfahren, weil es mich in meinen Grundfesten erschütterte.

Meine Nummer zwei ist von Boy George. Ich habe dieses Lied durch Zufall auf einer ansonsten nichtsnutzigen CD gefunden. Es heißt «If I could fly» und beginnt mit einer pfadfinderhaften Gitarre, die nach Wehmut und nach lange her klingt. Und dann singt eine traurig-schöne Stimme einem mitten ins Herz hinein, und ich finde, dass Liebende, die dieses Lied aneinander erinnert, zu beneiden sind. Alle anderen macht es völlig fertig.

> *And oh if I could fly*
> *I said oh, if I could fly*
> *Don't you know that if I could fly*
> *I'd take to the sky*
> *Yes I would.*

Nummer drei ist die göttliche Mariah Carey. Kein angebrochenes Herz, das nicht vollends zersplittern würde bei «My all». Spätestens bei Minute 2:54, dem finalen Refrain. Ein absoluter Tränenschocker:

> *I'd give my arm to have*
> *just one more night with you*
> *I'd risk my life to feel your body next to mine*
> *'Cause I can't go on livin'*
> *in the memory of our song*
> *I'd give my arm for your love tonight.*

Nummer vier ist Glashaus mit «Wenn das Liebe ist». Dieses Lied ist Liebeskummer. Du fühlst dich wie frisch verlassen, auch wenn du gerade frisch verheiratet bist.

Wenn das Liebe ist,
warum bringt es mich um den Schlaf?

20:23

Wenn das Liebe ist,
warum raubt es mir meine Kraft?

Ich kann auch dieses verfluchte Lied leider auswendig. Jetzt hat es angefangen, in meinem Kopf zu spielen, und wird alles noch schlimmer machen.

Hab Angst vor dem Morgen
mir graut vor der Nacht ...

Ist ja ganz genauso wie bei mir. Habe keine Ahnung, wo ich heute Nacht schlafen werde. Und morgen? Morgen ist mein Geburtstag. Das Aufwachen – falls ich überhaupt einschlafe – wird schrecklich sein. Dieser kurze Moment, nur einige gnädige Sekunden, wo du noch nicht weißt, wer du bist, wo du bist und in welcher Art von Leben du erwachst. Du könntest jung sein oder alt, es könnte Sommer sein oder ewiger Frühling. Es könnte sogar alles gut sein. Und dann fällt es dir wieder ein:

Warum?
Warum bist du nicht da?

20:25

Schluss damit. Die Zeiten der inszenierten Selbstkasteiung, der kerzenbeleuchteten Badewannen-Kummerorgien sind vorbei. Mein Hirn-Player spielt zwar gerade R. Kelly im Duett mit Boy George, und mein gebrochenes Herz ist von Kerzen beschienen, aber ich straffe meine Schultern, kraule meinem Faltenhund die Falten, tunke Blinis in Kaviar und versuche wie eine Königin auf meinem Klappstuhl zu thronen.

Jetzt wird sich abgelenkt. Wenn das nicht klappt, kann ich mich immer noch intensiv meinem Kummer hingeben. Das klappt auf jeden Fall.

20:29

Meine Zeit im Sansibar läuft ab. Ab halb neun ist selbst mein schäbiger Klappstuhl reserviert. Dass man so was überhaupt reservieren kann ...

Habe erst die Hälfte des Champagners getrunken. Werde ihn am Strand leeren, Burgis Kummer-Kassette über meinen Walkman hören und es mir so richtig schön schlecht gehen lassen.

Nein, Verdrängung ist einfach nicht mein Ding. Ablenkung liegt mir auch nicht. Gucke trübe in mein leeres Kaviar-Schälchen. Abendrot lackiert den Himmel so kitschig, dass er aussieht wie eine Fotomontage.

Na toll. Um mich herum sieht es aus wie auf einer Sylt-Postkarte, und in mir drin sieht es aus wie ein verregneter Novembertag in einem rumänischen Industriegebiet.

20:30

«Guten Abend.»

Hä?

«Darf ich dich an meinen Tisch einladen?»

Wer stört mich bei meiner Depression? Wer wagt es, mir meine schlechte Laune zu verderben? Wer duzt mich ungebeten?

Ich hebe unwillig meine trauerumflorten Augen. Erkenne ihn wieder. Und denke: «Für dich habe ich zwanzig Minuten im Wasser herumgetollt, habe mich von dir beobachtet gefühlt, ohne von dir beobachtet zu werden. Mit dir wollte ich mich ablenken, aber du warst nicht da, als ich dich brauchte. Egal. Ich brauche dich immer noch. Dringender denn je.»

Ich kneife die Augen zusammen, um weniger zutraulich, dafür aber umso interessanter auszusehen und sage: «Darf mein Hund auch mitkommen?»

«Natürlich. Ist mir ein Vergnügen. Ich sitze gleich da vorne.»

Er lächelt. Süß.

Ich greife nach meinem Champagner und nach dem Arm, den er mir formvollendet reicht. Was für ein entzückender Junge.

Wir wechseln vom Parkett zur Loge. Von «Hier wirst du geduldet» zu «Hier bist du von Herzen erwünscht».

Herbert ist mein sozialer Aufstieg nicht entgangen. Er trägt mir persönlich den Champagner-Kühler hinterher, um dann Miss Marple Evian nachzuschenken. Jovial klopft er meinem Begleiter auf die Schulter:

«Ich mach dir was ganz Besonderes auf, Oliver.»

Oliver. So, so.

Mein Prinz ist höchstens achtundzwanzig. Er hat kräftige Schultern, blondes Kurzhaar und sieht aus wie einer dieser strahlenden Jungmänner in Ferrero-Küsschen-Werbespots, die ganz plötzlich Besuch von vielen fröhlichen Freunden bekommen und sich darüber wie Bolle freuen. Er sieht aus, als sei die größte Katastrophe in seinem Leben ein Loch im Auspuff seines Dreier-BMWs gewesen. Sieht aus wie einer, der nichts hat, was er verdrängen müsste. Der keinen Keller hat, in dem er Leichen verstecken könnte.

Junge, dich schickt der Himmel! Genau das Richtige für mich! Ablenkung! Verdrängung! Und wenn's sich ergibt, gerne auch noch Sex ohne Liebe.

Habe ich schon den Freund meiner Studienkommilitonin Biggi erwähnt? Als der erfuhr, dass sie ihn mit einem seiner besten Freunde betrogen hatte, setzte er sich ins Auto und raste von Hamburg nach Kassel, um dort Biggis Schwester zu vögeln. Danach fühlte er sich gleich viel besser.

Oliver hebt seinen kalifornischen Chardonnay, vertieft sein Dauerlächeln noch ein wenig und sagt:

«Wer bist du, was machst du, wo lebst du? Ich will alles wissen, was es über dich zu wissen gibt.»

Schnuckelig. Aus welchem Film hat er das wohl geklaut? Klingt irgendwie nach dem Frauenversteher Richard Gere.

Ich lehne mich ein wenig nach vorn, streiche meinem Prinzen kurz mit dem Zeigefinger über die Wange und schaue ihn ungeheuer südländisch an – in etwa so, wie es die dunkelhäutige, wild gelockte Schönheit in der Nescafé-Werbung tut. Dann höre ich mich mit erstaunlich tiefer Stimme sagen:

«Das wird dann aber eine lange Nacht, Oliver.»

Ich versuche seinen Namen so auszusprechen, als würde es sich um einen paradiesischen Ort auf Guadeloupe handeln: «Oohlivehr.»

«Ich habe viel Zeit», sagt er.

Und dann: «Nenn mich Olli.»

Wie blöd von ihm. «Olli» klingt doch total unmännlich. Da hat er so einen schönen Namen und legt auch noch Wert darauf, ihn freiwillig zu verhunzen. Ich halte viel von Kosenamen wie Schnuppel, Puschelchen oder Chefbär. Aber Verkleinerungsformen des Taufnamens schätze ich gar nicht. Das ist eine Untugend. Mittlerweile werden ja sogar Namen verkleinert, die sich dadurch vergrößern: Dirk wird Dirki, Paul wird Paulchen, Nadja wird Naddel und schließlich Naddelchen.

Ich sage: «Nein danke. Oliver gefällt mir besser. Wir sind doch schließlich erwachsen, oder …?» Hä? War ich das? Sprach meine Stimme gerade diese lässigen Worte?

Oliver schaut mich genauso überrascht und ehrfurchtsvoll an, wie ich mich anschauen würde, wenn ich mir gegenübersäße.

Wow! Ich bin auf dem besten Wege ein cooles, verführerisches, wildes, gefährliches, gemeines, atemraubendes Weib zu werden. Woher kann ich das nur? Welche Talente haben da jahrzehntelang in mir brachgelegen?

Ich bitte den Kellner, mir ein Päckchen Gitanes ohne Filter zu bringen. Und dann, dann lege ich los.

«Ich bin Saskia», sage ich und streiche mir eine getönte Strähne hinters Ohr. «Und wenn du mehr wissen möchtest, musst du mich schon fragen.»

Zu meiner Schande muss ich gestehen, dass ich in meinem Leben nie viel gelogen habe. Früher war ich zu brav und zu feige. Nun ja, eigentlich bin ich das heute noch. Ich habe zum Beispiel sehr gesunde Zähne, weil ich mich als Kind nie getraut habe, vor dem Schlafengehen zu behaupten, ich hätte meine Zähne schon geputzt. In der Grundschule galt ich als ziemlich faul, weil ich meine Hausaufgaben häufig nicht machte. Aber ich weiß zuverlässig, dass etliche meiner Mitschüler fauler waren als ich – bloß haben die sich eben nicht gemeldet, wenn die Lehrerin fragte: «Und, wer von euch hat seine Hausaufgaben nicht gemacht?»

Um nicht missverstanden zu werden: Ich lüge natürlich ständig. Aber das sind keine mutigen, aufsässigen, eigennützigen, Karriere fördernden Lügen. Mein Metier sind die feigen, die bequemen, aber immerhin auch die menschlich wertvollen Unwahrheiten.

Ich antworte immer «Danke, sehr gut», wenn mich ein Kellner fragt, ob es mir geschmeckt hat. Selbst wenn das Essen bloß fußwarm war und so eklig schmeckte, dass ich es stehen lassen musste, sage ich noch: «Es war sehr lecker, bloß ein bisschen zu viel.»

Wenn Ibo sich ein Kleid kauft, in dem sie aussieht, als sei sie in einem Zweimannzelt stecken geblieben, würde ich ihr nie die Wahrheit zumuten. «Ganz gut», sage ich dann, «aber das rote, das du neulich anhattest, gefällt mir noch besser.» Eine pädagogisch geschickte Form der Lüge, wie ich finde. Warum soll ich Ibo unglücklich machen? Das Kleid ist gekauft und im Zweifelsfall nicht umzutauschen, weil runtergesetzt, denn Ibo macht gerne Schnäppchenkäufe.

Mir ist es ehrlich gesagt völlig wurscht, wie Ibo aussieht. Sie empfindet das als unaufmerksam. Ich als wahre Freundschaft. Mir ist doch ihre Frisur egal, ihr Körperfettanteil, ihr verirrter Geschmack, ihr hellblauer Lidschatten, der so out ist, dass er fast schon wieder in sein könnte. Alles egal. Sie ist meine Freundin. Punkt. Aus. Ich liebe sie von Herzen, so wie sie ist. Sie könnte eine Gasmaske tragen, ich würde trotzdem mit ihr ins edelste Restaurant der Stadt gehen – unter anderem auch deswegen, weil mir die Gasmaske wahrscheinlich gar nicht auffallen würde.

Philipp belüge ich in dieser Hinsicht übrigens nicht. Aber den liebe ich ja auch nicht so, wie er ist. Einige hässliche Hosen, von denen er partout nicht lassen wollte, habe ich einfach heimlich weggeschmissen. Er sucht bis heute nach ihnen, und ich helfe ihm dabei mit Unschuldsmiene. Ich sage ihm auch klipp und klar, wenn ich mich von ihm schlecht behandelt fühle und wenn sein Charakter mal wieder zu wünschen übrig lässt. Sosehr ich ansonsten Wert auf Konfliktvermeidung lege, so wenig bin ich in einer Partnerschaft an Harmonie interessiert. Ich habe Philipp erst neulich ...

Ach nee, lieber nicht an Philipp denken. Der ist es nicht wert.

Bin lässig und verführerisch. Und ich habe heute Abend die einmalige Gelegenheit, all die Lügen nachzuholen, die ich in meinem Leben nicht gelogen habe. So long, Amelie Sturm. In dieser Nacht werde ich mich neu erfinden.

«Saskia», sagt Oliver, «ich nehme nicht an, dass ich dich Sassi nennen darf?»

Er lächelt schüchtern, und ich freue mich, dass er ein bisschen Humor hat. Macht die Sache ja wesentlich amüsanter.

Auf Dauer sind humoristische Einwürfe des Gegenübers notwendig für einen erfüllten Abend.

«Nicht, wenn du möchtest, dass ich mich angesprochen fühle.»

«Saskia» – mmmh, mein neuer Name aus seinem Mund, das ist wie Buttertrüffel, die einem gerade auf der Zunge zergehen –, «was machst du, wenn du nicht gerade auf Sylt abhängst?»

Mist, verdammter. Diese jungen Menschen haben eine Ausdrucksweise am Leib, die einen völlig aus dem Konzept bringt. «Abhängen», das sagen normalerweise nur Halbstarke vom Lande und peinliche alte Säcke, die gehört haben, dass «die jungen Leute» so was sagen. Seit ich nicht mehr jung bin, rede ich auch nicht mehr so, als ob ich jung sei. «Voll krass», «voll fett», «was geht bei dir am Wochenende?» – so etwas kommt mir nicht über die Lippen.

Aber Oliver lächelt so nett, hat eine rührende Zahnlücke zwischen den oberen Schneidezähnen. Ach, ich darf die ganze Sache hier nicht so eng sehen. Er muss ja nicht fürs Leben reichen. Ich will doch bloß die Nacht mit ihm verbringen, drei bis fünf repräsentative Orgasmen vortäuschen – und dafür sorgen, dass Philipp davon erfährt. Lecker Rache.

«Wenn ich nicht gerade ein Wochenende auf Sylt VERBRINGE» – ich schaue ihn strafend an, vielleicht merkt er was und drückt sich in Zukunft gewählter aus –, «lebe ich in Berlin und New York. Ich mache Werbung.»

Weiß auch nicht, wie ich darauf komme. Aber meines Romanwissens nach arbeiten Frauen, die Saskia heißen, immer in der Werbung. Und New York fiel mir ein, weil mir New York immer als Erstes einfällt, wenn ich an Sehnsuchts-Städte denke. Ich war noch nie da. Und ich bin die Einzige, die ich kenne, die noch nie da war.

«Wie heißt die Agentur? Kenn ich die vielleicht?»

«Kaum. Die Leute sollen sich unsere Werbung merken, nicht unseren Namen. Wir heißen Jürgens und Partner.»

«Und du bist Partner?»

«Ich bin Saskia Jürgens.»

Völlig klar, wieso ich auf die Schnelle den Namen Jürgens gewählt habe. Wegen New York. Und wegen des Liedes, das ich immer wieder gerne höre: «Ich war noch niemals in New York ...» Und das ist, wie jeder weiß, von Udo Jürgens.

Oliver schaut Saskia Jürgens so entgeistert an, dass ich mein Spielchen sofort bereue. Muss jetzt unbedingt ein wenig tiefer stapeln. Zum Schluss ist er sonst derartig eingeschüchtert, dass er Erektionsprobleme hat. Und das wollen wir ja nun auf keinen Fall.

«Und was machst du» – ich lächle charmant –, «wenn du nicht gerade auf Sylt abhängst?»

Muss mich seinem Sprachgebrauch anpassen, um eine Vertrauensbasis herzustellen, die späteren Sexualkontakt ermöglicht.

«Ach, mein Vater hat hier ein Haus. Ansonsten studiere ich Jura in Köln. Nächstes Jahr gehe ich für ein Gastsemester an die Law School in Boston.»

Er sieht stolz aus. Der Kleine. Oder will er mir damit gleich zu Beginn klar machen, dass ich nicht mit einer festen Beziehung rechnen soll, weil er sowieso bald das Land verlässt?

Dass er Jura studiert, stört mich allerdings ein bisschen. Erinnert mich an Philipp, bis heute Morgen der Jurist meines Vertrauens.

Ach, wenn der mich jetzt sehen könnte. An einem Samstagabend im Sansibar an einem der besten Tische. Ohne reserviert zu haben. Beflirtet von einem Mann, der fast zwanzig Jahre jünger als Philipp und hier mit Namen bekannt ist.

Einen Moment lang wünsche ich mir so stark, dass Philipp plötzlich hier auftaucht, dass ich fast glaube, ihn wirklich zu sehen. Wie er auf unseren Tisch zukommt. Eine Haarsträhne fällt ihm in die Stirn. Er trägt ein weißes Hemd und verwaschene Jeans. So mag ich ihn am liebsten an schönen Sommerabenden. In seiner Hand eine langstielige purpurrote Rose von der Sorte, die mindestens sieben fünfzig pro Stück kostet. Er schaut auf den erschrockenen Oliver herunter und sagt: «Netter Versuch, Kleiner. Aber jetzt geh mal ein bisschen am Strand spielen.»

Oliver springt auf, murmelt noch was von «Das ist aber eigentlich mein Tisch» und versucht, sich möglichst würdevoll zu entfernen.

«Puppe, mein Liebes» – Philipp nimmt meine Hand, und ich schließe die Augen, wie es alle Diven tun, wenn sie Unnahbarkeit ausstrahlen wollen –, «bitte hör mich an. Lass mich dir alles erklären.»

«Was wirst du als Nächstes sagen? Es ist nicht das, wonach es aussieht? Ach, Philipp, erspar doch dir und mir diese würdelose Szene.»

«Puppe, ich bitte dich, hör mir zu. Gib mir zwei Minuten. Und wenn du danach meinen Heiratsantrag ablehnst, wird es in meinem Leben kein Glück mehr für mich geben.»

Und dann erklärt er mir zwei Minuten lang das, wofür mir nun selbst in meiner reichhaltigen Phantasie leider keine Erklärung einfällt. Er kniet nieder, reicht mir die Rose und sagt unter Tränen: «Willst du meine Frau werden?»

Ich, natürlich auch unter Tränen, sage: «Ja, ich will.»

Beifall brandet auf, die Gäste im Sansibar erheben ihre Gläser, und Herbert bringt ein paar Tage später ein Messingschild an unserem Tisch an, auf dem steht: «Stammplatz von Puppe von Bülow.»

«Saskia?»

Warum kann mein Leben nicht sein wie meine Lieblingsfilme? Wo sich zum Schluss alles zum Guten wendet?

«Äh, Saskia?»

«Mmmh?»

Ach ja, habe meinen neuen Namen und den Kleinen vor mir fast vergessen.

«Entschuldige, ich war mit meinen Gedanken woanders. Du studierst in Köln? Köln ist toll. Ganz schön weit weg von Sylt. Lohnt sich das fürs Wochenende überhaupt?»

Meine Güte, wie ich diese Smalltalkerei hasse, bis man endlich zum Wesentlichen – Ex-Freundinnen, sexuelle Phantasien usw. – kommen kann.

«Das geht schon. Ich fliege ja meistens.»

«Wie, du fliegst von Köln nach Sylt?»

«Mein Vater hat ein Flugzeug, das ich öfter haben kann.»

Junge, Junge. Andere Väter leihen, wenn sie großzügig sind, den Söhnen samstagabends ihren viertürigen Golf.

«Fliegst du selbst?» Ich versuche möglichst beiläufig, fast uninteressiert zu klingen.

«Nee. Wir haben zwei Piloten, die immer stand by sind.»

Wir schweigen, und ich fürchte, dass bereits alles gesagt ist, was wir uns zu sagen haben.

«Wie alt bist du?», versuche ich einen neuen Anfang.

«Vierundzwanzig. Und du?»

Gute Güte! Fast zehn Jahre jünger als ich! Das heißt, er schläft in der Regel mit Mädchen, die unter zwanzig sind. Unter zwanzig! Das könnten ja schon fast meine Töchter sein! Die haben knackige Pos, eine samtweiche Haut und keine einzige Delle in ihren wohlgeformten Oberschenkeln. Wie nennt man Sex mit einer Frau, die Zellulitis hat? Wellenreiten. Sehr lustig.

Andererseits: Ich habe Erfahrung. Jawohl. Habe nach meiner Berechnung mit mindestens dreiundzwanzig Männern geschlafen. Und dabei hauptsächlich gelernt, was ich nicht mag. Was ich aber nach jahrelanger Erfahrung immer noch nicht beantworten kann: Wie schützt man sich vor unliebsamen Sexualpraktiken? Ja, natürlich, das ist mir auch klar, dass in jedem Ratgeber steht, man solle seine Wünsche und Grenzen frei und offen artikulieren. Aber wer tut das schon? Gerade in der Anfangszeit. Wo man den anderen nicht gleich kränken will. Auch noch bei einem so empfindlichen Thema.

«Nimm deine Zunge aus meinem Ohr, du Pottsau.»

«Hör auf, mich in den Po zu beißen, sonst kannst du nach Hause gehen.»

«Hallo. Könntest du bitte sofort aufhören, an meinem großen Zeh herumzulecken. Mir wird schlecht.»

«Wenn du mich noch einmal ‹geile Stute› nennst, mach ich dich zum Wallach.»

Nein, die wenigsten Frauen, die ich kenne, sind so ehrlich, ihren Liebhabern sagen wir innerhalb der ersten drei bis achtzehn Monate die Wahrheit zu sagen. Man denkt, der Ärger lohnt sich nicht, für die paar Mal. Und wenn dann doch ein halbes Jahr ins Land gegangen ist, dann ist es ja eigentlich auch schon egal, denn entweder man hat sich mittlerweile dran gewöhnt, oder man kommt sich blöd vor, nach monatelangem Schweigen zuzugeben, dass man monatelang geschwiegen hat. Das wäre ja auch irgendwie gemein.

Mir ist absolut klar, dass es nichts nützt, die Wahrheit über sexuelle Vorlieben für sich zu behalten. Aber ich bringe es irgendwie nicht über mich. Um ganz genau zu sein, schaffe ich es oft nicht mal, rechtzeitig Bescheid zu sagen, wenn meine sexuelle Vorliebe im Moment wäre, keinen Sex zu haben. Ich hätte in meinem Leben – Schwestern, gebt es zu, dass ihr Ähnliches durchgemacht habt – wesentlich weniger, dafür aber wesentlich besseren Sex gehabt, wenn ich meinem natürlichen Instinkt gefolgt wäre statt meiner unnatürlichen Freundlichkeit.

Die Schlafsack-Fummeleien mit Jörg zum Beispiel. Ich war siebzehn, und wir machten Inselhopping in Griechenland. Später dann Dirk, der transpirierende Elektrotechniker, und Markus, der supersanfte Landschaftsarchitekt. Alles Männer, die sich bereits weit vor dem eigentlichen Akt disqualifiziert hatten. Durch dämliche Äußerungen wie: «Beklagt hat sich bei mir noch keine.» Durch schlechte Angewohnheiten, wie öffentliches Abschleimen nach Fußballer-Art: Zeigefinger an die Nasenwand und dann kräftig pusten.

Augen zu und durch, habe ich manches Mal gedacht, wenn ich

aus der Nummer einfach nicht mehr rauskam. Man will ja nicht unhöflich sein. Und ich schon gar nicht. Letztendlich sind die Frauen schuld, dass es so viele schlechte Liebhaber gibt. Weil wir uns zu selten trauen, zu sagen, was die Kerls falsch machen. Ich jedenfalls beneide etliche meiner Nachfolgerinnen nicht, und ich möchte mich an dieser Stelle entschuldigen, dass ich nicht bessere Vorarbeit geleistet habe.

Aber wenn einer erst vierundzwanzig ist, kann er noch nicht viel Erfahrung haben und folglich auch nicht viel falsch machen. Hoffe ich wenigstens. Außerdem will ich mich ja nicht amüsieren, sondern ablenken. Habe gelesen, der Trend geht zum jungen Liebhaber. Nun denn, Angriff ist die beste Verteidigung:

«Sag mal Oliver, stimmt es eigentlich, dass bei Männern ab einundzwanzig die Potenz nachlässt?»

Oliver schaut mich erfreut an.

«Lass uns den Rest der Flasche am Strand trinken. Da kriegst du dann eine Antwort.»

«Okay.» Ich lächle absichtlich nicht. In meinem neuen Leben muss man sich meiner Gunst erst würdig erweisen.

Oliver gibt Herbert ein Zeichen, und der winkt freundlich zurück. Was wahrscheinlich so viel heißt wie: «Klar, Kleiner, kommt alles auf die Rechung von Papa.»

Oliver hakt mich unter. Wir stapfen über den immer noch warmen Strand. Marple knurrt das Meer an.

Oliver sagt: «Wenn du willst, baue ich dir ein Schloss aus Sand.»

Ich lache, als wäre ich siebzehn und glücklich. Und singe leise:

Nimm meine Hand, ich bau dir ein Schloss
aus Sand, irgendwie, irgendwo, irgendwann.

«Hey, echt abgefahrenes Lied!»

Echt abgefahren? Mir gefriert das Blut in den Adern.

«Ist von Icefeld, oder?»

Grundgütiger, eine Kluft tut sich auf. Die Kluft zwischen den Generationen. Du merkst, dass du wirklich alt bist, wenn du mit einem Mann über eine Melodie ins Schwärmen gerätst, und du denkst ans Original – Nena 1987 – und er ans Remake aus dem Jahr 2000.

Breiten wir den Mantel des Schweigens darüber.

23:15

Das darf doch wohl nicht wahr sein. Warum? Warum zum Teufel müssen solche Sachen immer mir passieren?

Ich fühle mich an all die unangenehmen Momente erinnert, wo ich vergeblich auf sich gnädig auftuende Erdspalten hoffte.

Wie viele Menschen habe ich unabsichtlich beleidigt?

Wie viele wertvolle Sachen aus Versehen kaputtgemacht?

Um wie viele Anekdoten habe ich andere Leute bereichert?

Wie viele Scherze werden noch heute gerne in heiterer Runde auf meine Kosten erzählt?

Wie konnte ich auch nur eine Sekunde lang annehmen, meine Trennung von Philipp würde problemlos verlaufen? Nichts in meinem Leben ist je problemlos verlaufen.

Schon meine Einschulung nicht. Da habe ich, wie alle anderen auch, aus dem Klassenzimmerfenster auf den Schulhof gespuckt. Bloß, dass meine Spucke – ich muss dazu sagen, ich war erkältet, was mein Sputum besonders ergiebig und zäh machte – direkt auf der Stirn des Direktors landete, der gerade nach oben schaute.

Als ich mir zum ersten Mal in meinem Leben die Haare selbst färben wollte, musste ich vier Wochen lang ein Kopftuch tragen, weil die Poly-Color-Sonnenreflexe bei mir aussahen wie alter Gorgonzola. Ein grünlicher Glanz lag über meiner Frisur wie ein verschimmelter Heiligenschein.

Bei meinem ersten Zungenkuss musste ich – war es der süße Sekt oder das Bockbier? – aufstoßen.

Bei meiner ersten Mathearbeit fiel ich vom Stuhl, als ich mich unauffällig zu meinem wesentlich begabteren Hintermann zurücklehnen wollte.

Bei meiner Konfirmation verschluckte ich mich derartig an der Oblate, dass meine Mutter mich aus der Kirche führen und ich mir den Segen später nochmal extra abholen musste.

Bei meinem ersten Open-Air-Festival warf eine Horde Betrunkener ein Dixie-Klo um, auf dem bedauerlicherweise gerade ich saß.

Beim ersten Sex fragte mich mein Bettgefährte, ob ich dabei immer die Strümpfe anlassen würde. Von da an rasierte ich mir die Beine.

Ein Wunder, dass ich es überhaupt so weit gebracht habe. In fünfundvierzig Minuten werde ich zweiunddreißig Jahre alt sein. Sollte ich mich bis dahin nicht vor lauter Scham in Luft auflösen. Mein Leben stellt sich gerade wie folgt dar:

Amelie Puppe Sturm hockt mit verschmiertem Lippenstift und ihren hochhackigen Sandalen in der Hand vor einer fremden Haustür. Sie ist draußen, ihr Büstenhalter und ihr Bulgari-Ring sind drinnen: Die Tür ist zu, an Klingeln nicht zu denken. Neben ihr sitzt ein Hund, der sehr bekümmert aussieht und auch nicht genau weiß, wie er sich jetzt verhalten soll. Schritte sind zu hören. Puppe hebt erschrocken den Kopf. Zu spät, sich zu verstecken.

«Guten Abend Frau Sturm. Was für eine Überraschung. Kann ich ihnen vielleicht behilflich sein?»

Oliver und ich hatten eine Weile am Strand gelegen, wie man das eben so macht, wenn man Sex haben will, aber der guten Sitten wegen vorher noch etwas Zeit verstreichen lassen muss. Wir guckten – auch das ist üblich in solchen Situationen – den Sternenhimmel an, ich ließ mir erklären, wo die Achse des Großen Wagens ist und wie man von da aus ganz einfach den Nordstern findet.

Ehrlich gesagt, habe ich mir schon so oft von irgendwelchen Typen erklären lassen, wo der Große Wagen ist, dass ich ihn mit verbundenen Augen finden würde. Aber das Firmament scheint eine männliche Domäne zu sein, ähnlich wie Werkzeugkisten, Motoren und Carrera-Bahnen. Und man tut gut daran, wenn man die klassische Rollenverteilung, was diese Heiligtümer angeht, akzeptiert und den Herren das Gefühl gibt, man wäre ohne ihre Expertisen völlig verloren.

Es ist meiner Erfahrung nach wichtig, Männern – besonders wenn man mit ihnen schlafen möchte – das Gefühl zu geben, sie seien männlich. Früher erlegten die Männchen Säbelzahntiger, heute erklären sie den Weibchen, wo der Große Wagen parkt. So ändern sich die Zeiten, aber gewisse Dinge ändern sich eben nie.

Es war sehr romantisch. Ein Meer aus Sternen über mir, dazu sanftes Wellenrauschen. Ab und zu fuhr ein Schiff am Horizont vorbei, und ich stellte mir vor, es sei der Meeresgott Poseidon, der mit einer Kerze dort hinten auf und ab geht.

Mein Gott! Ausgerechnet in diesem Moment riss mich Oliver an sich und rammte mir entschlossen seine Zunge ins Ohr.

Das erinnerte mich unschön an meinen Erste-Hilfe-Kurs. Als meine Übungspartnerin mich in die stabile Seitenlage bugsieren sollte, zerrte sie an meiner Gürtelschlaufe wie ein Kampfhund an der Leine. Zum Schluss fragte sie dann auch noch: «Gesetzt den Fall, es gehen bei einem Unfall Gliedmaßen verloren – wie kriege ich jemanden in die stabile Seitenlage, der keine Arme mehr hat?»

Oliver, das war klar, wollte mir zeigen, dass er ein zupackender, testosterongeladener Kerl ist. Er stöhnte schon beim ersten Kuss lauter als ich, wenn ich einen Hexenschuss habe und mir die Schuhe zubinden will. Es war ziemlich befremdlich, aber so schnell wollte ich mich nicht entmutigen lassen.

«Willst du mich umbringen oder verführen?», fragte ich und streichelte ihm ein wenig die Schulter.

Oliver schnaufte, als würde er ohne Atemgerät die letzten Meter zum Gipfel des Mount Everest zurücklegen. Das war mir irgendwie unheimlich, denn ich hatte ja noch gar nicht richtig angefangen. Beklemmend, die Vorstellung, wie er sich geräuschmäßig gebärden würde, wenn ich mit meinem Programm für Fortgeschrittene begänne.

Ich habe nichts gegen Männer, die sich während des Aktes akustisch bemerkbar machen. Aber wie bei so vielen Dingen im Leben, zählt auch hier das rechte Maß. Der tonlose Mann im Bett ist peinlich, weil er entweder verklemmt ist oder allzu cool sein will. Der Mann, der lautstark den Porno-Star gibt, ist peinlich, weil er eine Show abziehen will, die Frauen besser beherrschen. Männer, die sich gehen lassen, sind einfach meist kein schöner Anblick.

Oliver biss mir neckisch in die Schulter – was ich nun überhaupt nicht leiden kann. Beißen und Kneifen stehen ganz weit oben auf meiner Tabu-Liste. Kurz hinter Kichern beim Höhepunkt.

«Wie wär's, wenn wir zu mir gehen?», sagte Oliver mit verschwörerischer Miene.

«Ist denn dein Papa nicht zu Hause?»

«Glaube ich nicht. Und wenn schon. Die Zeiten, in denen er unangemeldet in meinem Zimmer auftauchte, sind vorbei. Bei dir muss ich höchstens aufpassen, dass er mir keine Konkurrenz macht.»

Da es sich bei Olivers Vater wahrscheinlich um einen Greis handelte, empfand ich das nicht als Kompliment.

«Gut, gehen wir», sagte ich trotzdem.

Wir näherten uns der Reetdachvilla von der Strandseite. Drinnen brannte nirgends Licht.

«Keiner zu Hause?», fragte ich.

«Kann sein, dass mein Vater schon schläft. Vielleicht kommt er auch erst morgen.»

Ich kam mir höllisch jugendlich vor, weil die Zeiten, in denen ich durch Häuser schlich, um Eltern nicht zu wecken, verdammt lange her sind. Ich musste kichern wie eine Vierzehnjährige.

Wir gingen eine Treppe hoch, passierten einen langen Flur und standen schließlich in einem Raum, den Oliver so vorstellte: «Das hier ist mein Reich. Fühl dich wie zu Hause.»

Ich wusste sofort, dass ich hier niemals einen Orgasmus haben würde.

Rechts vom Bett stand eine deckenhohe Pflanze mit dicken, fleischigen Blättern. Von solchen Kreaturen fühle ich mich tendenziell bedroht. Links vom Bett ragte ein CD-Ständer in die Höhe. Jeder vernünftige Mensch weiß, dass es keine ansehnlichen CD-Ständer gibt. Dieser hier war eine Nachbildung des Empire-State-Buildings. Ich glaube, ich brauche nicht mehr zu sagen.

Trotzdem: Ich war immer noch bereit, meinem kleinen Prinzen eine Chance zu geben, die eklige Einrichtung als Jugendsünde abzutun, und mein Experiment «Sex statt Kummer» noch nicht für beendet zu erklären.

Lasziv ließ ich meine Jacke zu Boden gleiten, schlüpfte aus meinen Schuhen und ließ mich auf dem Bett nieder, als handele es sich um einen mit Seide bezogenen Divan – und nicht um apfelgrüne Frotté-Bettwäsche auf einem schrumpeligen Futon.

Ich warf einen frivolen Blick auf Oliver, der sich gerade bückte, um meine Schuhe nebeneinander zu stellen.

«Du hast es wohl gern ordentlich?», fragte ich mild spöttisch. Wenn einer Schuhe bundeswehrmäßig ausrichtet, dann benutzt er wahrscheinlich auch für jeden Zahnzwischenraum ein extra Stück Zahnseide.

«Ums Bett herum schon», sagte Oliver, «im Bett sieht die Sache allerdings ganz anders aus.» Sprach's, hängte Hemd und Hose über die Stuhllehne und legte seine wirklich schöne IWC-Uhr auf den Nachttisch. Ich band sie mir ums Handgelenk und fühlte mich gleich viel mehr wert.

Ups! Oliver warf sich mit einem gut gezielten Hechtsprung auf mich. Schnaubend und in Windeseile, als hätte er in fünf Minuten die nächste Verabredung, riss er mir Kleid und BH vom Körper, um sich voller Begeisterung in meine linke Brust zu verbeißen. Ich wurde allmählich ungehalten.

Als Oliver nach einem fragenden Blick auf meine Oberschenkel klar wurde, dass er es mit einer ziemlich reifen Frau zu tun hat, legte er bedenklicherweise noch einen Zahn zu. Irgendein unerfahrener Trottel muss ihm gesagt haben, altes Fleisch sei hart im Nehmen.

«Oliver?» Ich versuchte mir Gehör zu verschaffen.

«Oliver!» Er schien mich ganz vergessen zu haben, so sehr war er in sein Projekt vertieft: «Wie befriedige ich eine ältere Dame und grunze dabei ohne Unterlass wie ein tollwütiger Eber?»

Nun, das sind die Momente im Leben einer Frau, die sie nachher gerne verdrängt. Ich war so maßlos enttäuscht. Mein Experiment – total gescheitert. Während Oliver – von meiner ausbleibenden Ekstase vollkommen unbeeindruckt – seine Zunge in meinem Bauchnabel kreisen ließ, entschied ich mich, spontan umzudisponieren.

Der Sex mit diesem schwer atmenden Frischling würde mich nicht von meinem Philipp-Kummer ablenken, sondern alles nur noch schlimmer machen. Die Höflichkeit, die Sache durchzustehen, bloß weil man nun schon mal angefangen hat, war hier völlig fehl am Platze. Ja, ich würde hier und jetzt zum ersten Mal einem schon im Anflug befindlichen Beischläfer die Landeerlaubnis entziehen. Bin mir nicht ganz sicher, wie ich jetzt auf diesen der Luftfahrt entlehnten Vergleich komme. Vielleicht, weil Olivers Vater ein eigenes Flugzeug besitzt.

Während der Junge mir Worte ins Ohr raunte, die er mit seinen süßen vierundzwanzig wahrscheinlich für obszön hielt, bereitete ich mich darauf vor, ihm die Wahrheit zu sagen: «Tut mir Leid, Schätzchen, aber mit Laien möchte ich nichts zu tun haben.»

Oder: «Macht's dir was aus, wenn ich dabei fernsehe?»

Oder, schlicht und ehrlich: «Mir reicht's.»

Jetzt machte sich Oliver – ich war so in Gedanken, dass ich es fast nicht bemerkte – an meiner Unterhose zu schaffen. Eigenartig, dass mir in diesem Moment siedend heiß einfiel, dass in meinem dunkelroten Satin-String hinten ein zweipfenniggroßes Loch klaffte. Hatte es beim Versuch hineingeschnitten, das Wäschezeichen rauszutrennen. Etwa die Hälfte meiner Unterhosen hat aus diesem Grund Löcher. Noch ein Beweis dafür, dass ich aus einmal begangenen Fehlern nicht klug werde. Philipp allerdings fand meine durchlöcherte Wäsche rührend.

«Wenn ich dich ohne Worte beschreiben sollte», sagte er mal, «würde ich einfach all deine Unterhosen in eine Reihe legen.»

Ich war sehr gerührt, dass mein Freund mich so sehr liebt, dass er sogar meinen Schwächen etwas Verliebenswertes abgewinnen konnte.

Oliver kennt meine Schwächen nicht mal. Der Junge ist mir völlig fremd. Und ich muss ihm noch viel fremder sein, weil er mich für jemanden hält, der ich gar nicht bin. Er ist im Begriff, den Geschlechtsakt mit Saskia Jürgens zu vollziehen, der männermordenden Werbe-Schlampe, die kleine Jungs am Strand und anschließend im Haus ihrer reichen Pappis vernascht.

Aber hier gibt es gar keine Saskia Jürgens!

He! Hier liegt, platt gedrückt und voll gesabbert, Amelie Puppe Sturm.

Amelie Puppe Sturm, die sich für das Loch in ihrer Unterhose schämt.

Amelie Puppe Sturm, die mit ihren Gedanken ganz woanders ist. Die an ihr Bülowbärchen denkt. An Liebe machen und daran, dass sie ihm nachher oft eine dieser feinen babyhaarweichen Haarsträhnen aus dem Gesicht streicht und sagt: «Mit dir ist es immer noch so aufregend, als würde ich dich mit jemandem betrügen.»

Er verstand ihre Art, Komplimente zu machen. Schnurrte wie der Kater in der Whiskas-Werbung, löschte das Licht und legte beim Einschlafen seine große Nase an ihren Hals.

He! Hier liegt Amelie Puppe Sturm!

Aber nicht mehr lange!

Oliver musste durch das für mich völlig untypische Äußern einer unangenehmen Wahrheit gestoppt werden. Und zwar schnell.

Weiblich-instinktiv entschied ich mich dann allerdings doch lieber für eine subtile Form der Halbwahrheit. Immerhin ein fünfzigprozentiger Fortschritt.

«Warte!»

Oliver hob unwillig den Kopf, als hätte sich plötzlich ein völlig Unbeteiligter in das Geschehen eingemischt.

«Mmmmh.»

«Hast du Lust auf ein Spiel?»

«Sag an, Schätzchen. Ich bin dabei.»

Oliver versuchte zu gucken wie einer, der im Bett schon alles gesehen hat – was ihn jedoch so aussehen ließ, als hätte er seine Brille vergessen.

«Komm her, ich zeig dir was Schönes. Leg dich auf den Rücken, schließ die Augen und beweg dich nicht.»

Artig folgte Oliver meinen Befehlen, fest damit rechnend, von einem erfahrenen Vollweib in den Olymp der praktischen Sexualwissenschaften eingeführt zu werden.

Ich glitt aus dem Bett und öffnete leise den Kleiderschrank. Gott sei Dank, braver Junge: viele Krawatten. Ich nahm eine heraus und verband ihm die Augen. Kurz überlegte ich, ob ich ihm auch Hände und Füße fesseln sollte, aber das schien mir dann doch übertrieben.

«Und jetzt», sagte ich dominahaft, «entspann dich. Ich bin gleich wieder bei dir.»

Oliver antwortete mit einem völlig überdimensionierten Schnauben. Er zitterte vor Aufregung am ganzen Körper, und irgendwie tat er mir in diesem Moment Leid. Ich gab ihm einen Kuss auf die Stirn, so wie Mütter es tun, nachdem sie ihr erkältetes Kleinkind zur Nachtruhe mit Pinimenthol eingerieben haben.

Ich zog mir leise mein Kleid an, nahm Schuhe und BH und gab Marple das Zeichen zum Aufbruch.

Auf Zehenspitzen schlich ich zur Haustür, trat hinaus und zog die Tür leise hinter mir zu.

Verdammter, verfluchter Mist! Das darf doch einfach nicht wahr sein! Ich starrte auf Olivers superteure IWC-Uhr, die ich immer noch am Handgelenk trug.

Der Arme hatte wirklich schon genug Grund, über mich verärgert zu sein. Ich glaube, kein Mann verdient es, mit einer Erektion und einer Hermes-Krawatte um die Augen zurückgelassen zu werden. Wenn Oliver außer seiner Würde auch noch seine Uhr verlöre, würde er diese Nacht nicht ohne schwere Neurose überstehen. Und das hatte er nicht verdient. Der Junge hatte ja nichts falsch gemacht. Nur leider auch nichts richtig.

Ich fand, dass ich angesichts meiner angespannten Nerven ziemlich überlegt handelte. Ich wickelte die Uhr in meinen BH – ein himmelblauer Push-up mit Spitze, übrigens nicht mal annäherungsweise passend zu meiner dunkelroten Unterhose, die ich glücklicherweise anbehalten hatte – und versuchte, das kleine Paket durch den Briefschlitz der Haustür zu stopfen. Es handelte sich um eines dieser tückischen Exemplare, deren Metallklappe mit enormer Kraft zuschnappt. Würde gerne mal für Sat1 einen Horror-Schocker über menschenfressende Briefschlitze machen. Absolute Marktlücke.

Auch dieser Briefschlitz schnappte wütend zu und erwischte meine Finger. Als ich sie unter Schmerzen rauszog, hörte ich ein leises Klirren auf der anderen Seite der Tür. Und dann rollte dort etwas über den Boden.

Ja, dort rollte etwas über den Boden.

Ich betrachtete meine schmerzende Hand – und mir wurde schlagartig klar, was da rollte.

Ich lehnte mich an die Tür und schloss die Augen.

Wessen Sünden büßte ich hier eigentlich ab? Ich hatte in meinem Leben wahrlich nicht genug angestellt, um auf solche Weise vom Schicksal bestraft zu werden. He da, ihr Götter der Vergeltung und der schlechten Scherze! Ich brauche keinen Gesprächsstoff, keine grotesken Erlebnisse, keine absurden Verwicklungen mehr. Ich habe genug zu erzählen. Danke, bei mir reichen die Pointen für drei Leben!

Ich hatte – Mannomann, das muss man sich mal vorstellen – meinen Bulgari-Ring verloren, als ich meine Hand aus dem Briefschlitz zog. Das verfluchte Ding hatte meinen Diamanten gefressen! Hatte sich mein wertvollstes Schmuckstück geschnappt! Den Ring, den mir der unselige Philipp vor drei Monaten feierlich überreicht hatte, eingewickelt in rosa Seidenpapier. Ein breiter Goldring mit einem achteckigen Diamanten und der herzerweichenden Inschrift «Puppe & Püppchen».

Jetzt lag das gute Stück auf dem kühlen Marmorboden der Eingangshalle einer Sylter Villa, in der immer noch ein Junge mit verbundenen Augen und schwindender Erektion wartete und sich wahrscheinlich langsam fragte, wo zum Teufel ich wohl bliebe.

Puppe & Püppchen. Wir hatten kein Kind geplant. Noch nicht. Philipp war dazu viel zu vernünftig.

Und ich war dafür viel zu unvernünftig. Beides Eigenschaften, die dem Erwerb von Nachwuchs im Wege stehen.

Philipp sagte immer: «Du hast dein Café, ich meine Kanzlei. Wer von uns beiden wird seinen Beruf aufgeben zugunsten eines Kindes?»

«Ach, Philipp, ich weiß. Aber wenn es passieren würde, dann würde sich auch eine Lösung finden.»

«Natürlich, es findet sich immer eine Lösung. Aber wir sollten erst mal zusammenziehen, bevor wir über ein Kind nachdenken.»

«Philipp?»

«Ja, bitte?»

«Du hast vollkommen Recht. Also halt die Klappe.»

«Hm?»

«Ich will doch gar nicht über ein Kind nachdenken. Ich will bloß ein bisschen träumen. Träume wachen nicht fünfmal in der Nacht auf. Haben keine Blähungen. Weinen nicht, wenn die ersten Zähne kommen. Und man muss sie auch nicht bei der Urlaubsplanung berücksichtigen. Aber ich stelle mir dich gerne als den Vater meiner Kinder vor.»

Er kraulte mir den Nacken.

«Ich glaube, du würdest eine tolle Mutter sein.»

«Wirklich?»

«Ja. Auf jeden Fall würdest du die Kinder nicht unnötig verwöhnen. Dazu bist du viel zu sehr mit dir selbst beschäftigt.»

«Spitzenwitz, du blöder Sack.»

«Das war nicht als Witz gemeint.»

So oder ähnlich verliefen die Gespräche, was unsere Zukunft mit Kindern anging. Wir waren beide nicht richtig dagegen, aber auch nicht richtig dafür.

Ich hatte Frauen erlebt, die nach der Geburt ihres ersten Kindes zum gesellschaftlich nicht mehr tragbaren Muttertier mutiert waren. Die ihren kinderlosen Freundinnen Gespräche über Brechdurchfall, ökologisch unbedenkliches Spielzeug und schlecht verheilende Dammschnitte aufnötigten. Die aufhörten, sich zu schminken, sich die Beine zu rasieren oder regelmäßig zum Friseur zu gehen, weil sie ja keine Frauen mehr waren, sondern Mütter. Die bei Telefonaten unvermittelt so laut «Nanananna! Gibbesmadermama! Gibbesjeezher!» schrien, dass einem fast das Trommelfell platzte.

Aber es gab auch andere Beispiele. Meine bereits erwähnte Jugendfreundin Kati zum Beispiel, die sich neben der Kindererziehung noch Zeit dafür nahm, ihren Mann zu betrügen. Vorbildlich.

Oder Patricia, unsere Aushilfe im Himmelreich. Die arbeitet nur bei uns, um sich für ihre Zwillinge, die sie scherzhaft Elmex und Aronal nennt, ein Au-pair-Mädchen leisten zu können. Nun gut, dass ihr Mann sie just wegen dieses Au-pair-Mädchens verlassen hat, war schlicht Pech gewesen. Da lassen sich sicherlich ermutigendere Beispiele finden. Ich kann nur jeder Frau raten: Nimm ein Au-pair-Mädchen. Aber keins aus Skandinavien. Die sind blond und willig und gefährden Partnerschaften. Ich persönlich würde mich um eine pubertierende Engländerin bemühen. In Großbritannien sehen die Mädels aus wie Sarah Ferguson oder die Queen. Und wegen solcher Frauen wird man in der Regel nicht sitzen gelassen.

Als ich Philipp Mitte April sagte, dass ich schwanger sei, war er zunächst wie vom Donner gerührt. Er setzte sich an den Küchentisch und sagte lange nichts. Ich war etwas enttäuscht, denn ich hatte mir die Reaktion auf meine Schwangerschaft von frühester Kindheit an anders vorgestellt. Seit ich «Sissi – Mädchenjahre einer Kaiserin» gesehen hatte, trage ich eine feste Vorstellung dieses Moments im Herzen:

Wie die junge Kaiserin im langen, raschelnden Morgenmantel in das Arbeitszimmer seiner Majestät eilt und in eine wichtige Besprechung hineinplatzt:

«Du, Franz, ich muss dich dringend sprechen!»

Die Minister verabschieden sich pikiert. Und Franz Joseph,

der Kaiser von Österreich, sagt: «Ja Sissi, was ist denn geschehen?»

Sie stürmt auf ihn zu, schlingt ihre Arme um seinen Hals und ruft: «Franzl, wir bekommen ein Kiiind!»

Er hebt sie in die Luft, küsst sie und flüstert: «Was? Ja, Sissi! Ach, ich bin ja so glücklich, so unsagbar glücklich!»

Nun, Philipp hatte diesen Film ganz offensichtlich nicht gesehen oder ihn nicht als beispielhaft empfunden. Er sagte:

«Was ist mit deinem Diaphragma?»

«Hat anscheinend versagt.»

Er schaute mich an und knetete sein Gesicht, als sei es Pizzateig.

«Du freust dich nicht», sagte ich beleidigt.

«Ich bin mir noch nicht sicher. Freust du dich denn?»

Da war ich mir, ehrlich gesagt, auch nicht sicher, aber es schien mir klüger, meine Zweifel in diesem Moment für mich zu behalten und eine diplomatische Antwort zu wählen:

«Ich kann mich nicht unabhängig von dir freuen. Wenn du das Kind nicht willst, dann wird es kein Kind geben.»

Zugegeben, eine dramatische Äußerung, aber irgendwie der Situation angemessen. Wenn meine erste Schwangerschaft schon nicht sissihaft beginnen würde, so doch wenigstens filmreif. Ich hasse nichts mehr als bewegende, schicksalhafte Momente im eigenen Leben, bei denen man sich nachher nicht mehr erinnern kann, was man gesagt hat. Natürlich hatte ich nicht eine einzige Sekunde daran gedacht, das Kind nicht zu behalten. Schwanger über dreißig, von einem geliebten und noch dazu gut verdienenden Mann in sicherer beruflicher Stellung. Nein, dieses Kind –

fast spürte ich es schon sanft gegen meine Bauchdecke treten – würde das Licht der Welt erblicken. Und ich würde es auch, einer überflüssigen, aber immerhin alten von-Bülow-Tradition entsprechend, auf einen P-Namen taufen. Pauline von Bülow? Peter? Pamela? Patrick? Pustekuchen? Hihihi.

«Du würdest unser Kind abtreiben?» Philipp schaute mich entgeistert an.

«Nein», sagte ich. Und fing an zu weinen.

Und dann war es doch noch wie im Film. Philipp nahm mich in die Arme, trocknete meine Tränen, streichelte meinen Bauch und fragte, ob ich nicht lieber die Füße hochlegen wolle.

Schon in diesem Moment bedauerte ich, dass eine Schwangerschaft nur neun Monate dauert. Ein herrlicher Zustand. Du kannst essen, was du willst, weil deine Figur ja sowieso ruiniert ist. Jede Launenhaftigkeit wird dir verziehen, jeder Wunsch erfüllt. Du hast Anspruch auf Mitleid, ständige Aufmerksamkeit, stundenlange Fuß- und Rückenmassagen und kannst alle Disney-Filme auf Video sehen und dabei heulen, ohne dass dich jemand schief anschaut. Es sind ja die Hormone.

Zwei Abende später, es war ein Dienstag, und Philipp kam extra abends nach Hamburg gefahren, schenkte er mir den Ring.

«Ich freue mich über alles», sagte er, und gab mir das Päckchen.

Puppe & Püppchen

Ich schaute wahnsinnig gerührt auf meinen Bulgari-Kiesel. Passte perfekt, stand mir perfekt. Alles hätte perfekt sein können, wenn ich ... ja wenn ich mich bei diesem Schwangerschaftstest nicht mit den Farben vertan hätte.

Aber jetzt mal ganz ehrlich: Wie soll man diese komplizierten

Erläuterungen im Zustand höchster Erregung denn richtig verstehen? Da hilft auch kein abgebrochenes Universitätsstudium. Ich hab es ja sowieso nicht so mit Gebrauchsanweisungen. Meist werfe ich nur einen flüchtigen Blick drauf und verlasse mich dann auf meine Intuition – die mich allerdings bei der Benutzung von Rechtschreibung, Männerpsychen und neuesten technischen Errungenschaften wie Wap-Handys, DVD-Playern und ISDN-Anlagen völlig im Stich lässt.

Was ist eigentlich schwerer zu bedienen: ein Mann oder ein CD-Brenner? Ich weiß es nicht. Ich komme mit beiden nur stümperhaft zurecht, und es reicht mit Ach und Krach für die Standardfunktionen.

Ich versuchte, Philipp so schonend wie möglich beizubringen, dass er nun doch nicht Vater werden würde.

«Der Ring ist wirklich wunderschön», fing ich an, «aber ich kann ihn unmöglich annehmen.»

«Wieso das denn nicht? Es ist doch sonst nicht deine Art, Geschenke abzulehnen.»

«Es ist bloß so ... weißt du Bülowbärchen ... die Lage ... also sozusagen die Umstände haben sich verändert.»

«Jetzt hör mir auf mit Bülowbärchen. Ich verstehe kein Wort. Kannst du bitte Klartext mit mir reden? Was für Umstände haben sich verändert? Ist das Kind etwa nicht von mir?»

Er richtete sich drohend auf, sah mich mit halb strengem, halb entsetztem Blick an und nagte an seiner Unterlippe – was er immer tut, wenn er nervös ist oder angespannt.

Ich war extrem gekränkt und mindestens genauso extrem geschmeichelt, dass er so was für möglich hielt. Und gleichzeitig sehr guter Hoffnung, denn wenn einer Schlimmeres vermutet, als man zu beichten hat, dann kann er nach dem Geständnis ja eigentlich nur erleichtert sein.

«Wie kannst du nur so etwas vermuten? Natürlich ist das Kind von dir. Das heißt, um genau zu sein: Das Kind, das ich bekommen würde, wenn ich tatsächlich schwanger wäre, wäre selbstverständlich von dir.»

Vielleicht hatte ich mich etwas kompliziert ausgedrückt. Philipp schwieg. Ich ließ meine Worte einige Sekunden lang wirken und fasste das Gesagte dann nochmal zusammen.

«Philipp, ich bin nicht schwanger. Ich habe mich bei dem blöden Test vertan. Aber die Gebrauchsanweisung war auch wirklich sehr missverständlich formuliert.»

Philipp atmete tief aus und schaute zur Decke.

«Bülowbärchen, bitte, es tut mir Leid.»

Ich zog den Ring vom Finger und schob ihn langsam über den Tisch. Er schaute erst den Ring an, dann mich – und brach in schallendes Gelächter aus.

«Philipp?»

Er lachte immer noch, als er schließlich aufstand, Champagner aus dem Kühlschrank holte, den Korken knallen ließ und zwei Gläser füllte. «Püppchen mein Liebes, das glaubt mir wieder kein Mensch. Lass uns anstoßen auf die chaotischste und liebenswerteste Frau, die je in meinem Leben herumgetrampelt ist.»

Mensch, war ich froh. Das war ja nochmal gut gegangen. Ich nahm einen extra großen Schluck Champagner, denn natürlich hatte ich während meiner Schwangerschaft völlig auf Alkohol verzichtet.

«Und den hier» – Philipp griff nach dem Ring und steckte ihn mir wieder an den Finger – «behalte bitte. Nimm ihn als Versprechen für die Zukunft.»

«Was für ein Versprechen?»

«Dass wir den nächsten Schwangerschaftstest gemeinsam machen. Ich kümmere mich um den schriftlichen, du um den praktischen Teil.»

Ich schwieg ergriffen. Schweigen ist ja manches Mal wirkungsvoller als Reden. Eine Erkenntnis, die mir nur selten in die Tat umzusetzen gelingt. Meist schweige ich nicht mal dann, wenn ich nichts zu sagen habe. Aber diesmal fehlten mir wirklich die Worte.

«Puppe Sturm, ich liebe dich sehr.»

«Philipp von Bülow, ich dich noch viel mehr.»

Und was sich reimt, ist immer gut.

Den Ring habe ich seither jeden Tag getragen. Er hat mich immer glücklich gemacht und dankbar und mich mit Vorfreude erfüllt. So hat selbst ein vermasselter Schwangerschaftstest sein Gutes. «Ein Versprechen für die Zukunft …»

Zukunft. Was für ein schönes Wort – wenn man sie teilen kann. Mit Philipp habe ich mich immer auf das gefreut, was vor mir lag. Auf morgen und auf übermorgen. Und auf alle Zeit.

So naiv war ich. Und wäre es wohl immer wieder.

23:15

Ich kann diesen Ring unmöglich seinem Schicksal überlassen. Zwar hatte ich überlegt, ihn um Mitternacht ins Meer zu schmeißen als große, reinigende Geste zum Beginn meines neuen

Lebensjahres. Aber das hier ist ja jetzt überhaupt nicht vergleichbar. Erinnerungsstücke müssen mit glühendem Herzen vernichtet werden und dürfen nicht wegen eines popeligen Briefschlitzes verloren gehen – noch dazu auf der Flucht vor einem mittlerweile sicher sehr verstimmten Jurastudenten, eingelegt in apfelgrüne Frotté-Bettwäsche.

Was soll ich tun?

Kann nicht klingeln.

Kann nicht ohne den Ring gehen.

Ich sinke verzweifelt auf die Treppe nieder.

WAS SOLL ICH TUN?

Marple schaut mich betroffen an. Sie scheint mit der Situation auch nicht gut zurechtzukommen. Es kann nicht mehr lange dauern, und Oliver wird sich auf die Suche nach mir machen. Mich womöglich hier auf der Treppe sitzend finden.

Nein, ich habe in meinem Leben eine Menge entwürdigender Umstände erlebt. Ich bin wirklich einiges gewohnt, aber das, nein, das darf nicht passieren. Nicht mir, nicht heute. Nicht an meinem Geburtstag, nicht an meinem Trennungstag, nicht an dem Tag, der auch ohne das hier als der schrecklichste Tag im Leben der Amelie Puppe Sturm in die Geschichte eingehen wird.

Ich höre Schritte. Jemand kommt von der Straße auf die Haustür zu. Vor Schreck kann ich mich nicht bewegen, und selbst wenn ich es könnte, hätte ich keine Zeit mehr, mich zu verstecken.

Ein Schatten biegt um die Ecke. Ein Mann, mittelgroß, breit. Kommt näher. Ich kann sein Gesicht nicht sehen, weil mich die Eingangsbeleuchtung blendet.

Ein Einbrecher? Der Nachtwächter? Soll ich um Hilfe rufen?

Bei Oliver Sturm klingeln? Gute Güte, was für ein blödes Wortspiel.

Oder soll ich freundlich «Guten Abend» sagen und so tun, als gäbe es für mich nichts Natürlicheres auf der Welt, als um diese Zeit vor dieser Tür zu sitzen? Ja, das wird das Beste sein. Man muss so tun, als gehöre man dazu, dann gehört man auch dazu. Alte Weisheit meiner Freundin Kati, die so an jedem Türsteher vorbeikommt. Ich hingegen sehe sogar mit Einladung so aus, als gehörte ich nicht dazu.

Aber jetzt, wo es um das letzte Quäntchen meiner Würde geht, bin ich bereit, alles zu geben. Und während ich noch versuche, total natürlich auszusehen, höre ich Worte aus dem Dunkeln, die mir den letzten Rest meines Glaubens an Gerechtigkeit auf Erden rauben:

«Guten Abend, Frau Sturm. Was für eine Überraschung. Kann ich Ihnen vielleicht behilflich sein?»

Ein Mann tritt ins Licht.

Julius Schmitt.

Pause. Stopp. Ende.

Alle Geräusche sind abgeschaltet. Das Meer rauscht nicht mehr. Der Wind raschelt nicht mehr in den Bäumen. Ich atme nicht mehr. Marple atmet nicht mehr. Nichts und niemand atmet mehr.

In der absoluten Stille wird mir alles klar. Stück für Stück fügt sich das Puzzle zusammen, bis es jenes erschreckende Bild ergibt, in dem ich mich unglückseligerweise gerade befinde.

Ich höre Oliver in meinem inneren Öhrchen nochmal sagen:

«Mein Vater hat hier ein Haus.»

«Man Vater hat ein Flugzeug.»

Die Vorzugsbehandlung im Sansibar. Die miteinander verbundenen Reetdachvillen. Ich sehe mich noch einmal durch das Haus schleichen – plötzlich sicher, dass ich schon mal da war.

Natürlich. Ich war schon zweimal hier. Im Haus Wellenbrecher. Dem Haus von Julius Schmitt. Seniorpartner von Philipp von Bülow. Berliner Promianwalt – und Vater von Oliver.

Mir ist überhaupt nicht klar, was ich sagen soll. Ich glaube, mein Mund steht auf unvorteilhafte Weise offen, während ich Julius Schmitt anstarre. Meine Augen, sowieso schon kullerrund, habe ich so sperrangelweit aufgerissen, dass sie aussehen müssen wie faustgroße Löcher in meinem Kopf.

Julius Schmitt macht keine Anstalten weiterzusprechen. Warum auch? Er schaut mich freundlich auffordernd an.

«Hallo, Julius», sage ich mit dünnem Stimmchen, «ähm, falls Sie mich jetzt für völlig verrückt halten, ähm, dann haben Sie Recht.»

«Aber, aber Kindchen», er legt mir väterlich den Arm um die Schultern, «vielleicht sollten wir erst mal reingehen, und Sie erklären mir bei einem Glas Wein, was Ihnen so Schreckliches passiert ist.»

«Nein! Bitte nicht. Ich ... Das geht wirklich nicht.»

Er schaut mich verständnislos an.

«Julius, ich wäre Ihnen wirklich sehr dankbar, wenn Sie mir helfen würden.»

Er mustert mich und schmunzelt. Hält das Ganze hier wohl für Schabernack.

«Da drinnen im Flur liegt irgendwo ein Ring. Mein Ring. Auf dem Fußboden. Würden Sie ihn bitte für mich holen?»

Julius schmunzelt immer noch.

«Und Sie sind ganz sicher, dass Sie nicht mit reinkommen wollen?»

«Ganz sicher.»

«Na gut. Dann mal los.»

«Danke.»

Er schließt die Tür auf und schaltet das Licht im Flur an. Ich ziehe Marple zu mir heran und reibe ihre kleinen Schlappöhrchen mit Daumen und Zeigefinger. Marple seufzt leise und leckt sich selig die Nase. Eine Entspannungsmassage für Hunde, die auch auf mich immer sehr beruhigend wirkt. Ich hebe sie hoch und lege mein Gesicht an ihr warmes Fell.

Was soll ich Julius sagen?

Die Wahrheit? Das wäre mal was anderes.

Eine plausible Lüge? Fällt mir so schnell keine ein. Wie soll ich meine Anwesenheit in so desolatem Zustand einigermaßen glaubhaft erklären? Nein, so viel Phantasie habe ich nicht.

Oder sage ich gar nichts? Ein kurzes «Dankeschön» und dann nix wie weg? Er würde sich womöglich wundern. Na und? Da ich Philipp von Bülow niemals wiedersehen werde, werde ich auch Julius Schmitt nie wiedersehen. Der Eindruck, den ich hinterlasse, kann mir also eigentlich total egal sein.

Ich mag Julius. Man kann vernünftig mit ihm reden. Er hat Sinn für eigenwilligen Humor und hat, soweit ich mich erinnern kann, immer gerne über meine Witze gelacht. Aber sobald es um die Manneswürde ihrer Söhne geht, verstehen Väter selten Spaß.

«So, meine Liebe, hier bringe ich Ihnen Ihren Ring. Und das hier gehört vermutlich auch Ihnen.»

Ups. Mein BH. Wie unangenehm. Die Uhr seines Sohnes lässt Julius taktvoll in seiner Anzugtasche verschwinden. Ein Gentleman alter Schule. Der würde wahrscheinlich zu einer Dame, die er versehentlich nackt in der Badewanne überrascht, sagen: «Excuse me, Sir!»

«Darf ich Sie noch irgendwohin bringen?»

«Ach, nicht nötig. Mein Auto steht vorm Sansibar.»

«Dann werde ich mir erlauben, Sie dorthin zu begleiten.»

Wir gehen schweigend nebeneinander her. Den Weg kenne ich. Keine vier Monate ist es her, dass ich hier Arm in Arm mit Philipp entlangschwankte.

Ich hatte ein, vielleicht auch zwei Gläschen über den Durst getrunken. Ich trinke gerne zu viel. Man hat doch irgendwie mehr Spaß, wenn die eine oder andere Promille im Spiel ist. Ganz getreu dem Motto meines lieben Burgis, der gern zu vorgerückter Stunde mit weinglänzenden Äuglein verkündet:

«Freunde, ich sage euch: Freude ohne Alkohol ist künstlich!»

Philipp war auch recht angeheitert, als wir Haus Wellenbrecher verließen. Er verträgt natürlich mehr als ich, aber die Wirkung des Alkohols ist bei ihm augenfälliger als bei mir. Ich bin ja immer zu Scherzen aufgelegt, redselig und offenherzig. Ob trunken oder nicht, der Unterschied in meinem Verhalten ist marginal. Bei Philipp hingegen fällt es schon auf, wenn er nach dem ersten Fläschchen häufiger mal lächelt und mit fortschreitendem Alkoholkonsum ab und an mal so herzhaft lacht, dass man seine gut gebauten Zähne sehen kann.

«Philipp», sage ich ja manches Mal neckisch zu ihm, wenn er

morgens zum Reinemachen im Bad verschwindet, «so selten, wie du deine Zähne zeigst, brauchst du sie dir eigentlich gar nicht zu putzen.»

Jedenfalls war der Abend sehr lustig. Gegen zwei lotste uns Julius in seinen Keller mit Sauna, Solarium, Whirlpool und funkelndem Sternenhimmel über dem Ruheraum.

Philipp, ich, Julius und dessen kleiner, dicker Golfpartner setzten uns in den Whirlpool. Selbstverständlich vollständig bekleidet. Julius im Smoking, Philipp in Brioni und der Dicke in karierten Hosen mit fiesem gelbem Rautenpullunder. Julius orderte übers Haustelefon Getränke und setzte per Fernbedienung die Bose-Anlage in Gang. Altherren-Musik vom Feinsten. Lieder, die schon in meiner Jugend Oldies waren. Herrlich. Ich sang laut mit, begleitet vom Blubbern des Whirlpools und begeistert von der Tatsache, die deutlich Jüngste in der Runde zu sein.

Don't you look at my girlfriend,
she's the only one I got ...

Leben die eigentlich noch, diese Menschen, die sich in der Steinzeit «Supertramp» nannten?

Take a jumbo cross the water
like to see America.

Ich planschte im Whirlpool rum, spürte eine ausgelassene Sehnsucht nach Zeiten, die so lang vorbei waren, dass ich sie noch nicht mal erlebt hatte.

Dann sprachen wir über die Liebe, im Allgemeinen, und im Besonderen. Ich spreche gerne über Intimes. Sozusagen mein Fachgebiet. Im Fühlen bin ich gut, und ich interessiere mich sehr dafür, was andere Leute fühlen.

«Lieben Sie Ihre Frau?», fragte ich den kleinen Dicken.

«Nein.»

Er schien nicht gewillt, das Thema zu vertiefen.

«Und Sie, Julius, lieben Sie Ihre Frau?»

«Nein, schon lange nicht mehr.»

«Warum sind Sie dann noch ein Paar?»

«Ich fürchte, das ist nur noch eine Frage der Zeit, meine liebe Puppe.»

Er machte die Musik lauter. Ich überlegte, was wohl in ihm vorging und ob er bei diesem Lied daran dachte, dass er seine Frau irgendwann mal geliebt hat.

Ich dachte an all die Frauen, die ihre Männer zu dem gemacht hatten, was sie waren: erfolgreiche, selbstbewusste, relativ gut er- und angezogene Menschen, die ihre vorteilhaft geschnittenen Boxershorts täglich wechseln, ihren Müttern Blumenarrangements zum Geburtstag schicken und ihre Kinder am liebsten schlafend vorfinden, wenn sie von ihren wichtigen Geschäften nach Hause kommen.

Ich habe nie um eines Mannes willen auf irgendwas verzichtet – einmal abgesehen von meiner Seelenruhe, von vielen, vielen Tafeln Nougatschokolade und ebenso vielen gemütlichen Nachmittagen, die ich statt aufm Sofa aufm Crosstrainer verbracht habe. Ich behaupte zwar immer, so wie alle mir bekannten Frauen auch, dass ich nur deshalb fettarm esse und Kalorien auf völlig unnatürliche Weise verbrenne, um mich selbst in meinem Körper wohl zu fühlen, aber das ist mindestens zu sechzig Prozent gelogen. Hauptsächlich möchte ich, dass andere sich mit meinem Körper wohl fühlen.

Was ich sagen wollte, ist, dass noch kein Mann auf dieser Welt Karriere gemacht hat, weil ich ihm den Rücken frei gehalten und meine Wünsche seinen untergeordnet habe. Dazu bin ich viel zu sehr bedürfnisorientiert. Und zwar orientiere ich mich da fast ausschließlich an meinen Bedürfnissen. Und trotzdem finde ich, gehört es sich, dass ich mich solidarisch erkläre mit Frauen wie der von Julius Schmitt.

Marita Schmitt. Seit siebenundzwanzig Jahren die Gemahlin an Julius' Seite. Hat ihre Ausbildung abgebrochen, um ihm während seines Studiums einen Sohn zu gebären – der mir vierundzwanzig Jahre später versautes Zeug ins Ohr flüstern sollte. Hat bei Abendeinladungen für den Chef ihres Mannes, als der noch einen Chef hatte, repräsentative Speisen zubereitet. Dabei hat Marita zwei, drei Konfektionsgrößen zugelegt. Genauso wie ihr Gatte.

Im Grunde wurden Julius und Marita, wie man es ja bei vielen Paaren, die sehr lange zusammen sind, beobachten kann, einander immer ähnlicher. Wie Geschwister wirkten sie, als ich Marita bei Julius' Fünfzigsten kennen lernte. Ihre Art, das Weinglas zu halten, den Fisch zu filetieren und die Stimme am Ende des Satzes plötzlich hochzuziehen wie eine zweimotorige Cessna vor einer unerwarteten Steilwand.

Es ist rührend, wie man Eigenschaften und Eigenarten des anderen übernimmt. Dazu muss man sich noch nicht mal sehr lieben, bloß eine gewisse Anzahl von Stunden in der Woche miteinander verbringen. Der Austausch von Angewohnheiten kann kuriose Züge annehmen, wie bei meiner Schulfreundin Kati. Deren Mann hört nach einer schlecht verheilten Mittelohrentzündung auf dem linken Ohr schlecht. Bei Gesprächen legt er seinen Kopf immer leicht schief, um den Sprechenden das rechte, gesunde Ohr entgegenzuhalten. Was soll ich sagen? Bei meinem letzten Besuch fand ich Kati mit exakt derselben Kopfhaltung vor, obschon sie auf beiden Ohren tadellos hört.

Bei den Schmitts gehen die Ähnlichkeiten sogar bis in die Physiognomie. Beide mittelgroß, breit in den Hüften und mit ganz erstaunlich dicken Nasen im Gesicht. Ob die Nase des einen im Laufe der Jahre aus Liebe immer dicker geworden ist?

Werde ich Philipp immer ähnlicher? Bin ich in fünfzehn Jahren vielleicht so groß wie er, also fast doppelt so groß wie heute? Oder wird er womöglich schrumpfen? Ob ich mir seine Art von Selbstbewusstsein zu eigen machen werde? Dieses grundlegende Vertrauen in das Erreichen seiner Ziele, das manchmal so weit führt, dass Philipp sich nicht über einen Erfolg freut, weil er sowieso mit ihm gerechnet hat. Ich freue mich allerdings auch nicht so sehr über Erfolge, weil ich dann leicht schon mal denke, dass es so schwer ja nicht gewesen sein kann, wenn es sogar mir gelungen ist. Ob ich, wie Philipp, irgendwann glaube, dass ich im Recht bin? Lerne, sachliche Kritik nicht persönlich zu nehmen? Es schaffe, mir nur Bücher zu kaufen, die ich dann auch lese, und nur solche Fremdwörter zu benutzen, die ich auch wirklich verstehe? Ob ich irgendwann aufhöre, blöde Fragen zu stellen? Fragen wie:

«Gefällt dir Giselle Bündchen besser als ich?»

«Du magst doch keine großen Brüste, oder?»

«Guck mal, dieses rattenscharfe Super-Model, das gerade das Restaurant betritt – würdest du mit der schlafen, wenn du nicht mit mir zusammen wärst?»

«Hast du schon mal in Erwägung gezogen, mich zu betrügen?»

«An wen denkst du beim Onanieren?»

«Findest du mich auch noch schön, wenn ich neunundvierzig bin?»

«Hast du je eine Frau mehr geliebt als mich?»

Warum stellen Männer solche Fragen nicht?

Ja, warum? Weil sie nicht belogen werden wollen? Oder weil sie fürchten, Frauen würden ihnen ehrliche Antworten auf diese Fragen geben:

«Nein, Schnuffelbäckchen, um ehrlich zu sein habe ich gar nix gegen brettharte Bauchmuskeln. George Clooney, nun, der sieht wirklich anbetungswürdig aus, aber bei dir beeindrucken mich die inneren Werte. Trotzdem würde ich George mit Sicherheit nicht aus dem Bett schubsen, zumal ich in meiner Phantasie schon Hunderte Male großartigen Sex mit ihm hatte. Deine Alterserscheinungen werde ich erst dann akzeptieren, wenn ich ganz sicher bin, dass ich mit meinen Alterserscheinungen keinen Jüngeren mehr abbekomme.

Nein, ich kenne keinen Mann, der solche Fragen stellt, und zum Glück auch keinen, der herzlos genug wäre, die Wahrheit zu sagen an Stellen, wo eine Lüge gesellschaftlich akzeptiert, ja sogar erwartet wird. Man imaginiere bloß folgenden apokalyptischen Dialog:

«Liebster, was wäre, wenn du mich nicht hättest?»

«Dann hätte ich 'ne andere.»

Pfui, ganz unvorstellbar. Wo kämen wir denn da hin, wenn Frauen auf einmal damit rechnen müssten, ehrliche Antworten auf ihre blöden Fragen zu bekommen? Die Menschheit würde aussterben. Ja, in der Tat.

Julius schenkte Champagner nach und unterbrach meine anthropologisch bedeutsamen Überlegungen.

«Wissen Sie, meine liebe Puppe, was besonders traurig ist? Nach fünfundzwanzig Jahren Ehe bin ich noch nicht einmal traurig darüber, dass ich meine Frau nicht mehr liebe.»

«Hey, wenn du nicht traurig bist, dann kannste doch froh sein», rief der Dicke taktlos.

«Das ist wirklich traurig», sagte ich ergriffen und ergriff unter Wasser Philipps Hand. Er drückte mich ganz fest, so als wolle er sagen: «Wir werden uns immer lieben, sei unbesorgt.»

«Natürlich haben wir auch mal gedacht, wir würden uns immer lieben», sagte Julius.

Ich wünschte, er würde nicht weitersprechen, weil ich an meinen Illusionen hänge und an die ewige Liebe, an die Wirksamkeit von Skin-Repair-Cremes und die Aufrichtigkeit der Fernseh-Werbung glauben möchte.

«Liebe muss nicht zwangsläufig aufhören», sagte ich trotzig und versuchte, mich auf das von mir sehr geschätzte Lied «Your song» von Elton John zu konzentrieren:

I hope you don't mind
that I put down in words
how wonderful life is
while you're in the world.

23:38

«Und, meine liebe Puppe Sturm, glauben Sie immer noch an die große, unendliche Liebe?»

«Nein, zurzeit nicht.»

Julius und ich waren bei meinen Wagen angelangt. Wir hatten auf dem Weg kein Wort gesprochen, aber es war kein unangenehmes Schweigen gewesen. Ich hatte nicht das Gefühl, dass er eine Erklärung von mir erwartete. Er schien weit weg zu sein mit seinen Gedanken und wirkte irgendwie bekümmert. Trotzdem hatte ich den Eindruck, dass ihm meine Gegenwart nicht unangenehm war.

Er nimmt meine Hand in beide Hände.

«Was vorgefallen ist, geht mich nichts an, und ich werde Sie nichts fragen, aber ich hoffe sehr, dass wir uns bald wiedersehen, und dass wir beide dann wieder an die Liebe glauben.»

«Julius?»

«Ja?»

«Es geht mich nichts an, aber ich werde Sie trotzdem fragen. Ist bei Ihnen alles in Ordnung? Sie wirken so bedrückt.»

«Bei mir ist zurzeit alles in Unordnung. Ab morgen wird in meinem Leben nichts mehr so sein, wie es mal war. Aber wissen Sie was? Ich freue mich darauf. Es ist gut. Nein, es wird gut.»

Normalerweise bin ich nicht der Typ, der aufhört nachzufragen, wenn's richtig interessant wird. Aber diesmal bin ich von ungewohnter Sensibilität und Dezenz.

«Das würde mich sehr für Sie freuen, Julius, wirklich.»

Wir schauen uns noch ein paar Sekunden in schönem Einvernehmen an, dann küsst mich Julius auf die Wangen und geht davon.

Eine Weile höre ich noch seine Schritte. Dann ist es still. Und ich wüsste nicht zu sagen, wann in meinem Leben ich mich jemals einsamer gefühlt habe.

23:57

Noch drei Minuten bis zu meinem Geburtstag.

Bis zu meinem neuen Jahr.

Meinem neuen Leben. Ich habe kein neues Leben gewollt, und in meinem Alter wird man auch nicht mehr gerne älter, deshalb hält sich meine Freude in Grenzen. Ich habe Gas gegeben wie eine Irre, um es rechtzeitig hierher zu schaffen. An diesen magischen Ort, hoch über der Welt.

Ich habe direkt an der Kante des Roten Kliffs geparkt. Dreißig Meter unter mir ist der Strand. Es ist Flut, und wenn ich mich in meinem Sitz zurücklehne und die Augen fast ganz schließe, kann ich mir vorstellen, ich würde über das dunkle Wasser fliegen.

Der Mond ist in dieser Nacht so klar und leuchtend, als wolle er mir eine besondere Freude machen. Ich liebe ihn wie einen alten, schrulligen Freund, dem man alles verzeiht. Ich liebe ihn, weil ich, wenn ich ihn anschaue, mir vorstelle, wer ihn bereits vor mir angeschaut hat. Jeder Mensch, der jemals gelebt hat, hat den Mond gesehen. Der erste Mensch. Caesar. Goethe. Columbus. Nofretete. Luther. Rock Hudson. Gandhi. Amelie Tschuppik. Sitting Bull. Marilyn Monroe.

Sie alle haben irgendwann mal in ihrem Leben, so wie ich jetzt, nach oben geschaut und Trost gesucht. Und manches Mal Trost gefunden.

Die Sterne waren noch nie so nah wie heute. Ich strecke einen Arm aus, pflücke ein paar von ihnen vom Himmel und lege sie neben die schlafende Marple auf den Beifahrersitz. Ich habe sie mir verdient. Und ich kann sie brauchen.

23:58

Jetzt.

Für jetzt gibt es nur ein einziges Lied: «Pink Moon». Ich glaube, dass der weise, früh verstorbene Nick Drake es nur für mich geschrieben hat. Und nicht für den Golf-Cabrio-Werbespot, für den es vor ein paar Jahren wieder ausgegraben wurde. Er dachte:

«Irgendwann wird eine Frau an roten Klippen stehen und sich vorstellen, sie würde über das Meer bis zum Mond fliegen, mit dem sie schon seit langem eine freundschaftliche Beziehung pflegt. Sie wird traurig sein, und es werden noch genau zwei Minuten sein bis Mitternacht. Bis zu ihrem Geburtstag. Und mit jedem Geburtstag beginnt etwas Neues. Und diesmal ganz Besonderes. Und deshalb schreibe ich ihr einen Song, der zwei Minuten dauert. Genau zwei Minuten. Ein Lied, mit dem sie fliegen kann und ihren Freund, den Mond, besuchen. Pink Moon. Happy Birthday, Puppe Sturm.»

Und er singt:

I saw it written and I saw it say
Pink moon is on its way.
And none of you stand so tall
Pink moon gonna get ye all
And it's a pink moon
Yes, a pink moon.

Sonntag, 00:00

Einen Moment lang überlege ich, einfach Gas zu geben und zu fliegen.

Wow!

Das wäre was!

Was für ein Abgang!

Der Pastor würde schwer an Tränen schlucken, und das, obschon er mich gar nicht gekannt hat, da ich ja vor fünfzehn Jahren aus der Kirche ausgetreten bin. Aber er würde einfach intuitiv spüren, welch eine großartige, intensive Persönlichkeit da ihr Leben frühzeitig beendet hat. Meine Jugendfreundin Kati, eine Expertin für große Gesten, würde an meinem offenen Grab hysterisch kreischend auf Philipp deuten, «Möööörder!» schreien und nur mit der gemeinsamen Anstrengung ihres Mannes und ihres Liebhabers davon abgehalten werden können, ihn mit dem Spaten zu erschlagen.

Philipp würde an meinem Grab zusammenbrechen, die Hände auf meinen weißen Sarg legen und sich weigern, wieder aufzustehen.

Ach, ich liebe es, mir meine eigene Beerdigung farbenprächtig auszumalen. All die verzweifelten, schuldigen Menschen, denen ich meinen Tod von Herzen gönne. Das haben die jetzt davon! Zu spät, sich zu entschuldigen! Selber schuld!

Bedauerlich an diesen Phantasien, die mir immer wieder viel Freude bereiten, ist die Tatsache, dass der Tod mir persönlich ja viel zu endgültig ist und dass man bei der eigenen Trauerfeier zwar die Hauptperson, aber tot ist. Da hast du endlich deinen großen Auftritt und bekommst davon nichts mehr mit. Nein, diese Form der Zurückhaltung liegt mir nicht. Ich bin schon lieber leibhaftig dabei, wenn es um mich geht. Deswegen ziehe ich es vor, erst im hohen Alter zu sterben, weil man als Lebendiger einfach sehr viel mehr Möglichkeiten hat, Rache zu üben an nichtswürdigen Mitmenschen.

Also dann. Auf ein neues Jahr. Auf ein gutes Jahr. Das Schöne ist ja, dass es nur besser werden kann. Und wer kann das schon behaupten?

Fühle mich geradezu beneidenswert.

«Herzlichen Glückwunsch!», brülle ich mich selbst an. Marple hebt erschrocken den Kopf und seufzt angesichts der nächtlichen Ruhestörung. Ich gebe ihr einen herzlichen Kuss auf ihre feuchte Nase. Danach sieht sie, wenn überhaupt möglich, noch etwas deprimierter aus als sonst. Ich lege den Rückwärtsgang ein, winke Freund Mond zum Abschied, und dann beginne ich mein neues Leben.

10:13

Hääähh? Harghhhmmph? Ooohaauuha. Hauuaahh. Werbinnich? Wobinnich? Wer haut mir da aufm Kopf rum? Und warum?

11:45

Ooohhh. Diese Schmerzen.

Weil es mir an allen Ecken und Enden wehtut, weiß ich gar nicht, worunter ich zuerst leiden soll. Gut, die Kopfschmerzen habe ich schnell lokalisiert und diagnostiziert. Alkohol-Abusus in Kombination mit ungewohnt hohen Nikotindosen. Unerfreulich, jedoch nichts Ernstes. Aber was zum Teufel ist mit meinem Rücken los, meinen Beinen, meinen Armen? Fühle mich, als sei ich in eine üble Schlägerei zwischen Punks und Skinheads geraten.

Wobei ich das ehrlich gesagt gar nicht so richtig beurteilen kann, weil ich mich noch nie geprügelt habe. Ich bin ein bisschen feige, was körperliche Auseinandersetzungen angeht. Nun, eigentlich, was Auseinandersetzungen überhaupt angeht. Konflikte auszutragen liegt mir nicht. Mich braucht einer nur böse anzuschauen, und ich bin bereit, alles, aber auch alles, was ich je in meinem Leben gesagt habe, zurückzunehmen.

Das Brutalste, was ich je einem anderen Menschen antat, war, dass ich als Elfjährige voll berechtigten Zornes einen nassen Schwamm auf eine mir verhasste Mitschülerin warf. Ich war damals sowohl schlecht im Werfen als auch im Zielen, was sich übrigens leider auch später nicht ändern sollte. Der Schwamm verfehlte meine Feindin um etliche Meter und traf stattdessen meine beste Freundin mitten im Gesicht, womit die Freundschaft fürs Erste beendet war.

Ich blinzle übellaunig in die Sonne, die mir von irgendwoher direkt ins Gesicht scheint, und werfe einen trüben Blick auf meinen geschundenen Körper.

Na ja, kein Wunder. Das Praktische an mir ist, dass man mich, weil ich nicht sehr groß bin, fast überall zum Schlafen ablegen kann. Ich schlummere in der kleinsten Nische und auf jedem Zweisitzer-Sofa. Aber nur weil ich auf fast jede Unterlage draufpasse, heißt das nicht automatisch, dass ich überall auch gut schlafe.

In diesem Augenblick zum Beispiel liege ich schmerzgepeinigt auf der Rückbank meines Autos. Unzureichend zugedeckt von meinem klammen Badehandtuch. Meinen Kopf unvorteilhaft gebettet auf eine Plastiktüte mit Büchern. Auf meinen Beinen hat es sich Miss Marple gemütlich gemacht – was den Vorteil hat, dass ich meine Beine nicht mehr spüre. Weil, würde ich sie spüren, täten sie sicher auch weh.

Langsam erinnere ich mich an die letzten Stunden der vergangenen Nacht. Hatte meinen himmelblauen Spider auf den Parkplatz vor der Sturmhaube in Kampen gefahren, mir die Lippen nachgezogen, die Wimpern getuscht und war dann in Begleitung von Marple reinmarschiert, um meinen Geburtstag zu feiern. Mehrere gut aussehende Männer hatten mich nicht angesprochen, was mir Leid tat, mich aber dank nicht mehr vorhandenen Selbstbewusstseins nicht wirklich kränkte.

Erst gegen zwei hatte ich ein bekanntes Gesicht entdeckt: die Frau von Julius Schmitt. Wie hieß sie noch gleich? Renate? Petra? Monika? Ich beobachtete sie unauffällig. Absolut der Typ Frau, deren Vornamen man sich nie merken kann. Arme Frau. Sie starrte ein paar Sekunden lang zu mir herüber. Gleich würde sie herkommen und mir ihr Leid klagen. Danach war mir nun überhaupt nicht zumute. Bei aller Frauensolidarität, irgendwo muss Schluss sein. Gerade wollte ich mich wegdrehen und demonstrativ aus dem Fenster gucken, da drehte sie sich weg und guckte aus dem Fenster. Sie hatte mich nicht erkannt. Eine Frechheit! Am liebsten wäre ich zu ihr rübergegangen, um ihr zu sagen, dass mir an ihrer Gesellschaft nichts liegt und ich mich nicht mal an ihren Vornamen erinnern kann.

Aber wie ich sie mir so ansah, ging es ihr auch ohne meine Herabwürdigung schon schlecht genug. Sie sah unglaublich einsam aus. Wahrscheinlich so wie ich. Sie trank Gin Tonic, so wie ich. Ab und zu ging sie auf die Tanzfläche. Allein. Diese dickliche Dame mit der dicken Nase, die aussah wie ihr Mann, der ein neues Leben beginnen würde. Ohne sie.

Hingerissen tanzte sie zu dem Lied von Gloria Gaynor, zu dem alle Frauen begeistert tanzen, die leiden. Und die, die am lautesten mitsingen, sind die, die am allerärmsten dran sind. Ich tanzte nicht, aber ich sang leise vor mich hin:

> *Oh no not I*
> *I will survive!*
> *Oh as long as I know how to love*
> *I know I'll stay alive.*

Ich zahlte.

Als ich ging, tanzte sie immer noch. Renate, Petra oder Monika Schmitt. Eine Frau, deren Vornamen man sich nicht merken kann und deren Nachnamen ihrem Mann gehört.

> *Go on now, go*
> *Walk out the door*
> *Just turn around now*
> *Cause you're not welcome anymore ...*

Wir beide taten mir Leid.

Ich ging zu meinem Auto, legte meinen Kopf auf die Plastiktüte mit Büchern und meine Hand auf Miss Marples faltiges Fell. Und schlief ein.

13:55

«Dies ist der Anschluss von Ingeborg Himmelreich. Wenn Sie eine Nachricht hinterlassen, rufe ich Sie gegebenenfalls zurück. Piep.»

«Ibo, hier ist Puppe. Schade, dass du nicht da bist. Im Himmelreich hab ich's schon probiert, aber ich weiß ja, dass du heute keinen Dienst hast. Ich wollte dir sagen, dass ich mich jetzt auf den Weg nach Hamburg mache. Ich bin noch auf Sylt und nehme gleich den Autozug. Ich rufe aus einer Telefonzelle am Bahnhof an, weil mein Handy leer ist. Können wir uns heute am frühen Abend sehen? Dann kann ich dir endlich erzählen, was passiert ist. Ich versuch's wieder bei dir, sobald ich in Hamburg bin. Tschüs, bis dahin.»

Hab jetzt echt die Nase voll von Ablenkung. Klappt ja doch nicht. Ich fahre nach Hause und werde mich dort ganz der klassischen und im Grunde auch bewährten Form der Problembewältigung hingeben: Wein, Weib und Gesang. Einen eiskalten Gavi di Gavi auf der Terrasse trinken. Meinem Lieblingsweib Ingeborg endlich meinen gesamten Leidensweg schildern. Zart begleitet von «The only one» von Lionel Ritchie. Eine Stimme wie warme Vanillesauce.

*Let me tell you now
all that's on my mind.*

Und wenn Ibo erst die ganze, grausame Wahrheit kennt, werde ich ziemlich viel weinen. Sie wird mir ganz lange den Kopf streicheln, sehr viel Verständnis haben und hoffentlich so Sachen sagen wie:

«Jetzt kann ich's dir ja sagen, aber ich hatte bei Philipp von Anfang an kein gutes Gefühl.»

Oder: «Du solltest Mitleid mit ihm haben, Puppe, der Mann hat doch sein Leben verpfuscht.»

Oder: «Jetzt hör auf zu heulen und lass uns über das Wesentliche sprechen: über Rache.»

Ingeborg ist im Gegensatz zu mir eine fabelhafte, weil phantasievolle Rächerin. Sie stammt aus Ostfriesland. Vergesse den Namen des Ortes immer, irgendwo jedenfalls hinter Emden. Abgesehen von regelmäßigen Besuchen bei ihren Eltern fährt Ibo einmal im Jahr, immer zwischen Ostern und Pfingsten, in ihr Kaff, um Vergeltung zu üben. Letztes Mal hat sie mich mitgenommen, und ich muss sagen, ich habe meine pragmatische Freundin nicht wiedererkannt und selten so viel Spaß in einer Nacht gehabt.

Erst brachten wir uns in der Dorfdisco mit dem ausgefallenen Namen Number One in Stimmung. Ich sah dort Frisuren, von denen ich dachte, dass sie mittlerweile verboten seien. Außerdem eine atemraubende Dichte von Lederslippern mit Bommel dran und, ich traute meinen Augen kaum, auf dem Parkplatz einen tiefer gelegten roten Scirocco mit einem Airbrush-Tigerkopf auf der Motorhaube.

«Der gehört Guido», sagte Ibo.

«Hast du mit dem etwa auch geschlafen?»

«Mmmmh. Kann schon sein. Hier gibt's eben nicht so viele passable Männer. Wenn man als junges Mädchen trotzdem Erfahrungen machen wollte, musste man halt nehmen, was da war.»

«Verstehe.» Ich schwieg beschämt.

Schon in der Disco war ich in einen Fettnapf getreten, als ich beim Anblick eines Prolls in mein dreckigstes Gekicher ausgebrochen war. «Guck mal, der sieht ja original aus wie Zlatko, bloß noch drei Nummern bescheuerter.»

«Das ist Slobodan. Wir nennen ihn Slobbi Long Long. Du kannst dir denken, warum. Zu meiner Zeit war er sehr beliebt, und ich habe meine Unschuld an ihn verloren.»

«Slobbi Long Long? Ingeborg Himmelreich, davon hast du mir nie was erzählt. Da bist du ja gleich zu Beginn ganz groß ins Geschäft eingestiegen.»

Ich musste mich kaputtlachen. Meine eigenen Witze finde ich zum Brüllen komisch, besonders, wenn sie so schlecht sind.

Gegen zwei meinte Ibo, die Zeit der Rache sei gekommen. Wir verließen die Disco, und nach fünf Minuten auf einer stockdunklen Landstraße befahl sie mir zu halten.

«Du musst nicht mitmachen, wenn du nicht willst.»

Ich schaute sie erschrocken an. Wo war ich hier reingeraten? In eine jahrhundertealte ostfriesische Stammesfehde? Würde es Verwundete geben?

«Ich bin dabei.»

«Dann los.»

Sie drückte mir einen schweren Einkaufsbeutel in die Hand, und ich folgte ihr zu einem Backsteinhaus mit dem Schild «Pension Lautenschläger». Ibo zog eine Spraydose aus ihrer Manteltasche und besprühte das Schild, bis nichts mehr zu lesen war. So lässig, als hätte sie ihr Leben lang nichts anderes gemacht.

«Du übernimmst die Eingangstür. Ich kümmere mich um die Fenster und die Gartenmöbel», flüsterte sie.

«Ibo, was soll ich …?»

«Eier.» Sie deutete auf den Beutel in meiner Hand. «Und wenn du fertig bist, dann nix wie weg. Meike hat einen leichten Schlaf um diese Zeit.»

«Was? Wer? Ibo!?»

Aber Ibo hatte schon angefangen. Schmiss ein Ei nach dem anderen Richtung Fenster. Das satte Klatschen machte mir den Aberwitz der Situation bewusst: Zwei erfolgreiche Geschäftsfrauen, von denen eine nicht zielen kann, bewarfen nachts um drei eine ostfriesische Pension mit Eiern.

Als eines meiner Eier versehentlich an einem der oberen Fenster zerschellte, ging Licht an.

«Mist», zischte Ibo.

Wir rannten zum Auto zurück und hörten hinter uns eine Frauenstimme kreischen: «Ludger! Die Eier! Es sind wieder die Eier!»

Nach ein paar Kilometern drosselte ich das Tempo. Wir brachen in Gelächter aus, bis uns Tränen über die Wangen liefen.

«Ibo, was war das denn?»

Sie knipste die Innenbeleuchtung an, griff zur Rückbank und reichte mir eine Ausgabe der «Ostfriesischen Landzeitung» vom vergangenen Jahr. Eine Meldung war rot umkringelt.

SCHON WIEDER EIERATTACKE
AUF PENSION LAUTENSCHLÄGER

In der Nacht zum Samstag wurde die Pension Lautenschläger Opfer von Vandalen. Die Fassade wurde mit Eiern beworfen und das Namensschild des

Familienbetriebes mit schwarzer Farbe unkenntlich gemacht. Ludger und Meike Lautenschläger haben keine Erklärung, warum sie seit neun Jahren Ziel dieser Attacken sind. Der oder die Täter entkamen unerkannt.

«Neun Jahre?» Ich starrte Ingeborg an und ließ meinen Mund offen stehen, um meiner Verwunderung noch mehr Ausdruck zu verleihen.

«Mit heute zehn.»

«Was hat dir diese Meike getan?»

«Vor zehn Jahren bin ich hier weggegangen, weil ich eine Stelle in Hamburg bekommen hatte. Ludger wollte nachkommen. Er kam aber nicht. Er heiratete Meike und übernahm die Pension ihrer Eltern.»

«Und du bist immer noch verletzt? Nach zehn Jahren? Der Typ muss ja wirklich deine große Liebe gewesen sein.»

«Ach was, ich hatte nach drei Monaten einen neuen, der mir viel besser gefiel als dieses Landei. Aber keiner, der mich so schlecht behandelt, soll ungeschoren davonkommen. Und mittlerweile ist es schon ein lieb gewonnenes Ritual. So ähnlich wie Osterfeuer anzünden oder die Weihnachtsdeko anbringen. Ich fahre jedes Jahr da hin und werfe meine Eier. Du magst das lächerlich finden, aber mir tut es gut. Es macht mich irgendwie selbstbewusster, und ich fühle mich jung.»

«Ich finde das gar nicht lächerlich. Und ehrlich gesagt, fühle ich mich auch so jung wie schon lange nicht mehr.»

«Wirklich?»

«Mmmh. Wie mit dreizehn. Vielen Dank dafür, Frau Himmelreich, du völlig bekloppte Rächerin aller betrogenen Frauen.»

Noch in derselben Nacht fuhren wir nach Hamburg zurück. Erzählten uns Geschichten aus unserer Jugend. Geschichten von Liebeskummer und unbeholfenem Sex, von Matheklausuren und Interrail-Touren nach Portugal, vom Verliebtsein in Jungs, die sich schon einmal in der Woche rasieren mussten.

Es war eine herrliche Nacht.

15:50

Herrschaftszeiten!

Nichts geht mehr.

Kein einziger Meter in den letzten zehn Minuten. Wahrscheinlich hat vor zwei Stunden eine Frau – Mitte dreißig und mit dem Aufkleber «Ich bremse auch für Tiere» auf ihrem Passat-Kombi – versucht, einen Lastwagen zu überholen, dafür eine halbe Stunde gebraucht und so diesen kilometerlangen Stau hinterlassen.

Wenn ich eines nicht leiden kann, dann im Stau zu stehen. Zäh fließenden Verkehr lasse ich mir ja noch gefallen, da ist wenigstens noch ein bisschen was in Bewegung. Aber Stillstand auf der Autobahn, das stellt meine Geduld – und davon habe ich ohnehin nicht viel – auf eine sehr harte Probe.

Motor aus. Ich meine, Motor aus auf der Autobahn, das ist wie Kiefersperre im Gourmet-Restaurant.

Neben mir sitzt einer im Ford und packt ein Schinkenbrot aus. Schön, dass es dieses Butterbrotpapier noch gibt, denke ich. Ist wie früher in den großen Pausen in der Schule. Graubrot mit Schinken. Manchmal auch mit Nutella. Ach ja. Lange her.

Meine Güte, fällt mir nix Besseres zum Denken ein? Schinkengraubrot mit Butterbrotpapier. Lange nicht mehr so langweilige Gedanken gehabt. Ich langweile mich, deswegen denke ich langweiliges Zeug. Und mir ist heiß. Und weil mein Handy leer ist, kann ich Ibo nicht anrufen, um zu fragen, was es Neues gibt. Ob Philipp sich gemeldet hat? Ob er noch auf der Suche ist nach mir? Ob er unglücklich ist ohne mich? Ob er mich zurückhaben will? Ob er mich trotz allem liebt? Ob es ihm Leid tut?

Aber was hätte ich davon, wenn's ihm Leid tut? Würde auch nichts ändern. Weil die Dinge nun mal so sind, wie sie sind.

Der Schinkenbrot-Esser lächelt mir zu. Ich lächle nicht zurück. Erst sich von seiner Alten 'ne Stulle für unterwegs schmieren lassen und dann junge Mädels im Stau anmachen. Nicht mit mir. Würde gerne rübermarschieren und ihm freundlich lächelnd einen Liter Milch in die Lüftungsschlitze gießen. «Milch und Japanische Fischsauce, das stinkt wie Sau im Auto, und zwar monatelang», hatte mir Ibo mal verraten. Möchte gar nicht so genau wissen, woher sie das weiß. Bin froh, ihre Freundin und nicht ihre Feindin zu sein.

Ich wäre auch gerne eine, die man nicht zur Feindin haben möchte.

Muss an meinem bedrohlichen Image arbeiten. Schaue gefährlich zu Herrn Schinkenbrot. Versuche verachtend eine Augenbraue in die Höhe zu ziehen. Der Typ fühlt sich ermuntert und fügt seinem Lächeln noch ein neckisches Winken hinzu. Wenn mich nicht alles täuscht, sehe ich einen Ehering an seinem Finger. Nichts, was in meinen Augen einen balzenden Mann mehr disqualifiziert als neckisches Winken mit einem Ehering an der Hand.

Nein, so macht das Single-Sein überhaupt keinen Spaß. Ich schaue angewidert in die andere Richtung. Ein sexuell übereifriger Jurastudent mit Frottébettwäsche und ein verheirateter Ford-Fahrer mit Schinkenstulle – das sind die Männer, die in der mehr oder weniger freien Wildbahn auf mich warten.

Nein, eigentlich will ich nicht wieder da hinaus. Will mich nicht wieder beweisen müssen, nicht wieder klüger oder dümmer tun, als ich bin – je nachdem, für welchen Mann man unterhaltsam sein möchte. Will nicht wieder interessiert nicken und beeindruckt «Tatsächlich?» flüstern, wenn mir irgendein Depp von seinem Aufstieg zum Filialleiter bei Burger King berichtet. Will nicht wieder in Bars stehen, die heutzutage ja auch gar nicht mehr Bars, sondern Lounges heißen und mir abschätzend das vorhandene Männermaterial anschauen. Mit einem Blick wie beim Gemüsetürken, wenn ich mir nicht ganz sicher bin, ob die Avocados reif genug und die Erdbeeren süß genug sind für meinen Geschmack.

Nein, das ist unkorrekt formuliert. Natürlich habe ich die anwesenden Männer in Bars auch in den letzten zwei Jahren immer eingehend und wertend, meistens abwertend, gemustert. Aber mit dem guten und beruhigenden Gefühl, dass zu Hause einer auf mich wartet, der mir tausendmal besser gefällt als alles, was ich bisher gesehen habe.

Was für ein schönes Gefühl: Du schließt leise, um ihn nicht zu wecken, die Haustür auf. Schleichst auf Seidenstrümpfen ins Bad zum Zähneputzen und Abschminken, weil, an dieser Stelle sei es ganz eindringlich gesagt: Diszipliniertes Abschminken vor dem Zubettgehen ist der Garant für eine gesunde und reine Haut bis ins hohe Alter. Deine Haare, dein Kleid riechen nach Zigarettenrauch, du hast Wein getrunken, hast ein wenig geflirtet und zusammen mit deiner besten Freundin so getan, als wärt ihr siebzehn, schlank und unstillbar neugierig auf fremde Küsse. Hast blonde Männer etwas länger angesehen als nötig und gekichert wie ein Teenager, weil sie dir einen Drink ausgegeben haben. Du hast ein Spiel gespielt, das du nicht verlieren konntest, hast so getan, als seist du auf der Suche, obwohl du deinen Schatz längst gefunden hast. Hast Männern zweideutige Lächeln geschenkt. Hast viele beeindruckt, weil du niemanden beeindrucken musstest.

Und dann kommst du nach Hause, an einem späten Abend, an dem vieles möglich gewesen wäre, ziehst deinen Schlafanzug an, der nach Lenor riecht. Gehst barfuß leise ins Schlafzimmer. Kriechst unter deine Bettdecke. Er hat sie für dich aufgeschüttelt. Und dann hältst du den Atem an, um seinen Atem zu hören. Seinen Schlaf-Atem. Regelmäßig und tief. Hin und wieder mit einer sanften Schnarchbeimischung, die um diese Zeit dein Herz so rührt, dass dir Tränen in die Augen steigen im dunklen Zimmer. Und dann raschelst du laut mit der Bettdecke, hustest ein bisschen, und schiebst deinen Fuß rüber auf seine Seite, um ihn heftig, aber gerade noch sanft genug gegen die Wade zu treten, um nachher behaupten zu können, du hättest dich lediglich im Schlaf bewegt. Weil, wenn er dann halbwegs aufwacht, geschieht das Wunderbare: Dann tastet er nach dir, zieht dich an sich, auf seine Seite, in seine Arme, an seine spärlich behaarte Brust, die der schönste Ort der Welt ist, grunzt irgendetwas Unverständliches, was nichts zur Sache tut, aber sehr, sehr freundlich klingt, und legt seine Wange in die kleine, stets warme, stets duftende Vertiefung zwischen deinem Hals und deiner Schulter und schläft wieder ein. Und schnarcht ein wenig. Und du fühlst dich zu Hause und geborgen vor allem Übel, getröstet von allem Kummer, befreit von allen Sorgen – wie an den Abenden, als du noch ein Kind warst, deine Mutter an deinem Bett saß und dir «Schneeweißchen und Rosenrot» vorlas und immer ein kleines Licht anließ, bevor sie dich dem Schlaf überließ und hinunterging in die Küche.

Es gibt nichts Besseres als Liebe. Das ist so.

16:07

Dicke Sauerländer Bockwurst. Na bravo. Nachdem ein halbes Dutzend Autofahrer vor mir das Warten aufgegeben haben und über die Standspur zur nächsten Ausfahrt gefahren sind, stehe ich jetzt direkt hinter einem haushohen LKW. Aufschrift: «Dicke Sauerländer Bockwurst». Darunter ein naturgetreues Porträt des

Frachtgutes. Ekelhaft! Wenn man Kummer hat statt Hunger, dann kann man wirklich nicht ungünstiger platziert sein.

Der Sauerländer Laster spuckt mit unschöner Regelmäßigkeit eine dicke, schwarze, stinkende Wolke aus seinem Auspuff direkt in meine Lüftung. Ich atme Abgase, stehe bewegungslos im Stau, habe mein Lebensglück verloren und schwitze im Schatten einer dicken Wurst. Wenn mir nicht auf der Stelle ein aufmunternder Zeitvertreib einfällt, werde ich meine Depressionen möglicherweise in Aggressionen umwandeln und sowohl das Schinkenbrot neben mir als auch die Bockwurst vor mir tätlich angreifen und mich dabei strafbar machen. Zum Zeitvertreib, aber hauptsächlich zum Trost gegen trübe Gedanken, die sich nun kaum mehr vermeiden lassen, sage ich das einzige Gedicht auf, das ich auswendig kann. Heinrich Heine. Konnte damit immer Eindruck schinden.

> «Herz, mein Herz, sei nicht beklommen
> Und ertrage dein Geschick,
> Neuer Frühling bringt zurück,
> Was der Winter dir genommen.
>
> Und wie viel ist dir geblieben!
> Und wie schön ist doch die Welt!
> Und, mein Herz, was dir gefällt,
> Alles, alles darfst du lieben!»

Aber es tröstet nicht. Weil meinem Herzen nichts mehr gefällt. Ach, was für ein verdammter, verdammter Scheiß!

16:25

Habe eine gute Idee. Werde innerhalb von drei Minuten die zehn besten Gründe aufzählen, warum es toll ist, Single zu sein. Warum Single sein ein erstrebenswerter Zustand ist. Warum heute ein Feiertag ist. Warum ich mich auch in zehn Jahren noch gerne an heute erinnern werde. Den Tag, an dem Amelie Puppe Sturm ihre Freiheit zurückgewann.

Endlich!

Single!

Hurra!

Hier die Liste mit den allerbesten Gründen, die mir auf die Schnelle einfallen.

16:28

...

16:29

...

16:30

Verdammt!

Bin total blockiert.

Bis gestern, als ich noch in einer geregelten Zweierbeziehung lebte, fielen mir stündlich mindestens zwanzig Gründe ein, warum es besser wäre, Single zu sein. Ich dachte quasi mehrmals in der Woche ernsthaft über Trennung nach. Das war mir ein steter Quell der Beschäftigung und des inneren Aufruhrs. Ich hab's eben nicht gern, wenn ich nix hab. Und manchmal habe ich mich ehrlich gesagt gefragt, worüber ich mich abends nach der Arbeit mit Ingeborg unterhalten hätte, wenn mir Philipp nicht so viele interessante Probleme bereitet hätte.

Über Politik? Ibo kennt sich da recht gut aus. Sie war früher sogar aktives Mitglied der Grünen und hat sich auch mal aus Protest an irgendwas festgekettet. Wogegen sie protestiert hatte, wusste sie heute nicht mehr so genau, aber es sei ein tolles Erlebnis gewesen.

Wenn sie mit leuchtenden Augen von der Brokdorf-Demo erzählt, dann frage mich, womit ich eigentlich meine Zeit verplempert habe, als ich jung und energiegeladen war. Da hätte ich noch die Zeit gehabt, mich für etwas, was nicht direkt mit mir zu tun hatte, zu engagieren und mich an etwas festzuketten.

Nein, Politik ist nicht mein Steckenpferd. Und seit ich Ulrich Wickert mal persönlich kennen gelernt habe, kann ich mich auch kaum noch dazu durchringen, die Tagesthemen zu gucken. Ich sage euch, wer einmal auf einer Party neben Wickert stand und sein wieherndes Lachen gehört hat, den verfolgt dieses phobische Erlebnis noch jahrelang. «Harr hohoho harrharr.» Ungefähr so. Kriege heute noch bei dem Gedanken daran eine Gänsehaut.

Zwischenmenschliche Beziehungen und deren Störungen, darüber kann man mit mir klug und über Stunden fachsimpeln. Ich bin eine gute Zuhörerin, wenn es um Liebeskummer, Trennungsgedanken, Zweifel an der Beziehung im Allgemeinen und am dusseligen Partner im Besonderen geht. Es gibt kein Problem, in das ich mich nicht sofort hineinversetzen könnte. Nächtelang haben Ibo und ich über unseren Beziehungen gebrütet, unbedachte

Äußerungen und Gesten analysiert, Taktiken zur Wiedererlangung des Selbstwertgefühls, des Partners oder des häuslichen Friedens entworfen. Haben krakeelt und gemeckert über schlechte Behandlung und mangelnde Aufmerksamkeit.

Ich erinnere mich an einen bezeichnenden Abend mit Ibo im Himmelreich. Die letzten Gäste waren längst gegangen, wir hatten die Tür zugesperrt und saßen an unserem Lieblingstisch am Fenster, eine Flasche Prosecco und einen überquellenden Aschenbecher zwischen uns. Ich war milde gestimmt, denn Philipp hatte mir unerwartet einen schönen Frühlingsstrauß per Fleurop geschickt und auch ansonsten keinen Anlass zur Klage gegeben. Es gibt ja so harmonische Phasen, die glücklicherweise dann irgendwann auch ein ganz harmonisches Ende finden.

An jenem Abend war Ibo schlecht gelaunt.

«Was ist denn los mit dir?»

«Konrad geht mir so was von auf'n Wecker. Davon machst du dir keinen Begriff.»

«Schon wieder?»

«Du meinst wohl eher: immer noch.»

«Ach Ibo, du bist aber auch kritisch.»

Es ist sonst nicht meine Art, die Partei eines Mannes zu ergreifen, schon gar nicht, wenn es der Mann ist, der meiner besten Freundin Ungemach bereitet. Aber Konrad tat mir allmählich wirklich Leid. Seit einem halben Jahr versuchte er nun, es Ibo recht zu machen.

Sie hatten sich in der Sauna des Meridian kennen gelernt. Ibo war gerade willig und hatte sich von Konrad auf einen frisch gepressten Fruchtsaft an die Bar einladen lassen. Natürlich konnte sie dort – schließlich trugen beide Bademäntel – nicht feststellen, was für einen Kleidungsgeschmack er hatte. Sonst hätte sich ihr Frühwarnsystem vielleicht gemeldet. Aber als sie später bemerkte, dass Konrad einen unschönen Hang zu auberginefarbenen Oberhemden und Cowboystiefeln hatte, war es zu spät.

Es ist ja keinesfalls so, dass Ibo einen guten Geschmack hat. Das hindert sie aber nicht, sich an modischen Entgleisungen anderer vehement zu stören. Sie war entsetzt von seiner Garderobe, als sie ihn zum ersten Mal angezogen sah. Und, wie sich schnell herausstellte, war das nicht das Einzige, was sie störte.

Konrad und Ibo passten in keiner Beziehung zusammen. Ibo liebt Spaghetti. Konrad bevorzugte Ravioli. Ibo mag gerne – seltsam für eine Frau – Filme, in denen sehr viel Blut vorkommt und sehr viele Tote mitspielen. Konrad mochte Komödien. Ibo ist unordentlich, Konrad nicht. Konrad mochte Ingo Appelt, Ibo nicht. Konrad schlief lange, Ibo ist ein Morgenmensch. Es klappte hinten und vorne nicht, und trotzdem herrschte eine seltsame und unerklärliche Anziehungskraft zwischen ihnen.

«Ich bin fasziniert von ihm, weil er so anders ist», hatte Ibo anfangs gesagt. Aber nach kurzer Zeit ging ihr seine Andersartigkeit zunehmend auf den Wecker. Eigentlich – wenn man mal ausnahmsweise versucht, fair zu sein – konnte Konrad ja nichts dafür, dass er andere Vorlieben hatte als Ibo. Dass man nicht zueinander passt, kann passieren, und schuld daran ist keiner. Aber das sah Ingeborg anders.

«Weißt du, was er gestern gemacht hat? Er hat mitten am Tag die Rollläden runtergelassen, um Formel eins zu gucken. Er meinte, die Sonne würde ihn stören. Er könne das Rennen nicht genießen, wenn er ständig daran erinnert werde, dass draußen schönes Wetter sei.»

«Das verstehe ich ganz gut. Ich gucke auch am liebsten Fernsehen, wenn es draußen eklig ist.»

Ich versuchte zu schlichten. Nicht so ganz mein Metier.

«Natürlich. Aber der Unterschied ist eben, dass du an einem herrlichen Hochsommertag nicht fernguckst. Das ist doch nicht normal. Fünfundzwanzig Grad im Schatten, und das in Hamburg. Ein Jahrhundertereignis. Andere Paare fahren Kanu, liegen an der Alster, gehen ins Freibad oder sitzen an der Elbe und trinken Weinschorle. Und was macht Konrad? Die Rollläden runter. Ich glaub, ich spinne.»

«So ist er nun mal.» Das klingt banal, ist es aber nicht. Manchmal muss man einsehen, dass man an der Grenze dessen ist, was man durch Taktik und Pädagogik erreichen kann.

«Was soll das denn heißen? Als würdest du nicht ständig versuchen, Philipp zu verändern. Du bist doch die Expertin im Männer-nicht-so-nehmen-wie-sie-sind!»

Das stimmte natürlich. Aber im Gegensatz zu Ibo hatte ich einige schöne Erfolge aufzuweisen.

«Es gibt Dinge, die akzeptiert man, oder man lässt es. Da hat es keinen Zweck, ständig rumzumeckern. Wenn du einen Mann willst, der bei schönem Wetter mit dir Kanu fährt, musst du dir halt einen anderen suchen.»

«Aber ich mag ihn wirklich gerne.»

«Manchmal reicht das nicht. Es gibt Paare, die lieben sich über alles und können trotzdem nicht zusammen sein, weil der eine nachts bei geschlossenem und der andere bei offenem Fenster schlafen will. Manchmal kann man eben keine Kompromisse machen. Ein Fenster ist immer entweder offen oder zu.»

Das, fand ich, hatte ich philosophisch und dennoch lebenspraktisch formuliert. Ich lehnte mich zurück, nahm einen tiefen Zug und versuchte, den Rauch so intellektuell wie möglich in die Weite des Raumes zu entlassen.

Ibo seufzte. «Also gut. Ich geb ihm noch eine Chance. Wir wollen übers Wochenende an die Ostsee fahren. Mal sehen, wie das wird.»

«Aber Ibo, du musst mir eins versprechen.» Ich guckte sie streng an. «Meckern ist verboten. Nimm es dir ganz fest vor: Diesmal nörgelst du nicht an Konrad rum. Das verunsichert ihn bloß und macht ihn nur noch schlechter, als du ihn ohnehin schon findest.»

Ibo schaute mich nachdenklich an.

«Du meinst, ich soll ihn ignorieren?»

Unnötig zu sagen, dass die beiden kein Paar mehr sind.

16:45

Muss relativ dringend auf Toilette. Dabei fällt mir endlich ein guter Grund ein, warum es sich lohnt, Single zu sein: Man braucht sich nicht ständig zu rechtfertigen, warum man schon wieder aufs Klo muss. Und warum man «Schlaflos in Seattle» im ZDF statt «Die Wildgänse kommen» auf Kabel Eins sehen möchte. Und das, obwohl man «Schlaflos in Seattle» im Original auf Video hat und die entscheidenden Stellen auswendig zitieren kann. Tom Hanks: «Mit ihr war der Schnee immer ein bisschen weißer, wenn Sie verstehen, was ich meine.»

Und man muss auch nicht erklären, warum man das Gefühl hat, auf Diät zu sein, wenn man den ganzen Tag über nichts und dann am Abend innerhalb einer Stunde eine Tüte Chips und dann noch zwei Balisto-Müsli-Riegel isst.

Es ist herrlich, Single zu sein, weil Männer total unsensibel sind, nichts von Frauen verstehen, uns gar nicht richtig wertzuschätzen wissen und noch dazu zu blöde sind, zu kapieren, dass Frauen nicht alleine gelassen werden wollen, wenn sie sich schluchzend an die Stirn greifen, mit schleppendem Schritt ins Schlafzimmer wanken und dabei tonlos hauchen: «Ich muss jetzt alleine sein.»

Ganz schlimm ist, wenn man sich mühsam zurückzieht und das noch nicht mal bemerkt wird. Da liegst du jammernd und dekorativ übers Bett gegossen, hast die Tür nur angelehnt, damit dein Wehklagen in jede Ritze der Wohnung dringt – und, was is? Nix is. Dein Kerl nutzt die Gelegenheit, um ungestört auf Premiere das Spiel Borussia Dortmund gegen FC Bayern zu glotzen. Ich sage es euch, alles rohe Klötze.

Wenn Frauen sich zurückziehen, wollen sie beachtet werden. Das ist doch nicht so schwer zu verstehen. Deswegen lassen Frauen ihre Männer auch nur sehr selten in Ruhe. Sie sind dazu einfach nicht in der Lage – es sei denn, eine Freundin hat gerade angerufen oder es hat just ein Film mit dem jungen Cary Grant begonnen.

Frauen gehen von sich aus. Sie denken partnerschaftlich: Ein Mann, der sich schmollend zurückzieht, braucht Aufmerksamkeit. Ein Mann, der den Raum verlässt und dabei sagt: «Es hat ja doch keinen Zweck, mit dir zu reden, lass uns das Gespräch einfach beenden», der schreit, aus unserer Sicht, stumm nach unserer Hilfe. Ein Mann, der nicht reden will, braucht unseren emotionalen Beistand. Wir nehmen es in Kauf, dass wir deswegen als Nervensägen und unerträglich lästige Ziegen beschimpft werden.

Freunde, versteht doch: Wir können keine Ruhe geben, denn wir wissen, wie schädlich Ruhe ist. Wir können Gespräche nicht mit einem Misston beenden, weil der falsche Klang in unserem inneren Ohr zu einer Kakophonie des Grauens anschwillt.

Manchmal frage ich mich, wie das Leben wäre, wie sich unsere Gesellschaft verändern würde, wenn Männer und Frauen sich verstehen würden. Es gäbe einen drastischen Anstieg der Arbeitslosigkeit. All die Paartherapeuten und Verfasser von Beratungsliteratur müssten umsatteln. Viele Frauenfreundschaften würden am Mangel interessanter Gesprächsthemen elendig zugrunde gehen. Die Telekom würde Pleite machen. Der Alkohol- und Zigarettenkonsum ginge rapide zurück. Floristen und Juweliere würden Einbußen bis zu fünfzig Prozent hinnehmen müssen. Nie mehr Blumen oder Klunker zur Versöhnung. Weil, wer sich nicht streitet, kann sich auch nicht vertragen. Und nicht zuletzt würde die ganze Diätindustrie mit ihren Schlankheitspillen, Eiweißgetränken, Büchern, Selbsthilfegruppen und Fettverbrennungsanlagen in sich zusammenbrechen, weil Frauen kapieren würden, dass Männer sich nach dünnen Frauen zwar umdrehen, aber die runden Frauen heiraten.

Wir würden einander verstehen – und hätten uns womöglich nichts mehr zu sagen.

Ich wage die These: Das Leben wäre nicht mehr lebenswert

und unsere Gesellschaft dem Untergang geweiht, wenn Männer und Frauen sich verstehen würden.

Aber solange sich die Menschheit in zwei Gruppen teilt – in die, die auf der Suche sind, und die, die sich mit dem herumplagen, was sie gefunden haben –, so lange dreht sich die Welt. Denn allein darum, Freunde, wenn wir ehrlich sind, dreht sich die Welt.

16:48

Aber ich, ich will nicht wieder auf der Suche sein. Nee, echt nicht.

Bin allein stehend im Stau und muss superdringend aufs Klo. Habe Burgis Kassette zur Frisur eingelegt. Zunächst versucht mich Gloria Gaynor aufzuheitern:

> *I am what I am*
> *and what I am*
> *needs no excuses!*

Dann versuchen es die Village People:

> *Go west*
> *life is peaceful there.*

Und schließlich das ultraharte Wer-jetzt-nicht-mitsingt-hat-was-an-den-Ohren-Lied von Dschingis Khan:

> *Dsching, Dsching, Dschingiskhan*
> *Auf Brüder! – Sauft Brüder! – Rauft Brüder! –*
> *Immer wieder!*
> *Lasst noch Wodka holen*
> *Hohohoho*
> *Denn wir sind Mongolen*
> *Hahahaha*
> *Und der Teufel kriegt uns früh genug!*

Unter normalen Umständen gäbe es jetzt für mich kein Halten mehr. Aber unter diesen Umständen stimmt mich das ausgelassene Liedgut noch trauriger und wirkt zudem noch stimulierend auf meine gespannte Blase.

16:57

Habe jetzt endgültig die Blase voll, wenn ich mal so sagen darf. Habe in den letzten zehn Minuten vielleicht fünfzig Meter zurückgelegt. Wenn das so weitergeht, verpasse ich heute Abend die Bambi-Verleihung im Fernsehen. Wird live ab Viertel nach acht übertragen. Das will ich mir auf keinen Fall entgehen lassen. So viel Masochismus muss sein. Wie die Leute über meinen roten Teppich schreiten. Nicht wissend, dass ich ihnen allen die Show stehlen würde, wenn ich denn da wäre. Will die stammelnden Dankesreden der Preisträger hören und die Schwenks der Kameras in den Zuschauerraum mit Argusaugen verfolgen. Dort sitzt dann irgendwo, ziemlich weit vorne wegen seiner guten Kontakte zur blöden Branche, Philipp von Bülow. Und auch, wenn ich mich nicht mehr im Entferntesten für ihn und seinen Werdegang interessiere: Ich möchte dennoch zu gern wissen, was für einen Anzug er heute Abend trägt.

Ich komme neben einem Schild zu stehen: Raststätte Holmmoor fünf Kilometer.

Na denn, denke ich. Es muss sein, denn ich muss mal. Und zu verlieren habe ich ja eh nichts mehr.

Ich fahre auf die Standspur, schalte das Warnblinklicht an und gebe Gas.

Natürlich wusste ich da noch nicht, dass das einer jener Momente war, in denen das Leben eine entscheidende Wendung nimmt. Einer jener Momente, bei denen man sich später immer wieder fragt: «Was wäre geschehen, wenn ich mich damals im Spätsommer um kurz vor fünf nicht für die Standspur entschieden hätte?»

Es klingt nicht sehr pathetisch, und wenn das nicht das Leben von Amelie Puppe Sturm wäre, sondern ein Kinofilm mit Cameron Diaz, würde sich der Regisseur etwas Appetitlicheres und Anrührenderes ausgedacht haben – aber es ist nun mal so: Mein Schicksal war die Blasenschwäche.

Mein Leben hat sich grundlegend verändert, weil ich dringend aufs Klo musste.

17:01

Ich schaue in den Toiletten-Spiegel der Raststätte Holmmoor. Die Krise steht mir. Das Gesicht schmal, als würde ich mir, uralter Model-Trick, von innen in die Wangen beißen. Sylt-Bräune im Gesicht, ein paar Sommersprossen auf der Nase. Ich sehe ernster aus als sonst, erwachsener. Nicht mehr wie das nette, harmlose Ding, das von allen gemocht wird.

Seien wir doch ehrlich: Du wirst deshalb von allen gemocht, weil sich die Leute nicht vorstellen können, dass du ihnen gefährlich wirst. Oder weil du dicker bist als sie. Oder weil dein Chef hinter deinem Rücken schlecht über dich redet. Oder weil alle außer dir wissen, dass dein Mann dich betrügt. Du bist anderen sympathisch, weil sie sich dir überlegen fühlen. Ich habe mich schon früher, als ich noch im Flachgewebe tätig war, immer ein bisschen darüber geärgert, dass über mich nicht getratscht wurde.

Nie gab es üble Nachrede, nie ein gemeines Gerücht, das ich entkräften musste. Ich habe das immer als persönliche Herabsetzung empfunden. Ein einziges Mal hörte ich, dass mich eine Kollegin aus dem Warenlager für eine arrogante Pute hielt. Davon habe ich lange gezehrt.

Mein Spiegelbild versucht zu lächeln. Ist gutes Aussehen so wichtig? Sind schöne Menschen glücklicher? Glücklicher als ich? Das ist nun wirklich keine Kunst. Mir fällt der lustige Wolfgang Joop ein. Der hatte Philipp, mich und vier Models ins Berliner Sterne-Restaurant Vau ausgeführt, weil Philipp den Vertrag für Joops ersten Kinofilm ausgehandelt hatte. Ein Film, in dem übrigens auch Bente Johannson eine kleine Rolle hatte. Als ich von Philipp erfuhr, Joop habe sich abfällig über Bentes mangelndes Talent, ihre fehlende Ausstrahlung und ihre affektierte Art geäußert, habe ich den Mann sofort in mein Herz geschlossen. Mich mochte er auf Anhieb. Wirklich ein großartiger Menschenkenner, der Herr Joop.

Der Abend im Vau kann für ihn nicht sonderlich teuer gewesen sein. Er selbst kam kaum zum Essen, weil er ständig redete. Die vier Models behaupteten alle, sie hätten schon gegessen – was natürlich gelogen war. Ich behauptete, ich hätte schon gegessen – was natürlich auch gelogen war. Aber der Anblick von vier weiblichen Zahnstochern war mir auf den leeren Magen und die vollen Oberschenkel geschlagen.

Bloß Philipp aß mit großem Appetit, und wir lauschten Joops Ausführungen über innere Werte und äußere Schönheit, die mit der Feststellung endeten: «Wer ist denn schon an innerer Schönheit interessiert? Wir wichsen doch nicht auf Röntgenbilder!»

Und obwohl ich ganz objektiv die am wenigsten schöne Frau in der Runde war, habe ich mich als Einzige kaputtgelacht. Und das sprach dann doch irgendwie sehr für meine inneren Werte.

Ich ziehe mir die Lippen nach. Burgis Frisur hat aus meinem Hals einen langen Hals gemacht, und auf meinen Unterarmen haben sich die ersten Härchen blond gefärbt. Eigentlich gefalle ich mir. Aber freuen kann ich mich nicht darüber. Tut eher weh. Weil, was soll's? Wo ich doch dem nicht gut genug gefalle, der trotz allem mir gefällt und dem ich gefallen will.

Ein doppelter Espresso wäre jetzt nicht verkehrt und vielleicht ein kleiner Salat. Ohne Dressing. Muss die Zeit nutzen, in der mir der Kummer auf den Magen schlägt. Wenn ich schon den Rest meines Lebens unglücklich sein werde, so will ich dabei zumindest eine gute Figur haben. Die Klofrau wünscht mir einen schönen Sonntag. Zu spät.

17:08

Das Restaurant ist leer, die Frau hinter der Kasse mürrisch, der Salat welk und meine nackten Kniekehlen kleben an der Kunstlederbank fest. Trotzdem, ich mag Autobahn-Raststätten. Hier ist jeder fremd, und das schweißt zusammen.

Manchmal ist es ja so, dass man etwas minutenlang anschaut, ohne es zu sehen. Ich starre einen «Bild am Sonntag»-Leser zwei Tische vor mir an, aber ich sehe Philipp von Bülow, wie er versucht, mir eine Lasagne zuzubereiten. «Lasagne ist mein Spezialgericht», hatte er zu Beginn unserer Beziehung behauptet. Davon konnte aber gar keine Rede sein. Ich hatte überlegt, ob ich ihm jetzt endlich zu seinem nächsten Geburtstag einen Kochkurs schenke. Da ich selbst nicht gut koche, wir aber gerne essen ... Ach Quatsch. Ich brauche mir ja nicht mehr den Kopf darüber zu zerbrechen. Ist doch toll. Nie wieder diese Panik, sich irgendwas total Besonderes ausdenken zu müssen, weil man blöderweise zu seinem letzten Geburtstag eine gute Idee hatte und beim nächsten Mal sein eigenes Niveau nicht unterschreiten möchte.

Langsam stellt sich mein Blick wieder auf Gegenwart um. Ich versuche, die Schlagzeile der «BamS» zu entziffern. Ich kneife die Augen zusammen, lehne mich ein wenig nach vorn. Jetzt kann ich's lesen. Dreimal lese ich die verdammte Zeile. Dreimal. Bis ich endlich begreife, was da steht:

TV-STAR BENTE JOHANNSON UND IHR BERLINER PROMI-ANWALT: «JA, ES IST LIEBE!»

Ich setze meine Sonnenbrille auf. Ich nehme meinen Hund an die Leine. Ich gehe Richtung Auto. Alles wie in Zeitlupe. Ich beobachte mich selbst dabei und frage mich – ganz nüchtern, ganz sachlich –, ob ich es wohl noch bis zum Auto schaffe. Ich schaffe es. Hebe Marple auf den Beifahrersitz, lege ihren Wassernapf auf die Rückbank. Schnalle mich an.

Ich habe keinen Zweifel daran, was jetzt zu tun ist.

19:05

Ich glaube, es gibt kein Gefühl, das ich in den letzten zweieinhalb Stunden nicht ausgiebig gefühlt habe. Ich rede nicht von Glück, Stolz, Liebe usw., sondern von Hass, Wut, Trauer, Scham, Verzweiflung, Mordgelüste. All das habe ich im Minutentakt durchgemacht. Wieder und wieder. Und zwar alles vom Feinsten.

An Trauerarbeit im Sinne von Verdrängung war unter diesen Umständen natürlich nicht mehr zu denken.

Seit achtunddreißig Stunden bin ich auf der Flucht. Auf der Flucht vor meinen Gefühlen, vor meinen Gedanken, vor meinem Kummer. Vor der Wahrheit. Mit der Hoffnung, dass, wenn man sich nur lange genug vom Schmerz ablenkt, die Wunde irgendwann von selbst aufhört, wehzutun. Aber es hat nicht funktioniert. Nicht wirklich. Ich halte mein Gesicht in den Fahrtwind und frage mich, ob ich jemals wieder irgendetwas genießen werde. Burgis Kassette «Tränenschocker für die Stunde der Not» gibt mir den Rest. Wyclef Jean und Mary J. Blige rufen um Hilfe:

Would someone please call 911
tell them I just got shot down!

«Nachricht liegt vor.» Damit hatte alles begonnen. Mit einer Nachricht, die nicht für mich bestimmt war. Mit meiner Neugier, meiner Schnüffelei. Ich höre wieder die Stimme von Bente Johannson aus dem Handy kommen. Jedes Wort ihres schwedisch-amerikanischen Au-pair-Singsangs ist in meinem Gehirn eingemeißelt:

«Hi, Phil, Darling, hier ist Bente. Ich habe die ganze Nacht hin und her überlegt, aber jetzt habe ich mich entschieden. Endgültig.

Ich mache das Versteckspiel nicht länger mit. Sie muss es endlich erfahren. Und wenn's sein muss von mir oder aus der Zeitung. Believe me: Ich tauge nicht zur Geliebten. Ich will alles. Und das war von Anfang an klar. Ich verlange jetzt ein klares Bekenntnis. Das war es, was ich dir sagen wollte. Bye, Honey.»

Bye, bye. Jetzt hat die Schlampe ihre Drohung wahr gemacht. Hat Philipp und mich vor vollendete Tatsachen gestellt und ihr Geständnis exklusiv in der «Bild am Sonntag» abgelegt.

Und wenn ich Philipps Mailbox nicht abgehört hätte? Wäre dann alles anders gekommen? Habe ich das Drama erst heraufbeschworen durch meine dramatische Reaktion? Was, wenn ich Ruhe bewahrt und ihn zur Rede gestellt hätte? Hätte ich durch Taktik das Schicksal wenden können?

Ich weiß es nicht. Eigentlich war ich immer der Meinung, dass man durch Taktik auf Umwegen immer nur da ankommt, wo man ohne Taktik auch – bloß schneller – angekommen wäre. Und Ruhe zu bewahren liegt mir nicht. Nicht, wenn es um mich, nicht wenn es um meine Liebe geht.

Habe ich zu unüberlegt das Feld geräumt? Hätte er sich für mich entschieden, wenn er mir bei der Entscheidung gegen mich in die Augen hätte schauen müssen? Aber hätte ich ihn denn überhaupt behalten wollen? Nach alldem? Ist Verzeihen eine Tugend?

Die Frage stellt sich jetzt nicht mehr. Zu spät. Habe nicht gekämpft. Und verloren.

And he shot me through my soul
feel my body getting cold.

Phillipp wusste ja nichts von der Nachricht. Nichts vom Ultimatum seiner Geliebten. Nichts vom heraufziehenden Unheil.

Philipp von Bülow wähnte sich in komfortabler Sicherheit. Ein schwedisches Model wochentags als Geliebte und eine kuriose, weil so verdammt natürliche Puppe für die Wochenenden. Und dann noch ab und zu mit beiden Frauen gleichzeitig essen gehen für den ganz besonderen erotischen Kick. Pfui, Philipp von Bülow!

And the bullet's in my heart.

Ausgerechnet jetzt fahre ich an der Ausfahrt Herzsprung vorbei.

Und mir zerbricht das Herz. Als wäre es nicht schon längst zerbrochen.

19:15

Kummer ist schädlich für den, der bekümmert ist. Aber Wut ist schädlich für den, auf den man wütend ist. Und ich war noch nie, nie, nie in meinem Leben so wütend wie jetzt. Schande über dich, Philipp von Bülow und deine skandinavische Pimper-Perle! Zu wissen, dass man betrogen wurde, ist schlimm genug. Aber dieses Wissen mit einer breiten Öffentlichkeit zu teilen, das ist etwas ganz anderes. Das ist eine Schmach, die nicht ungesühnt bleiben darf.

Macht euch auf was gefasst! Denn Amelie Puppe Sturm ist kurz vor Berlin. Sie ist wütend. Und sie ist absolut bereit, sich und euch vor sieben Millionen Fernsehzuschauern lächerlich zu machen. Denn wie kann man euch besser verletzen, als euch vor euresgleichen zu blamieren. Ihr Promi-Pissnelken. Ihr Wichtigtuer. Ihr Fernseh-Fratzen. Ihr selbstverliebten Sackgesichter.

Ich habe nie dazugehört. War immer zu dick, zu klein, zu unwichtig, zu nett. Ich habe keinen Ruf zu verlieren – aber Selbstachtung zu gewinnen. Ich werde besser schlafen, wenn ihr vor Scham keinen Schlaf findet. Ich habe noch keinen genauen Plan, aber nehmt euch in Acht. Fürchtet euch fürchterlich! Diese Bambi-Verleihung werdet ihr nie vergessen!

19:25

Bin in Gedanken bei meinen Rachephantasien. Sehe faule Tomaten fliegen, formuliere üble Zwischenrufe, visualisiere farbintensive Getränke auf einer hellen Abendrobe.

Fast vergesse ich darüber das Wesentliche: Was ziehe ich an? Wie komme ich ohne Einladung an den Security-Leuten vorbei? Und schaffe ich es überhaupt noch rechtzeitig zur Verleihung?

Spreeradio 105,5 berichtet live vom Roten Teppich vor dem Schauspielhaus am Gendarmenmarkt:

«Zur Bambi-Verleihung haben sich in Berlin Stars wie Tom Cruise, Angelina Jolie und Robbie Williams eingefunden. Hier, liebe Zuhörer, kommt Frauke Ludowig, die Moderatorin des heutigen Abends ... Hallo, Frauke. Wie geht es Ihnen so kurz vor Ihrem großen Auftritt?»

«Gut. Danke.»

«Äh, das war Frauke Ludowig live bei 105,5. Und da kommt jetzt in einem gewagten Schlauchkleid Bente Johannson. Sie ist die Skandalfrau des Abends. Die Nominierung ihrer Sendung Der Eisprung deines Lebens für das innovativste Fernsehformat des Jahres hat für heftige Debatten und Boykott-Drohungen gesorgt. Außerdem hat Bente heute ihre Liebesbeziehung zu einem Berliner Prominenten-Anwalt öffentlich gemacht ... Guten Abend,

Frau Johannson! Wie schätzen Sie Ihre Chancen ein, heute einen Bambi zu gewinnen?»

«Ich bin sehr zuversichtlich, denn mein Team und ich haben sehr hart gearbeitet.»

«Ist Ihr neuer Freund auch da?»

«Natürlich. Er drückt mir die Daumen.»

«Danke, Frau Johannson – und damit erst mal zurück ins Studio.»

Das hast du nun davon, mein Bülowbärchen: «Berliner Prominenten-Anwalt», «der neue Freund». An meiner Seite konntest du glänzen, an ihrer Seite hast du nicht mal mehr einen eigenen Namen. Mein Mitleid, Schätzchen, hält sich in Grenzen.

19:45

Kennst du das? Wenn du denkst, du wirst in deinem Leben niemals wieder etwas essen können? Und du kannst dich nicht mal freuen über die dadurch eingesparten Kalorien?

Kennst du das, wenn nichts, was du liebst, was dich glücklich macht, was du schön findest, dich erreicht, dich trösten kann? Die sattgelben Rapsfelder neben der Autobahn, die aussehen wie Modeschmuck im tiefblauen Dekolleté des Himmels. Alles ist friedlich, lind und sommersanft duftend, und du weißt ganz genau, dass das Glück dich für immer verlassen hat. Der Gedanke, die Liebe verloren zu haben, diese einzige, große, unendliche. Die, auf die jeder so sehnsüchtig wartet.

Ich bin auf der Stadtautobahn. Ich habe mich immer wieder gefreut auf Berlin. Auf diese großspurige Stadt. Heute macht mir Berlin Angst. Als könnte ich darin untergehen.

Freundinnen, ihr wisst es alle. Was soll ich euch sagen? Irgendwann habt ihr euch genauso gefühlt. Und immer wieder, immer wieder gedacht, dass es nicht noch schlimmer werden kann, das es niemals vorbeigeht. Aber: Es ist vorbeigegangen. Und: Es ist noch schlimmer geworden.

20:05

In Amerika, habe ich gelesen, gibt es ja die seltsamsten Gesetze. In Memphis, Tennessee, dürfen Frauen nur Auto fahren, wenn ein Mann mit einer roten Warnflagge vor dem Auto herläuft. Diesen Paragraphen, denke ich gerade, sollte man auch in Deutschland einführen. Vor mir parkt eine Frau nicht ein. Sie versucht bloß immer wieder, ihren fleischfarbenen Opel Astra in eine viel zu kleine Lücke zu zwängen. Ich gebe zu, dass mein regelmäßiges Hupen sie vielleicht noch nervöser macht. Frauen sind sowieso immer nervös, wenn sie ihren Wagen abstellen. Dabei will ich ihr nur signalisieren:

«Hey, Mädchen, da passt du nicht rein! Fahr weiter! Ich hab's eilig und stehe in einer schmalen Einbahnstraße hinter dir. Kann nicht vorbei und bin wirklich nicht besonders gut gelaunt. Also: GIB ES ENDLICH AUF!»

Und das tut sie schließlich. Sie schaltet die Warnblinker ein, steigt aus, lächelt entschuldigend in meine Richtung und beginnt, mehrere, offensichtlich schwere Kisten aus dem Kofferraum zu hieven.

Ich versuche, ruhig zu bleiben.

Es gelingt mir nicht. ICH MUSS VERDAMMT NOCHMAL ZU DIESER PREISVERLEIHUNG!

Ich weiß, jede meiner Freundinnen, riefe ich sie jetzt an, würde mir dringend davon abraten. Würde es mir verbieten. Mich auf

Knien anflehen. Aber es gibt so Sachen im Leben einer Frau, die muss sie tun, auch wenn alle Freundinnen dagegen sind.

Ich will die beiden zusammen sehen! Bente auf der Bühne, Philipp irgendwo in einer der vorderen Reihen. Und nachher, Arm in Arm, auf der Party. Sie an meinem Platz. Der Platz ist noch warm. Ich muss das sehen. Es wird wehtun. Keine Ahnung, was ich tun werde. Vielleicht werde ich kriminell. Wer von beiden hat es eigentlich eher verdient, meinem Verbrechen zum Opfer zu fallen? Bin mir nicht ganz schlüssig. Werde mich ganz auf meinen Instinkt verlassen.

«He! Wenn du nicht sofort deine Scheiß-Karre aus dem Weg fährst, mach ich deine Kinder zu Waisen!»

Die Opel-Frau glotzt mich erschrocken an. Ihr ist sofort klar, dass mit mir nicht zu spaßen ist. Sie klappt eilig den Kofferraumdeckel zu, springt hinters Steuer und zockelt los – so schnell, wie es mit angezogener Handbremse eben möglich ist.

Das gefällt mir, diese Ausstrahlung von Brutalität, die schnellen und unbedingten Gehorsam erfordert. Hat was. Sollte öfter betrogen werden und aus der Zeitung mehr darüber erfahren. Das verschlechtert den Charakter ungemein. Bin zum Fürchten. Fürchte ich.

20:12

Zu spät! Zu spät! Fahre mit neunzig über die Straße des 17. Juni auf das Brandenburger Tor zu.

Mir fällt ein, dass ich kein Abendkleid habe. Nur so ein schlichtes, schwarzes Sommerhängerchen, das zerknittert im Kofferraum liegt.

20:39

Schauspielhaus. Damentoilette.

Bin nervös. Verständlich. Tusche mir die Wimpern mit zittriger Hand. Jahrelang hatte ich nach einer Wimperntusche gesucht, mit der ich ohne Schmierereien zurechtkomme. Als ich sie gefunden hatte – Nearly black von Oil of Olâz –, machte die Firma Pleite, und mein Leidensweg begann von neuem. Probleme habe ich auch mit Lippenkonturstiften, mit denen ich meist weit übers Ziel hinausschieße. In jedem Frauendasein gibt es Schönheitsprodukte, bei denen die Zusammenarbeit nie so recht klappen will.

Manchmal frage ich mich zum Beispiel, wie viel Geld ich in meinem Leben für Seidenstrümpfe ausgegeben habe, die mir oft bereits beim ersten Anziehen unter den Händen verenden. Gerne auch dann, wenn ich kein Ersatzpaar mehr habe und auf einen todschicken Stehempfang eingeladen bin. Manchmal habe ich den Eindruck, Seidenstrümpfe kommen schon mit Laufmasche auf die Welt.

Ähnlich unerquicklich ist meine Beziehung zu Haarwachs und Lidschatten. Mir fehlt einfach das Händchen für die angemessene Dosierung. Mit Wachs im Haar sehe ich aus, als hätte ich meinen Kopf kurz in eine Fritteuse mit altem Fett getaucht. Und Lidschatten, egal in welcher Farbe, wirkt auf meinen Lidern immer wie die Folge einer Prügelei, die zu meinen Ungunsten ausgegangen ist.

Neben mir zieht sich Sandra Maischberger die Lippen nach. Sie kommt sehr gut klar mit ihrem Konturstift. Vielleicht hat sie stattdessen Probleme mit Pinzetten, denn ihre Augenbrauen scheinen mir nicht vorbildlich gezupft zu sein. Na ja, so hat jeder sein Päckchen zu tragen. Ist ja nur gerecht.

Größer als ich ist die jedenfalls nicht. Das macht sie sympathisch. Aber wahrscheinlich ist sie viel klüger als ich. Das macht sie wiederum unsympathisch. Frauen, die gut aussehen und sich fehlerfrei mit Politikern unterhalten können, machen mir Angst. Fühle mich in ihrer Gegenwart unbehaglich, erinnern sie mich doch daran, dass ich eigentlich einen Englisch-Kurs für Fortgeschrittene machen und jeden Tag das Feuilleton der F.A.Z. lesen wollte. Ich denke oft, dass ich abends mal wieder was für meine Bildung tun sollte. Aber dann kommt eben doch immer wieder was Gutes im Fernsehen.

Frau Maischberger schaut mich etwas befremdet an, als ich meinen Lockenstab auspacke, um meine Haare in eine Weltstadt-Frisur zu verwandeln. Wahrscheinlich glaubt sie, ich sei total auf mein Äußeres fixiert und eine Schande für alle emanzipierten Frauen. Sie haben ja so Recht, Frau Maischberger. Mit Sicherheit legen Sie wahnsinnig viel Wert darauf, Ihr eigenes Geld zu verdienen, ein von Ihnen bezahltes Auto zu fahren und einen Mann zu haben, der sich den Mutterschaftsurlaub mit Ihnen teilt. Sie sind das, was man eine unabhängige Frau nennt. Ich bin das nicht. Ich bin abhängig. Und ich bin es gern. Ich brauche jemanden, der mich liebt, obschon ich so bin, wie ich bin. Jemanden, der mich tröstet und Geduld mit mir hat.

Ich möchte dem, den ich liebe, sagen dürfen «Ich brauche dich», ohne dass er Platzangst bekommt und sich in eine andere Stadt versetzen lässt. Nein, ich bin nicht unabhängig. Und vielleicht bin ich gerade deshalb viel emanzipierter als alle Emanzen zusammengenommen. Weil ich aufgehört habe, so zu tun, als sei ich unabhängig.

Ich zücke den Lockenstab wie ein Schwert im Kampf für meine Abhängigkeit. Sandra Maischberger geht.

Ich atme tief durch und versuche, mich zu beruhigen. Es ist schierer Zufall, dass ich es überhaupt bis hierher geschafft habe.

Um Viertel nach acht hatte ich im absoluten Halteverbot geparkt, ein paar Sachen aus dem Kofferraum zusammengerafft, und natürlich meine kleine Miss Marple an die Leine genommen.

Ich rannte über den verlassenen Roten Teppich. Marple läuft nicht gerne so schnell, aber ich konnte in dieser Situation keine Rücksicht auf sie nehmen. Die Verleihung hatte schon begonnen, und den Auftritt von Bente Schweinenase Johannson wollte ich, sollte sie tatsächlich gewinnen, auf keinen Fall verpassen. Ich würde ihr den Spaß an Bambi und an Herrn von Bülow schon verderben.

Als ich ihn sah, wusste ich sofort, dass er Schwierigkeiten machen würde. Der Sicherheitsmann schaute mich sehr misstrauisch an, trug ich doch immer noch meine hellblauen Strandbermudas und mein T-Shirt mit den Pril-Blumen.

«Ich bin eingeladen», sagte ich so überzeugend wie möglich.

«Dann haben Sie sicher auch eine Einladung.»

«Im Prinzip schon, aber ich komme direkt vom Flieger aus Sylt, und die Einladung liegt auf dem Schreibtisch meines Hauses am Schlachtensee.»

«Kein Einlass ohne Einladung.»

«Ich bin mit einem der Preisträger verlobt.»

«Das habe ich heute schon fünfmal gehört.» Der zwei Meter große Muskelmann schaute mich so desinteressiert an, als könne er mich von da oben kaum erkennen. «Hau ab, Mädchen. Ich sag's nicht nochmal.»

Bitte nicht! Nicht so kurz vor dem Ziel! Ich will jetzt sofort meinen großen, letzten Auftritt haben! Mein Debüt als Racheengel und Furie. Soll ich an einem stiernackigen Volltrottel scheitern, der sich auf meine Kosten mächtig fühlt? Ich war den Tränen nahe, als sich eine schwere Hand von hinten auf meine Schulter legte und mich beiseite schob.

«Lass mich mal vorbei, Kleine.»

Ich drehte mich um. Hinter mir stand – an seiner dunklen Haut und der getönten Tropfen-Brille leicht zu erkennen – Negerkalle Schwensen, ehemaliger Hamburger Zuhälter und vorbestrafter Rotlichtkönig.

Als er vor Jahren angeschossen wurde, hatte er, auf der Trage der Rettungssanitäter liegend, das Victory-Zeichen gemacht und sich geweigert, seine Brille abzunehmen.

Mit bedrohlich leiser Stimme sagte Negerkalle zu dem Sicherheitsmann:

«Kennst du mich?»

«Mmmmh.»

«Willst du einen ruhigen Abend haben?»

«Joooh.»

«Dann lass mich durch. Und die Kleine auch. Wenn nicht, mach ich dir'n neues Gesicht.»

Der Wachmann trat zur Seite und schaute mich so böse an, als sei ich schuld an seiner Demütigung. Ich lächelte ihn an, so spöttisch, als könne ich auf ihn herabschauen. Dann schob mich Negerkalle durch den Eingang, wünschte mir noch einen angenehmen Aufenthalt und verschwand Richtung Zuschauerraum. Ich schaute ihm verdutzt, erleichtert und sehr dankbar nach und suchte erstmal die Toilette.

Marple schnüffelte aufgeregt, als suche sie ein feines Plätzchen, um ihr Geschäft zu verrichten. Ich nahm an, dass Hunde in einem Schauspielhaus nicht erlaubt sind, aber es schien mir besser, nicht nochmal umzukehren und den Sicherheitsmann danach zu fragen.

Ich werfe einen letzten Blick in den Spiegel. Dafür, dass es sich hier um ein Not-Outfit handelt, kann ich zufrieden sein. Philipp würde sagen, ich sähe «natürlich» aus. Nun, er hätte Recht: schwarzes Kleid mit Spaghettiträgern, goldene Sandaletten mit Pfennigabsätzen, frische Sommersprossen auf der Nase und ein racherot geschminkter Mund. Mit einem Fünfzigmarkschein überrede ich die freundliche Klofrau, auf Miss Marple aufzupassen.

«Es dauert keine halbe Stunde. Ich muss da drinnen nur eine Kleinigkeit erledigen.»

«Bekommen Sie einen Preis?»

«So was Ähnliches.»

Wie gut, dass ich mir mein Leben lang zu viel habe gefallen lassen. Harmlose, liebenswürdige, dämliche Amelie Puppe Sturm. Alles, was sich in zweiunddreißig Jahren an Wut angesammelt hat, darf heute Abend auf einen Schlag raus. Happy Birthday, Puppe.

Der Countdown läuft.

Durchatmen.

Auf in den Kampf. Kann nicht verlieren. Habe ich längst.

21:05

Ich trete durch eine Seitentür in den Zuschauerraum. Ich sehe bekannte Gesichter. Cherno Yobatai, der Depp, sitzt ganz am Rand. Turnschuhe an den Füßen, so rot wie der Arsch eines Pavians. Keine Ahnung, warum sie den hier reingelassen haben. Oliver Geissen sieht aus, als sei er gerade erst aufgestanden, und Harald Schmidt ist zwischen Heike Makatsch und Bastian Pastevka eingenickt. Verständlich, denn auf der Bühne, vor einem riesengroßen goldenen Bambi, singt gerade Phil Collins sein neuestes Schlaflied. Fast setzt bei dieser Musik sogar bei mir so was wie Entspannung und Langeweile ein.

Aber nur fast.

Ich habe Philipp entdeckt!

Er sitzt in der ersten Reihe, eingerahmt von zwei Blondinen: Thomas Gottschalk und Bente Johannson. Neben Bente sitzt Julius Schmitt, dann kommen Xavier Naidoo und Tom Cruise.

Na toll, Bülow, da bist du ja am Ziel deiner Wünsche. Deine nominierte Flamme neben dir und in einer Reihe mit deinem Lieblingssänger und dem Schauspieler, dessen Text aus «Mission Impossible» du teilweise auswendig kannst.

Mir klopft das Herz in den Ohren. Schweißperlen laufen mir den Rücken runter. Ich bin versucht, meinen Hund zu holen und nach Hause zu fahren. Aber meine Füße bewegen sich nicht, und mein Blick löst sich nicht von dem Paar, das doch keines sein sollte.

Wenn ich jetzt tot umfallen würde – es würde mir nicht Leid tun.

21:07

Der Applaus holt mich zurück aus meinem fernen Kummerland. Frauke Ludowig überreicht Phil Collins einen Blumenstrauß, gibt ihm zwei Luftküsse und kündigt den nächsten Auftritt an:

«Meine Damen und Herren, noch nie hat eine Nominierung für mehr Aufsehen gesorgt. Welche Sendung wird heute Abend zum innovativsten Fernsehformat des Jahres gekürt? Die Antwort verrät Ihnen unser nächster Gast. Bitte begrüßen Sie die einzigartige, die unvergleichliche Verona Feldbusch!»

Blöde Spinatwachtel mit unnatürlich guter Figur. Ich kenne Frau Feldbusch nicht, aber ich kann sie trotzdem nicht leiden. An manchen Vorurteilen hängt man eben wie an alten Stofftieren.

Verona öffnet umständlich das Kuvert und kichert noch ein wenig: «Meine Damen und Herren! Der Bambi für das innovativste TV-Format geht an ... ‹Der Eisprung deines Lebens›, moderiert von Bente Johannson!»

Aaargh! Auch das noch. Bin kurz vor der Explosion. Erst hat sie sich meinen Mann, und jetzt auch noch einen Bambi unter den Nagel gerissen. Beides unverdient. Schwedisches Flittchen. Während Bente triumphierend die Stufen zur Bühne hoch schreitet, begleitet von Applaus und Buhrufen, gehe ich langsam nach vorne.

Verona überreicht Bente das goldene Reh.

«Und, liebe Bente, freust du dich über den Preis, auch wenn ihn dir anscheinend nicht alle hier gönnen?»

«Ach, Darling, ich finde, ich habe mir meine Neider ehrlich verdient.» Bente lacht wie ein Lachsack.

Ich starre auf ihr Schlauchkleid, auf ihre langen, schlanken Arme. Ihre langen, schlanken Beine. Ihren langen, schlanken Hals. Und selten kam ich mir so kurz und dick vor. Leider steigen mir Tränen in die Augen, und nur der intensive Gedanke daran, wie unvorteilhaft ich bei meinem großen Auftritt mit verschmierter Wimperntusche aussehen würde, bewahrt mich davor, schluchzend zusammenzubrechen.

In einer Stunde kann ich heulen, so viel ich will. Aber jetzt wird diese Geschichte hier mit Stolz und Haltung zu Ende gebracht.

Bente setzt zu ihrer Dankesrede an.

«Thank you, Verona. Und thank you auch der Jury und meinem Produzenten und meinen Eltern, die immer an mich geglaubt haben. Aber am meisten danke ich meinem Lebenspartner. Denn heute beginnt für mich und ihn eine neue Zeitrechnung. Dieser Preis gehört auch dir, Doktor ...»

Ein hohes Quieken lässt die Zuschauer zusammenzucken. Verona Feldbusch greift sich an den Kopf und flieht hinter die Bühne.

Und ich verfluche zum wiederholten Male, dass ich so schlecht zielen gelernt habe.

Aber irgendwie, denke ich, treffe ich trotzdem immer die Richtigen.

Montag, 5:30

Ich habe einen schlechten Charakter und eine gute Figur. Ich kann gut einparken, und noch besser kann ich «Nein» sagen. Ich bin nur eins sechzig groß, aber ich schaue schon lange zu keinem mehr hoch. Jeder ist so groß, wie er sich fühlt. Und man fühlt sich größer, wenn man runterguckt. Ich habe einen schlechten Charakter und eine gute Figur ... Es ist kurz nach halb sechs ... Es ist Montagmorgen ...

Es war nur ein Traum ...

Nur ein Traum ...

5:35

Manchmal, wenn ich aufwache so wie jetzt, dann fühle ich mich gestärkt durch einen Traum. Ich kann mich nicht genau erinnern, aber es bleibt das Gefühl eines guten Gefühls. In den wenigen Minuten zwischen Nacht und Tag, in denen alles möglich ist, habe ich manchmal das Gefühl, ich könnte mich neu entscheiden.

Ich mache die Augen auf. Sie gewöhnen sich langsam an das Halbdunkel, und je mehr die Welt um mich herum wieder Konturen bekommt, desto mehr lichtet sich der Traumnebel in meinem Kopf, und ich bin nicht mehr die, die ich sein könnte, sondern die, die ich bin.

Amelie Puppe Sturm. Die dümmste Pute auf der Welt und der Star der Bambi-Verleihung.

Die Erinnerungen an den vergangenen Abend kommen langsam wieder.

Nun gut, meine Sandalette hatte bedauerlicherweise nicht Bente, sondern Verona Feldbusch am Kopf getroffen. Aber durch solch kleine Unvorhersehbarkeiten wollte ich mich von meinen Rachegelüsten nicht abbringen lassen. Ich schoss auf Philipp zu – so schnell das auf einem Schuh eben ging –, baute mich vor ihm auf – so imposant das mit ein Meter sechzig möglich ist – und sah ihn an.

Die letzten beiden Tage liefen in meinen Kopf ab wie ein schauderhafter Kurzfilm: Sansibar. Kein Sex mit Oliver. Mein Ring, aufgefressen vom Briefkasten. Julius Schmitt. Die «Bild am Sonntag». Der Schmerz, der die ganze Zeit mein Beifahrer war. Und Miss Marple, die in der Obhut einer Klofrau darauf wartet, dass ich das hier endlich hinter mich bringe.

«Puppe?»

Philipp schaute mich mit einem Blick an, den ich nicht verstand. Schlecht sieht er aus, dachte ich. Unrasiert, dunkle Ringe unter den geröteten Augen, und der schwarze Anzug saß überhaupt nicht.

Im Hinterkopf registrierte ich noch, wie Kameras auf mich gerichtet wurden.

Ich hob die Hand im Zorn – und dann verließ mich die Wut.

In diesem Moment sprach Bente Johannson, von allen Anwesenden völlig vergessen, weinerlich ins Mikrophon. «Pippi, spinnst du? Was ist denn los?» Sie sah erbärmlich aus da oben. Das goldene Reh so verkrampft in beiden Händen haltend, als fürchte sie, dass es ihr jemand wieder wegnehmen könnte.

Ich drehte mich Richtung Bühne und holte tief Luft: «Was los ist, Bente? Du hast mir meinen Mann weggenommen, und das gehört sich nicht. Das ist los! Und nenn mich gefälligst nicht Pippi, du dumme Nuss!»

Bente begann zu taumeln. Jemand schrie: «Kamera zwei auf die Johannson! Totale!»

Ich sah, dass ihr Tränen in die Augen schossen. Sie starrte jemanden an, der offensichtlich hinter mir stand. Und dann verstand ich die Welt nicht mehr, als sie sagte: «Julius? Du hast auch mit ihr ...? Wie konntest du mir das antun?» Bente brach schluchzend in die Knie. Die mediale Unsterblichkeit war ihr damit gewiss.

Julius eilte zu ihr auf die Bühne und rief: «Das ist ein Missverständnis!»

Philipp nahm meinen Arm: «Puppe, spinnst du jetzt völlig?»

«Wieso? Wie meinst du das?»

Wieder schrie jemand: «Kamera eins! Ich will die drei da als Großaufnahme haben!»

«Puppe, ich weiß ja nicht, was du dir zusammenspinnst. Aber ich bin unendlich froh, dich zu sehen.»

«Hast du mich mit Bente betrogen?»

«Natürlich nicht.»

«Warum nicht?»

«Wie kommst du denn auf so was? Bente ist seit einem Jahr mit Julius zusammen. Seit heute sogar offiziell.»

Ich hörte mich was von Mailbox und «Bild am Sonntag» stammeln. Mir war zwar plötzlich alles klar, aber so schnell kann sich die Seele nicht umstellen von Unglück auf Glück, von Wut auf Liebe von Tragödie auf Happy End.

Natürlich. Julius. Promi-Anwalt. Der seine Frau nicht mehr liebt. Dessen Leben in Unordnung geraten ist. Bente, die ihn zwingt, sich zu ihr zu bekennen, und die ihrem Vertrauten Philipp ihre Entscheidung auf seine Mailbox spricht.

«Woher hast du überhaupt einen Anzug?»

«Geliehen.»

«Übernimmt meine Haftpflicht den Schaden?»

«Ich denke schon.»

«Liebst du mich noch?»

«Ich fürchte ja.»

Während wir uns total ergriffen anschwiegen, ging Xavier Naidoo ans Mikrofon und sang. Weil er alles verstanden hat. Dass es hier um Liebe geht. Und um Schmerz. Und dass es nochmal gut gegangen ist.

Sag es laut
Wenn du mich liebst
Sag es laut
Dass du mir alles gibst
Sag es laut
Dass ich alles für dich bin
Sag es laut
Denn danach steht mir der Sinn.

Und dann verschmierte doch noch meine Wimperntusche. Tom Cruise stand auf, klatschte Beifall und schaute mich an, als sei ich der Star in einem Hollywoodfilm. Na, der wird zu Hause ganz schön was zu erzählen haben, der Tom.

> *Ich werde immer hören*
> *Was dein Herz zu meinem sagt*
> *Vor tausend Engelschören*
> *Hab ich dich gefragt.*

Den Rest des Abends erlebte ich wie im Kino. Auf einer großen Leinwand schaute ich sprachlos zu, wie Amelie Puppe Sturm ihren Geburtstag, ihr Happy End und ihre große, neue, alte, wiedergewonnene, obwohl nie verlorene Liebe feiert. Nach der Bambi-Verleihung sehe ich sie Arm in Arm mit Philipp durch das nächtliche Berlin gehen. Er im geliehenen schwarzen Anzug, sie im zerknitterten Strandkleid. An jeder Straßenecke bleibt sie stehen, um ihn anzufassen, um sicherzugehen, dass sie sich aus einem Albtraum nicht in einen schönen Traum geflüchtet hat. Sie gehen zu Fuß bis nach Hause. Er schließt die Tür auf, trägt sie über einen großen Haufen Anzüge und nimmt ihr Gesicht beim Einschlafen in beide Hände. Und säße ich tatsächlich im Kino, ich würde meine Nachbarin jetzt um ein Taschentuch bitten.

5:48

Gleich beginnt das Leben wieder. So wie es war. Und so war es ja auch gut. Obwohl, gegen ein bisschen Aufregung und Abwechslung ab und zu habe ich nichts einzuwenden.

Schön waren sie wirklich nicht, die letzten beiden Tage. Aber unvergesslich. Und was ist schon unvergesslich im Leben?

In den wenigen Minuten zwischen Nacht und Tag lohnt es sich, innezuhalten. Nach dem Schlafen, vor dem Wachsein. Und dann vielleicht ein Lied zu summen.

Sag es laut
Dass ich alles für dich bin
Sag es laut
Denn danach steht mir der Sinn.

Und dann wecke ich meinen Liebsten. So, dass er denkt, er sei von alleine aufgewacht.

Und das ist kein Film.
Das ist mein Leben.
Guten Morgen!

Freizeichen

Für Sven ♥

«Ich kann nicht verhindern,
dass ich älter werde,
aber ich kann verhindern,
dass ich mich dabei langweile»

Endlich habe ich genau das Problem, das ich immer haben wollte. Ich hatte wirklich nicht mehr damit gerechnet. Wahrscheinlich ist es mit attraktiven Problemen wie mit attraktiven Männern: Man begegnet ihnen durch Zufall und immer erst dann, wenn man die Hoffnung schon aufgegeben hat.

Und ich, ich hatte die Hoffnung aufgegeben. Gestern stand ich noch mit Übergepäck und Übergewicht am Hamburger Flughafen. Vor mir sieben Tage, die ich zum intensiven Bräunen und Nachdenken über die wesentlichen Störfaktoren meines Lebens nutzen wollte: meine Frisur, meine Figur, meine Beziehung.

Nicht, dass es an meinem Dasein wirklich was auszusetzen gegeben hätte. Alles so weit in Ordnung. Aber mit dem Leben ist es wie mit Jeans: Nur weil du die Marke gefunden hast, die gut sitzt und an den Hüften nicht unnötig aufträgt, heißt das nicht, dass du sie dein Leben lang tragen wirst. Ich hatte fünf Donna Karan-Jeans und seit Jahren den Haarschnitt und den Mann, die zu mir passten. Verdammt, es wurde Zeit, was Neues auszuprobieren, etwas zu wagen, Abenteuer zu erleben, statt nur von ihnen zu träumen. Wovon soll ich meinen Kindern eines Tages sonst erzählen? Mama hat keinen «Tatort» verpasst?

Manchmal reicht es einer Frau eben nicht, sich bernsteinfarbene Strähnchen färben zu lassen, um sich lebendig zu fühlen. Manchmal reicht es nicht, die Telefonrechnung nicht zu bezahlen, um das Leben für abenteuerlich zu halten. Und manchmal reicht es nicht, sich großmaschige Netzstrumpfhosen zu kaufen, um sich sexy zu finden. Nein, manchmal reicht das alles nicht.

Ich fasste den festen Vorsatz, meinem Lebensabend mehr Glanz zu verleihen. Meine Überlegung beim Kofferpacken: Ich kann nicht verhindern, dass ich älter werde – aber ich kann verhindern, dass ich mich dabei langweile. Ja, ich hatte mich lange genug damit begnügt, pinke Wimperntusche für eine wagemutige Abwechslung vom Alltag zu halten. Ich würde den Traum wahr machen – stellvertretend für alle von ihrer Beziehung und dem Fernsehprogramm am Samstagabend gelangweilten Frauen. Ich würde aufbrechen. Einfach gehen. Wortlos. Ohne mich umzudrehen. Allein. In ein fernes Land. Mutig. Stolz.

Ich fühlte mich wie ein Pionier, der seine Wasserflasche füllt, seine Decke zusammenrollt und losreitet, um den Wilden Westen Amerikas zu erschließen. Ich griff nach Nagelhautentferner und Slipeinlagen und schloss entschlossen meinen Koffer. Sieben Tage Mallorca im Haus meiner großartigen Tante Gesa Matuschke lagen vor mir.

Und jetzt sind erst vierundzwanzig Stunden davon vorbei, und schon ist nichts mehr so, wie es war.

Ich liege mit meinen hochkarätigen Sorgen am Pool und beneide mich selbst. Manchmal säuselt der Wind in den Palmen, als würde ein Liebhaber heiser meinen Namen hauchen. Häh? Als würde ein Liebhaber heiser meinen Namen hauchen? Geht's noch? Spinn ich, oder was? Ach, ich kann nichts dafür, eine Frau empfindet einfach jedes Geräusch als Liebeserklärung. Vorausgesetzt, sie hat mit einem derartig luxuriösen Problem zu kämpfen wie ich.

Denn ich bin eine Frau, die sich nicht entscheiden kann! Ich habe nicht nur die schwere Wahl zwischen Sonnenschutzfaktor acht und zwölf, zwischen Liegestuhl oder Luftmatratze, zwischen Wasser mit oder ohne Kohlensäure. Nein, ich habe die Wahl zwischen zwei Männern! Ich möchte das noch einige Male wiederholen, um dieses Hochgefühl auszukosten. Es handelt sich hier um einen Satz, den sonst nur glutäugige Schauspielerinnen mit guten Figuren in schlechten Filmen sagen dürfen:

Ich kann mich zwischen zwei Männern nicht entscheiden.

Ich kann mich zwischen zwei Männern nicht entscheiden.

Was für eine wundervolle Ruhe, was für eine reife Freude mich bei diesem Gedanken überkommt. Ja, ich würde sagen, ich habe mich in den letzten zwölf Stunden in die Liga der superlässigen Frauen hochgespielt, die Sachen sagen wie: «Ich bin zum dritten und sicherlich nicht zum letzten Mal verheiratet.» – «Ich bin reich, also muss ich nicht mehr schlank sein.» – Oder eben: «Ich kann mich zwischen zwei Männern nicht ...»

«Schätzchen, du hast ganz schön zugenommen.»

Hä? Was? Reife Freude weicht millisekundenschnell hektischer Scham, die sich in unkoordiniertem Zupfen am Bikinihöschen äußert.

«Äh, ja, stimmt. Ich habe vor vier Monaten aufgehört zu rauchen. Weißt du, Gesa, da nimmt man ganz automatisch zu, weil sich der Stoffwechsel verlangsamt, da kann man praktisch gar nichts dafür, aber das soll sich nach einem Jahr wohl wieder normalisieren.»

«Quatsch. Was man in deinem Alter zunimmt, dass nimmt man nicht mehr ab. Du bist doch jetzt schon über dreißig, oder? Siehst du. Was für eine blödsinnige Idee, mit dem Rauchen aufzuhören. Jetzt entscheidet sich, welche Figur du in zehn Jahren haben wirst. Ist dein Freund wenigstens auch moppelig?»

«Äh, nein, eigentlich nicht. Du, ich geh kurz ins Haus, ich habe ein Sandkorn hinter meiner Kontaktlinse. Bin gleich wieder da.»

Moppelig? Moppelig! Also ehrlich, das hat noch nie jemand über mich gesagt. Wenn ich meine Freundin Mona frage, ob man denn schon sehen könne, dass ich zugenommen habe, sagt sie immer: «Vielleicht ein bisschen, aber das verteilt sich bei dir gut.» Und wenn sie mich fragt, ob sie zugenommen hat, dann sage ich immer: «Vielleicht ein bisschen, aber das verteilt sich bei dir gut.» Was nicht so ganz stimmt, weil Mona grundsätzlich nur an der unteren Körperhälfte zulegt. Das heißt, dass an schlechten Tagen ihre schmalen Schultern nur halb so breit sind wie ihre ausladenden Hüften. Sie sieht dann ein wenig so aus wie diese Figürchen, die eine Klingel im Bauch haben und sich immer wieder aufrichten, egal, wie man sie hinlegt. Aber das würde ich ihr natürlich nie sagen.

So machen das Freundinnen untereinander. Das ist ein ungeschriebenes Gesetz. Denn erstens will man die andere nicht kränken, und zweitens will man unter keinen Umständen, dass die andere abnimmt und dadurch das Fortbestehen der Freundschaft gefährdet. Kann es eine innige Beziehung zwischen zwei Frauen geben, von denen eine keine Figurprobleme hat? Die Antwort ist natürlich NEIN. Wobei schon die Frage rein rhetorisch zu verstehen ist: Es gibt keine Frauen, die keine Figurprobleme haben.

Tante Gesa hat mich im Gästehaus einquartiert, mit Blick aufs Meer und einem großen Spiegel im Badezimmer, vor dem ich mich gerade detailliert begutachte. Moppelig? Das erscheint mir doch arg übertrieben. Natürlich gehen dreieinhalb Kilo nicht spurlos an einem vorüber. Ich würde sagen, etwa fünfhundert Gramm davon haben sich in meinem Bauchgewebe niedergelassen, zwei Kilo auf Hüften und Po, und der Rest bereichert meine Oberschenkel. Ben sagt immer, er liebe jedes Pfund an mir, und ich sähe sehr gesund aus. Kurz überlege ich, mich für ihn zu entscheiden. Letztens allerdings, als ich ihn im Freibad bat, mir Rücken und Beine einzucremen, sagte er: «Bei dir hat man damit ja jedes Jahr mehr zu tun.» Ich musste leider lachen. Aber ins Wasser bin ich an diesem Tag nicht mehr gegangen.

Ich gehe zurück zum Pool und beschließe, meine dreieinhalb Kilo Nachschlag mit Würde zu tragen. Ich meine, schließlich habe ich zwei Männer zur Auswahl, und ich könnte wetten, dass beide nicht ausschließlich an meinen inneren Werten interessiert sind. Zumal mich der eine fast nur von außen kennt und der andere mich eindeutig trotz meines Charakters liebt – und das seit viereinhalb Jahren. Das ist Ben.

Ben ist siebenunddreißig und Computer-Spezialist. Mir ist klar, dass man nach viereinhalb Jahren keine erotischen Phantasien mehr bekommt, wenn man die Boxershorts des Lebensgefährten vom Wäscheständer nimmt.

Der andere heißt Robin, und ihn kenne ich erst seit vierundzwanzig Stunden. Und mir ist auch klar, dass man nach so kurzer Zeit geistig unzurechnungsfähig ist, keine weit reichenden Entscheidungen treffen sollte und sogar der Anblick eines Garagentores heftigstes sexuelles Verlangen auslösen kann.

Ich sollte versuchen, einen klaren Kopf zu behalten, die Geschehnisse des vergangenen Tages aufzuarbeiten, sachlich zu bewerten und dann einen Reaktionsplan zu entwerfen. Für derlei konzentriertes Nachdenken scheint die rote Luftmatratze, die neckischerweise einem Handy nachempfunden ist, der passende Arbeitsplatz zu sein.

Ich hieve meinen Körper, dessen Gewicht ich nicht einmal unter schlimmster Folter verraten würde, auf die Matratze. Ich habe nämlich, das hat mir ein Arzt bestätigt, schwere Knochen, und die reine Kilozahl erweckt da einen ganz falschen Eindruck. Ich schließe die Augen. Maximale Sachlichkeit, darauf kommt es jetzt an. Es wundert mich nicht wirklich, dass ich keinen einzigen klaren Gedanken fassen kann. Weil mir sofort dieser ganz unglaubliche Kuss in den Sinn kommt. Schon die Erinnerung an ihn ist so wuchtig, dass es mich fast vom Gummihandy haut.

Zugegeben, erste Küsse sind meist sehr aufregend. In jedem Fall viel aufregender als zum Beispiel der erste Sex. Was schlicht daran liegt, dass man beim Küssen weniger falsch machen kann. Man hat es schließlich nur mit einer lokal sehr begrenzten erotischen Zone zu tun: Lippen und Zunge. Andererseits ist es verblüffend, was auf so kleinem Raum doch alles schief gehen kann. Wir alle kennen sie doch, die Übereifrigen, die es darauf anlegen, einem mit der Zunge das Zäpfchen zu kraulen. Oder jene, die es für erotisch halten, beim Küssen in möglichst wenig Zeit möglichst viel Speichel von A nach B zu transportieren. Blöd auch, wenn in Folge von Ekstase die Schneidezähne aufeinander krachen oder man nicht mehr genug Zeit hatte zu schlucken und einem dann die Speisereste aus der Backentasche rausgeknutscht werden. Igitt. Genug davon.

Nüchtern betrachtet war gestern der bisher aufregendste Tag meines Lebens, der mir nicht nur Dauerherzrasen und Dauergrinsen beschert hat, sondern auch vorübergehend einen neuen Vornamen. Aber der Reihe nach. Denn der Anfang war alles andere als erfreulich.

«Will heißen: eher wenig Busen bei eher breitem Kreuz»

Es ist Montagmorgen, und ich stehe am Flughafen von Palma de Mallorca. Ich bin seit neuestem einunddreißig, stecke in einer alles entscheidenden Lebenskrise, und als sei das nicht schon schlimm genug, habe ich, Annabel Leonhard, auch noch meinen verdammten Koffer verloren. In einem dicken Strickpullover warte ich vor einem leeren Gepäckband auf einen Koffer, der nicht kommt und der immerhin zwanzig Euro Gebühr für sechs Kilo Übergepäck gekostet hat. Ich bin noch niemals ohne Übergepäck verreist. Ich bin nicht dazu in der Lage, mich auf das Nötigste zu beschränken. Und das in jeder Hinsicht.

Langsam frage ich mich, warum sich das bescheuerte Band überhaupt noch dreht. Wahrscheinlich, um mich zu verhöhnen. Wahrscheinlich, um mir klar zu machen, dass mein Plan gescheitert und mein kühnes Vorhaben schon im Keim erstickt ist. Dieses Gepäckband, das meinen Koffer nicht hergeben will, sagt mir, dass ich mein Leben nicht verändern kann. Mein Leben verändert sich ganz von selbst. Ich bin bloß Zuschauer. Ich darf nehmen, was kommt. Was nicht kommt, ist mein Koffer.

«Phuket.»

«Wie, Phuket?»

«Ihr Koffer ist versehentlich in Thailand gelandet.»

«Wann wird er denn hier sein?»

«Keine Ahnung. Rufen Sie morgen diese Nummer an.»

Im Gegensatz zu mir ist der Flughafenangestellte die Ruhe selbst. Kein Wunder. Er befindet sich ja auch nicht in einem fremden Land ohne Bikini und ohne Nachtcreme. Den abenteuerlichen Aufbruch in mein neues Leben hatte ich mir total anders vorgestellt. Ich bin enttäuscht, werfe dem Mann einen vernichtenden Blick zu, versuche die Ankunftshalle möglichst würdevoll zu verlassen und mir dabei einzureden, der Verlust meines Koffers sei im Grunde eine Art Befreiung von alten Fesseln und ein außerordentlich positives Signal für meine geplante Runderneuerung. Allerdings löst das nicht die Frage, wie ich ohne meine Augenbrauenpinzette und mein Handy-Ladegerät zurechtkommen soll.

Ich steige in ein Taxi und spüre nichts. Keine Vision, kein spirituelles Erlebnis. Nichts dergleichen. Ein trostloser Moment mit trostlosen Aussichten. Ich betrachte nachdenklich den spärlich behaarten Hinterkopf meines mallorquinischen Taxifahrers. Was ihm obendrauf an Haar fehlt, kommt ihm umso mehr aus den Ohren gesprossen. Kein schöner Anblick. Ich schaue lieber raus. Jetzt, Mitte September, ist die Insel schon reichlich vertrocknet. Die Farben sind verblasst, so wie auf einer alten Fotografie. «Wie mein Leben», denke ich in einem gewagten poetischen Anfall.

Ich meine, ich hatte mich selbst und mein Leben nie für etwas Besonderes gehalten. Eher für ziemlich normal. Immer, wenn ich meinen Lebenslauf irgendwo abgeben musste, habe ich mich ein bisschen geschämt, weil er bloß so kurz war. Habe mir dann immer imposante Hobbys wie Paragliding und Hochseefischen und Kafkalesen ausgedacht, um wenigstens eine halbe DIN-A4-Seite zu füllen.

Vieles an mir ist relativ unauffällig. Ben findet mich zwar neurotisch, aber alle Männer finden alle Frauen neurotisch. Ist also auch nichts Besonderes und wahrscheinlich von ihm nur nett gemeint.

«Annabel, jetzt spinnst du völlig», sagt er zum Beispiel immer, wenn ich mit meiner riesengroßen Gucci-Tüte zum Shoppen gehe. Meiner Erfahrung nach werden Frauen, die riesengroße Gucci-Tüten bei sich tragen, besonders zuvorkommend behandelt. Ist doch klar, die Verkäuferinnen denken, man sei reich und in allerbester Kauflaune und brauche vielleicht jetzt noch formschöne Schuhe oder einen passenden Seidenschal zu diesem riesengroßen, mit Seidenpapier bedeckten Kleidungsstück in der Tüte. Sie können ja nicht wissen, dass mir meine schweinereiche Freundin Steffi die Gucci-Tüte freundlicherweise überlassen hat und dass ich darin einen uralten Regenmantel spazieren trage. Ben, wie gesagt, hält mich wegen solcher einkaufsstrategisch sehr vernünftigen Verhaltensweisen für bekloppt. Und ich empfinde das als Kompliment, weil ich schon ganz gerne ein wenig weniger normal wäre. Bin ich aber nicht.

Ich bin durchschnittlich groß und habe feines Haar, das mir, wenn ich es nicht mit fünf großen Portionen Schaumfestiger garniere, um meinen Kopf herumfliegt wie Entendaunen. Ich muss ständig auf Toilette, lasse immer irgendwo was liegen, finde meinen Autoschlüssel eher nicht und trage die ungünstige BH-Größe 80 A. Will heißen: eher wenig Busen bei eher breitem Kreuz. Ich habe vor sechs Monaten aufgehört zu rauchen, was mir besagte dreieinhalb zusätzliche Kilo und acht Prozent mehr Körperfettanteil beschert hat. Ich bin unverheiratet, kinderlos und lebe mit meinem Freund in einer Dreizimmerwohnung in Hamburg-Eimsbüttel. Ich mag meine ältere Schwester Lillian gerne. Sie hat drei Kinder und mittlerweile, wie sie sagt, Brustwarzen so groß wie 'ne Familienpizza. Sie ist sehr lustig, hat das Epilieren ihrer Beine nicht eingestellt, als sie Mutter wurde, und weiß genau, wann der Winterschlussverkauf bei Jil Sander anfängt. Ihre Kinder parkt sie bei mir, während sie shoppen geht – was bei mir meist dazu führt, dass mein eigener Kinderwunsch in sich zusammenfällt wie Blattspinat beim Blanchieren.

Wann war mir aufgefallen, dass mit meinem Leben irgendwas nicht stimmt? Vielleicht war es der Moment, als ich zum ersten Mal eine Waage benutzte, die auch den Fettanteil des Körpers misst. Zwar hatte ich nicht auf ein Bombenergebnis gehofft, aber da ich gerade erst am

Abend zuvor auf den Nachtisch verzichtet hatte, war ich zuversichtlich aufgestiegen. Errechnet wurde ein Wert, über den ich bis heute mit niemandem gesprochen habe. Ich war erschüttert. Ich meine, ich turne doch nicht zweimal die Woche das Fitness-Video für Fortgeschrittene von Cindy Crawford, bloß um mir dann von meiner Waage sagen zu lassen, ich hätte ständig fünfundvierzig Päck-

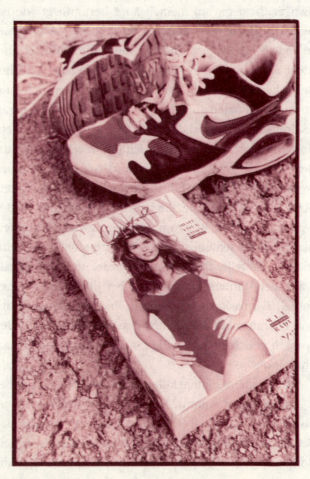

chen Butter bei mir. Panisch hatte ich den üblen Apparat durch die ganze Wohnung geschleppt. Es musste sich, so hatte ich das Ergebnis gedeutet, um eine Messabweichung aufgrund des unebenen Untergrundes handeln. Ich wog mich auf dem Küchenboden, dem Laminat im Flur und schließlich auf dem Wohnzimmerteppich. Das Ergebnis blieb unverändert, und mir wurde schlagartig klar, warum es in meiner Beziehung nicht einmal mehr zu den bundesdeutsch üblichen zweikommafünf Geschlechtsverkehren pro Woche kam.

Und genauso schlagartig beschloss ich, auf der Stelle neuen Schwung in mein Leben und in meine Beziehung zu bringen. Noch am selben Abend rasierte ich mir die Schamhaare und buchte ein Wochenende in einem Romantik-Hotel an der Nordsee. Am nächsten Morgen kaufte ich eine Getreidemühle, um mir in Zukunft morgens mein Müsli selber zu schroten, statt wie bisher mir morgens mein Nuss-Croissant selber zu kaufen. Ich erstand ein «Perfomance Latex-Band für mehr Kraft und Ausdauer», dazu zwei Hanteln und verabredete außerdem mit meiner Freundin Mona, in den nächsten Tagen einen Sex-Shop aufzusuchen. Auch Mona fand, dass ihr Beziehungsleben etwas mehr Schwung vertragen könne – wenn sie denn erst mal eine Beziehung hätte. Aber im Grunde genommen kann man gar nicht früh genug damit anfangen, sich gegen das schleichend lähmende Gift der Gewöhnung zu wappnen.

Um allen Bekannten aus dem Weg zu gehen, wählten wir für unsere Expedition in den «World of Sex»-Supermarkt auf der Reeperbahn einen Dienstagnachmittag, an dem irgendein wichtiges Fußballspiel übertragen wurde.

Es war eigentlich eine ganz vergnügliche Angelegenheit gewesen – bis zu dem Moment, als ich in einem außerordentlich knapp sitzenden Krankenschwesternkittel aus Lackleder aus der Umkleidekabine trat.

«Ach, hallo, Annabel.»

«Äh?»

«Darf ich dir meinen guten Freund Leo vorstellen? Leo, das ist Annabel Leonhard, unsere beste Übersetzerin.»

Leo schaute mich mit großen, schreckgeweiteten Augen an, ganz so, als sei ich eine geistesgestörte Irre, die sich nachmittags zum Zeitvertreib in Sex-Shops rumtreibt und in hautenge Lacklederkittel zwängt. Neben Leo stand Bea Heinrich vom Verlag Jakobs & Kursedim, für den ich Bücher aus dem Englischen und Holländischen übersetze. Bea ist meine Lektorin, ich bin ihre Trauzeugin. Ich schämte mich ungeheuerlich.

Warum bleiben einem eigentlich die peinlichsten Begebenheiten besonders lebhaft in Erinnerung? Ich erinnere mich an jeden einzelnen Fettnapf, in den ich im Laufe meines Lebens getreten bin. Und das sind nicht wenige gewesen. Aber ich erinnere mich nicht daran, wie der erste Bundespräsident hieß und wo ich neulich die heruntergesetzten Stiefel mit Leopardenprint gesehen habe.

Ich strich meinen Lacklederkittel glatt und versuchte so zu tun, als handele es sich hier um eine völlig alltägliche und durchaus erfreuliche Begegnung.

«Hallo, Leo, schön, dich mal kennen zu lernen. Bea hat schon viel von dir erzählt.»

Ich reichte dem verwirrten Mann die Hand, so damenhaft, wie mir das unter den gegebenen Umständen möglich war. Dann wandte ich mich betont locker an Bea.

«Und, bei dir sonst alles klar?»

Sie tat mir den Gefallen, nicht ein Wort über die erniedrigende Situation zu verlieren, in der ich mich befand. Sie ist eine sehr kultivierte Frau, liest Walser, hat ein Theaterabonnement und ist trotzdem in der Lage, sich stundenlang über die Wahl des richtigen Lippenkonturstiftes zu unterhalten. Leo war einer ihrer besten Freunde, schwul und Single. Bea war so freundlich, einmal im Monat samstagabends bei ihm vorbeizuschauen und in seinem Schlafzimmer eine Viertelstunde lang laut zu stöhnen. Als Vorsichtsmaßnahme. Damit der schwulenfeindliche Vermieter bezüglich Leo keinen Verdacht schöpfen konnte. Bea ist loyal und taktvoll und erlöste mich schnell aus meiner peinvollen Lage.

«Dann mach's mal gut. Leo und ich müssen weiter. Wir sind heute Abend bei seinem Exfreund eingeladen und suchen noch ein hübsches Mitbringsel. Komm, Leo, da hinten habe ich einen tollen Lederslip mit Paillettenbesatz gesehen.»

Ich hörte ein Rumpeln hinter mir. Das war Mona, die vor lauter unterdrücktem Lachen neben dem Ständer mit den Dienstmädchenschürzen zusammengebrochen war.

Danach war mir die Lust am Shopping irgendwie vergangen. Immerhin brachten Mona und ich je zwei hübsche Vaginalkugeln mit nach Hause, die uns der zuvorkommende Verkäufer für den ultimativen Lustgewinn empfohlen hatte. Sind aber nicht so toll, muss ich von abraten. Die Dinger klackern im Inneren des Körpers, als hätte man ein künstliches Hüftgelenk.

Der Besuch im Sex-Shop brachte jedenfalls nicht die erhoffte Wendung in mein fades Dasein. Und der Kurzurlaub im Romantik-Hotel war auch kein voller Erfolg. Eigentlich war er sogar eine glatte Katastrophe. Ich hatte für uns beide zum Abendessen das Menü «Leidenschaft» bestellt. Wenn ich nur daran denke, wie übel meinem armen Ben nach den Austern wurde, bereue ich die Wahl noch jetzt. Er tut sich schwer mit Schalentieren. Aphrodisiaka hin oder her, die Dinger bekommen ihm einfach nicht. Er war zwar noch so höflich, sich mit mir zum romantischen Mitternachtsspaziergang an den Strand zu schleppen, aber als ich ihn lasziv darauf hinwies, dass ich unter meinem Kleid nichts als Strapse trüge, starrte er mich einige Sekunden an, als sei ihm eine Monster-Auster erschienen.

«Ist dir das nicht viel zu kalt?», fragte er schließlich würgend. Da war mir klar, dass ich an diesem Abend unseren Geschlechtsverkehr-Durchschnittswert nicht mehr in die Höhe treiben würde.

Manchmal wünsche ich mir, ich würde Ben noch nicht kennen, oder noch nicht so gut. Dann versuche ich, ihn anzuschauen, als sei er mir fremd. Wie er die Zigarette hält, wie er beim Zuhören den Kopf leicht zur Seite neigt, wie er geht, mit langen Schritten, die Hände meist tief in den Jackentaschen. Ich wünschte, ich hätte es noch vor mir, ihn zu entdecken. Die Leidenschaft der ersten Monate. Dreimal am Tag Sex. Herzklopfen, wenn er anruft. Herzklopfen, wenn er nicht anruft. Panik, wenn kurz vor der Verabredung der Lidstrich nicht gelingt. Ich weiß natürlich, dass es keine Kunst ist, etwas zu begehren, was man noch nicht kennt.

Heute verzichte ich auf den Lidstrich. Heute wische ich Ben manchmal gedankenverloren einen Krümel aus dem Mundwinkel. Ich sollte das nicht tun. Er hasst das, und ich tue es auch niemals absichtlich, sondern nur, weil ich vergesse, mich an die unausgesprochenen Regeln zu halten: einen gewissen Abstand zu wahren, sich nicht so vertraut zu benehmen, wie man sich eigentlich fühlt, sich die Illusion zu bewahren, man hätte noch Geheimnisse, es gäbe noch was zu entdecken. Das ist man sich schuldig als Paar. Nun, es wäre sicherlich albern, wenn ich mir abends, bevor Ben nach Hause kommt, einen Push-up-BH umschnallen und künstliche Wimpern ankleben würde. Ben kennt meine Defizite in dieser Hinsicht. Aber weil du geliebt wirst, heißt das nicht, dass du beim Sex die Skin-Repair-Maske drauflassen darfst – nur weil die auch genau fünf Minuten braucht.

Wehret den Anfängen. Sonst drückst du ihm irgendwann die Pickel auf dem Rücken aus, und er macht dir einen Heiratsantrag, während er auf dem Klo sitzt und du dir dein Gebiss mit Zahnseide reinigst. Ich finde, wenn man sich derartig gehen lässt, ist es Zeit zu gehen.

Einmal war ich mit Ben, seinem Freund Nikos und dessen damaliger Freundin essen. Sie saß mir gegenüber, Nikos neben mir. Und während er zu Ben gewandt sprach, wischte ich ihm reflexartig einen Krümel aus dem Mundwinkel.

Er war wie erstarrt vor Schreck. Ich war wie erstarrt vor Schreck. Und die Frau, deren Namen ich schon an jenem Abend vergessen hatte, weil es sich bei Nikos nie lohnt, sich die Namen seiner Freundinnen zu merken, war knallbeleidigt. Es hatte natürlich nichts zu bedeuten. Ich hatte bloß völlig in Gedanken eine vertraute Bewegung in die falsche Richtung gemacht und war im falschen Mundwinkel gelandet. Es war, wie wenn man wie jeden Morgen nach dem Peelingmousse greift, sich stattdessen aber plötzlich mit Enthaarungscreme im Gesicht konfrontiert sieht, weil die Putzfrau am Tag vorher fand, sie müsse ein wenig umräumen.

Man kann es als Paar eben leider nicht vermeiden, dass sich Vertrautheit einschleicht. Gegen die Zeit hast du keine Chance. Ich weiß genau, dass ich meinem Ben eine Sache niemals werde bieten können, egal, ob ich mich in einen Lackkittel zwänge oder Tierlaute imitiere: Ich werde immer eine Frau sein, die er kennt. Menschen gehen nicht fremd, weil sie zu Hause schlechten Sex haben. Das ist ein Grund, sich zu trennen. Menschen gehen fremd, weil sie zu Hause guten Sex haben. Nur leider immer den gleichen.

«Wir brauchen nie länger als zehn Minuten, mit Vorspiel», gestand mir meine Freundin Steffi neulich. Sie ist seit sechs Jahren mit Klaus verheiratet.

«Und, sind es gute zehn Minuten?», fragte ich.

«Alles ist perfekt. Er weiß genau, was er tun muss, was ich mag und was ich nicht mag. Mit ihm komme ich schneller zum Orgasmus, als wenn ich's mir selber mache.» Steffi stöhnte genervt. «Aber weißt du, Belle, was ich mir manchmal wünsche? Einen, der nicht alles richtig macht. Einen, der mich überrascht, egal womit. Einen, bei dem ich die Augen auflassen kann beim Sex, weil er mir fremd ist und ich mir nicht mühsam einen Fremden vorstellen muss.»

«Vielleicht versucht ihr's mal mit Rollenspielen?»

«Nach dem Motto: Ich bin jetzt eine Nutte und du ein Fernfahrer? Quatsch, an so was glaube ich nicht. Er bleibt doch immer mein kleiner Klausi. Ich müsste wahrscheinlich lachen, und dann ginge gar nichts mehr.»

Ich wusste Steffi nichts zu raten, beschloss aber insgeheim die Sache mit der Nutte und dem Fernfahrer zu Hause mal vorzuschlagen. Hat aber nicht viel gebracht. Außer dass ich Ben am Unterschenkel verletzte, als ich nur mit Stöckelschuhen bekleidet zu ihm ins Bett stieg.

Man muss mir also zugute halten, dass ich nicht vorschnell fortgegangen war. Ich hatte mir heftige Mühe gegeben, wieder Farbe in meine blasse Beziehung zu bringen. Hatte vor Ort das meinige getan. Nun würde ich Abstand nehmen, um gelassen alles zu überdenken. Bisher war es immer so gewesen, dass mein Leben mich in die Hand genommen hatte. Veränderungen brachen über mich herein, mal willkommen, mal auch nicht. Ich habe reagiert, mal richtig, mal falsch. Was mich just daran erinnert, dass ich heute die Gattin von Ole Helgers sein könnte, Inhaber eines exquisiten Fachgeschäfts für Landhausküchen in Hamburg-Wellingsbüttel, der sich gerade eine Villa in Adresslage gebaut hat. Vorausgesetzt, ich hätte in jungen Jahren nicht falsch reagiert, als er bei unserem ersten Geschlechtsverkehr den wilden Latino-Lover geben wollte und dabei aus dem Bett plumpste. Heute weiß ich, dass das ein Moment ist, der extremste Sensibilität verlangt. Aber damals hat dieser Mangel an Lebensweisheit dazu geführt, dass ich laut losprustete und mich Ole fortan auf dem Schulhof nicht mehr grüßte. Allen seinen Freunden erzählte er, ich sei eine Niete im Bett.

«Señora?»

«Hm?» Der Taxifahrer mit den körpereigenen Ohrenwärmern weckt mich aus meinen Albträumen.

«Puerto Andratx, Carrer Tonyina. Fünfzig Euro.»

Es wundert mich nicht wirklich, dass meine Tante Gesa nicht zu Hause ist. Dass sie mich nicht vom Flughafen abholen würde, damit hatte ich fest gerechnet. Sie hatte es gestern Mittag am Telefon ganz fest versprochen. Aber was ist schon von den Versprechungen einer Frau zu halten, die drei Ehemänner verlassen hat?

«Belle, mein Kind, natürlich hole ich dich ab! Ich freue mich wahnsinnig, dass wir uns endlich mal wieder sehen! Ich lasse dir das Gästehaus herrichten. Möchtest du blaue oder gladiolenfarbene Bettwäsche? Du, die Hütte ist ein Prachtstück, du wirst es lieben und viel länger bleiben wollen. Bei dir und – wie heißt er noch, na ja, bei euch alles in Ordnung? Ich kann dir gar nicht sagen, wie gut mir diese Scheidung getan hat. Kann ich jedem nur empfehlen. Dem Matuschke soll es ja ganz schlecht gehen. Hat diese Kleine, habe ihren Namen schon wieder vergessen, jedenfalls die mit den Riesentitten, schon wieder rausgeschmissen. Brüste sind nicht alles im Leben, sag ich immer. Schau mich an: flach wie 'ne Badezimmerkachel, aber Verehrer ohne Ende. Seinen Nachnamen werd ich aber auf jeden Fall behalten. Kindchen, du glaubst nicht, wie einem hier auf der Insel die Türen aufgerissen werden, wenn man Matuschke heißt. So, ich muss los. Wann landest du? Ach warte, ich habe es mir ja hier aufgeschrieben. Um neun. Schön, bis dann. Flieg vorsichtig! Bussi! Bussi!»

Ich habe meine Patentante Gesa vor fünf Jahren zum letzten Mal gesehen. Mein Vater feierte seinen Sechzigsten, und seine Schwester Gesa erschien auf dem Fest mit Dietrich Matuschke, einem fülligen, gutmütigen Mann Mitte sechzig, der durch Baumaschinen reich wurde und drei Wochen zuvor von Tante Gesa in Venedig geheiratet worden war. Gesa Leonhard war früher eine wunderschöne Frau, groß, schlank, mit schmalen Handgelenken, einem langen Hals und diesem Blick, unter dem die Jungs schon auf dem Schulhof zu hirnlosen Trotteln mutierten. Sie haben sich für sie geprügelt und Muskeln spielen lassen, die sie noch gar nicht hatten. Gesa ist mittlerweile siebenundfünfzig und hat, sie selbst weist immer wieder gern darauf hin, einen Hals wie ein frierender Truthahn. Trotzdem hat sie einfach nicht aufgehört, sich so zu kleiden, sich so zu benehmen, so zu lachen und so zu lieben, als sei sie immer noch jung und schön.

Sie ist eine großartige Frau – aber leider in diesem Moment nicht zu Hause. Im Nachhinein werde ich ihr dafür wohl auf ewig dankbar sein. Denn sonst hätte ich ja in ihrem Haus auf Toilette gehen können. Und dann wäre alles ganz anders gekommen. Und ich hätte mit Sicherheit nicht dieses vortreffliche Problem, mich zwischen zwei Männern ... Aber ich glaube, das erwähnte ich schon.

Ich gehe also bei glühender Hitze, immer noch mit einem durchaus dem Wetter nicht angemessenen Strickpullover bekleidet, den Hügel runter Richtung Hafen. Ob Ben mein Verschwinden schon bemerkt hat? Wahrscheinlich war er noch gar nicht wieder zu Hause. Er verbrachte das Wochenende mit seiner Trost-Truppe in einem einsam gelegenen Haus in der Lüneburger Heide, weil einer der Jungs von seiner Freundin verlassen worden war. Er hatte zwar tapfer behauptet, es ginge ihm gar nicht so schlecht, schließlich könne er sich jetzt endlich wieder die Fußnägel in der Küche schneiden, aber wahre Freunde kann man damit nicht täuschen. In solchen Fällen von allerschlimmstem Liebeskummer kommt die Ein-Kumpel-ist-in-Not-Truppe zusammen, deren Trostprogramm im Wesentlichen darin besteht, so zu tun, als sei niemand in Not. Außerdem müssen während des Wochenendes drei Regeln strikt befolgt werden:

1. Es darf kein Obst gegessen werden.
2. Unerwünscht sind Telefongespräche mit der Freundin von mehr als drei Minuten Länge.
3. Wenn einer vor dem Mittagessen eine Tüte Chips oder mehrere Tafeln Schokolade zu sich nimmt, darf keiner sagen: «Es gibt doch gleich Essen!»

Benedikt Cramer ist in vielerlei Hinsicht ein typischer Mann. Er tanzt nicht. Er klebt keine Fotos in Alben. Er bleibt ruhig, wenn ich meinen Schlüsselbund nicht finden kann und mich dabei so derartig aufrege, dass man meinen könnte, es handle sich um etwas wirklich Ernstes, sagen wir zum Beispiel den Verlust meiner Arbeitsstelle oder meiner Jil Sander-Sonnenbrille, die im Sommerschlussverkauf immer noch mehr gekostet hat, als ich normalerweise für einen Wintermantel auszugeben bereit bin. Ben erträgt es auch, dass ich irre beleidigt bin, wenn er meinen von mir verlegten Schlüssel vor mir findet, und das an einem abwegigen Ort wie zum Beispiel der Schale für die Schlüssel. Ich schwöre, ich hatte dort ganz bestimmt schon dreimal nachgeguckt.

Benedikt Cramer ist ein Mann mit der Mentalität eines Bombenentschärfers. Die Leute, die in amerikanischen

Filmen immer vor den mit komplizierten Zeitzündern versehenen Sprengstoffpaketen hocken und absolut ruhig bleiben, während um sie herum Menschen mit schrillen Stimmen rufen:

«Joe, noch fünfzehn Sekunden! Schneid den grünen Draht durch, Joe! Um Himmels willen, das Leben Tausender unschuldiger Bürger dieser pittoresken Stadt am Fuße der Rocky Mountains liegt ganz allein in deiner Hand, Joe! Nimm den ...»

Und Joe nimmt sich noch die Zeit, seinen Zigarillo von einem Mundwinkel in den anderen zu schieben, bevor er den roten Draht durchschneidet, sein Zeug zusammenpackt und nach Hause geht.

Einer von diesen Unerschütterbaren ist auch mein Ben. Einer, bei dem man denkt, er hat breite Schultern, selbst wenn er so schmal gebaut ist wie ein Räucheraal. An seiner Seite fühlt man sich beschützt. Neben ihm würde man sich trauen, in die Jahreshauptversammlung von Bodybuildern reinzurufen: «Habt ihr wirklich alle erdnussgroße Penisse?»

In Bens genetischem Programm sind Aufregung, Nervenflattern, zittrige Hände und eine schweißnasse Stirn nur für folgende Fälle vorgesehen: Start und Landung von Flugzeugen, in denen er selbst drinsitzt. Turbulenzen in großer Höhe. Vermeintlich ungewöhnliche Turbinengeräusche und die Durchsage des Kapitäns mit, nach Bens Meinung, verzweifelt klingender Stimme: «Wir möchten Sie bitten, für den Rest des Fluges angeschnallt zu bleiben.»

«Der Mann hat sich und uns längst aufgegeben», hatte Ben bei unserem Flug nach Teneriffa verbittert gemurmelt. Was bedauerlicherweise der kleine Junge neben ihm mithörte, entsetzt die Augen aufriss und panisch schrie: «Maaamaaaa, wir stürzen aahaab!» Na ja, und abstürzen tut ja keiner gerne. Einige wollten sofort den Kapitän sprechen, andere fingen an zu beten. Erst nach mehreren Durchsagen, dass es wirklich keinen Grund zur Beunruhigung gäbe, es seien lediglich ein paar Turbulenzen zu erwarten, legte sich die Panik. Eine gewisse Anspannung hielt sich aber für den restlichen Flug und machte sich in frenetischem Beifall und Jubelrufen Luft, als wir gelandet waren. Einige wollten dem Kapitän persönlich ihren Dank aussprechen, aber der weigerte sich, aus dem Cockpit zu kommen. Ich bin sicher, noch heute beginnen etliche der Passagiere ihre Erzählungen über diesen Urlaub mit den Worten: «Damals, als wir fast abgestürzt sind und ich der Einzige war, der die Nerven behielt und ...»

Ich denke, was Ben wirklich am Fliegen stört, ist, dass er nicht selber fliegt. Er ist jemand, der sich am sichersten fühlt, wenn er persönlich die Verantwortung trägt für das, was geschieht. Er macht lieber seine eigenen Fehler, als unter den Fehlern anderer Leute zu leiden. Deswegen hat er sich selbständig gemacht, deswegen kocht er bei uns zu Hause, und deswegen nimmt er wie selbstverständlich immer auf dem Fahrersitz Platz, auch wenn wir mit meinem Auto fahren. Was wir allerdings selten tun, weil dem Herrn Cramer das Ambiente in meinem Wagen nicht zusagt. Er mag es nicht, dass ich meine Badesachen – ich gehe zweimal die Woche mindestens dreißig Minuten schwimmen, um die Fettverbrennung anzukurbeln – auf dem Rücksitz trockne und hinter dem Beifahrersitz die Ordner «Krankenkasse», «Versicherungen» und «Steuer» aufbewahre. Im Kofferraum lagere ich im Sommer meine Wollpullover und im Winter meine Rollerblades.

Na und? Ich denke da eben praktisch. Unsere Wohnung ist nicht gerade riesig, und einen Speicher haben wir auch nicht. Unter solchen Umständen finde ich es nur natürlich, wenn man das Auto wie ein zusätzliches Zimmer behandelt. Mein Golf, der rot ist und so alt, dass man die Fenster noch selber runterkurbeln muss, ist eine Mischung aus Badezimmer, Kleiderschrank und Aktenablage. Spricht doch nichts dagegen. Als ich Ben sagte, wir könnten seinen Kombi doch sehr schön als Bibliothek nutzen und dort meine Kinderbücher unterbringen, von denen ich mich nicht trennen mag, reagierte er recht verhalten. Dabei wäre im Kofferraum reichlich Platz für alle meine «Fünf Freunde»-Bände plus «Die drei Fragezeichen» plus Bilderbücher wie «Die kleine Raupe Nimmersatt» oder «Vom kleinen Maulwurf, der wissen wollte, wer ihm auf den Kopf gemacht hat». Zwei meiner Lieblingsbücher übrigens. Aber er war nicht zu überreden.

Ben und ich ergänzen uns gut, weil wir auf unterschiedliche Arten total schusselig sind und uns deswegen keine Vorwürfe machen können. Er macht Fehler, weil er mit seinen Gedanken ganz woanders ist. Ich mache Fehler, wenn ich mich besonders darauf konzentriere, Fehler zu vermeiden. Zum Beispiel, wenn ich Folgendes denke: «Hoffentlich fällt mir jetzt nicht diese sehr edle Servierplatte mit den sechs kostbaren Hummerschwänzen drauf vor all diesen wichtigen Leuten auf den empfindlichen Teppich ...»

Ben ist wie gesagt eher der Typ, der sich nicht auf das konzentriert, was er gerade tut, sondern auf das, was er bis eben noch getan hat. Das führte besonders am ersten Weihnachtstag zu einer Katastrophe. Die Essenz von Edelfischen kochte stundenlang vor sich hin. Ben betreute sie liebevoll, würzte nach und erzählte mir dabei von der Kosmetik-Redakteurin der Frauenzeitschrift «Laura», die ihn dreimal in der Woche wegen eines angeblichen Computerfehlers anriefe, und dann sei immer nur irgendein Kabel falsch eingesteckt. Na, bei so was werde ich aber ganz schnell hellhörig.

«Die ist doch bestimmt in dich verliebt!»

«Glaube ich nicht. Die Sonja hat 'nen Freund.»

«Ach, und woher weißt du das?»

«Hat sie mir erzählt.»

«Wann denn?»

«Als sie mich auf einen Kaffee eingeladen hat.»

«Davon hast du mir ja gar nichts erzählt!»

«Warum sollte ich? Dich interessiert doch sonst auch nicht, mit wem ich in der Kantine einen Kaffee trinke.»

«Da handelt es sich ja auch nicht um Frauen, die sich Computerprobleme ausdenken, bloß weil sie scharf auf meinen Freund sind.»

«Sonja ist nicht scharf auf ...»

«Sieht sie denn wenigstens gut aus?»

«Nicht schlecht, aber auch nicht besonders ...»

«Ach was. Nicht schlecht? Ich weiß doch, was nicht schlecht bei dir bedeutet! Für einen Mann mit deinem stoischen Gemüt ist das doch fast eine Liebeserklärung. Wahrscheinlich ist sie sehr schlank und hat trotzdem Top-Titten. Und du bist naiv genug zu glauben, dass eine Frau nichts von dir will, nur weil sie dir von ihrem Freund erzählt!? Ich bitte dich. Das macht man, um den Typen, den man ins Bett kriegen will, glauben zu lassen, dass er keine feste Beziehung fürchten muss. Ganz alter Trick! Aber Benedikt Cramer fällt natürlich voll drauf rein! Bravo!»

Ich möchte an dieser Stelle hinzufügen, dass ich nicht wirklich eifersüchtig war, sondern nur die Gelegenheit nutzen wollte, mich aufzuregen. Ich rege mich gern auf. Das stärkt die Stimmbänder und das Selbstbewusstsein. Eifersucht ist bei mir eher eine Art Selbstbefriedigung. Ich benutze sie als Mittel gegen Routine. Außerdem hat das Ganze den schönen Nebeneffekt, dass Ben sich wirklich ärgert, wenn ich auf diese Art eifersüchtig bin. Er hält sich schließlich für unschuldig. Er ärgert sich, und ich bin gar nicht wirklich eifersüchtig, sondern im Grunde genommen sehr zufrieden, weil ich mich besonders geliebt fühle. Immerhin ist es mir gelungen, eine solch starke Regung wie Missmut aus Ben hervorzulocken.

Er begann also, sich zu rechtfertigen und gleichzeitig sauer darüber zu sein, dass er sich rechtfertigte. Dann verfiel er eine Weile lang in beleidigtes Schweigen und beschloss, ich erkannte es an seinem Gesichtsausdruck, sich nicht weiter mit diesem Quatsch auseinander zu setzen. Das war der Moment, als er vergaß, die kostbare Essenz aufzufangen, die hopplahopp im Ausguss verschwand. Nur ein trauriger Haufen zerkochter Fische blieb im Sieb übrig.

Es wurde kein schöner Abend mehr. Und meine Eltern, denen vollmundig eine Essenz von Edelfischen angekündigt worden war, wunderten sich über Brot mit Ei als Vorspeise und über einen sehr muffeligen Gastgeber, der ihnen bisher immer als ein besonders ausgeglichener Mensch erschienen war.

«Mit etwas Mühe ist ein schlechtes Gewissen gut zu verdrängen»

Ich habe mittlerweile den Hafen von Andratx erreicht. In Gedanken ganz bei meinem fragwürdigen Lebensgefährten, bin ich mitten in das Revier der Riesenboote getapst. Ich gehe staunend vorbei an weißen Yachten, die aussehen, als warteten sie alle auf ihren Einsatz in einem Film, der das Leben von Aristoteles Onassis erzählt. Leider werden die meisten von ihnen durch besonders alberne Namen verunstaltet. Wie kann man denn so ein stolzes Boot «Frustration» nennen oder «Hasi-Bär»? Oder «Fuzzi» – fast schämte ich mich, als ich das arme Ding sah.

Versunken in die Frage, was einen Menschen wohl dazu verleiten kann, überhaupt irgendetwas den Namen «Fuzzi» zu geben, bemerkte ich das sich anbahnende Problem zunächst nicht.

Ich weiß nicht, ob es anderen auch so geht, aber wenn ich auf Toilette muss, dann muss ich immer ganz plötzlich und dringend auf Toilette. Vor langen Autofahrten zum Beispiel trinke ich immer tagelang nichts. Vergeblich. Schon bei der ersten Raststätte muss ich raus. Immer. Ben sagt, ich hätte eine Altherrenblase, und meine Freundin Mona schlug nach unserem letzten Ausflug nach St. Peter-Ording vor, ich solle beim nächsten Mal Windeln tragen oder mir einen Katheter legen lassen. Mona macht als Krankenschwester gerne solche ekligen, innereienbetonten Scherze. Aber es ist tatsächlich so: Eigentlich befinde ich mich die meiste Zeit meines Lebens auf der Suche nach einem Klo.

Für mich also eine absolut vertraute Situation: Annabel Leonhard eilt mit zusammengepressten Schenkeln durch irgendeine völlig toilettenfreie Zone dieser Welt. In diesem Falle der äußerste Rand des Yachthafens von Andratx. Glücklicherweise habe ich durch jahrzehntelange Praxis ein seismographisches Gespür für Toiletten entwickelt oder für Gegenstände, die man als Toilette benutzen kann. Ich könnte einen Reiseführer schreiben «Pinkeln von Padua bis Paris – der ultimative WC-Guide». Und ich denke, der Satz, den ich in meinem Leben am häufigsten gesagt habe, ist: «Dürfte ich wohl mal Ihre Toilette benutzen?»

«Dürfte ich wohl mal Ihre Toilette benutzen?» Der Typ, der gerade dabei ist, an seiner riesenhaften Yacht rumzuputzen, sieht schon von hinten so aus, dass ich es unter normalen Umständen niemals gewagt hätte, ihn anzusprechen. Es gibt ja Hinterköpfe, die bereits derart viel Selbstbewusstsein ausstrahlen, dass einem angst und bange wird. Aber unter Blasendruck verliert man viele seiner ansonsten hartnäckigen Hemmungen. Ich habe schon in Spelunken gepinkelt, die ich bei klarer geistiger Verfassung nur mit Schutzanzug und Atemmaske betreten hätte. Und dieser Mensch mit dem einschüchternden Hinterkopf ist der einzige potenzielle Toilettenbesitzer, den ich in der gebotenen Eile in diesem Hafen ausfindig machen kann. Als er sich umdreht und mich kurz mustert – überrascht, aber nicht unfreundlich –, wird mir schlagartig klar, dass dieser Typ mein Leben verändern könnte. Vorausgesetzt, ich wäre etwa acht Jahre jünger, zehn Kilo leichter und in regelmäßigen Abständen Covergirl der italienischen «Vogue».

Was für eine umwerfende Ansicht. Sieht aus wie ein großer Junge. Bestimmt noch keine dreißig. Schlaksig ist, glaube ich, das Wort, das man für solche Körper benutzt. Als sei er noch gar nicht lange so groß und müsse sich erst noch daran gewöhnen und immer aufpassen, mit seinen langen Armen nicht versehentlich irgendwelche Gegenstände vom Tisch zu fegen. Mit kurzen blonden Haaren, die aussehen, als kriegten sie Locken, wenn sie länger werden. Dieser Mensch sieht so freundlich aus, als würde er ständig fröhlich sein, in der Sonne liegen, Bier aus Flaschen trinken, die im Meer gekühlt werden, nachts mit seinen Kumpels Mercedes-Sterne klauen gehen, in Freibäder einbrechen, auf Baugerüsten rumklettern und auf dem Rummel am Schießstand für sein Mädchen den dicksten Teddy erlegen.

«Klar. Das Klo ist unten.»

Ich muss ihn völlig verträumt angestarrt haben.

«Die Treppe runter und dann die dritte Tür rechts.»

«Was?»

«Na, das Klo.»

«Oh. Ja, vielen Dank», murmle ich. Verlegen, weil ich die Begegnung mit diesem sensationellen Jungen einem profanen körperlichen Bedürfnis zu verdanken habe und nicht meiner faszinierenden Ausstrahlung. Gesetzt den Fall, aus uns beiden würde was werden – wir heiraten, beziehen ein Haus mit offenem Kamin und Kaufpreis auf Anfrage, legen uns einen Labrador zu und zwei entzückende Kinder, die Klavierunterricht haben und ein Pony –, was sollten wir später mal erzählen? «Mama musste aufs Klo. Sonst wäre Papa niemals auf eine wie sie aufmerksam geworden.»

Kein großartiger Beginn für eine imposante Liebesgeschichte. Aber man kann es sich ja nicht aussuchen. Und nur weil eine Beziehung nicht filmreif anfängt, heißt das ja nicht, dass sie auch automatisch so weitergehen muss. Den Sebastian zum Beispiel, meine erste große Liebe, lernte ich kennen, weil er mir Silvester 1987 eine Flasche Sekt in meine Kapuze schüttete. Man muss dazu sagen, dass er das nur in bester Absicht tat und ich ihm bis heute dankbar bin, weil er dadurch Schlimmeres verhindert hat.

Um Mitternacht hatte ich mit einer Horde Freunde am Alsterufer gestanden und war mir irre schick vorgekommen. In einem Anfall handwerklicher Kreativität, es sollte zum Glück der einzige in meinem Leben bleiben, hatte ich um Kragen und Kapuze meines Wintermantels einen scheußlichen dunkelbraunen Kunstpelz genäht, den ich damals für mondän hielt. Ich war sechzehn, fühlte mich erwachsen, hatte meine Haare endlich so lang, wie ich sie immer haben wollte, und dazu das Gefühl, dass dieses Silvester der Auftakt war für ein besonders wichtiges Jahr in meinem Leben. In meinem Pelz kam ich mir vor wie Prinzessin Diana.

Ich beschloss also, möglichst damenhaft eine Rakete in die Nacht zu entsenden, was mir auch relativ gut gelang. Zumindest dachte ich das zunächst. Was ich nicht bemerkte, war, dass die Rakete gegen einen Baum flog, wie ein Bumerang zu mir zurückkehrte und in meiner kunstpelzumpuschelten Kapuze landete. Plastikpelz und Haare fingen sofort an zu brennen. Und weil ich davon immer noch nichts mitbekommen hatte, war ich doch einigermaßen überrascht, als ein mir völlig unbekannter Typ auf mich zurannte und mich mit Schaumwein übergoss.

Sebastian hatte durch seinen Einsatz nur unwesentliche Teile meiner Frisur retten können. Der Mantel samt Kunstpelz war natürlich völlig hinüber, und ich sah aus wie Daniel Düsentrieb nach einem besonders misslungenen Experiment. Aber Sebastian und ich wurden trotz dieses unglücklichen Starts ein sehr glückliches Paar. Drei Monate lang. Was ich damit nur sagen will, ist, dass aus diesem unheimlich tollen Yachtbesitzer und mir eine Traumkonstellation entstehen kann – auch wenn wir unsere Liebe nur meinem Harndrang zu verdanken haben.

Ich nutze den Aufenthalt auf der Yachttoilette, um mein Aussehen zu kontrollieren und hier und da nachzubessern. Wie gut, dass ich für solche Notfälle immer Lipgloss und einen Kamm bei mir trage. Ich versuche, meinem vom Wind entstellten Haar eine minimale Restwürde zurückzugeben.

Also, sage ich mir, auf in den Kampf! Ich werde dieses Boot nicht verlassen, ohne mich unsterblich zu blamieren. Wer wie ich sein Leben endlich in die Hand nimmt und selber für Veränderungen sorgt, der wartet nicht darauf, angesprochen zu werden. Ab jetzt wird angesprochen! Ich hole tief Luft – und höre mich zu meiner eigenen Bestürzung sagen:

«Vielen Dank. Tschüss.»

Mist. Verdammter Mist! Warum ist die Anwesenheit meines Selbstbewusstseins so unkalkulierbar wie das Erscheinen der Putzfrau, die Ben und ich seit einem Jahr engagiert haben? Sie kommt eigentlich immer dann, wenn ich nicht mehr mit ihr gerechnet und gerade selber sauber gemacht habe. Wenn aber am Abend vorher bei uns sieben Männer beim Fußballgucken Pizza gegessen und ihre Kippen in leere Bierflaschen entsorgt haben, dann meldet sich unsere Putzfrau garantiert krank. Genau wie mein Selbstbewusstsein hat sie ein untrügliches Gespür dafür, wann es richtig was zu tun gibt. Und beide nehmen das zum Anlass, sich ratzfatz zu verpissen und mit Un-

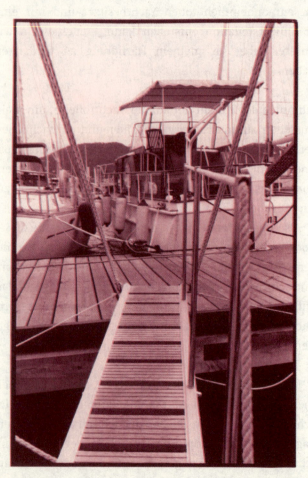

schuldsmiene erst dann wieder aufzutauchen, wenn man sie nicht mehr braucht.

Aber ich versuche trotzdem, Verständnis für mich aufzubringen. Misserfolge müssen analysiert werden, damit man aus ihnen lernen kann. Das konnte ja gar nicht klappen. Sich vorzunehmen, diesen jungen Gott auf der Yacht anzusprechen, war in etwa so blöde, wie wenn sich ein völlig untrainierter Fettsack mit zwei Holzbeinen zum New York-Marathon anmeldet. Klassischer Fall von Selbstüberschätzung. Kann passieren. Soll nicht wieder vorkommen. Noch während ich über den schwankenden Steg balanciere, habe ich mir mein Versagen verziehen. Ich bin nicht der Typ, der sich die eigenen Fehler lange nachträgt. Ich trage lieber anderen ihre Fehler nach. Besonders gern meinem jeweiligen Lebensgefährten. Ich bin also völlig mit mir versöhnt, noch bevor ich wieder festen Boden unter den Füßen habe.

«Hey, hast du Lust, 'ne Runde mitzufahren? Ich wollte sowieso gerade raus, um den Waverunner zu testen.»

Ich habe keine Ahnung, was ein Waverunner ist. Und ich habe keine Ahnung, womit ich dieses Schweineglück verdient habe, dass mein Leben sich mal wieder ohne mein Zutun in genau die richtige Richtung verändert. Ich weiß genau, dass ich in Strickpullover und Jeans auf dieser Yacht aussehen werde wie ein voll bekleideter Eskimo in der Sauna. Aber als ich mich umdrehe, finde ich mich schön genug für die «Vogue».

Und ich sage: «Danke. Sehr gern.»

Warum gibt es Paella eigentlich immer nur für mindestens zwei Personen? Wer keine Begleitung hat, bekommt auch keine Paella. Sei eine Frau ohne Mann, und dir stehen nicht einmal mehr die Speisekarten dieser Welt uneingeschränkt offen. Ich frage mich, wo Gesa bleibt, und bestelle schließlich eine Paella für zwei Personen, obschon ich nur eine Person bin. Zum Zeitvertreib schaue ich mir auf meinem Handy die neuen Kurznachrichten an. Vielleicht sollte ich es lieber ausschalten, um den Akku zu schonen? Spätestens morgen ist er leer, und wenn dann nicht mein Koffer mit dem Ladegerät angekommen ist, kann ich meinen beiden Männern ja gar nicht mitteilen, für wen ich mich entschieden habe. Außerdem wüsste ich schon ganz gerne, wann mein lieber Benedikt sich endlich mal meldet. Das ist so unglaublich typisch. Männer merken meist erst dann, dass in ihrer Beziehung wirklich was schief läuft, wenn ihre Freundin bereits ausgezogen ist.

Zwei SMS sind eingegangen. Die erste ist von einem spanischen Telefonanbieter, der mich in seinem Land begrüßt und mit sagenhaft günstigen Tarifen wirbt. Die zweite ist von Gesa:

«Schaffe es nicht warte um neun am hafen»

Das ist echt typisch. Keine Erklärung, keine Entschuldigung. Ich glaube, Gesa hat sich in ihrem ganzen Leben noch nie für etwas entschuldigt. Und was heißt hier «am Hafen»? Wie will sie mich finden? Und seit wann können siebenundfünfzigjährige Damen eigentlich eine SMS schicken? Obwohl, seit sogar meine Mutter online ist, wundert mich in dieser Hinsicht gar nichts mehr. Bezeichnend auch, dass Gesa auf Zeichensetzung und Groß-

und Kleinschreibung völlig verzichtet. So eine SMS zu verschicken, ist typisch für extrovertierte, eher egoistische Menschen: schnell zu schreiben, aber schwer zu verstehen.

Mein Ben zum Beispiel legt auch bei der Handy-Post größten Wert auf korrekte Schreibweise. Nehmen wir zum Beispiel seine SMS von Sonntag letzter Woche:
«Heute Abend gibt es Tatort mit Arrabiata, wenn du willst. Melde dich. Ich bin ab 19 Uhr zu Hause. Ben»
Oder diese hier, vom Freitag davor:
«Notfall bei einem Großkunden! Sorry, Liebes, es wird heute spät. Geschenke gibt es dann heute Nacht. Bis dahin: Herzlichen Glückwunsch!!!»
Ach was. Notfall bei einem Großkunden. Und das an meinem Geburtstag. Ich denke, jede Frau wird mir zustimmen, wenn ich sage, dass kein Kunde groß genug sein kann, um den Notfall zu rechtfertigen, den es zu Hause gibt, wenn man seine Freundin am Geburtstag sitzen lässt.
«Ist doch nur dein Einunddreißigster», hatte mein unsensibler Lebensgefährte dann auch noch gesagt, als ich ihn am Telefon beschimpfte. Da bin ich natürlich sehr schnell sehr gereizt gewesen. Habe gemeckert, dass er von der weiblichen Psyche nicht den kleinsten Hauch von Ahnung habe. Dass es doch wohl jedem Normalbegabten klar sein müsse, dass nicht der dreißigste, sondern der einunddreißigste Geburtstag das heikle Datum schlechthin im Leben einer Frau sei. Der Dreißigste wird groß gefeiert. Alle Freundinnen sind da und sprechen einem Mut zu und sagen, dass alles nicht so schlimm wird, und es gibt viele Geschenke und Caipirinha bis in den frühen

Morgen, und alle sind total nett zu einem. Und ein Jahr später? Da denken bereits alle, man hätte sich an den Zustand gewöhnt, und man ist allein mit seinem Schmerz, und keiner bedauert einen, dass man bald vierzig ist. Ist doch wahr.

«Liebes, du wirst einunddreißig, nicht vierzig. Und es tut mir wahnsinnig Leid, dass wir nicht zusammen essen gehen können. Ruf doch Steffi an. Vielleicht hat die Zeit.»

«Vielleicht hat die Zeit? Danke, ich brauche keinen Babysitter. Du hörst dich an, als sei ich ein schwer erziehbares Kind, das du für einen Abend mal loswerden möchtest!»

«Belle, ich muss jetzt wirklich los. Feier schön. Wir holen das alles am Sonntag nach. Ich könnte dir Arrabiata machen, und vielleicht gibt's auch einen ‹Tatort›?»

«Du kannst mich mal mit deinen Arrabiata!»

«Dann eben nicht.»

Er war beleidigt. Er hatte es nicht besser verdient.

Ich wusste, dass ich ihn damit sehr getroffen hatte. Ich liebe Spaghetti Arrabiata – aber nur, wenn Ben sie macht. Und besonders liebe ich sie, wenn ich sie mit Tütenparmesan von Mirácoli bestreuen kann. Der schmeckt zwar wie Semmelbrösel und sieht aus wie Fischmehl, aber er erinnert mich an meine Kindheit, wo wir uns jeden Dienstagabend, wenn meine Mutter beim Turnen war, eine Packung Mirácoli gemacht haben. Und das Positive an meiner Leidenschaft für diesen Käse ist ja, dass er ungleich billiger ist als der achtundvierzig Monate lang gereifte aus dem Feinkostladen, von dem fünfhundert Gramm in etwa so viel kosten wie eine Woche im Apartmenthotel auf Fuerteventura inklusive Flug. Manchmal, vielleicht so viermal im Jahr, geht Ben samstags zu Karstadt und klaut für mich zwei Tütchen Parmesan aus den Mirácoli-Schachteln. Das macht mich glücklich. Und wenn es dann noch am Sonntagabend zu den Spaghetti Arrabiata einen «Tatort» gibt, bin ich wohl der glücklichste Mensch der Welt.

Aber heute wollte ich mich nicht durch so ein durchschaubares Manöver von meinem eigentlichen Diskussionspunkt abbringen lassen:

«Du willst mit den Nudeln nur von viel grundsätzlicheren Problemen ablenken. Das ist so typisch. Kaum ist eine Krise in Sicht, hat Benedikt Cramer praktischerweise einen Großkunden in Not.»

«Das hier ist dein einunddreißigster Geburtstag und keine Krise, und ich muss jetzt wirklich los. Vielleicht bist du ja noch wach, wenn ich nach Hause komme.»

«Vielleicht bin ich aber auch weg, wenn du nach Hause kommst!»

Das hatte ich noch melodramatisch in den Hörer geschnaubt. War mir allerdings nicht sicher gewesen, ob er es noch gehört hatte. Trotzdem hatte ich mich dieser nun einmal ausgesprochenen Drohung gegenüber irgendwie verpflichtet gefühlt. Das passiert mir manchmal, dass ich im Überschwang der Auseinandersetzung Ankündigungen äußere, an die zu halten ich mich dann genötigt sehe. Deswegen bin ich im Laufe der letzten Jahre zumindest ein wenig vorsichtiger geworden mit Bemerkungen wie «Mich siehst du die nächsten Tage nicht wieder!» oder «Dann fahr ich eben alleine übers Wochenende an die See!» oder «Nein danke, jetzt ist mir der Appetit vergangen!».

Solchen Äußerungen habe ich nicht wenige Nächte im Gästebett meiner Freundin Steffi zu verdanken. Was nicht das Schlimmste wäre. Weniger lustig war das Wochenende alleine an der Ostsee in der Reetdach-Kate bei Windstärke acht. Aber nie habe ich so sehr unter meinem überschäumenden Temperament gelitten wie an dem Abend, als wir Bens ersten festen Großkunden feiern wollten. Ben hatte sich gerade mit «CCN» selbständig gemacht, «Cramers Computer-Notdienst». Eine gute Geschäftsidee. Es ist nämlich so, dass ein normaler Mensch nie so verzweifelt ist und nie so bereit, viel Geld für Hilfe zu bezahlen, wie in dem Moment, wenn sich bei seinem Computer nichts mehr rührt.

Ben hat fast alle seine Freundinnen auf diesem Weg kennen gelernt. Sabines Atari war abgestürzt und hatte ihre Examensarbeit mit sich in die Tiefe gerissen. Bei Kerstin hatte eine Kabelbuchse angefangen zu qualmen, als sie ihren Roman sichern wollte, der dann sowieso nie erschienen ist. Und auch ich wählte Bens Nummer zum ersten Mal, als auf dem Bildschirm meines Macs plötzlich eine Bombe blinkte. «A fatal error has occured», stand da in fetten Lettern. Ben rettete meine erste Übersetzung für Jakobs & Kursedim, und schon wenige Tage später waren wir ein Paar – eigentlich sofort nachdem ich mich von Lutz getrennt hatte, den ich sowieso verlassen wollte. Es hatte mir bloß noch der rechte Anlass gefehlt.

Ben hatte mich zur Feier des Tages in ein feines Restaurant eingeladen. So was leisten wir uns normalerweise nicht, und ich hatte den Eindruck, dass die Kellner im «Le Canard» sich viel Mühe gaben, das nicht zu bemerken.

Ich weiß heute gar nicht mehr, worüber wir uns gestritten haben. Es muss mir aber wahnsinnig ernst gewesen sein, weil ich mit vorgetäuschter Appetitlosigkeit reagiert habe. Und zu einer solch drastischen Maßnahme greife ich wirklich nur im Notfall. Ich erinnere mich noch, dass Ben, der Mann, den außer Turbulenzen in Flugzeugen nichts aus der Ruhe bringen kann, ein bisschen nervös wurde, als ich den Hauptgang unangetastet zurückgehen ließ.

Besame, besame mucho.» Ein singender Gitarrist nähert sich meinem Tisch, und ich erwische mich dabei, dass ich mitsumme. Wie peinlich. Als sei ich irgend so eine Touristin, die auf Spanisch nur «Vamos a la playa» und «Eviva España» sagen kann. Was zutreffend ist.

Ob ich Ben eine SMS schicken soll? Nein, unmöglich. Er ist dran. Ich weiß doch genau, was der sich jetzt denkt: «Die kommt schon wieder.» Und bisher hat er damit ja auch immer Recht gehabt. Aber eigentlich muss er wissen, dass es jetzt um alles oder nichts geht. Das habe ich ihm auf dem Zettel unverblümt klar gemacht, den ich auf dem Esstisch für ihn hinterlassen habe:

«Ich brauche Abstand und Zeit zum Nachdenken. Bin bis Sonntag auf Malle bei Tante Gesa. Melde mich von dort. Bis dahin. Annabel»

Ich hatte etwa fünfzehn verschiedene Versionen dieser Nachricht entworfen, bis ich endlich eine hatte, die wie in aller Eile hingeschrieben klang. Nun gibt es folgende Möglichkeiten: Entweder, er hat den Zettel noch nicht gefunden, weil er von der Arbeit gleich zu seiner Verabredung mit Nikos gegangen ist. Oder er hat die Nachricht ungelesen weggeschmissen, weil er mit seinen Gedanken mal wieder ganz woanders war. Oder er hat das neue «PC-Journal» draufgelegt. Oder er wollte mal ordentlich durchlüften, und dabei sind alle Gegenstände, die weniger als fünfhundert Gramm wiegen, in fernste Ecken der Wohnung gewirbelt worden. Wenn Ben von der Arbeit kommt, ist er mit seinem Kopf noch bei der Arbeit, was zur Folge hat, dass er sich ein wenig trottelig verhält, um es freundlich zu sagen. Oder wie soll man es nennen, wenn einer das Altpapier in den Schmutzwäschekorb wirft?

Es könnte allerdings auch sein – bei Ben weiß man nie –, dass er sich an genau das hält, was ich geschrieben habe. Dass er mir Zeit lassen will zum Nachdenken und in Ruhe darauf wartet, bis ich mich melde. Es klingt absurd, aber ich halte diese Form von Missverständnis zwischen Ben und mir für möglich. Wir kennen uns seit bald fünf Jahren, aber er glaubt immer noch, dass ich meine, was ich sage. Unsere Beziehung, das wird mir immer klarer, ist wirklich an einem kritischen Punkt angelangt.

So, und damit habe ich auch den letzten Rest der «Paella para dos personas» aufgegessen. Zumindest dafür brauche ich keinen Mann. Und jetzt ist mir langweilig. Ich will endlich jemandem erzählen, was mir heute alles passiert ist. Ich bestelle noch einen Viertelliter Wein und rufe meine Freundin Mona an. Ist nicht da. Mist. Handy? Auch nicht. Dann hat sie wahrscheinlich Dienst im Krankenhaus. Aber mit Glück erreicht man sie im Aufwachraum. Mona liebt ihren Beruf. Sie ist Anästhesie-Schwester, und sie findet es total gut, dass sie immer nur mit Narkotisierten zu tun hat, die ihre Klappe halten und nicht ständig rumnörgeln.

«Mona!? Sag mal, wo bist du? Was ist das für 'n Piepen im Hintergrund?»

«Herztöne. Hier liegt 'ne Gallenblase, die so langsam zu sich kommt. Und du? Ich hab mindestens eine Woche nichts von dir gehört. Wo bist du? Und hat sich dein Musikgeschmack geändert?»

Der spanische Gitarrero spielt mittlerweile «Guantanamera», und eine sehr betrunkene Frau am Nebentisch versucht mitzusingen.

«Nee, Quatsch. Ich bin auf Malle, und hier geht so ein Typ mit Gitarre von Tisch zu Tisch. Aber was viel wichtiger ist: Ich werde mich trennen!»

«Was?»

Mir scheint, dass die Herztöne im Hintergrund schneller werden. Vielleicht sind es aber auch meine.

«Ich werde mich trennen!!!»

«Wo bist du? Auf Mallorca? Warum? Seit wann? Wir wollten doch morgen zum Bikram-Yoga gehen!»

«Ich habe dir doch gesagt, dass ich diesen Mist nicht nochmal mitmache. Ich leg mich nie wieder bei vierzig Grad und neunundneunzig Prozent Luftfeuchtigkeit auf einen schweißdurchtränkten Langhaarteppich.»

Mona und ich hatten den Kurs vor zwei Wochen ausprobiert. Es war das Ekelhafteste, was ich je erlebt habe. Zwanzig Leute in einer überheizten Hinterhofwohnung mit sehr alter Auslegeware. Und die Frau neben mir roch so, dass ich überlegte, ihre Ausdünstungen als biologisches Narkosemittel auf den Markt zu bringen.

«Was machst du denn auf Malle?»

«Ich brauche einfach mal Zeit zum Nachdenken», sage ich gewichtig.

Mona kichert.

«Ach was. Hat Ben wieder das Altpapier in den Schmutzwäschekorb geworfen? Oder hast du ihm immer noch nicht verziehen, dass er dich an deinem Einunddreißigsten allein gelassen hat? Normalerweise kommst du doch zu mir, wenn du Ben gegenüber behauptest, du bräuchtest Zeit für dich und wolltest nachdenken. Dann trinken wir ein Fläschchen, schimpfen über Ben im Besonderen und andere Männer im Allgemeinen, und gegen Ende des Abends bist du froh, dass du überhaupt einen Typen abbekommen hast. Und zwar einen, der sich regelmäßig wäscht und nicht auf die Straße spuckt. Komm, so was ist heutzutage keine Selbstverständlichkeit mehr. Sei dankbar, übe dich in Demut und denk daran, dass du nicht mehr die Jüngste und die Dünnste bist. Obwohl das bei dir nicht so auffällt, weil es sich wirklich gut verteilt.»

«Du meinst, es sei völlig in Ordnung, wenn ich mit Ben bloß deshalb zusammen bin, weil ich mich für zu dick und zu alt halte, um noch einen anderen zu finden?»

«Ach, komm, das ist doch kein schlechter Grund. Es gibt Beziehungen, die stehen auf wesentlich wackligeren Fundamenten. Außerdem wissen wir doch beide, dass du Ben liebst und spätestens beim nächsten ‹Tatort›, den du alleine und ohne Pasta anschauen musst, reumütig zu ihm zurückkehren würdest.»

Sie kichert schon wieder.

«Nein, Mona», ich bemühe mich um einen apokalyptischen Tonfall, «diesmal ist es ernst.»

«Was meinst du damit?» Befriedigt vernehme ich erste Zeichen von Verunsicherung in Monas Stimmlage. «Bis vor einer Woche war doch alles noch wie immer. Was ist denn passiert?»

«Mir ist einfach klar geworden, dass es mir nicht mehr genügt, wenn alles wie immer ist.»

«Hast du wieder so eine Sonntagnachmittags-Dokumentation über Auswanderer gesehen?»

Mona spielt darauf an, dass ich vor einem halben Jahr drauf und dran war, in die Mongolei umzuziehen. Ich hatte auf Arte aus Versehen einen beeindruckenden Beitrag über das Leben der Mongolen gesehen. Ich fühlte mich auf geheimnisvolle Weise hingezogen zu diesem Volk und seinen Lebensgewohnheiten und sah mich bereits über die Weiten der mongolischen Steppe galoppieren. Ich kaufte einen Reiseführer und suchte die Nummer einer Sprachenschule raus, denn ich wollte mein neues Leben keinesfalls unvorbereitet beginnen. Als dreimal hintereinander besetzt war, gab ich meinen Plan auf und begann stattdessen von einer Ferienpension in Kühlungsborn zu phantasieren.

Aber meine aktuelle Krise hat mehr Substanz. Und in der folgenden halben Stunde versuche ich, Mona zu erklären, wie es innerhalb kürzester Zeit so weit hat kommen können und dass ich diesen ganzen Schlamassel im Grunde genommen nur zwei Menschen zu verdanken habe: Kai Pflaume und Max Frisch.

Es ist nämlich so, dass ich, wann immer es sich einrichten lässt, die Sendung «Nur die Liebe zählt» anschaue. Das weiß natürlich niemand außer Ben, und der hat mir geschworen, dass er mit niemandem darüber spricht. Ich denke, ich kann ihm in dieser Sache vertrauen, weil es ihm selbst viel zu peinlich wäre, zuzugeben, dass er mit einer Frau zusammenlebt, die eine Sendung wie «Nur die Liebe zählt» guckt und dabei meistens auch noch weint. Aber mein Benni ist ein toleranter Mensch. Mittlerweile hat er sich auch daran gewöhnt, dass ich mit etwa achtzehn verstümmelten Stofftieren bei ihm eingezogen bin. Und er hat mir erlaubt – ich musste wiederholt mit Trennung drohen –, die Küche durch eine Bordüre mit lustigen Gemüsemotiven zu verzieren. Er weist allerdings jeden Besucher ungefragt darauf hin, dass die Gemüsebordüre nicht seinem Geschmack entspricht. Und dass er diese Entgleisung nur zugelassen habe, um im Gegenzug die Erlaubnis zu erhalten, sein Raumschiff Orion-Poster im Flur aufzuhängen.

Na, jedenfalls saß ich, es ist noch keine zwei Wochen her, mal wieder irre erschüttert vor dem Fernseher und schaute Kai Pflaume bei der Paarzusammenführung zu.

Ich hatte mir einen kleinen Snack zubereitet: sehr viele Käsewürfel, dazu sehr wenige Apfelschnitze. Seit ich nicht mehr rauche, brauche ich in Situationen äußerster Anspannung einfach etwas Nervennahrung. Es war in der zweiten Werbepause, als ich diesen wahnsinnig beeindruckenden Spot sah: Eine sehr schöne Frau, etwa in meinem Alter, aber mit der Haut einer Vierjährigen, machte mir ein verlockendes Angebot. Ich solle acht Tage lang diese Creme von Oil of Olaz benutzen. Wenn ich danach nicht einen deutlichen Rückgang meiner Hautalterung bemerken würde, bekäme ich mein Geld zurück. Da war ich aber echt platt. Mal ehrlich, ich meine, da müssen die sich doch wirklich absolut sicher sein, dass das auch funktioniert. Sonst würden die doch so was nicht anbieten! Ich wollte das sofort mit Ben besprechen, aber der sagte, er wolle lesen und habe jetzt keine Zeit für so 'nen Scheiß. Und ich solle mich bitte daran erinnern, wie ich das letzte Mal nach einer Fernsehwerbung so begeistert gewesen sei, und jetzt stünde die ganze Speisekammer voll mit Slim Fast-Produkten, nur weil der abgespeckte Harry Wijnfoord behauptet hatte: «Und Sie können das auch!»

«Du glaubst doch jeden Mist», sagte Ben. Ich war ziemlich beleidigt, weil ich mich durchaus für eine kritische Verbraucherin halte. Ich bin eine flexible, neugierige Kundin, die auch mal gerne neue Produkte ausprobiert und sich den Entwicklungen des Marktes nicht verschließt. Ich habe mich zum Beispiel durch alle Ritter Sport-Schokoladen durchgegessen, ich weiß genau, welche Ostereier die besten sind, und in Sachen Weihnachtsgebäck im Allgemeinen und Butterspekulatius im Besonderen kann mir keiner was vormachen.

Am nächsten Tag kaufte ich jedenfalls die Creme mit dem aufregenden Gefühl, dem Alterungsprozess endlich einen Riegel vorschieben zu können. Ein wichtiges Projekt angesichts meines nahenden einunddreißigsten Geburtstages. Und am Abend desselben Tages, man möge über mich lachen, aber ich nenne es Schicksal, wackelte mein Bücherregal. Als ich nachschaute, sah ich, dass das Buch, mit dem ich vor vielen Jahren das Regal stabilisiert hatte, rausgerutscht war. Es war «Mein Name sei Gantenbein» von Max Frisch. Natürlich hatte ich es gelesen, als ich sechzehn war, mich für ausgesprochen intellektuell hielt und plante, selbst einmal Weltliteratin zu werden. Hauptsächlich aber las ich Max Frisch, weil mein damaliger Freund Jens, der ein bisschen aussah wie Robin, auch Max Frisch las. Jens hatte gerade sein Abitur mit Eins bestanden, stand vor dem Beginn eines Philosophiestudiums und sagte Sachen wie: «Warum soll ich ein Auto reparieren können, wenn ich doch Kant lesen kann?» Trotzdem sah er sehr gut aus.

Zwischen dem Sex lasen wir uns immer Passagen aus Büchern vor, die uns klug erschienen, Milan Kundera, Hermann Hesse und eben auch Max Frisch. Ich fand vieles wahnsinnig toll und strich die Passagen an, die mir besonders gut gefielen. Auf eine solche Passage stieß ich an besagtem Abend. Ich las sie mehrmals, bis ich sie fast auswendig konnte.

«Was bleibt, ist die Neigung, die stille und tiefe und fast unerschütterliche Neigung. Ist das vielleicht nichts? Ihr habt schon fast alles überstanden, ausgenommen das Ende, es ist euch nicht neu, daß eins von euch davonläuft in die

Nacht, daß Zorn sich wieder gibt, daß es nichts hilft, wenn Ihr zwei Tage schweigt, Ihr seid ein Paar, jederzeit frei, aber ein Paar. Da ist nicht viel zu machen. Manchmal der Gedanke: Wieso gerade du? Ihr seht euch nach andern Männern um, nach anderen Frauen. Da kommt ja nicht viel in Frage oder alles. Nichts wird wilder sein als eure Liebe damals, bestenfalls ebenso. War sie wild? Davon sprecht Ihr

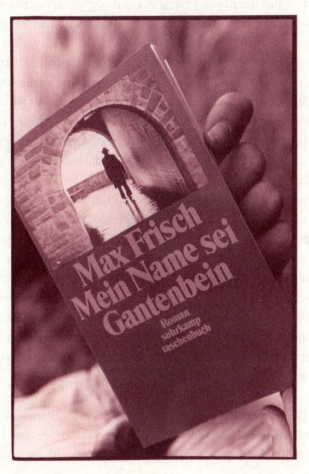

nicht. In zärtlicher Schonung der Gegenwart. Oder es sei denn mit Vorwurf, der falsch ist wie jeder Vorwurf an das Leben. Wer kann denn etwas für die Gewöhnung?»

Ich erinnere mich genau, wie Jens und ich uns gruselten und schworen, dass es uns niemals so ergehen würde. Wir sollten Recht behalten. Wir hatten nie die Gelegenheit, uns aneinander zu gewöhnen oder einander gar gewöhnlich zu werden. Nach vier Monaten trennten wir uns.

So wie diese Textstelle jede Frau nervös gemacht hätte, die länger als anderthalb Jahre mit ein und demselben Partner liiert ist, machte sie auch mich nervös. Das ist wie wenn die beste Freundin plötzlich beschließt, ein Jahr ins Ausland zu gehen oder Biophysik zu studieren oder samstagabends alleine tanzen zu gehen, statt wie vorher angekündigt die romantische Liebeskomödie auf Pro 7 zu gucken. Da hat man automatisch das Gefühl, man verpasst was. Als würde man nicht genug leben, nicht genug erleben. Bei mir wirkte das Max Frisch-Zitat natürlich doppelt stark in Kombination mit der Creme, die mir ewige Jugend versprach, und meinem drohenden Geburtstag. Max Frisch hatte mir das Problem, von dem ich bisher bloß noch nichts gemerkt hatte, klar und deutlich aufgezeigt. Die ganze Tristesse meines verpfuschten Daseins stand mit einem Mal vor meinen Augen. Und als ich noch etwas weiter las, gab es für mich kein Halten mehr:

«Da entstehen dann, während das andere schon wieder schläft, Pläne, wie Gefangene sie sich machen, da seid Ihr nächtlich entschlossen zu jeglicher Wendung, zum Ausbruch, verwegen und kindisch, es ist nicht Begierde, aber die Sehnsucht nach Begierde; da packt Ihr die Koffer.»

Diese Zeilen klangen wie eine Alarmsirene in meinen Ohren, wie ein Aufruf, verwegen zu sein, auszubrechen und aufzubrechen ins Abenteuerland.

Und du wirst es nicht glauben, Mona», beende ich meine Zusammenfassung, «das Abenteuer hat bereits begonnen. Ich bin nämlich frisch verliebt!!!»

«Was!» Mona klingt jetzt extrem alarmiert.

«Ich bin …»

«Warte mal kurz. Die Gallenblase rührt sich. Leg nicht auf, ich bin gleich zurück, und dann will ich alles wissen!» Ich höre Mona beruhigend murmeln, dann kommt sie wieder ans Telefon.

«So, alles klar, der Typ schläft noch 'ne Runde. Also, lass mich mal kurz zusammenfassen: Du langweilst dich mal wieder, liest Frisch und guckst Pflaume, findest, du solltest dich trennen oder wenigstens was erleben, fährst nach Mallorca, willst angeblich nachdenken und verliebst dich bereits drei Stunden nach deiner Ankunft unsterblich in einen anderen?»

«So ungefähr.»

Ich genieße Monas Schweigen. Einige Sekunden lang sind nur die Herztöne der Gallenblase zu hören.

«Was ist das für ein Typ? Erzähl mir alles und lass ja nichts aus!»

Es folgen dreißig Minuten, in denen ich genüsslich

meine Erlebnisse der letzten Stunden schildere. Vom Harndrang bis zum Kuss. Alles. Haarklein.

«Und, Mona, was sagst du? Was soll ich tun?»

Am anderen Ende der Leitung höre ich nur rhythmisches Piepen.

«Sag was, Mona. Weißt du, ich kann mich zwischen den beiden einfach nicht entscheiden.»

Jetzt hab ich's gesagt. Ich genieße jede einzelne Silbe wie eine Kugel ungeheuer sahniges Vanille-Eis.

«Mona?»

«Ich höre dich, aber was ist das für ein Piepen?»

«Ich dachte, dein Patientenherz macht die Geräusche.»

«Nee, der ist auf Station gebracht worden. Kann es sein, dass dein Akku gleich leer ist?»

«Oh, nein, du hast Recht!»

«Pass auf, Belle, ich sag dir was: Du kennst die richtige Entscheidung. Ich schicke dir jetzt eine SMS, solange dein Handy noch funktioniert. Die schreibst du dir groß auf einen Zettel. Und den klebst du dir auf die Stirn. Verstanden?»

«Was meinst du damit, ich würde die richtige Entscheidung kennen? Mona, ich bin wirklich völlig hin und her gerissen, ich ... Mona! Mona?»

Sie hat aufgelegt. Im selben Moment höre ich einen schrillen Schrei.

«Kiiiiiindchen! Was tust du hier? Ich habe eine Stunde gebraucht, dich zu finden, und mir die Seele aus dem Leib gehupt!»

Meine Tante Gesa entsteigt einem cremefarbenen offenen Jaguar. Sie trägt ein bodenlanges Chiffonkleid mit

Leopardenmuster und Stilettos, die so hoch sind, dass ich mich automatisch an die Szene in «Weiblich, jung, ledig sucht ...» erinnert fühle, wo die Untermieterin einen Typen mit ihrem Pumps umbringt. Gesa Matuschke sieht schrecklich aus. Wunderbar schrecklich. Genau so hatte ich sie in Erinnerung, genau so liebe ich sie: klapperdürr, braun gebrannt wie ein alter Fischer und bis an die Zähne mit Goldschmuck bewaffnet.

Gesa kommt, wie mein Vater eben auch, aus einfachen Verhältnissen. Bevor sie zum ersten Mal reich heiratete, war sie Fußpflegerin, und bis zu ihrem dreiundzwanzigsten Lebensjahr wohnte sie bei ihren Eltern, weil sie sich keine eigene Wohnung leisten konnte. Seither liebt sie alles, was teuer ist. Von ihr bekam ich als Kind Puppen geschenkt, die besser angezogen waren als ich. Ihre Geburtstagspakete waren immer die größten, der Inhalt meist beschämend kostspielig und beschämend kitschig. Erwähnt seien nur die rosa Frisierkommode, das monströse Puppenhaus, das jahrelang bei uns im Wohnzimmer stand, weil es in mein Zimmer nicht reinpasste, und, zu meinem Achtzehnten, die Cartier-Uhr, die nicht mal meine Mutter tragen wollte, weil sie fand, sie mache alt.

Gesa trägt drei Ringe an einem Finger und Kostüme im Wert eines Mini Cooper, aber sie ist nach wie vor die Fußpflegerin aus Wilhelmshaven. Dafür hat sie sich nie geschämt. Sie hat ein großes Herz, eine leider ziemlich unverblümte Art, hört eigentlich nie auf zu reden und zeigt immer, was sie fühlt und wie es ihr geht. Als Gianni Versace erschossen wurde, war sie tagelang nicht in der Lage zu sprechen. Wohingegen sie sich demonstrativ einen Termin bei ihrer Kosmetikerin zum Ausreinigen geben ließ, während die Welt Prinzessin Dianas Beerdigung verfolgte.

«Warum sitzt du denn hier in dieser Kaschemme?»

Gesa umarmt mich überschwänglich, küsst mich rechts und links, was, wie ich später vorm Spiegel feststellte, zwei flammend rote Male auf mir hinterließ. Sie hält nichts von diesen Pseudobussis, die schräg am Wangenknochen vorbei ins Nirgendwo gehen. Was sie tut, tut sie richtig. Ansonsten lässt sie es lieber gleich.

«Hier konnte ich dich natürlich nicht finden! Weißt du denn nicht, dass man in Andratx nur zu ‹Don Giovanni› gehen kann? Hoffentlich hast du hier nichts gegessen und dir womöglich den Magen verdorben! Bist du denn pünktlich gelandet? Um neun, sagtest du, oder? Tut mir Leid, dass ich dich nicht vom Flughafen abholen konnte.»

«Macht nichts. Ich hatte einen ereignisreichen Tag.»

«Wieso Tag?»

«Na ja, ich war um elf bei dir, und weil keiner da war, habe ich mir die Zeit anders vertrieben.»

«Um elf? Schätzchen, ist das denn die Möglichkeit!? Ich

dachte, du kommst abends an! Na gut, dass ich keine Zeit hatte, dich abzuholen. Dann hätte ich ja völlig umsonst am Flughafen gestanden! Ist das dein Gepäck? So wenig? Ober! Bringen Sie das bitte in den Wagen, und schicken Sie mir die Rechnung nach Hause. Name und Adresse dürften ja bekannt sein. Komm, Belle, meine Liebe, jetzt fahren wir erst mal nach Hause, und dann will ich alles über

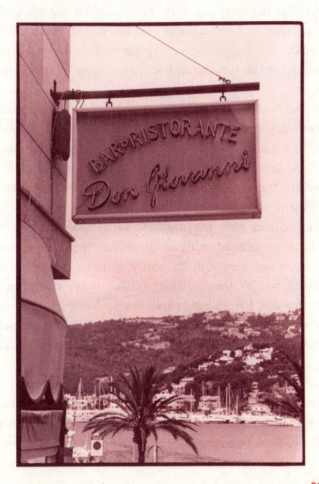

dein Leben wissen. Wie lange haben wir uns nicht gesehen? Viel zu lange jedenfalls! Warum bist du eigentlich noch nicht verheiratet? Und wie gefällt dir mein neues Auto?»

Eine Stunde später sinke ich selig in die Kissen. Gesa hatte darauf bestanden, mir im Zeitraffer zu erzählen, was sie alles seit ihrer Scheidung erlebt hat. Ich war von meinen eigenen Gelüsten und exquisiten Problemen abgelenkt, aber ich glaube verstanden zu haben, dass es da einen sehr dicken und sehr reichen Mann gibt, der um sie wirbt.

Das Mondlicht fällt durch die Vorhänge, und ich kann natürlich überhaupt nicht einschlafen. Wer jemals am Abend eine Paella für zwei Personen gegessen hat, der weiß, dass man sich danach fühlt, als seien einem alle inneren Organe gegen originalgetreue Nachbildungen aus Zement ausgetauscht worden. Was mir immerhin die Möglichkeit gibt, mir die Geschehnisse auf der «Lady Harmony» in Erinnerung zu rufen. Dass ich mich seit dem Nachmittag bereits dreihundertmal daran erinnert und Mona fast in Originallänge erzählt habe, macht mir nichts aus. Ich schaue ja auch meine Lieblingsfilme immer wieder an. Und ich seufze immer wieder laut und aus vollem Herzen, wenn Hugh Grant sich am Ende von «Notting Hill» auf der Pressekonferenz meldet, um Julia Roberts zu sagen, dass er sich wie ein Idiot benommen hat und dass er sie liebt. Und wenn dann alle klatschen, bekomme ich eine Gänsehaut, und wenn sie nachher auf dieser Bank liegen, und sie ist schwanger und hat vorher noch schnell einen Oscar bekommen ... Aber genug davon. Mein eigenes Leben macht mir zurzeit Gänsehaut. Und nicht, weil ich friere. Ist das nicht wunderbar?

Als wir aus dem Hafen von Andratx ausliefen, kam ich mir so toll vor, dass ich mich fast wunderte, warum uns keine Paparazzi in Motorschlauchbooten verfolgten. Ein normaler Mensch, der sich auf dem Wasser meist per namenloser Luftmatratze fortbewegt, macht sich ja keinen Begriff davon, was es heißt, auf der «Lady Harmony» unterwegs zu sein: eine Motoryacht, in etwa so groß wie Rheinland-Pfalz, mit einer Bulthaupt-Küche, drei Schlafzimmern, einem Ankleidezimmer und einem Salon, der mich von seinen Ausmaßen her an den deutschen Bundestag erinnert. Wirklich, ein absolutes Wahnsinnsteil. Ich bin sicher, dass es auf solchen Booten verboten ist, etwas anderes als Champagner zu trinken. Wahrscheinlich muss man beim Kauf einen Vertrag mit folgendem Passus unterzeichnen: «Der Käufer verpflichtet sich, an Bord der von ihm erworbenen Yacht keine bei Aldi, Hennes & Mauritz oder Budnikowsky gekauften Produkte zu verwenden. Ferner dürfen nur Frauen ab Körbchengröße C mit einem maximalen Körpergewicht von 45 Kilo die Yacht betreten.»

Und hier war ich, Annabel Leonhard, Lady 80 A, und kam mir irrsinnig toll vor – und irrsinnig fehl am Platz.

Es gibt wohl kaum eine männlichere Betätigung, als eine Yacht zu steuern, die größer ist als alle um sie herum. Da kommt es nicht mehr auf innere Werte, Reichtum, Schönheit oder ein Herz für Kinder an. Da zählt nur noch die pure Größe. Nicht auszuschließen, dass ich mich kurzzeitig auch für einen Zwerg mit Hasenscharte und zwei Köpfen interessiert hätte, wenn er am Steuerrad stehen würde.

«Wie heißt du eigentlich?», fragte ich und blinzelte ergriffen zu ihm hoch wie die Jungfrau Maria zum Erzengel Gabriel, als der ihr die unbefleckte Empfängnis in Aussicht stellte.

«Robin. Und du? Nein, warte, sag es nicht, lass mich raten.»

Na, solche Spielchen liebe ich ja. So was geht immer schief. Das ist wie wenn dich einer fragt: «Schätz doch mal, wie alt ich bin.» Und du sagst: «Bestimmt nicht älter als achtundzwanzig», weil du die blondierte Schnepfe auf Mitte dreißig schätzt, sie aber nicht unnötig gegen dich aufbringen willst. Und dann macht die ein beleidigtes Gesicht und sagt: «Ich bin fünfundzwanzig», und schon hast du eine Feindin mehr im Leben. Aus genau diesem Grund fühle ich mich auch immer aus der Bahn geworfen, wenn mich jemand genau richtig schätzt. Alle Menschen wollen in dieser Situation freundlich sein und lügen, was mithin bedeutet, dass ich in Wahrheit mindestens drei Jahre älter aussehe, als ich bin. Hoffentlich kam Robin – ein meines Erachtens ganz entzückender, jungenhaft verspielter, dennoch verheißungsvoll männlicher Name – nicht auch noch auf die lustige Idee, mein Gewicht erraten zu wollen. Und hoffentlich glaubte er nicht, dass ich Gudrun oder Hildegunde hieße.

«Du siehst aus wie, warte mal, ich würde sagen, du heißt bestimmt ... Stella!»

«Tut mir Leid, voll daneben.»

Ich war erleichtert. Stella, das klang doch durchaus geheimnisvoll, auch etwas verführerisch, geradezu leidenschaftlich. Oder bildete ich mir da was ein?

«Darf ich dich trotzdem Stella nennen?»

«Klar, wenn du keinen Wert darauf legst, dass ich mich umdrehe, wenn du nach mir rufst.»

«Vielleicht könntest du dich ja im Laufe der Zeit an den Namen gewöhnen?»

«Vielleicht könntest du dich ja auch im Laufe der Zeit an meinen wirklichen Namen gewöhnen?»

«Hast du nicht manchmal Lust, dich neu zu erfinden? Das ist doch eine einmalige Gelegenheit. Ich gebe dir einen neuen Namen, und du denkst dir dazu ein neues Leben aus.»

«Und du? Wirst du mir auch nur erzählen, wie du gerne wärst, und nicht, wie du wirklich bist?»

«Ich bin schon so, wie ich gerne wäre. Halt dich fest!»

Er lachte, gab mehr Gas, und der Motor dröhnte tief und brodelnd. So ähnlich muss Mario Adorf klingen, wenn er schwer erkältet eine Rede hält. Wir ließen den Hafen hinter uns, und ich fragte mich, ob ich wohl so wirke wie jemand, der gerne jemand anderes wäre. Das wäre natürlich unvorteilhaft. Vielleicht machte ich auf Robin aber auch den Eindruck einer Frau mit überbordender Phantasie, mit der man aufregende Gedanken- und Rollenspiele probieren kann. Ich hoffte, Letzteres war der Fall. Auch wenn es absolut nicht stimmt.

Ich bin an der Wirklichkeit interessiert. Ich mag es, von Menschen kennen gelernt zu werden. Mich Stück für Stück vor jemandem zusammenzusetzen, mein Leben langsam zu entrollen wie ein geheimnisvolles Pergament. Immer, wenn mich jemand kennen lernt, lerne ich mich mit ihm zusammen auch noch einmal kennen. Und immer entdecke ich dabei etwas Neues an mir, weil ich auf eine Frage antworte, die mir noch nie gestellt wurde, oder mir diesmal eine ganz andere Antwort einfällt auf eine Frage, die ich schon hundertmal zu beantworten hatte.

Ich liebe diese Zeit, in der man vor den Augen des anderen Gestalt annimmt. Besonders dann natürlich, wenn Verliebtheit im Spiel ist. Es ist so spannend, herauszufinden, in wen man sich da eigentlich verliebt hat. Seine Geschichte kennen zu lernen, von seiner Familie zu hören, von seinen Freunden, was ihn glücklich, was ihn unglücklich gemacht hat. Das ist die Zeit, in der man alles zum ersten Mal gemeinsam tut, die Zeit, an die man sich später oft wehmütig und warm erinnern wird. Viel später, wenn man vielleicht bei einem Wein – mittlerweile weißt du längst, dass er am liebsten trockenen Roten aus Spanien trinkt – in der Küche sitzt und sagt: «Weißt du noch, als wir uns kennen gelernt haben …?»

Manche lieben das Sichkennenlernen so sehr, dass sie es immer und immer wieder erleben wollen. Sie fangen ständig neue Beziehungen an, weil eben der Anfang jeder Liebe die schönste Zeit ist. Und so haben sie ständig schöne Zeiten, ständig aufregende Anfänge, erleben erste Küsse und erste Nächte am laufenden Band – bloß haben sie später niemanden, mit dem sie sich daran erinnern können. Nikos, Bens Freund, ist so ein Kennenlerner. Ein Dauerverliebter. Alle sechs Monate stellt er uns eine neue Freundin vor. Dann heißt es immer: Nikos hat was zu verkünden. Und das Schöne ist, dass er uns von Mal zu Mal in immer teurere Restaurants einlädt. Erstens, weil er jedes Mal glaubt, dass er nun endlich die Frau fürs Leben gefunden hat. Und zweitens, weil ihm die Sache uns gegenüber allmählich peinlich ist und er sich durch die Bestechung mit kostenintensiven Nahrungsmitteln und Weinen unser Schweigen erkaufen will. Er möchte einfach nicht, dass ich zu fortgeschrittener Stunde seiner Neuen erzähle, dass wir die vorletzte Neue mit Hafenblick im «Indochine» gefeiert haben. Und dass Nikos nur ungern daran erinnert wird, dass er seine letzte Neue genau an diesem Abend an der Bar kennen gelernt hat, während seine vorletzte Neue gerade längerfristig über dem Klo hockte, weil der asiatische Vorspeisenteller für ihren Hamstermagen zu mächtig gewesen war.

Nikos kennt keine Langeweile. Aber er kennt auch nicht das Gefühl, sich mit niemandem lieber zu langweilen als mit genau diesem Menschen, der da gerade unrasiert und unkommunikativ auf dem Sofa liegt und den Sonntagnachmittag völlig unkommentiert vorüberziehen lässt. Nikos hat sonntagnachmittags meistens Sex. Nikos hat sowieso meistens Sex. Er schaut sehr selten Fernsehen, und es ist eigentlich noch nie vorgekommen, dass Nikos mit einer seiner Freundinnen einen langen gemütlichen Video-Abend verbracht hat.

Eine wollte mit ihm mal unbedingt «Gladiator» mit Russell Crowe sehen. Doch schon während der ersten, sehr eindrücklichen Schlachtenszene, bei der Tausende wilde Germanen auf sehr unappetitliche Weise den Tod finden, fühlten sich die beiden aufs Seltsamste erregt, fielen übereinander her und verschliefen den ganzen großartigen Rest des Filmes. Wenn mich einer fragt, was die Definition von einer gesunden, lang andauernden Beziehung ist: keine Fummeleien, solange Russell Crowe, Bruce Willis oder, mein ganz persönlicher Spitzenreiter, Hans-Werner Meyer im Bild sind. Nikos hingegen sucht sich eine Neue, sobald ihm eine Filmszene mit Penelope Cruz wichtiger ist als ein Zungenkuss mit seiner Freundin. Ehe sie ihm langweilig und der Sex weniger leidenschaftlich wird. Ehe sie mit ihm zusammenziehen, seine CDs alphabetisch ordnen und seine Kinder zur Welt bringen will, trennt er sich wegen einer anderen. Die genauso ist. Bloß neu.

Ob Ben Nikos manchmal beneidet? Wahrscheinlich. Genauso wie ich ihn manchmal beneide. Man sollte es dem Partner gegenüber tunlichst nicht an die große Glocke hängen, aber die Sehnsucht, sich neu zu verlieben, überkommt jeden ab und zu. Da kann die Liebe noch so groß sein, wenn sie eine gewisse Dauer überschritten hat, bekommt man nicht mehr jedes Mal Herzrasen, wenn er sein Hemd aufknöpft. Das wäre ja auch komplett ungesund und extrem zeitraubend obendrein. Wie viele Jahrzehnte hat nicht eine jede von uns im Bad und vorm Kleiderschrank verbracht, um sich auf Begegnungen mit angebeteten Männern vorzubereiten! Wäre man ständig frisch verliebt, man könnte keiner geregelten Arbeit nachgehen, hätte keine Zeit mehr für Eltern, Freundinnen und Fettverbrennung und würde womöglich bei der Lieblingsserie für immer den Anschluss verpassen. Ich meine, ich erinnere mich noch gut daran, wie ich mich wegen meines Klassenkameraden Paul für zwei Wochen von der restlichen Welt verabschiedete. Es war eine aufregende Zeit, aber ich bin mir bis heute nicht sicher, ob meine Freundinnen während der Ausstrahlung der «Dornenvögel», die ich verpasste, nicht Großartigeres erlebten. Selbstverständlich werden solche einschneidenden Filmereignisse regelmäßig wiederholt, aber das ist nicht dasselbe. Es muss atemberaubend gewesen sein, live und völlig unvorbereitet den Tod von Stewi – vom Wildschwein ermordet, der arme Junge –, das Feuer auf Drogheda und den leidenschaftlichen Sex zwischen Maggie Cleary und Pater Ralph miterlebt zu haben. Mit Paul hingegen bin ich über Petting nie hinausgekommen.

Was ich aber eigentlich sagen wollte, ist, dass man nicht an seiner Beziehung zweifeln sollte, bloß weil man sich manchmal vorstellt, wie es wäre, in den Armen dieses unheimlich gut gebauten Fitnesstrainers einzuschlafen beziehungsweise nicht einzuschlafen. Oder wenn man manchmal in der Straßenbahn heimlich ein aus der «Hörzu» herausgerissenes Bild von Mister Supersexy Hans-Werner Meyer betrachtet und dabei leise seufzt. Der Mann ist verheiratet, und man würde sich zu Tode erschrecken, wenn er jetzt plötzlich vor einem stünde und sagte: «Ich will dich jetzt und für immer. Komm mit mir, du wunderbare begehrenswerte Frau!» Ich meine, was würde man da wohl sagen? Wahrscheinlich: «Kommen Sie doch heute Abend zum Essen zu uns. Mein Mann würde sich sicher freuen, Sie kennen zu lernen.» Es gibt ja im Grunde nichts Verstörenderes, als wenn Phantasien wahr werden. Das möchte man dann irgendwie auch nicht.

Träumen gehört dazu. Das ist normal, das macht nichts. Das kann man auch in jedem Partnerschaftsratgeber nachlesen. Schwierig wird es bloß, wenn sich zur Sehnsucht nach Abwechslung noch die Gelegenheit zur Abwechslung gesellt. Dann hat man nur zwei Möglichkeiten: Auf Nummer sicher gehen und machen, dass man ganz schnell wegkommt, um sich dann ein Leben lang zu fragen, was wohl aus der Sache geworden wäre. Oder: Risiko spielen. Sich darauf einlassen, ein Abenteuer zu erleben, um sich dann ein Leben lang zu fragen, was wohl geworden wäre, wenn man sich nicht darauf eingelassen hätte.

Nun, heikel ist es so oder so. Was mir jedenfalls völlig klar wurde, und mehr wollte ich gar nicht zum Ausdruck bringen: dass ich auf keinen Fall Robins blödes Ich-nenne-dich-Stella-und-du-denkst-dir-ein-neues-Leben-aus-Spielchen mitspielen wollte. Andererseits hatte ich auch nicht vor, gerade wo unsere Beziehung noch so frisch war, als Langweilerin dazustehen. Ich traf also eine, wie ich fand, irre weise Entscheidung. Ich ahnte zu diesem Zeitpunkt noch nicht, wie viele Scherereien sie nach sich ziehen würde. Ich beschloss, ihm mein eigenes, kümmerliches Dasein als mein frisch ausgedachtes Leben zu präsentieren. Ich müsste mir keine komplizierten Lügengebilde ausdenken, was mir, weil ich so schrecklich vergesslich bin, sowieso nur schlecht gelungen wäre. Und es würde trotzdem so aussehen, als wäre ich keine Spielverderberin, und dieser wunderbare Robin würde mich kennen lernen, ohne es zu merken. Was für ein schlauer Schachzug!

«Hallo, Stella! Spielst du nun mit?»

«Klar. Darf ich mal steuern?»

Ich will nicht übertreiben, aber es schien doch sehr so, als hätte mich das Schicksal dazu auserwählt, eine Yacht so schwer wie eine von Reiner Calmund angeführte Elefantenherde elegant und aus dem Handgelenk über die Weltmeere zu lenken. Robin erklärte mir die verschiedenen Hebel. Ich kam hervorragend damit zurecht, was mich selbst am allermeisten erstaunte, da ich erst vor wenigen Wochen nicht in der Lage gewesen war, das Verdeck des Saab-Cabrios meiner Freundin Steffi zu schließen.

Ich hatte mir den Wagen von ihr geliehen, weil ich Freunde auf dem Land besuchen wollte und keine Lust hatte, mich in meine alte und noch dazu überdachte Golf-Gurke zu zwängen. Ich startete bei schönem Wetter, aber kaum war ich auf der Autobahn, zog es sich zu. Auf dem Rastplatz drückte ich hektisch ein paar Knöpfe. Nichts Erwähnenswertes geschah, abgesehen davon, dass ich bei der Gelegenheit feststellte, dass die Scheibenwischerdüsen falsch eingestellt waren und das Wischwasser nicht auf der Frontscheibe landete, sondern auf dem Kopf des

Fahrers, in diesem Falle also meinem. Als es dann wirklich anfing zu regnen, hatte ich keine Wahl.

Ich bretterte mit Vollgas Richtung Hannover. Denn so viel physikalisches Verständnis habe ich auch, dass ich weiß, dass Regen in der Regel von oben kommt. Außer wenn man sehr schnell fährt, dann kommt er von vorne. Es war eine anstrengende Fahrt, weil ich mein Tempo keinesfalls unter hundertzwanzig verringern durfte. Ich kam mir vor wie Sandra Bullock in «Speed», scheuchte mit Lichthupe BMWs von der linken Spur und hupte einen lahmarschigen Golf aus dem Weg. Im Vorbeirasen glaubte ich zu erkennen, dass es sogar dasselbe Modell wie meines war. Ich gebe es ungern zu, aber während dieses Ausfluges entdeckte ich ganz neue Seiten an mir. Normalerweise bin ich die, die von der rechten Spur aus laut über die aggressive Fahrweise von Leuten mault, die auf der linken Spur zu wohnen scheinen. Aber wenn man es eilig hat und den entsprechenden Wagen fährt, wird man automatisch zur Sau. In meinem Golf habe ich gar nicht die Möglichkeit, es eilig zu haben. Ich hatte also bisher einfach nicht die Wahl, andere Verkehrsteilnehmer herablassend zu behandeln. Und ich schämte mich ein wenig dafür, dass ich die Chance, als sie sich mir endlich mal bot, sofort ergriff. Aber es hat einen affenartigen Spaß gemacht.

Ich traf eine halbe Stunde vor der ausgemachten Zeit bei meinen Freunden ein. Die erwarteten mich – ich hatte von unterwegs per Handy Alarm geschlagen – vor ihrer Mühle in Ermangelung einer Garage mit einer riesenhaften Plastikplane, mit der sie sonst ihren Heuhaufen abdecken.

Nein, ich bin technisch wirklich nicht sehr begabt, das

muss ich unumwunden zugeben, aber diese Yacht machte mir Freude. Robin erklärte mir, an welchen Buchten wir vorbeifuhren, und ich war heilfroh, dass er mir beziehungsweise Stella noch keine einzige Frage gestellt hatte. Wir plauderten bloß über die Insel, über das Meer, wie wunderbar klar das Wasser sei und dass man auf einem Boot viel schneller Sonnenbrand bekäme als an Land. Belanglosigkeiten eben. Nichts von Bedeutung. Und trotzdem hatte ich ein schlechtes Gewissen. Weil ich mich lachen hörte wie ein Teenager. Weil ich mir ständig unsicher durch die Haare fuhr. Und weil ich, als mir Robin seine Hand auf den Arm legte, um mich auf einen Wasserskifahrer aufmerksam zu machen, den ich zielstrebig ansteuerte, dachte, dass ein vaginaler Orgasmus nicht besser sein könne. Ja, es gab wirklich Grund, sich Sorgen zu machen. Aber mit etwas Mühe ist ein schlechtes Gewissen eine Zeit lang gut zu verdrängen.

Ich konzentrierte mich also auf die Betrachtung meiner näheren Umgebung, insbesondere der von Robins Oberschenkeln. Ich bin sonst eigentlich kein oberflächlicher Typ. Gut, wenn ich wählen müsste, ich hätte lieber den Mann, der einen straffen Hintern hat, als den, der keinen Themenabend auf «Arte» verpasst. Robins Oberfläche gefiel mir aber so derartig gut, dass ich mir wünschte, sie wäre dicht und reißfest. Dann könnte nichts, was die schöne Ansicht verderben würde, nach außen dringen. Ich würde Robin einfach nur anschauen und anfassen und wäre zufrieden. Wie ein Geschenk, dass man am liebsten nicht von Schleifen und Seidenpapier befreien möchte, weil die Verpackung womöglich wesentlich schöner ist als der Inhalt. Dieser makellose Mann könnte zum Beispiel

Tanga-Slips tragen oder gar Britney Spears-Fan sein. Man soll den Teufel nicht an die Wand malen, aber ich fürchtete, mir könnten Robins Beine besser gefallen als seine Persönlichkeit. Und das wäre so jammerschade gewesen: diese langen, schlanken, festen, muskulösen, mit von der Sonne gebleichten Haaren verzierten ... Ach was, ich würde Robin mögen, egal wie er innen aussieht. Dazu war ich fest entschlossen. Solche Schenkel laufen einem nicht zweimal im Leben über den Weg.

«Hey, guck mal, da oben wohne ich!»

Robin und ich waren auf der Rückfahrt und schipperten gerade an der Bucht von Cala Llamp vorbei. Tante Gesas Anwesen thronte wie ein selbstzufriedener Buddha auf dem Hügel und sah sehr imposant aus.

«Siehst du das Gästehaus mit den blauen Fensterläden?» Ich reichte Robin das Fernglas. «Da wohne ich mit Meerblick vom Bett aus.» Robin lachte, als hätte ich einen vortrefflichen Scherz gemacht. Dabei fiel mir wieder auf, was für lustige Augen er hatte und dass es echt nicht viele Männer gibt, die so ungehemmt lachen. Die meisten, die ich kenne, halten jede Art von raumgreifenden Gefühlsäußerungen für unmännlich. Männer mögen es, glaube ich, wenn sie einem nicht den geringsten Anhaltspunkt dafür liefern, was in ihnen vorgeht. Wahrscheinlich deshalb, weil oft nichts in ihnen vorgeht.

Robin war von Gesas Villa offensichtlich beeindruckt. «Keine schlechte Wahl. So beginnt also das neue Leben von Stella X. Mal sehen, wie konsequent du spielst. Soll ich dich mit dem Waverunner ans Ufer bringen? Angeblich bist du ja schon fast zu Hause.»

«Gerne! Ich habe allerdings keine Ahnung, was ein Waverunner ist.»

Wie wunderbar, wenn man nicht lügen muss und trotzdem für phantasievoll gehalten wird! Ein Superspiel! Und Robin dachte sicher, dass ich mir, sobald er mit seiner dicken Yacht um die Ecke verschwunden wäre, ein Taxi rufen würde, um zu meiner Unterkunft zu gelangen, vermutlich einem verlotterten Campingplatz irgendwo im Hinterland.

Der Waverunner stellte sich als eine Art zweisitziges Motorrad auf Wasserskiern heraus. Ich kann nur jeder Frau empfehlen, mit dem Mann, dem sie dringend, aber unauffällig näher kommen möchte, auf so ein Ding zu steigen. Zugegeben, im Alltag ergibt sich die Möglichkeit eher selten. Da bleibt meist nur die alte Nummer: Horrorfilm im Kino gucken und dann, wenn man sie nicht ohnehin hat, schwache Nerven vortäuschen. Ich hingegen klammerte mich völlig unverdächtig an Robin fest und war der glücklichste Mensch der Welt. Mit irrer Geschwindigkeit hopsten wir über Wellen, und ich musste mehrmals laut «Jipiii» schreien, um meiner Begeisterung angemessen Ausdruck zu verleihen. Am Ufer drückte ich Robin zum Dank.

«Ach, das war wunderbar! Vielen Dank fürs Mitnehmen!»

«Wie kann es denn sein, dass du in dieser Millionärshütte wohnst, aber noch nie mit einem Waverunner gefahren bist?»

Ha, wollte mich der Phantasielosigkeit überführen, der Schlaumeier. Nicht mit mir.

«Das Haus gehört meiner Tante. Ich bin nur zu Besuch da.»

«Wie lange bleibst du?»

«Bis Sonntag.»

«Ist das die Wahrheit?»

«Vielleicht.»

Nee, was kam ich mir toll und geheimnisvoll vor. Ich strich mir das nasse Haar aus der Stirn, so wie es die Bond-Girls immer tun, wenn sie aus dem Meer steigen.

«Dann sollten wir uns möglichst bald wiedersehen, oder?»

Robin schaute mich ein bisschen unsicher an, was mein Selbstbewusstsein ins Unermessliche steigen und mich lässig antworten ließ: «Das sehe ich auch so. Vielleicht morgen?»

Oder war das jetzt doch zu gewagt? Einen Moment lang fürchtete ich, zu weit gegangen zu sein. Aber nein, es war gut gegangen.

«Soll ich dich um vier hier abholen? Wir könnten zu einer schönen Bucht im Norden fahren. Hast du Lust?»

«Nur, wenn es eine einsame Bucht ist.»

Donnerwetter, ich fand mich einfach irre lasziv. Hatte bisher gar nichts von dieser Begabung gewusst.

«Ziemlich einsam.»

«Wie erfreulich.»

«Allerdings. Und, was ist mit dir?»

«Was soll mit mir sein?»

«Bist du noch zu haben, Stella X?»

«Genau um das herauszufinden, bin ich hier.»

Wau, also wirklich, wie cool das klingt! Ich bin von mir selbst zutiefst beeindruckt, und auch Robin schaut mich äußerst interessiert an.

«Dann also bis morgen.»

Ich war mir nicht ganz sicher, ob ich mich einfach umdrehen und gehen sollte. Zu cool kann auch abschreckend wirken. Man muss versuchen, das richtige Maß zwischen Lässigkeit und Mädchenhaftigkeit zu finden. In Anbetracht des Zeitdrucks beschloss ich, eher geradlinig vorzugehen.

«Ich freue mich schon sehr auf dich.»

«Und ich mich auf dich.»

Robin zog mich an sich und, ja, meine Güte, was soll ich sagen? Seine Lippen schmeckten nach Salz, und er hatte eine Hand Besitz ergreifend um meinen Nacken gelegt, so, wie es mir bisher nur aus amerikanischen Spielfilmen bekannt war, und, verdammt nochmal, es war wirklich einer dieser Küsse, die einem durch den ganzen Körper gehen, aber dann schließlich hauptsächlich im Unterleib ein unglaubliches Feuer legen. Um es klar zu sagen, sodass es nicht klingt wie im Liebestaumel dämlich gestottert: Es war einer dieser seltenen Küsse, bei denen du dich bereits, während er geschieht, drauf freust, deiner besten Freundin davon zu erzählen.

Auf dem Weg nach Hause stöhnte und seufzte ich ohne Unterbrechung leise vor mich hin. Ungelogen.

«Falsches Schuhwerk
in jungen
Jahren»

Ich glaube nicht, dass ich heute Nacht insgesamt länger als eine Dreiviertelstunde geschlafen habe. Aber ich sehe an diesem Morgen trotzdem hervorragend aus, das muss ich so unbescheiden sagen. Rosig, strahlend, jung. Na ja, verliebt eben.

Gegen drei Uhr morgens war mir eingefallen, dass Mona mir doch eine SMS schicken wollte. Ich schaute nach, musste aber feststellen, dass der Akku meines Handys leer war. Dunkel und erloschen lag es in meiner Handtasche. Ich war überrascht, dass ich mich erleichtert fühlte. Ich wollte gar nicht wissen, was Mona mir geraten hätte. Ich wollte auch gar nicht wissen, wann sich mein Ben melden würde. Ich war nicht mehr erreichbar. Ein Zustand, den ich noch wenige Stunden zuvor unerträglich gefunden hätte. Jetzt fühlte ich mich dadurch viel weiter entfernt von zu Hause als die zweieinhalbtausend Kilometer zwischen Mallorca und Hamburg. Ich war nicht mehr erreichbar. Alles, was in den nächsten Stunden oder Tagen geschehen würde, würde einfach nur geschehen. Ich würde es nur erleben und es niemandem am Telefon erzählen oder verschweigen müssen.

Ich war wie in einer anderen Welt, vollkommen frei, unbeobachtet, unschuldig. Als würde nichts wirklich geschehen, als hätte ich ein paar extra Tage zur freien Verfügung geschenkt bekommen, ohne mich bei jemandem rechtfertigen zu müssen für das, was ich tun oder lassen würde. Ich fühlte mich, als sei ich nicht mehr ich selbst. Nicht mehr Annabel Leonhard, die mit einer Getreidemühle Schwung in ihr langweiliges Leben bringen will. Nicht mehr Annabel, die lädierte Stofftiere sammelt und seit viereinhalb Jahren einen Freund hat, der Austern nicht gut verträgt. Nicht mehr Annabel, die grundsätzlich niemals Toilettentüren abschließt, weil sie Angst hat, dass sie nicht wieder rauskommt.

Das ist mir nämlich einmal passiert. Es war an Monas achtzehntem Geburtstag, und alle haben sich köstlich amüsiert, dass Monas Vater das Schloss raussägen musste, um mich aus dem Klo zu befreien. Ein grauenhaftes, ein prägendes Erlebnis.

Ich bin nicht mehr erreichbar, und ich bin nicht mehr die, die ich immer war. Hier ist niemand, der mich kennt. Außer Gesa, aber die kennt mich nicht so, wie ich im Alltag bin. Ich kann noch nicht mal meine eigenen Kleider tragen. Mein Koffer, wurde mir heute mitgeteilt, befindet sich zurzeit in Bangkok. Niemand erwartet hier von mir, dass ich so bin, wie ich immer bin. Niemand hier weiß, wie ich immer bin. Außer mir. Warum also nicht anders sein? Warum also nicht Stella sein? Was für eine herrliche Freiheit. Ein neues Leben ausprobieren, einen neuen Charakter, eine neue Art zu lieben, vielleicht. Ich ging zu Bett und schlief ein.

«Schätzchen, du siehst phantastisch aus! Was so ein bisschen Sonne doch ausmacht. Jetzt müssen wir nur noch dein Gewichtsproblem in den Griff kriegen.»

«Guten Morgen, Tante Gesa. Ist das herrlich hier!»

Meine Tante sitzt in einem rosafarbenen Seidenkimono beim Frühstück auf der Terrasse. Das Meer unter uns ist spiegelglatt. Es ist schon jetzt klar, dass es ein heißer Tag werden wird. Außer dem Vogelgezwitscher und dem luxuriösen Geräusch der Rasensprenger ist es vollkommen still. Abgesehen von Gesa, aber die ist nie still.

«Ich freue mich jeden Morgen, dass ich dem alten Matuschke die Villa abgeluchst habe. Er hatte sie gerade erst gekauft, mit überdachtem Barbecue-Platz, zwei Pools, einer Sauna, zwei Gästehäusern und drei philippinischen Hausangestellten. Ein wunderbarer Ort – aber sag mal, Belle, deine Füße sehen ja furchtbar aus! Warte mal, ich hole mal kurz mein Werkzeug. Du kannst während der Pediküre ruhig weiterfrühstücken. Lieber die Hornhaut auf dem Brötchen als an den Fersen. Nein, nein, keine Widerrede, es soll sich doch für dich lohnen, dass deine alte Tante gelernte Fußpflegerin ist!»

Der Akt der Pediküre ist einer, der von Seiten des Behandelten absolute Demut erfordert. Du begibst dich mit deinen Füßen, also deinen beiden wahrscheinlich hässlichsten Körperteilen, in fremde Hände. Gesa schleppt einen Koffer an. Als sie ihn öffnet, fühle ich mich auf beklemmende Weise an den Film «Der Marathon-Mann» mit Dustin Hoffman erinnert, genauer gesagt an die Szene, bei der ich immer weggeguckt habe, wo sie ihm mit furchtbarsten Geräten entsetzliche Zahnschmerzen bereiten. Mit Sicherheit eine der schrecklichsten Aua-Aua-Sequenzen der Filmgeschichte. Gleich nach dem schlimmen Moment, in dem Toby McGuire als Spiderman seinen Großvater verliert. Aber natürlich noch weit entfernt von der schockierenden Szene, in der Romy Schneider als Sissi mit anhören muss, wie ihre fiese Schwiegermutter dem Kaiser sagt, dass Sissi lungenkrank sei und wahrscheinlich sterben müsse. Und wie er dann ruft: «Ich kann mir ein Leben ohne Sissi gar nicht vorstellen!», und die herzlose Erzherzogin Sophie ihm sagt, er müsse schon jetzt an eine Wiederheirat denken, weil das Land eine gesunde Kaiserin und einen gesunden Thronfolger brauche. Und wie der Kaiser weinend zusammenbricht und schluchzt: «Wenn es Gottes Wille ist, mir das Liebste im Leben zu nehmen, dann werde ich nie, nie wieder heiraten!» Nun, ich muss sagen, das geht mir als Zuschauerin an die Substanz.

Gesa rückt meinen Füßen mit Geräten zuleibe, mit denen man sicherlich auch einen Oberschenkel hätte amputieren können. Es ist der nackte Horror. Es tut zwar nicht weh, aber es sieht so aus, als täte es weh. Was mir für immer auf schrecklichste Weise unvergesslich bleiben wird – ich weiß es in dem Moment, wo ich ihn zu Gesicht bekomme –, ist der Hornhauthobel. Das Ding ist nichts für zarte Gemüter. Ruckartig drängt sich mir die Erinnerung an die Gewinnung von frischem Parmesan auf, der über Rucola-Salat gehobelt wird.

«Jetzt schäl ich dir noch die Hornhaut ab, und dann hast du Füße wie ein Baby», flötet Gesa.

Ich werde fast ohnmächtig, weil ich mich plötzlich vor meinen eigenen Füßen ekele. Gut, wir hatten nie ein besonders freundschaftliches Verhältnis, aber unsere Beziehung war immerhin von gegenseitigem Respekt geprägt. Es mag sein, dass ich sie etwas vernachlässigt habe. Das liegt aber auch daran, dass sie einfach so weit weg sind vom denkenden Teil meines Körpers. Ich komme schlecht dran, und ich weiß nicht, wie man abgeschnittene Nägel

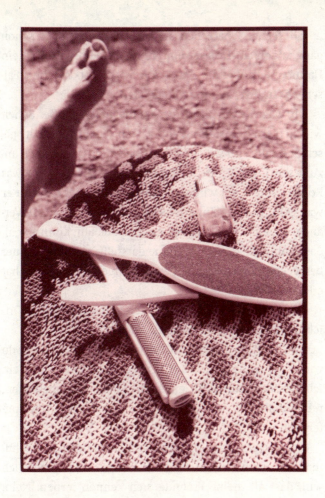

korrekt auffängt, sodass sie sich nicht in der ganzen Wohnung verteilen. Erst neulich bin ich auf der Suche nach «Die Hochzeit meines besten Freundes» zwischen den Videokassetten einem ehemaligen Zehennagel begegnet. Das fand ich schon ziemlich fies. Aber dieser Hobel ... Der Appetit auf mein Nutella-Brötchen ist mir jedenfalls vergangen. Hoffentlich für immer.

«So, fertig, Schätzchen. Na bitte, das sieht doch schon ganz anders aus! Dieser eine hier, aus dem wird mal ein Hammerzeh, aber dagegen kann man nichts machen. Falsches Schuhwerk in jungen Jahren.»

Ich wage einen Blick auf meine neuen Füße. Sehen wirklich ganz anständig aus. Frisch lackiert, gefeilt, geschält – mir wird wieder leicht übel – und ganz weich anzufassen. Ein völlig neues Fußerlebnis. Ich frage mich, was Robin wohl sagen wird, wenn er mich so sieht. Wenn er was sieht. Vielen Männern fallen solche wesentlichen Veränderungen ja nicht auf den ersten Blick auf. Könnte sein, dass Robin da keine Ausnahme darstellt. Manche Männer bemerken ja nicht einmal, wenn man eine neue Nase hat oder eine Gasmaske trägt.

«Mach's dir gemütlich, Belle. Ich fahre kurz in den Ort. Ich habe eine Überraschung für dich!»

«Oh, Gesa, bitte keine Überraschung! Sag mir, was du vorhast. Heute Abend zum Beispiel habe ich keine Zeit. Ich habe da nämlich, äh, einen alten Bekannten getroffen, rein zufällig. Wir wollen uns bereits am Nachmittag treffen, um ...»

«Schon gut, schon gut. Also, um das Geheimnis zu lüften: Ich werde am Samstag ein Fest für dich geben. Ich will, dass all meine Freunde dich kennen lernen. Nein, du kannst nicht mehr nein sagen, weil ich schon alle eingeladen habe. Du fliegst doch am Sonntag zurück, oder? Siehst du, und da feiern wir hier deinen Abschied. Ab acht kommen die Gäste, wir schmeißen den Grill an, schmücken den Pool mit Lampions und trinken Champagner. Ach, das wird herrlich! Ich liebe Poolpartys! Meist landet irgendjemand im Wasser, oder eine Beziehung geht zu Bruch. Ich freue mich jetzt schon. Und deinen neuen Freund bringst du natürlich mit. Ich will ihn unbedingt kennen lernen. Ich muss doch wissen, wer meiner kleinen Belle so den Kopf ...»

«Er ist nicht mein neuer Freund! Wie gesagt, ein alter Bekannter, den ich zufällig ...»

«Ja, ja, hör schon auf, ich muss los, das Büfett für Samstag bestellen. Tss, tss, dass ich nicht lache. Ein Tag in der Sonne mag ja einiges bewirken, aber du, mein Schätzchen, du strahlst so derartig entrückt über alle vier Backen. Und daran sind in der Regel keine alten Bekannten schuld. Na, was soll's, ich misch mich da nicht ein. Hauptsache, du lässt es dir gut gehen. Hab einen schönen Tag, Belle. Bussi, Bussi.»

Das Schöne ist ja, ohne Koffer hat man auch keine Garderobe. Und wenn man keine Garderobe hat, muss man auch nicht lange darüber nachdenken, was man anzieht. In einer halben Stunde erwartet mich Robin im Strandclub. Tante Gesa hat mir ein riesiges himmelblaues Tuch gegeben, das man durch trickreiche Verschnürungstechniken wahlweise in ein Kleid oder einen Rock verwandeln kann. Dazu passt der rosafarbene Strickbikini, den sie für mich rausgesucht hat. Sie ist zwar wesentlich dünner als ich, aber die Weite von Ober- und Unterteil ist verstellbar, und in Sachen Brustgröße kommt es erschreckenderweise ziemlich gut hin. Ich betrachte mein Gesicht. Ben fände die Sommersprossen sexy, die da bereits auf meiner Nase zu blühen beginnen. Ich hingegen hatte eine ganz frische Sprosse, einen Sprössling sozusagen, heute Morgen für einen Mitesser gehalten und minutenlang daran herumgedrückt, ehe ich das Missverständnis bemerkte. Die unschöne Rötung war zum Glück bereits abgeklungen.

Aber viel wichtiger als solche Äußerlichkeiten ist natürlich meine Ausstrahlung. Daher bin ich enorm froh, dass ich meine diversen Kontaktlinsen immer vorausschauend in meiner Handtasche bei mir führe. Nicht auszudenken, wenn man, so wie ich heute, in eine vielleicht zukunftsweisende Situation gerät, und man hat nicht die richtige Augenfarbe dabei! Selbstverständlich wähle ich für den mir bevorstehenden Anlass die blauen Linsen. Ich habe da eine Theorie entwickelt, auf die ich schon ein wenig stolz bin. Der Beginn einer Beziehung verläuft in vier Stufen, die genau den käuflichen Augenfarben entsprechen: Blau, Grün, Braun und Natur.

Royal Blue ist die perfekte Augenfarbe für Bewerbungsgespräche, Tagesausflüge und Sommerflirts. Blau wirkt natürlich, gradlinig und deutet auf ein gesundes Verlangen nach mehrmaligem Geschlechtsverkehr pro Tag hin. Blau verleiht selbst der neurotischsten Superzicke, die nur zimmertemperiertes Evian mit einer Messerspitze Kalzium trinkt, etwas Unkompliziertes. Das royale Blau ist leicht, lebendig, gut gelaunt. Es signalisiert Männern: Mit dieser Frau kannst du Spaß haben. Sie wird nicht nach dem ersten Sex fragen, worauf die Sache zwischen euch denn nun zusteuert. Sie wird dich nicht nach dem ersten Kuss mit Zunge ihren Eltern vorstellen wollen oder am ersten gemeinsamen Morgen Dinge sagen wie: «Weißt du eigentlich schon, was du dieses Jahr an Weihnachten machst?»

Evergreen benutze ich gerne für Abendeinladungen, weil es mir, wie ich finde, etwas Unergründliches verleiht.

Mit grünen Augen fühle ich mich, als hätte ich Geheimnisse. Als hätte ich ein uneheliches Kind und niemals den Namen des Vaters preisgegeben. Als führte ich ein Doppelleben und verwandelte mich nach Einbruch der Dunkelheit in Catwoman, die atemraubende, gefährliche Rächerin aller gedemütigten Frauen, denen von Männern, die nach Feierabend Unterhemden tragen, willkürlich das Haushaltsgeld gekürzt wird.

Cosy Brown trage ich, wenn ich besonders einfühlsam, verständnisvoll und beruhigend auftreten will. Mit braunen Augen zieht man kaum Aggressionen auf sich, man sieht immer so aus, als könne man gut zuhören und sei ein Mensch, der Schlimmes erlebt und Besseres verdient hat. Sehr zu empfehlen für Gehaltsverhandlungen mit männlichen Chefs, für Problemgespräche mit dem Partner oder wenn abends die beste Freundin vorbeikommt, weil sie zum sechsten Mal von ihrem Freund verlassen worden ist. Von dem Freund, den man von Anfang an nicht leiden konnte, der so langweilige Geschichten erzählt, dass man selbst mit braunen Augen kein interessiertes Zuhören mehr simulieren kann. Wo man nach jeder Trennung hofft, dass es diesmal bitte endgültig sein soll, und er nicht, wie bisher jedes Mal, nach vier Tagen reumütig zurückkehrt.

Es empfiehlt sich also, in der Phase des Kennenlernens zunächst Royalblau zu tragen, niemals umgehend auf seine Anrufe zu reagieren und hin und wieder, wenn er fragt: «Sehen wir uns heute Abend?», zu antworten: «Och, heute habe ich schon was anderes vor, lass uns doch die Tage nochmal telefonieren.» In der blauen Phase selbstverständlich zu unterlassen sind Fragen nach potenziellem Kinderwunsch, beruflichen Perspektiven, Kritik an seinen Lieblingshosen, an seinem besten Kumpel und abfällige Bemerkungen über seine Exfreundin.

Zu den vertrauensbildenden Maßnahmen zählen: Andeutungen, dass man zurzeit an einer festen Beziehung nicht interessiert sei. Nebenbei zu erzählen, dass man bisher leider die Erfahrung gemacht habe, dass das eigene sexuelle Interesse nach sechs Wochen mit dem gleichen Mann drastisch nachlässt. Zu erwähnen, dass man noch nie in Therapie gewesen wäre.

Schön sind, nach den ersten geschlechtlichen Begegnungen, auch Äußerungen wie: «Hey, das war super. Sex ohne Liebe macht einfach mehr Spaß.» Oder: «Ups, schon so spät. Du, sei nicht böse, aber ich bin noch verabredet. Ich hab ja deine Nummer.»

Nach ein, zwei, in hartnäckigen Fällen auch erst nach vier Wochen kann man dann vorsichtig, zumindest an den Abenden, zu Evergreen übergehen. Jetzt ist die Zeit gekommen, wo man es wagen sollte, zu offenbaren, dass man nicht nur gut gelaunt und gut im Bett ist, sondern auch eine weiterführende Schule besucht hat. Frauen, die in Harvard studiert haben oder mehr als hundertfünfzigtausend Euro im Jahr verdienen oder nächste Woche den Oscar für die beste weibliche Hauptrolle bekommen, sollten diese Information unbedingt erst am Ende von Phase Grün preisgeben, wenn überhaupt. Es könnte sonst zu einer Spontanerschlaffung seiner Manneskraft kommen. Und dann liegst du wieder mal neben einem schwitzenden Typen und sagst: «Ach Schatz, das macht doch nichts.» Natürlich macht es was, aber Aufrichtigkeit wird völlig überbewertet, und ein klares ehrliches Wort zur falschen

Zeit hat schon manch unnötigen Unfrieden gestiftet und einige männliche Egos in ihren Grundfesten erschüttert.

Dennoch wird mit Evergreen eine Phase relativer, ich betone: relativer Offenheit eingeleitet. Wenn Royal Blue ganze Arbeit geleistet hat, wird er von sich aus auf das Thema gemeinsamer Urlaub und eventuell auch schon gemeinsame Wohnung kommen. Es wird ihm langsam unheimlich sein, dass sie ihm so viel Freiheit lässt, sich niemals aufregt, wenn er sich verspätet, und nach einem Abend, den er mit seinen Kumpels verbringen wollte, nicht verbiestert fragt, ob da nicht zufällig vielleicht doch auch eine Frau dabei gewesen sei.

Zwar wünschen sich alle Männer in der Theorie eine unkomplizierte Partnerin, aber in der Praxis fühlen sie sich von so einer auf Dauer nicht ordentlich geliebt. Sie werden beschämt und ein wenig eifersüchtig schweigen, wenn ihnen ihr bester Freund von häuslichen Dramen berichtet, von brennenden Betten und zerschelltem Geschirr.

Das ist die Heldentat des modernen Mannes: an der Seite von modernen Frauen zu überleben. Geduld zu bewahren, wenn sie vor ihrem Kleiderschrank in Tränen ausbricht. Nicht nervös zu werden bei Dialogen wie:

«Soll ich das Blaue oder das Rote anziehen?»

«Das Rote, würde ich sagen.»

«Du magst das Blaue also nicht!»

In einem Zeitalter, wo Frauen in der Lage sind, ihre Brustvergrößerung selbst zu bezahlen und sich Autos zu kaufen, die man sonst nur aus James Bond-Filmen kennt, fällt es Männern zunehmend schwerer, sich zu irgendwas nütze zu fühlen. Zu Recht, muss man sagen. Deswegen ist es wichtig, dass Frauen Männern das Gefühl vermitteln, sie würden irgendwie gebraucht. Genau das geschieht in Phase Grün. Nachdem man drei Wochen so getan hat, als sei man eine Frau zum Pferdestehlen, beginnt man jetzt, so zu tun, als wäre man eine Frau, der man aufs Pferd helfen muss.

Der positiven Entwicklung der Beziehung dienlich und natürlich viel glaubwürdiger ist es, wenn man tatsächlich bei irgendwas Hilfe braucht oder vor irgendwas schlimme Angst hat. Evergreen ist die rechte Zeit, um Phobien und Unfähigkeiten einzugestehen – oder auch zu entwickeln. Es ist die Zeit der Aufgabenverteilung, und dabei darf man ruhig relativ konservativ vorgehen. Zwar ist es mittlerweile völlig in Ordnung, wenn der Mann das Kochen übernimmt, aber einige Klassiker wie Fotoalben beschriften und Duftsäckchen für den Kleiderschrank nähen sollten Frauen weiterhin für sich beanspruchen. Männer dürfen dafür den Grill anzuzünden. Ich bin übrigens davon überzeugt, dass achtzig Prozent aller Frauen nur ihren Männern zuliebe so tun, als hätten sie Angst vor Spinnen. Es sind weise Frauen, die ihre grünen Kontaktlinsen mit Stolz tragen dürfen.

Es ist Zeit für Cosy Brown, wenn er dich vor Freunden «Puffelschnuffel» nennt, und du ihm die Pickel auf dem Rücken ausdrückst. Dann kannst du eigentlich auch gleich auf farblose Linsen umsteigen. Die sind billiger.

«Kein Alkohol ist auch keine Lösung»

Wie war ich, wer war ich, wonach habe ich mich gesehnt, als ich zum letzten Mal so viel Sternenhimmel über mir hatte? Wie bin ich, wer bin ich, wonach sehne ich mich jetzt? Wann war ich glücklich? War ich es oft genug? Habe ich es immer rechtzeitig bemerkt, wenn ich glücklich war? Oder erst im Nachhinein, bei der Erinnerung oder beim Durchblättern eines Fotoalbums? Ich kenne einige Menschen, denen erst, wenn es ihnen schlecht geht, klar wird, wie gut es ihnen vorher ging. So bin ich nicht. Ich bin froh, dass ich zu denen gehöre, die das Glück bemerken, wenn es da ist, und die es auskosten und teilen und mitteilen.

Und jetzt? Bin ich jetzt glücklich? Ich liege an einem großen Strand, eingewickelt in mehrere Handtücher. Robin, auch in Handtücher gewickelt, liegt neben mir. Schon seit einer Stunde. Ohne Berührung. Manchmal sprechen wir ein paar Worte. Aber meist liegen wir einfach nur da, und ein bisschen scheint es mir, als gingen unsere Gedanken Hand in Hand spazieren. Nun ja, zumindest im Prinzip. Es gibt ja Situationen, die sind so innig, dass es profan wäre, an Sex zu denken. Natürlich denkt man trotzdem an Sex. Und dann schämt man sich ein bisschen, weil es so unpassend ist und man den schönen Moment damit versaut, dass man statt an die spirituelle Intimität eben doch wieder bloß an Sex denkt.

Ja, das kann auch einer Frau so gehen. Da geben sich Männer Mühe, bei potenziell romantischen Gelegenheiten Zurückhaltung zu üben, Sonnenuntergänge, Lieder von Randy Crawford und sternenklare Nächte andächtig und ohne Fummeleien durchzuhalten, während wir Frauen Däumchen drehend auf Petting hoffen und versucht sind, mitten in die platonische Zweisamkeit hinein wie ein schlecht gelaunter Regisseur «Action!» zu brüllen.

Da Robin offenbar entschlossen ist, das komplette romantische Programm bis zum nächsten Morgen durchzuziehen, muss ich versuchen, einen subtilen, aber eindeutigen Weg zu finden, ihn auf meine sexuelle Verfügbarkeit hinzuweisen. Ich bin schließlich hierher gekommen, um was zu erleben. Ich finde nach einigem Grübeln eine sehr schöne Formulierung:

«Wir haben nicht viel Zeit.»

Ich blicke dabei in den Himmel und bemühe mich um eine Stimmlage, die alles und nichts bedeuten kann. Auf keinen Fall möchte ich, dass Robin denkt, ich hätte es auf ihn abgesehen, bevor ich nicht ganz sicher weiß, ob er es auf mich abgesehen hat. Der Kuss von gestern gibt zwar Anlass zur Hoffnung, aber ich möchte auf Nummer sicher gehen.

Robin dreht sich zu mir.

«Man hat immer so viel Zeit, wie man sich nimmt.»

Ich bin überhaupt nicht beleidigt. Das ist so süß. Und rührend. Und etwas albern. Ich kann diesem Mann nichts übel nehmen, weil er mich daran erinnert, wie ich war, als ich jung war. Diese Art, jeden einzelnen Moment ernst und wichtig zu nehmen. Robin erinnert mich an die Zeit, in der mich Fragen beschäftigten wie: Soll ich Religion oder Erdkunde abwählen? Gehe ich auf die Demo oder auf die Sonnenbank? Was ist der Sinn des Lebens? Steht die Antwort darauf in «Also sprach Zarathustra» oder im «Brigitte»-Sonderheft «Frisuren für jeden Haartyp»? Gibt es einen Gott? Soll ich Slip-Einlagen benutzen? Welche Bedeutung hat die Natur im Werke Bertolt Brechts? Und wie lange hält eine mit Zuckerwasser gefestigte Frisur?

«Wie alt bist du eigentlich?», frage ich.

«Wozu ist das wichtig?»

Ich komme mir erneut wahnsinnig alt und oberflächlich vor.

«Wegen Tanzen.»

Ich bin erleichtert, dass mir ein so jugendlicher, hipper Grund eingefallen ist.

«Wie, wegen Tanzen?»

«Na, ob wir dieselben Lieder auswendig können. Dann können wir sie jetzt zusammen singen und dazu tanzen.»

Das ist in meiner Vorstellung nämlich der Inbegriff von Romantik, und meines Wissens nach haben auch viele Liebesfilme damit gearbeitet: Tanzen am Strand, ohne Musik, nur begleitet von Meeresrauschen und dem leisen Summen zweier Stimmen, die dieselben Lieder kennen. Ich bin wild entschlossen, diese Phantasie, die ich nun schon so lange mit mir rumschleppe, hier und jetzt zu realisieren. Mit Ben ist mir das leider nicht gelungen. Wir haben nie ohne Musik getanzt. Ben tanzt ja noch nicht mal mit Musik. Er ist der Typ, dessen CD-Sammlung zwar mehrere Meter in den Bücherregalen beansprucht, der aber zu Tanzflächen einen großen Sicherheitsabstand hält und bei dem es als Ekstase zu werten ist, wenn er mit der Fußspitze wippt.

Robin dagegen ist von meiner Idee begeistert. Er springt auf, macht ein paar große Schritte Richtung Meer und ruft:

«Warte! Lass mich eine Sekunde überlegen, mir fällt gleich was ein.»

Er wiegt sich ein wenig hin und her, auf der Suche nach einer Melodie für uns beide. Ich bin völlig gefangen vom Zauber des Augenblicks. Ich meine, wenn ein Mann mit solchen Schenkeln unterm Sternenhimmel für dich singt, da bist du doch automatisch zu allem bereit, oder?

Ich muss gestehen, dass ich noch nie einen Mann kennen gelernt habe, der für mich gesungen hat. Männer singen in der Regel nicht. Dagegen ist auch nichts einzuwenden, im Gegenteil. Ben hat sich nur ein einziges Mal dazu hinreißen lassen, in meiner Gegenwart zu singen: «Steh auf, wenn du ein Schalker bist …» Das war beim Sieg von Schalke 04 gegen Leverkusen im DFB-Pokalfinale. Und nachher, als wir wieder nüchtern waren, ist es uns beiden peinlich gewesen, und wir haben nie wieder ein Wort darüber verloren.

Aber mit Robin ist alles anders. Der kann Dinge tun, die andere Männer niemals tun würden, ohne unmännlich zu wirken. Ich sehe, dass er immer noch über einem dem Anlass angemessenen Lied brütet. Ich bin so gerührt. Vielleicht wird er was von Mister Superromantik Lionel Richie intonieren:

«I sometimes see you pass outside my door. Hello, is it me you're looking for?»

Oder vielleicht sogar, ich weiß allerdings nicht, ob ich das überstehen würde, ohne in Tränen auszubrechen, «Because You Loved Me» von Celine Dion:

«You were my strength when I was weak, you were my voice when I couldn't speak.»

Der eine oder andere wird sich vorstellen können, dass ich etwas enttäuscht bin, als Robin anfängt: «Eisgekühlter Bommerlunder» von den Toten Hosen zu brüllen. Er hopst ausgelassen über den Strand und versucht mir zu zeigen, wie er damals dazu getanzt hat. Ein Tanz, bei dem es leider hauptsächlich darum geht, die anderen von der Tanzfläche zu schubsen. Keine wirklich günstige Gelegenheit, sich näher zu kommen.

Das zieht sich eine Weile, denn leider kann er noch «Kein Alkohol ist auch keine Lösung» auswendig. Als er eine Atempause macht, versuche ich zaghaft «Saving All My Love for You» von Whitney Houston anzustimmen. Vergeblich. Ich werde einfach niedergeschmettert. Robin ist jetzt leider richtig in Stimmung und entpuppt sich als hartgesottener Tote Hosen-Fan. Er singt «Zehn kleine Jägermeister», ich versuche, mit «Greatest Love of All» dagegenzuhalten. Und dann fällt ihm leider sein Lieblingslied von den Ärzten ein. Ich will noch ablenkend fragen: «Kennst du was von Cat Stevens?», da ist es schon geschehen. Robin singt das Lied von der fetten Elke:

«Ich war mit Elke essen, ganz schick bei Kerzenschein, ich aß ein bisschen Tofu, sie aß ein ganzes Schwein, Elke ist so niedlich, Elke ist mein Schwarm, im Sommer gibt sie Schatten, im Winter hält sie warm.»

Ich setze mich in den inzwischen eiskalten Sand und wickele die Handtücher wieder sorgfältig um mich rum. Ich hatte mir das irgendwie einfacher vorgestellt, einen jungen Mann zu verführen. Bin wohl aus der Übung. Völlig verausgabt lässt Robin sich neben mich fallen.

«Das war eine geile Idee.»

Mit seinen erhitzten Wangen sieht er aus wie der kleine Junge aus der Fruchtzwerge-Werbung.

«Und jetzt du.»

Mir ist zwar überhaupt nicht mehr danach zumute, aber ich will den Moment, auf den ich so lange hingearbeitet habe, nicht einfach so vorüberziehen lassen. Das ist mein Einsatz. Es gibt nämlich ein Lied, das habe ich nur deshalb auswendig gelernt, um auf solche Fälle vorbereitet zu sein. Den Text habe ich in meinem Hinterkopf wie ein Nichtraucher das Feuerzeug in der Tasche. Ich zaubere es dann hervor, wenn es darum geht, unvermittelt die Seele eines Mannes zu berühren. Ich summe die ersten Takte von «Football Is Coming Home».

«Das kannst du auswendig?»

Robin starrt mich fassungslos an.

«Mmmmh.»

Leider ist Robin derart beeindruckt, dass er sich während des Liedes nur noch auf meinen Gesang und nicht mehr auf körperliche Annäherung konzentriert. Mittlerweile ist es dafür auch zu kalt geworden. Um drei Uhr morgens in einer Septembernacht auf Mallorca, ich muss ganz ehrlich sagen, da ist mir meine Blase wichtiger als meine Vagina. So was zeigen sie natürlich nicht in den ganzen Filmen, in denen Liebe gemacht wird am Strand unter freiem Himmel: dass man nämlich friert wie Sau und eine Gänsehaut hat, auf der man Parmesan reiben könnte. Es hilft nichts, aber ich bin völlig eingefroren. Auf dem Weg nach Hause summe ich die Melodie von «Football Is Coming Home». Das Lied beginnt mir zu gefallen. Vielleicht sollte ich aber noch was Romantisches von Robbie

Williams in mein Repertoire aufnehmen. Ich könnte mir vorstellen, dass das gerade auf jüngere Männer sexuell stimulierend wirkt.

Ich bemerke, dass ich nicht enttäuscht bin, und ich frage mich, warum. Vielleicht ist es wie mit der Tafel Schokolade, die du nicht isst. Im Moment, in dem du verzichtest, fällt es dir unheimlich schwer. Aber am nächsten Morgen bist du froh und stolz, dass du standhaft geblieben bist.

«Entspannen Sie sich, ich habe schon Schlimmeres gesehen»

Die Mittagssonne brutzelt mich braun, und in diesem Moment frage ich mich, ob ich eigentlich von allen guten Geistern verlassen bin und mein Gehirn durch die Hitze auf die Größe eines Mini-Dickmanns zusammengeschrumpelt ist. Warum bin ich auf diese Insel gekommen? Um mich von einem jungenhaften Yachtbesitzer um den Verstand knutschen zu lassen? Um im Mondschein am Strand zu tanzen und so zu tun, als sei ich Anfang zwanzig, ungebunden und als sei Whitney Houstons große Zeit nicht längst vorbei? Um mich auf ein Abenteuer einzulassen mit einem Burschen, von dem ich nur den Vornamen kenne und der so tut, als ob ich Stella hieße? Ich lasse mich entschlossen von meiner Handy-Luftmatratze in den Pool fallen. Abkühlung tut Not.

Warum bin ich hier? Um mir über mein Leben, meine Beziehung, eventuell sogar über meine Frisur klar zu werden. Ablenkung wäre jetzt die einfachste und schlechteste Lösung. Dann komme ich am Sonntag nach Hause und bin keinen Schritt weiter. Nichts hätte sich verändert, außer dass ich braun geworden und untreu gewesen bin. Und mit Letzterem hätte ich bestimmt meine Probleme. Ich bin einfach nicht der Typ für einen Seitensprung. Ich kann ja nicht mal schwarzfahren, ohne dass man es mir auf hundert Meter ansieht. Und ich kann mir meine eigenen Lügen nicht merken. Eine ganz schlechte Voraussetzung zum dauerhaft erfolgreichen Fremdgehen. Weil ich so derartig vergesslich bin, erzähle ich zum Beispiel keine Witze mehr. Weil mir, sehr zum Missvergnügen der Zuhörer, immer erst kurz vor Schluss auffällt, dass ich die Pointe nicht mehr parat habe. Aufgrund meiner Gedächtnisschwäche habe ich auch jeglichen Versuch aufgegeben, durch die Anwendung von Selbstbräuner ein zufrieden stellendes Bräunungsergebnis zu erzielen. Erst letztens wollte ich schulterfrei zu einer Grillparty gehen und hatte mich am Abend vorher mit «Auto-Bronzage» von L'Oréal eingerieben. Dabei vergaß ich meine Füße. Und in der Hektik hatte ich auch nicht daran gedacht, dass man einige Körperstellen nur dünn eincremen darf und sich nach der Prozedur die Hände waschen muss. Am nächsten Morgen hatten sich die Hautballungszentren, Ellenbogen und Fingergnurpel, tiefgelb verfärbt. Meine Handflächen sahen aus, als hätte ich mehrere Jahre unter Tage gearbeitet, meine Füße hingegen waren strahlend weiß geblieben wie Schäfchenwolken. Insgesamt erinnerte mein Körper an eine üppig und vorwiegend in Naturtönen gemusterte Tagesdecke, und ich wohnte dem Grillabend hochgeschlossen bei.

Nein, bisher habe ich es immer vorgezogen, treu zu bleiben und grundsätzlich nur dann mit einem mir unbekannten Mann zu schlafen, wenn ich Single war oder sturzbetrunken. Oder wenn ich mich bereits von meinem letzten Partner offiziell getrennt habe. Wobei offiziell heißt, dass mir in Gesprächen mit meinen Freundinnen klar geworden ist, dass eine Trennung die beste Lösung ist. Was nicht heißen muss, dass ich meinen Lebensgefährten bereits von dieser Erkenntnis unterrichtet habe.

Aber mir ist überhaupt nichts klar. Ich werde jetzt Robin anrufen und ihm sagen, dass wir uns heute nicht sehen können, vielleicht auch nie mehr. Dann werde ich mit Mona telefonieren und in Ruhe mit Tante Gesa reden. Wenn ich Glück habe, bin ich schon morgen eine völlig in sich ruhende Person, die weiß, wohin sie will. Und dann kann ich ja immer noch mit Robin schlafen.

Tante Gesa kommt zum Pool.

«Belle, Telefon! Ich habe leider überhaupt nicht verstanden, worum es geht.»

Ist das Robin? Aber woher hat er Gesas Nummer? Sollte er mir etwa absagen wollen? Vielleicht will er mich nie wieder sehen? Es bräche mir das Herz. Sich gegen jemanden zu entscheiden, der so küssen kann, ist echt hart genug. Aber es hätte mich mit Stolz erfüllt. Schließlich ist es sonst nicht meine Art, etwas abzulehnen, was mir schmeckt. Nach dem ersten wunderbaren Kuss den Kontakt abzubrechen, das ist, wie wenn man nur einen Riegel Schokolade isst, nur zwei Toffifees aus einer Dreißigerpackung, nur eine Hand voll Chips aus einer Familientüte. Schrecklich! Eine Qual! Wider die Natur des Menschen! Aber wenn man's geschafft, wenn man sich selbst überwunden hat, dann bekommt man einen Orden verliehen für Heldenhaftigkeit, Vernunft und übermenschliche Askese und fühlt sich einfach total, total ... ja wie eigentlich? Woher soll ich das wissen?

Ich glaube, ich kann ohne Übertreibung behaupten, dass ich noch niemals in meinem Leben nur eine Prise Chips gegessen und dann aufgehört habe. In meinem Küchenschrank existieren keine angebrochenen Chipstüten und keine Kinderschokoladen, wo nur zwei Riegel fehlen.

Nach dem Essen noch ein Ferrero Küsschen? Oder einen halben Nougatblock? Sollen wir uns einen Mini-Dickmann teilen? Was für ein Quatsch! Ich teile grundsätzlich keine Süßspeisen. Weder mit mir selbst noch mit jemand anderem. Einmal war ich mit Ben bei einer Frau eingeladen, die ihn für ihre Computerfirma gewinnen wollte. Sie hatte schon ziemlich fettfrei gekocht, und als sie so gar keine Anstalten machte, einen Nachtisch zu servieren, fragte ich sie, ob vielleicht noch irgendwas Süßes im Haus sei. Sie schaute mich an, als hätte ich darum gebeten, als Absacker noch ein Gläschen Weichspüler zu bekommen. Aber dann stellte sich heraus, dass in irgendeiner Schublade noch ein halbes Mars Mandel lag. Da war ich platt. Ein halbes Mars Mandel! Das muss man sich mal vorstellen. Das ist doch nicht normal. Mars Mandel ist so ziemlich das Leckerste, was es in diesem Universum gibt. Noch vor belgischen Nougat-Meeresfrüchtepralinen und den guten alten Toffifees. Und da hat diese Person die Disziplin besessen, das Mars in zwei Hälften zu teilen, eine wieder einzupacken und nur die andere zu essen – und das wahrscheinlich auch noch verteilt über mehrere Tage. Bei aller Toleranz – solche Menschen sind kein Umgang für mich.

Entweder ganz oder gar nicht. So lautet meine Devise, übrigens für alle Lebensbereiche. Ich kann ganz auf Schokolade verzichten, ich kann ganz auf Sex verzichten, und ich kann ganz auf Zigaretten verzichten. Bloß mit wenig bin ich nie zufrieden. Ein wenig rauchen, ein wenig essen, ein wenig trinken, ein wenig lieben? Nee, dann lieber gar nicht. Halbe Sachen sind nichts für mich, sosehr ich manchmal diese disziplinierten Nur-nach-einem-guten-Essen-Raucher bewundere. Aber im Grunde sind die mir unheimlich. Wenn ich was mag, dann will ich möglichst viel davon haben. Das ist doch logisch, oder? Wenn ich einen Mann liebe, dann will ich ihn nicht nur am Wochenende sehen, und wenn ich rauche, dann schon vorm Frühstück. Alles andere halte ich persönlich für therapiebedürftig.

Ich halte mir unsicher das Telefon ans Ohr. Wie soll ich reagieren, wenn es wirklich Robin ist? Soll ich sagen: «Fein, das trifft sich gut, weil ich dich auch nicht mehr sehen will. Das habe ich gerade vor zwei Minuten beschlossen»?

«Hallo?»

«Guten Tag, spreche ich mit Annabel Leonhard?»

Ein Stein fällt mir vom Herzen. Robin ist es nicht.

«Ja, am Apparat.»

«Herzlichen Glückwunsch, Sie haben gewonnen!»

«Wie?»

«Spreche ich denn nicht mit Annabel Leonhard?»

«Doch.»

«Sie haben diese Telefonnummer bei Ihrer Buchung angegeben. Sie haben Ihren Flug doch übers Internet gebucht, oder?»

«Ja.»

«Na also. Dadurch haben Sie automatisch an unserer Verlosung teilgenommen. Das stand auch in Ihrem Buchungsformular. Haben Sie denn heute schon was vor?»

«Also, ich weiß nicht ...»

«Sie haben einen Aufenthalt im ‹Mardavall› gewonnen!»

Sein Schweigen klingt bedeutungsschwer, aber ich weiß immer noch nicht, was hier gerade geschieht.

«Der Name sagt Ihnen doch sicher was?»

«Äh, ja, aber was?»

«Das Fünf-Sterne-Hotel in Portals Nous. Sie dürfen dort gratis eine Nacht verbringen, inklusive Champagner-Empfang, Degustationsmenü, Pediküre und einer Frisur aus dem Salon Udo Walz. Sie müssen sich allerdings schon um vierzehn Uhr dort einfinden. Und leider, das sage ich lieber gleich, gilt dieses Angebot nur für eine Person.»

«Das kommt mir sehr entgegen.»

Eine Stunde später sitze ich neben Tante Gesa im cremefarbenen Jaguar und frage mich, ob mein Leben mir wohl jemals die Chance lassen wird, es selbst in die Hand zu nehmen. Auf dem Weg ins «Mardavall» halten wir noch bei einer Boutique, in der Gesa mit «Gnädige Frau» angesprochen wird, um mir hurtig ein schlichtes Sommerkleid zu kaufen. Kann ja schlecht in Bikini und Wickelrock mein Gourmetmenü zu mir nehmen. «Wir nehmen was in Schwarz, das macht schlank», ordnet Gesa wenig schmeichelhaft an. Während der Fahrt fühlt sie sich durch meine Nachdenklichkeit nicht darin gestört, gut gelaunt vor sich hin zu plappern.

«Schätzchen, ich freue mich so für dich. Das wird ein wunderbares Erlebnis werden, das sage ich dir. Das ‹Mardavall› soll großartig sein. Du musst aber unbedingt darauf bestehen, dass Udo dir persönlich die Haare schneidet. Wenn du willst, rufe ich vorher nochmal bei ihm an. Als ich noch in Berlin wohnte, habe ich keinen anderen an mein Haar gelassen. Auf die Pediküre kannst du ja jetzt verzichten. Frag stattdessen, ob sie ein Kaviar-Treatment im Programm haben. Super Sache. Deine Haut fühlt sich danach an, als sei sie zwanzig Jahre später auf die Welt gekommen als der Rest deines Körpers. Thalasso solltest du auch probieren, wenn du schon mal da bist. Das strafft das Gewebe. Und lass dir bloß ein Zimmer mit Meerblick geben. Nur weil du umsonst wohnst, dürfen sie dich nicht schlecht behandeln. Wenn sie dir arrogant kommen, sagst du einfach, du möchtest doch lieber selber zahlen. Dann werden die Augen machen. Ha, dein neuer Freund wird dich nicht wiedererkennen …»

«Gesa, das ist nicht mein …»

«Ich sage immer: Nichts bringt mehr Abwechslung ins Bett als ein neuer Mann oder eine neue Frisur. Na, und du, Schätzchen, du hast gleich beides! Hab viel Spaß, Belle, bis morgen.»

Bevor ich das «Mardavall» betrete, nehme ich mir fest vor, hier, in entspannter und eleganter Atmosphäre, all meine Probleme zu lösen. Doch bereits in der Eingangshalle, die sich wie eine Kathedrale über mir wölbt, fühle ich mich wie eine Bakterie auf einem Objektträger.

Der Hoteldirektor hatte mich um Punkt vierzehn Uhr auf der Terrasse des Restaurants begrüßt. Übrigens ein immens vornehmer Mann, der mich nach dem einleitenden Händedruck keines Blickes würdigte. Es mag daran gelegen haben, dass ich meine tropfnassen Badesachen – schließlich hatte ich noch vor gut einer Stunde in Gesas Pool geschwommen – in einer undichten Plastiktüte bei mir trug. Vielleicht hatte er aber auch Angst, ein zu intensiver Augenkontakt könne in ihm unkontrollierbare erotische Gefühle hervorrufen. Man weiß es ja nie so genau. Eine beflissene Assistentin führte mich anschließend durchs Haus. Am meisten beeindruckte mich die Präsidenten-Suite. Genau genommen die Bettdecke auf

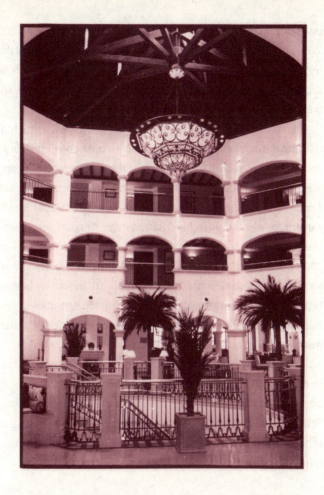

dem Bett der Präsidenten-Suite. Gut, der Whirlpool auf der Panoramaterrasse, der Fernseher über der Marmorbadewanne, die Sauna, der Butlerservice – alles ganz nett. Aber nichts gegen die, wie wir Kenner sagen, Eiderdaunen-Duvets.

Das sind Decken aus den Daunen der isländischen Eiderente, zu der ich mich sofort hingezogen fühlte. Es handelt sich nämlich um ein sehr modern denkendes Tier. Weil die Eiderente mehr Wert auf Freizeit als aufs Brüten legt, rupft sie sich selbst ein paar Daunen aus, packt sie auf die Eier und schaut nur zweimal am Tag nach, ob alles so weit in Ordnung ist.

«Im Grunde also wie eine berufstätige Mutter», sagte ich und fand mich sehr lustig und geistreich. Diesen Eindruck schien die Assistentin nicht zu teilen. Sie verzog keine Miene und berichtete weiter aus dem unkonventionellen Leben der Eiderente. Wenn die Küken geschlüpft sind, sammeln die isländischen Bauern die herumfliegenden Daunen auf und machen Decken daraus, die dann für 2500 Euro pro Stück verkauft werden. Diese Decken sind so fein und federleicht, dass sie mich an meine unbefestigten Haare erinnerten. Vielleicht wären Annabel-Leonhard-Echthaar-Plumeaus ja eine schöne Möglichkeit für mich, ein Vermögen zu verdienen.

Nach der Führung standen zwei Stunden Freizeit auf dem Programm, die ich zum Nachdenken über meine Probleme und zur Vertiefung meiner Bräune nutzen wollte. Schließlich hielt ich es immer noch nicht für ausgeschlossen, dass es zum Sex mit Robin kommen könnte. Ich wollte für alle Eventualitäten vorbereitet sein.

Kaum lag ich am Pool, kam ich dann auch gleich sehr schön zum Nachdenken. Zum Beispiel über die Frage, warum die makellosesten und zwanzigjährigsten Mädchen sich immer ausgerechnet neben mich legen müssen.

Ich meine, es gibt auf dieser Insel so schöne einsame Buchten, die man hervorragend umzäunen und als Sperrgebiet für makellose Körper einrichten könnte. Da würden sie niemanden stören und normal bis üppig gebauten Frauen nicht die Laune und die Chance auf eine Männerbekanntschaft verderben. Ich frage mich manchmal, wie diese bildschönen Geschöpfe sich wohl benehmen, wenn sie unter sich sind? Wenn niemand da ist, von dem sie sich durch Schönheit unterscheiden können? In Wahrheit werden diese Frauen nämlich erst dadurch schön, dass sie sich am Pool neben eine wie mich legen können. Und? Wird mir die entsprechende Dankbarkeit entgegengebracht? Natürlich nicht! Diese dünnen Frauchen müssen sich in meiner Umgebung in etwa so großartig, überlegen und perfekt fühlen wie ich, als ich vergangenen Monat beim Joggen eine therapeutische Walking-Gruppe für Fettleibige überholt habe. Ein großer Tag für mich. Beim Joggen überhole ich sonst nie jemanden.

Unwillig versuchte ich, auch die entlegensten Stellen meines Rückens einzucremen. Diese absolut entwürdigenden Verrenkungen, die man machen muss, wenn man als Alleinreisende rundum vor der Sonne geschützt sein will. Eine junge Mutter musterte mich mitleidig von der anderen Seite des Beckens. Hielt sich offensichtlich für was Besseres, bloß weil sich ihr Gemahl irgendwann die Zeit genommen hat, ihr drei Kinder zu machen. Wahrscheinlich jedesmal zwischen zwei wichtigen Telefonaten, denn während er schmerbäuchig auf der Liege neben ihr lag, schimpfte er ununterbrochen in sein Handy hinein.

Ich begann, mich zu schämen. Nicht nur, dass ich keine Kinder hatte. Die Mutter da drüben hatte anscheinend auch tagein, tagaus nichts anderes zu tun, als sich in Form zu halten und ihre Bauchmuskeln zu trainieren. Man

107

könnte denken, ich hätte ihre Kinder bekommen. Und dann begann das makellose Mädchen neben mir auch noch, sich über und über mit Tiroler Nussöl einzureiben. Sie roch wie ein angebissenes Bounty, glänzte wie ein mit Honig glasiertes Hühnchen und kämmte dann zu allem Überfluss auch noch ihr langes, dunkles, nasses Haar. Es wunderte mich nicht, dass keiner der Kellner auf meine Winkzeichen reagierte, als ich ein Wasser ohne Kohlensäure bestellen wollte.

«Soll ich dir was von der Bar mitbringen? Mich nimmt hier auch keiner wahr. Muss wohl an meinen echten Brüsten liegen.»

Ich blinzelte überrascht zu einer freundlich aussehenden Frau hoch und nickte dankbar. Als sie mit den Getränken zurückkam – sie hatte sympathischerweise gleich noch zwei Gläser Sekt mitgebracht –, zogen wir auf eine Doppelliege um, mit Blick auf eine ausladende alte Engländerin.

«Ich bin Annabel. Auf unseren guten Charakter.»

«Und auf die wenigen Männer, die heutzutage noch auf so was stehen. Ich heiße Cora.»

Es ist ein eigenartiges Phänomen, dass man manchmal zu Fremden viel offener ist als zu altvertrauten Freunden. Für mich gilt das allerdings nicht. Ich bin grundsätzlich sehr offen und diskutiere meine Probleme gern im größeren Kreis. Wenn man allerdings auf dem besten Wege ist, seinen untadeligen Freund zu betrügen, dann sollte man die Angelegenheit vielleicht eine Spur diskreter behandeln. Deswegen bin ich heilfroh, dass das Schicksal mir so unverhofft diese Seelenverwandte geschickt hat. Eine sehr sympathische Frau, die gleich mehrere Vorteile hat:

Sie ist unglaubliche fünfunddreißig Jahre alt, ist mit gesundem Appetit, angenehmem Humor und widerspenstigem Haar gesegnet.

Es wurde ein sehr lustiger Nachmittag, und ich war schon ganz schön angeheitert, als wir zusammen Richtung Wellnessbereich schlingerten, wo auf meine neue Freundin eine Anti-Falten-Behandlung wartete. Eine Pediküre hatte sie entschieden abgelehnt. Ihre Füße seien ihre Privatsache und ihre schlimmste Problemzone, und wenn es nicht so einen schlechten Eindruck machte, dann behielte sie am liebsten auch beim Sex ein Paar extrem blickdichter Socken an. Außerdem würde sie, nachdem man ihr die Hornhaut entfernt hätte, mindestens drei Zentimeter kleiner sein, und sie hätte schließlich keine Lust, ihren Body-Mass-Index neu auszurechnen. Ich hatte vollstes Verständnis dafür und freute mich auf eine entschlackende Thalasso-Packung mit anschließender Kaviar-Gesichtsbehandlung.

Es gibt Momente im Leben einer Frau, die sind derartig existenziell, dass sie sich schlagartig auf das Wesentliche ihres Daseins zurückgeworfen fühlt. Die Geburt eines Kindes mag dazugehören, vielleicht auch die kirchliche Trauung. Was aber mit Sicherheit dazugehört, ist der Moment, in dem du in einem mehr als entstellenden Einweg-Unterhöschen aus Papier vor einer gertenschlanken Kosmetikerin stehst, die deinen Körper mustert und daraufhin ein Problemzonen-Sprudelbad vorschlägt. Selbstverständlich ein Ganzkörperbad. Und wenn sie anschließend, während sie deine Oberschenkel mit Schlick einreibt, sagt: «Entspannen Sie sich, ich habe schon viel Schlimmeres gesehen», da fühlst du dich irgendwie auch nicht besser.

Erst während der Gesichtsbehandlung mit schwarz-silbern schimmernden Kaviarkügelchen gelang es mir, gedanklich lockerzulassen. Ich dachte an meine Begegnung mit Cora Hübsch. Sie war freie Fotografin und sollte das «Mardavall» für eine Wellness-Geschichte fotografieren. Die Textredakteurin sollte am Abend eintreffen. Cora war seit dreieinhalb Jahren mit ihrem Freund Daniel zusammen, einem Arzt, den sie bei irgendeiner Preisverleihung über den Haufen gerannt hatte. Eine lustige und romantische Geschichte. Cora war lange genug mit ihrem Freund zusammen, um mir eine verständnisvolle Gesprächspartnerin in Sachen Routine, Langeweile und Abenteuerlust zu sein.

«Natürlich kenne ich das!», rief sie erfreut, als ich sie vorsichtig darauf ansprach. «Das sind diese Momente, wo dir in der Drogerie eine innere Stimme zuflüstert: ‹Bring Farbe in dein Leben – nimm die Tönung›.»

Ich nickte dankbar. Ja, diese Frau wusste, wovon ich sprach.

«Und? Hast du die Tönung genommen?»

«Na ja, du weißt ja selber, wie schnell sich das Zeug rauswäscht. Aber über kleinere Anfälle von Abenteuerlust kann einem das ganz gut hinweghelfen. Vor einem halben Jahr habe ich eine meiner harmloseren Krisen mit Aubergine von L'Oréal überwunden. Hast du's damit schon probiert?»

«Das reicht bei mir nicht mehr.»

«Sexspielzeug? Intimrasur? Nasenkorrektur? Kurzurlaub? Es gibt noch eine Menge mehr auszuprobieren.»

«Im Kurzurlaub bin ich gerade.»

Das beschämende Erlebnis im Sex-Shop und das niederschmetternde Wochenende im Romantik-Hotel erwähnte ich nicht.

Cora schwieg nachdenklich und betrachtete dabei angewidert ihre Füße.

«Weißt du, wenn alles nichts hilft, dann musst du deinen Freund entweder betrügen oder heiraten. Das bringt Schwung in jede Beziehung, das kann ich dir garantieren. Bei mir hat es jedenfalls sehr gut funktioniert.»

«Du hast ...?»

«Ich bin seit einem halben Jahr eine verheiratete Frau.»

Das musste ich nun erst mal verdauen. Meiner Erfahrung nach heiraten Männer nur dann, wenn sich ein Kind ankündigt, sie ein wahnsinnig schlechtes Gewissen haben oder einfach nur wollen, dass ihre Alte endlich mit der elenden Jammerei aufhört.

«Ganz einfache Taktik. Nachdem ich ein Jahr lang regelmäßig rumkrakeelt hatte, ich wolle jetzt mal endlich geheiratet werden, beschloss ich, einfach nicht mehr davon anzufangen. Das hat Daniel so verunsichert, dass er mir nach sechs Monaten von sich aus einen Antrag gemacht hat. Nach dem Schema kann man übrigens fast immer vorgehen, wenn man was will. Erst machst du klar, dass du es willst, und gehst ihm damit auf den Wecker. Dann schweigst du plötzlich zu dem Thema. Das musst du unter Umständen eine ganze Weile lang aushalten können. Irgendwann wird er dann ganz von selbst mit dem Gewünschten ankommen. Männer mögen es nicht, wenn man sie zu etwas drängt. Du musst ihnen die Möglichkeit geben, sich einzureden, sie selbst hätten die Initiative ergriffen. Nimm zum Beispiel die Redakteurin, die nachher kommt. Die ist wahnsinnig verliebt in einen Kollegen und denkt sich ständig die abstrusesten Vorwände aus, um ihn anzusprechen. Dem Typen muss mittlerweile völlig klar sein, was sie wirklich von ihm will. Das ist der Zeitpunkt zum geplanten Rückzug. Wenn sie jetzt eine Weile lang Ruhe gibt, wird er angekrochen kommen. Jede Wette.»

Darüber musste ich erst mal nachdenken. Ich halte zwar sehr viel von Taktik, bin aber leider selten in der Lage, sie anzuwenden. Mir mangelt es an Geduld. Ich werfe Benni zum Beispiel immer wieder gerne vor, dass er mir so selten Fragen stellt. Er sagt darauf regelmäßig: «Bevor ich auch nur eine einzige Frage stellen kann, hast du mir doch schon alles erzählt.»

Damit hat er Recht. Was ich ihm gegenüber nie zugeben würde. Also nehme ich mir mindestens einmal in der Woche vor, total verschwiegen zu sein und Ben nicht zu erzählen, dass ich am Morgen beim Joggen von einem sehr gut aussehenden Italiener angesprochen wurde, der leider kein Wort Deutsch konnte. Es wirkt ja auch viel bedeutsamer, wenn man so was nicht sofort ausplaudert, sondern erst so nach und nach preisgibt. Ja, in der Theorie bin ich damit vertraut, aber wenn sich der Schlüssel im Schloss dreht, höre ich mich zu meinem eigenen Entsetzen schon rufen: «Duuhuuu, Beeheniii, rat mal, was mir heute Morgen passiert ist!?»

Und dann plaudere ich munter auf ihn ein. Wenn ich ihn nach Stunden dann frage, wie sein Tag war, und ich mühsam aus ihm rauskitzeln muss, dass seine spezielle Freundin Sonja von der Zeitschrift «Laura» mal wieder ganz bitterlich in Not war, weil zu blöde, ihren Computer ans Stromnetz anzuschließen, bin ich natürlich stinkend sauer. Und zwar mehrere Tage lang.

«Ich weiß nicht, Cora, ich bin irgendwie kein Taktik-Typ.»

«Meinst du etwa ich? Die Sache mit dem Heiraten habe ich nur hingekriegt, weil meine beste Freundin Jo mir jeden Tag aufs Neue verboten hat, mit Daniel darüber zu sprechen.»

So eine Freundin bräuchte ich auch, denn Mona und ich ergänzen uns nicht gut, was Disziplin angeht. Wir haben beide keine. Zwar verbringen wir ganze Abende damit, uns bestimmte Verhaltensweisen vorzunehmen, aber bei der praktischen Ausführung hapert es meist. Mona wollte sich zum Beispiel ihrem letzten Freund gegenüber als nachsichtige, nicht leicht aus der Fassung zu bringende Lebensgefährtin positionieren:

«Wenn ich heute Abend nach Hause komme, werde ich ausgeglichen und freundlich sein, werde Martin in den Arm nehmen und mit keinem Wort ansprechen, wie supersauer ich bin, dass er es in drei Jahren nicht geschafft hat, das Gefrierfach zu reparieren», nahm sie sich häufiger mal vor. Eigentlich immer dann, wenn sie vergessen hatte, den Wein kalt zu stellen, und ihm dann Vorwürfe machte, weil keine Eiswürfel da seien. Wenn wir dann am nächsten Morgen telefonierten, sagte Mona meistens so was wie: «Gerade als ich über meinen Schatten springen wollte, merkte ich, dass er viel größer ist, als ich ihn in Erinnerung hatte.»

«Sag mal, Cora, dann bist du ja jetzt Arztgattin. Das klingt fast so toll wie Kronprinzessin.»

«Ach, so toll ist es nun auch wieder nicht. Daniel hat gerade seinen Facharzt für Chirurgie gemacht. Jetzt operiert er ständig irgendwelche Kumpels bei uns in der Küche. Er kann einfach nicht nein sagen. Ganz ehrlich, das ist ziemlich fies, wenn du gerade die Putenfilets schnetzelst und siehst, wie jemandem bei örtlicher Betäubung ein pfannkuchengroßes Muttermal am Rücken entfernt wird. So hat alles seine Vor- und Nachteile.»

Ich nickte mitfühlend. Unter dem Aspekt hatte ich die Ehe mit einem Arzt natürlich noch nie betrachtet.

«Und, hast du Daniel denn schon mal betrogen?»

Ich fand, dass wir ein Stadium von Vertrautheit erreicht hatten, das diese Frage geradezu nahe legte.

«Nun ja, ehrlich gesagt, einmal. Aber ich war ziemlich betrunken und habe trotzdem darauf bestanden, dass er ein Kondom benutzt. Ich finde, das zählt dann irgendwie nicht, oder?» Eine Logik, die ich einigermaßen holperig fand. Aber ich widersprach nicht, um die knospende Freundschaft nicht zu gefährden.

«Ich habe vorgestern jemanden geküsst, gestern hat er am Strand für mich gesungen, und heute fühle ich mich schon so elend, als hätte ich mit dem besten Freund meines Freundes Zwillinge gezeugt.»

«Spinnst du!? Du hast rumgeknutscht? Gesungen am Strand? Das ist ja wie im Film! Das sagst du mir erst jetzt? Wie toll! Mit wem? Wie sieht er aus? Wie hast du ihn kennen gelernt? Bist du verliebt? Wird es zum Äußersten kommen?»

Ich setzte gerade zu einer detaillierten Antwort an, als wir feststellten, dass wir zu spät zur Wellness kommen würden. Ich musste Cora versprechen, ihr beim Abendessen alles haarklein zu erzählen. Sie war so gespannt auf meine Knutsch-Geschichte, dass sie meinte, jetzt hätte ich ihr die Entspannung während der Anti-Falten-Behandlung verdorben. Ein Kompliment dieser Güteklasse bekommt man selten. Aber ganz unverdient fand ich es nicht.

Während die Kosmetikerin das Problemzonen-Bad bereitete, ließ ich mir ein Telefon geben, um meine Verabredung mit Robin abzusagen.

«Ach, du bist im ‹Mardavall›? Nette Idee.»

Klar, dass er wieder dachte, ich hätte das erfunden, um mich interessant zu machen.

«Ich habe den Aufenthalt bei einer Verlosung gewonnen.»

«Und wann hast du vor, mich mal wieder zu sehen? Eigentlich möchte ich unter keinem Sternenhimmel mehr ohne dich sein. Ich überlege sogar, mir eine CD von Whitney Houston zu kaufen.»

Ooooh, wie entzückend! Ich schmolz dahin, sah aber gleichzeitig, wie meine Kosmetikerin mir Zeichen gab. Das Problemzonensprudelbad war bereit.

«Wollen wir uns morgen sehen?»

«Gerne. Da du ja angeblich im ‹Mardavall› bist, könnte ich dich mit der ‹Harmony› in Portals Nous abholen. Das ist ein Yachthafen, der nur einen halben Kilometer von deinem Hotel entfernt liegt. Sagen wir um zwei?»

«Okay.»

«Ich werde dir die einsamste und romantischste Bucht Mallorcas zeigen. Ich kann es kaum erwarten.»

«Halt durch. Bis morgen.»

Und dann tauchte ich ab ins gewebestraffende Sprudelbad.

«Darf ich fragen, welche Pflegeserie Sie benutzen?»

Ich stehe in einen apricotfarbenen Bademantel gehüllt am Empfang des Wellnessbereiches. Meine Gesichtshaut strahlt kaviarverwöhnt, und meine Oberschenkel sind so glatt und weich, dass ich immer wieder verstohlen eine Hand unter den Bademantel schiebe, um mich zu überzeugen, dass es sich wirklich um zu mir gehörige Körperteile handelt. Eigentlich wollte ich nur kurz den Behandlungszettel unterschreiben und mir dann den Spa-Bereich ansehen. Meine Kosmetikerin hatte gesagt, dass ein anschließendes Dampfbad die Wirkung der Produkte noch verstärke, und so was muss man mir nicht zweimal sagen. Da bin ich die Erste in der Schwitzkiste. Aber die Frage nach meiner Pflegeserie trifft mich unvorbereitet und berührt einen wunden Punkt.

Beschämt denke ich an die unzähligen, nicht zueinander passenden Töpfchen und Tiegelchen in meinem Bad. Sie sind ein Mahnmal meiner Willenlosigkeit und Manipulierbarkeit. Ich benutze ein Produkt immer genau so lange, bis mir irgendjemand sagt, dass es etwas Besseres gibt. Bis ich das Wellnesshotel besuchte, in dem Monas Bruder arbeitet, war ich mit meiner Haut eigentlich immer recht zufrieden gewesen. Mein Sorgenkind, ich erwähnte es bereits, war eigentlich eher mein Haar. Ein fataler Irrtum, wie sich herausstellte. Ich hatte mich nämlich leichtsinnigerweise auf eine Hautanalyse eingelassen, mit deren Ergebnis die «Shiseido»-Kosmetikerin überhaupt nicht zufrieden war. Sie schrieb mir mit besorgtem Gesicht eine lange Liste, welche Produkte ich wann zu benutzen hätte, um weitere gravierende und irreparable Schädigungen meiner Haut zu verhindern. Natürlich kaufte ich die komplette Produktpalette noch vor Ort und verließ das Hotel mit dem Gefühl, einem schlimmem Schicksal entronnen zu sein. Und ich versuchte einstweilen zu verdrängen, dass ich dafür meinen Dispokredit bis ans Limit ausgeschöpft hatte.

Zwei Monate später, ich hatte meine Pflegeserie gerade um «Shiseido»-Augenpads und eine regenerierende Maske im Wert von achtzig Pfund frischen Himbeeren erweitert, berichtete meine Freundin Steffi leider Neues vom Kosmetikmarkt. Sie habe ein Rundum-Verwöhn-Programm von «Clarins» mitgemacht, und das sei nun überhaupt das einzig Wahre. Sie habe ihr Badezimmer komplett ausgeräumt und ausschließlich mit «Clarins» neu eingerichtet. Dazu muss man sagen, dass Steffi durchaus über die finanziellen Mittel verfügt, ihre Kosmetiklinien zu wechseln wie eine Nymphomanin ihre Sexualpartner. Ich hingegen musste mir was von Ben leihen, um meine kosmetische Grundversorgung umzustellen. Ich behauptete ihm gegenüber, dass ich auf bestimmte Wirkstoffe der «Shiseido»-Produkte allergisch reagiere. «Nimm doch ‹Nivea›. Damit kannst du nichts falsch machen», meinte der Schlaumeier mich daraufhin belehren zu müssen.

Kaum hatte ich ihm meine Schulden zurückgezahlt, erzählte mir Mona von einem Bericht in «Stiftung Warentest». Das Einzige, was der Haut auf Dauer gut täte und den natürlichen Alterungsprozess nachhaltig verzögere, sei Naturkosmetik aus dem Reformhaus. Seither benutze ich «Weleda» und kaufe mein vitalisierendes Rosenblütengesichtsöl im selben Geschäft wie mein Knuspermüsli. Das allerdings erst seit einem Monat, und vergangene Woche habe ich mir eine Nachtlotion von «Lancôme» gekauft, weil die so gut roch, und auch die «Biotherm»-Werbung für die neue Oliven-Creme hat mich irgendwie total neugierig gemacht.

«Aufgrund meiner empfindlichen Haut bin ich auf Naturkosmetik umgestiegen», sage ich tapfer zur Kosmetikerin des «Mardavall» und versuche dabei möglichst selbstbewusst und gut informiert zu klingen.

«Ja, ja, die haben eine starke Lobby. Ich möchte Ihnen trotzdem diesen Prospekt mitgeben. Ich denke, die Lektüre sind Sie sich und Ihrer Haut schuldig. Das ‹Age-Management-System› von ‹La Prairie› sollte Sie interessieren. Und ‹Eye-Repair›, ‹Body-Booster› und der ‹Stimulus-Complex› könnten bei Ihnen Schlimmeres verhindern.»

Ich sehe mich mein Auto verkaufen, um mir wenigstens die Augenreparatur leisten zu können. Im Katalog sind die Preise selbstverständlich nicht angegeben. Bei «La Prairie» gibt es den Kaufpreis nur auf Anfrage, so wie bei hochwertigen Immobilien und bei Rotweinen, die extra aus dem Keller hochgeholt werden müssen.

«Annabel, ich bin's, Cora Hübsch. Um Jahrzehnte verjüngt!»

Bin ich froh, dass Coras Erscheinen dem belastenden Gespräch ein Ende setzt. Ich schlage ihr vor, so schnell wie möglich ein Dampfbad zu nehmen. Dort erholen wir uns von der Entspannung, milde belächelt von einer Pharaonenbüste, die den Eingang zu den Erlebnisduschen bewacht.

Später sitzen Cora und ich im Abendlicht bei Cocktails und Oliven auf der Hotelterrasse.

«Was meinst du, was ich tun soll?»

«Bist du verliebt in diesen Robin?»

«Ich kenne ihn ja kaum. Außer seinem Namen weiß ich so gut wie nichts über ihn. Weißt du, Robin ist wie ein Versprechen, dass das Leben auch nochmal ganz anders sein könnte. Nach einem Kuss kann man ja wirklich noch nicht von ernsthaften Absichten sprechen. Es geht um die Vorstellung, mit einem Mann nochmal ganz neu anzufangen.»

«Um nach viereinhalb Jahren genau wieder da anzukommen, wo du jetzt bist? Ich weiß nicht.»

«Du rätst mir also ab?»

Ich versuche, nicht allzu gekränkt zu klingen. Ich kann normalerweise recht gut mit Kritik umgehen. Vorausgesetzt, es handelt sich um positive.

«Was nervt dich denn so sehr an deinem Freund? Dass

du ihn schon so lange kennst, ist schließlich nicht sein Fehler.»

«Ich habe Angst, dass ich gerade ein Leben verpasse, das mir besser gefallen würde. Vielleicht ist er nur die zweite Wahl? Vielleicht bin ich zu bequem und feige und viel zu gut eingelebt in meinem Leben, um mich zu trauen, was Neues und Besseres zu probieren?»

«Neu heißt nicht automatisch besser. Aber ich weiß genau, was du meinst. Meine Freundin Jo ist gerade frisch verliebt. Meinst du, das macht mich nicht nervös? Die hat viermal am Tag Sex! An so was kann ich mich nicht einmal mehr erinnern! Aber ich habe mich entschieden: Ich will Liebe in meinem Leben haben. Und die hat nach einiger Zeit nichts mehr mit wilder Leidenschaft zu tun. Das ist leider so. Liebe ist ewig, Lust nicht. Du kannst nicht beides haben. Und egal, wie du dich entscheidest, du wirst immer wieder das Gefühl haben, was zu verpassen.»

«Das klingt so schrecklich abgeklärt. Daran will ich nicht glauben.»

«Du machst dir was vor. Ich finde es völlig in Ordnung, wenn du mit diesem Robin rumflirtest oder von mir aus auch mit ihm schläfst. Was deinem Selbstbewusstsein gut tut, tut ja auch deiner Beziehung gut. So habe ich nach meinem Seitensprung versucht, mir mein schlechtes Gewissen klein zu reden. Aber geht es dir wirklich um den tollen Robin mit seiner Superyacht, der in dir irgendwelche Klein-Mädchen-Phantasien wachrüttelt?»

Am schlimmsten sind ja die Leute, die Recht haben. Über die ärgert man sich am meisten, weil man sich irgendwie so ertappt fühlt. Ich versuche, mich auf das Olivenstückchen zu konzentrieren, das es sich zwischen meinen Backenzähnen bequem gemacht hat. Leider habe ich so riesige Taschen zwischen meinen Zähnen. Sollte eine Hungersnot ausbrechen, könnte ich dank der Speisereste in meinem Mund spielend ein Jahr lang überleben.

«Bist du jetzt beleidigt?»

Cora schaut mich freundlich an, und ich denke, dass sie ja nichts dafür kann, dass sie Recht hat.

«Ach, na ja, vielleicht ein bisschen.»

«Weißt du, wenn ich dich schon lange kennen würde, wäre ich bestimmt nicht so offen. Aber ich finde, dass man Kritik von Fremden meist besser erträgt als von engen Freunden. Ganz zu schweigen vom eigenen Freund. Ich weiß nicht, wie es dir geht, aber Kritik von dem, den ich liebe, lehne ich grundsätzlich ab.»

«Ich auch.»

«In deinem Fall geht es nur um eines: Liebst du deinen Freund noch oder nicht? Und wenn du ihn liebst, dann solltest du ihn nicht verlassen, bloß weil es dir gerade mal ein bisschen langweilig geworden ist. Wenn du das tust, langweilst du dich womöglich in vier Jahren mit dem falschen Mann. Und das wäre die wirkliche Katastrophe. Also: Liebst du ihn noch?»

Na, so macht das ja überhaupt keinen Spaß. Was ist denn das für eine Frage? Natürlich liebe ich meinen Benni noch. Aber das wird man doch wohl noch für eine Weile verdrängen dürfen. Wie soll man denn sonst eine Krise schöpferisch gestalten und ordentlich genießen? Liebe ist ein Totschlagargument. Ben benutzt es auch manchmal, wenn er keine Lust hat zu streiten. Das ist unfair und egoistisch. Wenn ich mich gerade so richtig schön in Rage geschimpft habe, sagt er mit gespielter Zerknirschung:

«Aber, Belle, vergiss nicht, wir hatten auch schöne Zeiten.»
Und dann muss ich lachen und aufhören zu streiten, obwohl ich eigentlich weiterstreiten will und im Grunde ja auch noch sauer bin. Ein blödes Gefühl. Wie wenn man Schluckauf hat und erschreckt wird. Dann bleiben die restlichen Schluckäufe drinnen, und das ist irgendwie auch nicht angenehm.

Ich entschließe mich, etwas Bedeutsames zu sagen.

«Ich bin mir nicht mehr sicher, ob ich ihn noch liebe.»

Und genau in diesem Moment schlägt mein Leben einen Purzelbaum mit anschließendem dreifachem Handstand-Überschlag. Ich bin wie gelähmt und kann nur hoffen, dass ich einigermaßen unbeschädigt aus diesem Chaos rauskomme.

«Juhuuuu! Cora! Was trinkst du da? Hauptsache, du hast mir noch was übrig gelassen!»

Eine sehr große Frau kommt auf uns zu, breitet die Arme aus und küsst Cora auf beide Wangen.

«Mensch, du bist erst einen Tag hier und schon kackbraun. Hast du das Wellness-Zentrum schon fotografiert? Und die Wasserbetten im Ruheraum? Ach, ist ja auch egal. Ich habe dir was Irres zu erzählen!»

Fasziniert folge ich dem Auftritt von Coras Kollegin. Diese Frau sieht aus, als hätte sie in ihrem Leben noch keine Kalorie verzehrt. Alles an ihr ist lang, schlank und schön: ihre Arme in der ärmellosen Bluse, ihr Hals, ihre Finger. Der Wahnsinn sind ihre Beine. In etwa sechsmal so lang wie meine und kaum verdeckt von einem Minijeansrock. Sie hat Kniekehlen, für die ich morden würde.

Ich kenne eigentlich keine Frauen mit schönen Kniekehlen. Auf diese Problemzone wird meines Erachtens in Frauenzeitschriften viel zu wenig eingegangen. Meine sind fleischig, da gibt es nichts zu deuten. Und wenn man es nicht aus dem Biologieunterricht wüsste, käme man nicht auf die Idee, dass unter diesem Fettgewebe irgendwo noch ein paar Knochen verborgen sind. Ihre Kniekehlen dagegen sind knochig wie die von dünnen Kindern, und auch ihre Knie sehen – Glück für sie, Pech für mich – ganz anders aus als meine. Nicht so knubbelig wie entartete Geschwüre, sondern perfekt geformt. Ihre Haare sind natürlich auch ein Gottesgeschenk, lang, dunkelblond, und sie glänzen wie verrückt. Sogar ihre Füße sind schön, kein Hammerzeh in Sicht, perfekt gefeilte Nägel, und in den schwarzen, paillettenbesetzten Sandalen kommen auch ihre makellosen Fersen gut zur Geltung. Ich frage mich, wie es wohl ist, wenn man so schön ist?

Nachdem sie Cora ausgiebig geherzt hat, dreht sich dieses unglaubliche Geschöpf zu mir um, reicht mir die Hand, strahlt mich an, und ich sehe beklommen, dass sie eine kleine Zahnlücke hat. Es steht zu befürchten, dass es gerade dieser winzige Makel ist, der sie für jeden Mann zu genau der Frau macht, für die er sofort seine Familie, sein Land, seinen Planeten verlassen würde. Diese Zahnlücke macht aus ihr einen Menschen, macht sie unperfekt, verletzlich, anrührend. Deswegen ist Claudia Schiffer ja auch nicht wirklich schön. Die ist zu perfekt. Julia Roberts hingegen ist toll, denn sie hat einen Mund wie ein Müllschlucker.

Aber diese Frau hier möchte ich nicht zu meiner besten Freundin haben. Eine Zeit lang habe ich tatsächlich erwogen, mich nur noch mit Frauen ab einer bestimmten Kleidergröße anzufreunden. Warum sich quälen und ausgehen mit Freundinnen, neben denen man sich vorkommt wie ein Traktor? Gerade jetzt, wo ich doch ein wenig zugenommen habe, müsste ich ja praktisch meinen kompletten Bekanntenkreis austauschen. Und das will ich dann doch nicht. Zumal ich immer noch darauf hoffe, dass sich mein Gewicht eines Tages freiwillig normalisiert.

Jedenfalls blicke ich einigermaßen reserviert in die sich vor mir auftuende Zahnlücke.

«Hallo! Ich heiße Sonja und bin Beauty-Redakteurin bei der ‹Laura›.»

«Ich bin Annabel, und ich muss mal ganz dringend auf Toilette.»

Das ist doch schlicht und einfach nicht zu glauben. Ich sitze wie erstarrt auf dem Klodeckel und versuche, meine Situation zu erfassen. Das da draußen ist ganz zweifellos die Sonja, die sich seit zwei Monaten mit billigsten Bestechungsmanövern an meinen Freund ranmacht. Die Sonja, die meinem Ben Rasierwasser-Proben und After-Shave-Lotionen und Hautstraffungscremes aufdrängt. Die Sonja, die ich manchmal scherzhaft und durchaus abwertend gemeint Bennis feuchte Falten-Fachfrau genannt habe. Die Sonja, von der der gute Benedikt Cramer dreist behauptet, sie sähe nicht besonders gut aus. Genauso gut hätte er sagen können, George Clooney sei ein Typ wie jeder andere.

Aber natürlich hat mein lieber Ben nicht damit rechnen können, dass ich dieser nicht besonders gut aussehenden Frau, die ja angeblich überhaupt nicht scharf auf ihn ist, mal persönlich über den Weg laufe. Was hatte Cora mir erzählt? Sonja sei wahnsinnig verliebt und würde sich ständig Vorwände ausdenken, um den Typ anzusprechen. Dem Mann müsse längst völlig klar sein, dass sie ihn haben will.

Und dieser Typ, das ist doch wirklich unglaublich, ist mein Typ! Mein Benni in den Fängen dieser ... dieser unterernährten, mannstollen Kosmetikschlampe, die nicht einen einzigen geraden Zahn im Maul hat! Wie kommt der Kerl dazu, mir nichts davon zu erzählen? Wenn sich ein Multimillionär in mich verlieben würde, der ganz nebenbei auch noch so aussieht wie der junge Gregory Peck, würde ich das Ben sofort erzählen. Das macht doch irre was her! Damit kann man doch Eindruck schinden, den Partner eifersüchtig und darauf aufmerksam machen, dass man eine von A-Klasse-Männern begehrte A-Klasse-Frau ist. Niemals würde ich mir so eine Gelegenheit entgehen lassen! Und was tut mein Benni? Typisch. Hält den Ball flach. Spielt die ganze Sache runter. Entweder will er vermeiden, dass ich mich aufrege – oder er hat wirklich was zu verbergen.

Mir gefriert das Blut in den Adern. Was, wenn er sich in Sonja verliebt hat? Was, wenn er gerade bei ihr einzieht, während ich noch glaube, es handelt sich hier einzig und allein um meine ganz persönliche Krise, die ich jederzeit beenden kann? Was, wenn ich von Abenteuern träume, die er gerade erlebt? Was, wenn ich mich verrucht finde, weil ich Robin geküsst habe, während mein Freund im Bett mit Sonja eine Akrobatik betreibt, von der er mit mir nur träumen kann? Und mir hat er immer gesagt, er möge so superschlanke Frauen gar nicht besonders. Der Mistkerl! Ich bin am Ende. Was soll ich tun?

Natürlich hatte Cora Recht gehabt. Es geht immer um Liebe. Es geht immer nur um Liebe. Und wenn ich ganz, ganz ehrlich bin, habe ich nie wirklich vorgehabt, Ben zu verlassen. Wenn ich ganz, ganz ehrlich bin, weiß ich genau, dass dieser Mann das Beste ist, was mir je im Leben passiert ist. Wenn ich ganz, ganz ehrlich bin, dann hoffe ich, dass mein Benni mir auch in vierzig Jahren noch Spaghetti Arrabiata kocht und dazu den Tütenparmesan von Mirácoli klaut. Aber wie das manchmal so ist: Ich hatte überhaupt keine Lust gehabt, ganz, ganz ehrlich zu sein. Sonst erlebt man ja nie was im Leben. Aber jetzt, angesichts dieser völlig veränderten Situation, hatte es keinen Sinn mehr, mir weiter vorzumachen, ich sei auf der Suche nach einer neuen Liebe. Jetzt, so wird mir klar, kann ich froh sein, wenn ich meine alte Liebe überhaupt zurückbekomme. Ich erschauere.

Ich kann ja schlecht bis an mein Lebensende auf diesem Klodeckel sitzen bleiben. Besonders bei nicht abgeschlossener Tür. Ich werde da jetzt wieder rausgehen und so tun, als sei alles in bester Ordnung. Einen entscheidenden Vorteil habe ich: Ich weiß, wer Sonja ist, aber sie weiß nicht, wer ich bin. Sie hat keine Ahnung, dass sie mit der Freundin des Mannes am Tisch sitzt, in den sie verliebt ist. Und wenn sie nur halb so offenherzig ist wie ich – und verliebte Frauen sind ja glücklicherweise immer ganz besonders mitteilsam –, wird sie heute Abend etwas über den Stand der Beziehung erzählen. Ich muss nur die Nerven behalten. Und sollte sich herausstellen, dass mein Freund gar nicht mehr mein Freund ist, werde ich auf jeden Fall mit Robin schlafen und mich per SMS von Ben trennen, ehe er sich von mir trennen kann. Immerhin ein kleiner Trost.

Oder auch nicht.

«Probleme sind im Großen und Ganzen Frauensache»

«Wie bitte?»
«Dreihundertfünfzig Euro.»
«Äh, das muss ein Missverständnis sein. Ich habe den Aufenthalt hier gewonnen.»
«Das ist richtig. Aber die Extras müssen Sie selber zahlen. Darauf hat Sie der Veranstalter doch sicher hingewiesen, oder?»
«Welche Extras?»
«Sie hatten das ‹Caviar-Firming-Body-Treatment› und das ‹Thalasso-Mont-Saint-Michel-Mud-Treatment›. Hinzu kommen Erdnüsse und diverse Schokoriegel aus der Minibar sowie die Flasche Champagner, die Sie gestern aufs Zimmer bestellt haben.»

Nun ja, das mit dem Champagner war korrekt. Den hatte ich mir gegönnt, nachdem ich den gestrigen Abend endlich hinter mich gebracht hatte und fand, dass ich noch nicht betrunken genug war. Insgeheim hatte ich allerdings gehofft, dass die Flasche nicht auf der Rechnung erscheinen würde.

«Aber die Schönheitsbehandlungen, die waren doch ...?»
«Nein, im Gratispaket inbegriffen waren Maniküre und Pediküre. Sie haben sich jedoch für das ‹Caviar-Firming-Body-Treatment› und das ‹Thalasso-Mont-Saint-Michel-Mud-Treatment› entschieden.»

«Aber ich dachte, na ja, was macht das nochmal alles zusammen?»

«Dreihundertfünfzig. Ich kann Ihnen die spezifizierte Rechnung gern ausdrucken.»

«Nein danke.»

An der Rezeption hat sich hinter mir eine Schlange von Leuten gebildet, die allesamt so aussehen, als hätten sie wenig Zeit und genug Geld, um ihre Extras zu bezahlen. Die Frau in meinem Rücken trommelt ungeduldig auf ihrer Louis-Vuitton-Handtasche herum. Ihr Kind starrt mich an, als sei ich ein Dinosaurier. Wahrscheinlich hat das Blag noch nie einen Menschen gesehen, für den dreihundertfünfzig Euro viel Geld sind. Um genau zu sein: zu viel Geld. Das Problem ist nämlich: In meinem Portemonnaie befinden sich dreißig Euro, genug, um das Taxi zu bezahlen. Und bargeldlos kann ich nicht mehr zahlen, seit die Tochter meiner Schwester meine Kreditkarte für ein Rubbellos hielt und versuchte, den Magnetstreifen mit einem Küchenmesser zu entfernen.

«Würden Sie bitte einen Moment warten. Ich müsste mal kurz telefonieren.»

«Bitte sehr. Erlauben Sie, dass ich mich derweil um die anderen Herrschaften kümmere.»

Ich versuche, die Rezeption einigermaßen würdevoll zu verlassen – was mir nicht gelingt. Ich habe mir gestern die Nacht mit der Frau um die Ohren geschlagen, die meinen Mann haben will, habe bis zum Morgengrauen heulend Champagner auf meiner Terrasse getrunken und bin vor einer halben Stunde aus dem Salon von Udo Walz gekommen, wo mir der Meister persönlich die Haare gesträhnt und geschnitten hat.

Ich finde, ich sehe jetzt ganz anders aus. Ich glaube, gut. «Frech und sexy», nannte es der Herr Walz. Übrigens ein sehr angenehmer Mensch, der nicht im Geringsten an den Lebens- und Liebesgeschichten seiner Kundinnen interessiert ist. «Wenn mir eine erzählen will, mit wem sie gerade ihren Mann betrügt, dann sag ich immer: ‹Das will ich gar nicht wissen, denn wenn's irgendwann mal rauskommt, heißt es immer automatisch, der Frisör war's.›» Insofern hat der Mann viel weniger zu erzählen, als man denkt. Mich empfand er, glaube ich, als besonders angenehme Kundin, da ich verkatert, schweigsam und schlaff in seinem Frisörstuhl hing und ihn nicht mit Konversation belästigte.

Immerhin habe ich in den vergangenen zwölf Stunden mehr erlebt als andere in ihrem ganzen Leben. Ich bin nervlich zerrüttet und bräuchte eigentlich Ruhe, um mich an meine Situation und an meine Frisur zu gewöhnen. Stattdessen sitze ich in der Empfangshalle und warte darauf, dass meine Tante kommt, um mich auszulösen. Das sind nicht die Abenteuer, von denen ich geträumt habe.

Erschwerend kommt hinzu, dass ich in zwei Stunden in Portals Nous mit Robin verabredet bin, und bis dahin muss ich unbedingt leicht und lebendig und selbstbewusst und verführerisch wirken. Denn dass es zwischen mir und Robin heute zum über alle Maßen aufregenden Geschlechtsverkehr kommen muss, ist beschlossene Sache. Das bin ich mir schuldig. Das ist eine Frage der Ehre.

«Mach dir keine Sorgen, Schätzchen! Ich komme in einer Stunde ins ‹Mardavall› und hol dich da raus. Leg dich so lange nochmal in die Sonne, spring in den Pool und bestell noch irgendwas Teures! Fühl dich bloß nicht schlecht und sei froh, dass du eine reiche Tante hast!»

Das hatte Gesa fröhlich in ihr Handy gerufen. Ich fühlte mich gleich besser und teilte der Rezeptionistin mit, dass das Geld unterwegs sei, und sie bitte veranlassen möge, dass man mir kalten Hummer mit dreierlei Mayonnaisen und eine halbe Flasche Sancerre an den Swimmingpool bringe. Die Frau mit der Louis-Vuitton-Tasche ging mit ihrem hässlichen Kind an mir vorbei. Ich lächelte freundlich. «Übrigens, eine hervorragende Fälschung, Ihre Handtasche.»

Eigentlich sind Hummer ja große Insekten. Das habe ich irgendwo gelesen. Es wurde auch die Frage gestellt: «Warum essen wir Tiere, bei denen wir uns strikt weigern würden, sie anzufassen oder als Haustiere zu halten? Wann werden wir in der Schale gebratene Kakerlaken als Delikatesse empfinden?»

In jedem Fall gehören Hummer eindeutig zu dem Typ Nahrungsmittel, das man vor dem Verzehr nicht anschauen sollte. Ebenso wie Muscheln und im Ganzen servierte Forellen, die einen mit weißen, toten Augen anstieren und damit nur erreichen, dass ihr Tod umsonst war, weil sie einem mit dem Geglotze den Appetit verderben. Schlimm sind auch Tintenfische. Beim gestrigen Mittagessen im Strandclub mit Gesa war ich zum Beispiel ziemlich erschrocken. Bei uns zu Hause beim Griechen an der Ecke sieht Tintenfisch aus wie kleine panierte Reifen – aber hier kam ein komplettes Tier auf den Tisch. Ich versteckte das Tiefseemonster unter dem Salat und aß nur Weißwein.

Das halbe Fläschchen Sancerre, auf meinen Kater geschüttet, weckt meine Lebensgeister. Mit Blick auf die Pool-Landschaft stelle ich fest, dass sich mein Mallorca-Kurzurlaub zu einer der außergewöhnlichsten Erfahrungen meines Lebens entwickelt hat. Egal wie's ausgeht, ich werde auf jeden Fall viel zu erzählen haben.

Nachdem ich gestern, auf der Toilette sitzend, meine Liebe zu Ben wiederentdeckt hatte, überkam mich eine Ruhe, die ich sonst gar nicht von mir kenne. Es muss die Ruhe sein, die ein Skispringer empfindet, wenn er die Schanze hinunterrast: Du kannst nicht mehr umkehren. Warum sich jetzt noch aufregen? Nicht, dass ich jemals von einer Schanze gesprungen wäre. Nein, ich gehörte immer zu den Kindern, denen es lieber war, von allen ausgelacht und vom Schwimmlehrer gerügt zu werden, dafür aber den Drei-Meter-Turm auf dem sicheren Landweg wieder verlassen zu können.

Cora und Sonja waren ins Gespräch vertieft, als ich

mich wieder zu ihnen setzte. Wie ich erwartet hatte, ging es um Männer. Cora hatte Sonja anscheinend gerade von meinem Abenteuer mit Robin erzählt, denn sie begrüßte mich strahlend:

«Das ist ja wie im Märchen! Ein gut aussehender, junger Yachtbesitzer! Wo gibt's denn so was!? Ich dachte immer, solche Typen sind alt und fett und lassen nur achtzehnjährige Blondinen auf ihr Boot.»

Ich grinste gequält. Es ist ja auch etwas zu viel verlangt, dass ich über die Witze meiner Widersacherin lachen soll – selbst wenn sie meinem eigenen Humorverständnis durchaus entsprechen.

«Apropos alt und fett. Weißt du, wen sie mir bei der ‹Laura› jetzt wieder andichten wollen? Den Lehmann aus der Bildredaktion. Bloß weil der scharf auf mich ist. Du kennst den doch, Cora, oder?»

«Ist das nicht dieser fiese kleine Kerl, den alle Ikmas nennen?»

«Genau der! Ikmas steht für: Ich kratz mir am Sack. Lungert ständig am Kaffeeautomaten rum mit den Flossen am Hosenstall. Das ist doch eine Frechheit. Als würde ich einen Typen in Erwägung ziehen, den es im Schritt juckt und der dich morgens wahlweise mit ‹Alles klar im BH?› oder ‹Alles Roger in Kambodscha?› begrüßt und zum Abschied sagt: ‹Bis dannimanski›. Ich bin es leid, dass mir die Leute ständig irgendwelche Affären nachsagen. Die können sich einfach nicht vorstellen, dass ich den Job wegen meines fachlichen Könnens bekommen habe. Das macht mich rasend!»

«Bei mir kann sich keiner vorstellen, dass ich meinen Übersetzerjob aus einem anderen Grund als meinem fachlichen Können bekommen habe. Das ist auch irgendwie beleidigend.»

«Annabel, ich finde, du siehst durchaus wie eine aus, die sich nach oben geschlafen haben könnte. Prost!»

Damit war das Eis zwischen Sonja und mir gebrochen. Ich befand mich als Undercover-Agent mitten im Feindesland.

Ich erzählte kurz meine Robin-Geschichte, immer darauf bedacht, Ben vor Sonja nicht namentlich zu erwähnen.

Sonja vertrat die Ansicht, Untreue sei ein probates Mittel bei Verfallserscheinungen in langjährigen Beziehungen. Es komme allerdings auf die richtige Dosierung an. Einig waren wir uns alle, dass Fremdgehen bei Männern inakzeptabel ist und schwer bestraft werden muss.

«Andererseits kommt es immer auf den Standpunkt an, von dem aus man das Thema Treue betrachtet», sagte Sonja und grinste vielsagend. «Ich bin ja zurzeit sehr daran interessiert, dass ein bestimmter Mann seiner Freundin untreu wird.»

Ich hielt den Atem an – um dann lässig zu parieren: «Das ist klar. Wenn man einen haben will, kann man keine Rücksicht nehmen auf diese lästige Kleinigkeit, dass er bereits vergeben ist.»

Im Übrigen ist das tatsächlich meine Überzeugung. Ich meine, wir leben in einer freien Marktwirtschaft, in der sich das bessere Produkt beim Verbraucher durchsetzt. Und wenn der sich zu einem Markenwechsel entschließt, ist das sein gutes Recht.

Wenn jemand meinetwegen seine Freundin verlässt – ich will nicht unbescheiden sein, aber das ist schon ein-, zweimal vorgekommen –, finde ich das völlig in Ordnung. Zwingt ihn ja keiner. Es ist, um das noch hinzuzufügen, doch eine Entscheidung, die guten Geschmack beweist. Ist doch wahr.

«Sag mal, Sonja, wie steht's denn mit deinem Superbenni? Ich habe Annabel schon erzählt, dass du ein Auge auf jemanden geworfen hast.»

Superbenni?

Habe ich tatsächlich Superbenni gehört?

Meinen die tatsächlich meinen kleinen Schnuffelhasen? Mein Purzelbäckchen, der sich vor Spinnen ekelt, das aber niemals öffentlich zugeben würde? Meinen Ben, der zwar breite Schultern hat, aber nur eine Hand voll Haare auf der Brust, die wir liebevoll die Kelly-Family nennen? Meinen Ben, der niemals ohne seine Espresso-Maschine und seinen Entsafter verreist? Meinen Ben, der aussieht wie ein sehr großes und zufriedenes Baby, wenn er schläft?

Ich gebe zu, es war hart, diese beiden Frauen über meinen Freund sprechen zu hören, als handele es sich nicht bloß um meinen Freund, sondern um einen absoluten Wahnsinnstypen.

«Wie sieht dieser Superbenni eigentlich aus?», fragte ich möglichst beiläufig.

«Das Schönste an ihm sind seine Augen, aber er hat auch einen sehr ansehnlichen Hintern.»

Ich hätte ihr am liebsten eine reingehauen, weil sie es offensichtlich gewagt hatte, sowohl in die Augen als auch auf das Gesäß meines Lebenspartners zu glotzen. Die Schlampe. Abgesehen davon hatte sie mit ihren Beobachtungen völlig Recht.

«Aber am meisten mag ich an ihm diese ruhige, verlässliche Art. Weißt du, Annabel, er ist so ein Typ, wenn der neben dir steht, kann dir nichts Schlimmes mehr passieren. Ich war die letzten vier Jahre mit einem Vollchaoten zusammen. Der hat nichts auf die Reihe gekriegt. Nannte sich freier Fotograf und hat im Jahr ungefähr drei Bilder verkauft. Nur im Fremdgehen war er 'ne große Nummer. Jetzt brauch ich was Solides und Zuverlässiges.»

«Aber wenn dieser Benni so solide ist, wird er seine Freundin womöglich nicht betrügen?», warf ich vorsichtig, vielleicht ein wenig zu hoffnungsvoll ein.

«Er soll sie ja auch nicht betrügen. Er soll sie verlassen.»

Sonja lachte, Cora lachte – und ich versuchte zu lachen. Aber es klang wie das panische Meckern einer steinalten Bergziege, die plötzlich vor einem Abgrund steht.

Leider wechselten die beiden das Thema, weil der Ober die Speisekarten brachte und Sonja auf einer Liste in ihrer Handtasche nachschauen musste, welche der angebotenen Speisen welchen glykämischen Index haben. Mit diesem Verfahren habe sie zehn Kilo in vier Monaten abgenommen, behauptete sie. Man brauche nur auf Lebensmittel mit einem hohen GI zu verzichten oder sie mit Lebensmitteln mit einem niedrigen GI zu kombinieren. Daran war ich natürlich sofort derartig interessiert, dass ich für die nächsten Minuten völlig vergaß, um welch üble Kreatur es sich bei meinem Gegenüber handelte. Ich sah meine überschüssigen dreieinhalb Kilo binnen zweier Monate schwinden, einfach nur durch eine Liste in meiner Handtasche. Da galt es die Prioritäten neu zu ordnen.

Es kam ans Licht, dass Sonja keineswegs nur durch bestimmte Speisenkombinationen Gewicht verloren hatte. Die wirklich leckeren Sachen wie Toastbrot mit dick Butter und zwei Scheiben Gouda drauf, fünfhundert Gramm Spaghetti Arrabiata für zwei Personen oder eine halbe Tonne Cookie-Eis mit echten Kuchenstückchen drin waren natürlich allesamt ersatzlos von ihrem Ernährungsplan gestrichen. Dass Jägerschnitzel mit Fritten und Mayo nicht schlank macht, auch dann nicht, wenn man es mit dem absoluten Top-Fettverbrenner grüne Linsen kombiniert, hatte ich auch vorher schon vermutet.

Meiner Erfahrung nach gibt es nur ein einziges Erfolg versprechendes Rezept fürs Abnehmen: a) Iss grundsätzlich nichts, was dir schmeckt. b) Von dem, was dir nicht schmeckt, iss wenig. c) Nach achtzehn Uhr iss gar nichts mehr.

Wenn du das drei Monate durchhältst, wirst du feststellen, dass du auf einmal viel mehr Geld zur Verfügung hast. Du musst keine Geburtstagsgeschenke mehr kaufen – du hast nämlich keine Freunde mehr. Und dein Partner überlegt sich auch, wie lange er das noch mitmacht. Zwar brauchst du beim Sex den Bauch nicht mehr einzuziehen, aber die Pulsuhr, die du dabei trägst, um in jedem Fall die optimale Herzfrequenz zur Fettverbrennung einzuhalten, geht ihm ziemlich auf den Wecker.

Er hasst es, dass du nicht mehr spontan mit zum Italiener kommen kannst, weil du ständig einen Entlastungstag einlegst, den du mit einer schönen Scheibe Pumpernickel ausklingen lassen möchtest. Und er mag auch nicht mehr vor dem Einschlafen auf den meterhohen Turm mit Fachliteratur neben dem Bett blicken: «Für immer jung», «Für immer schön», «Für immer fit», «Darmentschlackung für Anfänger». Auf den meisten dieser Bücher ist ein alter, weißhaariger Mann abgebildet. Ein Grinsekuchen, der aussieht, als sei er irgendwo ausgebrochen, wo er besser hätte bleiben sollen.

Ben hat mit mir in dieser Hinsicht einiges mitgemacht. Er selbst neigt zum Bauchansatz, isst, was er will, und geht am Wochenende joggen. Er hat ein wesentlich entspannteres Verhältnis zum Gewicht seines Körpers als ich. Neulich traf ich ihn zu Hause dabei an, wie er ungefähr sieben Jeans aussortierte, um sie zum Secondhand-Laden zu bringen.

«Was ist mit deinen Hosen?»

«Sind mir zu eng geworden. Ich habe mich nach langer Zeit mal wieder gewogen. Zweiundachtzig Kilo. Das sind zweieinhalb Kilo mehr als bei meiner Konfirmation.»

Nun ist das ja wirklich nicht als dramatische Gewichtszunahme zu bezeichnen. Aber ich freute mich doch ein wenig, dass mein Ben, der diesbezüglich sonst eher wenig Verständnis für mich hat, nun mal am eigenen Leib erfuhr, wie das ist: sich von tadelloser Kleidung zu trennen, weil man sich einfach nicht mehr länger vormachen kann, dass man in diesen Minirock aus dem Jahre 1997 jemals wieder reinpasst. Und weil man Platz schaffen muss im Kleiderschrank für Sommergarderobe, in der man aussieht wie ein geblümtes Zweimannzelt. Ich bin fest davon überzeugt, dass viele Frauen nur deshalb einen Schuh-Tick haben, weil sich bei Schuhen die Größe niemals ändert.

Eine Woche später sagte mir Ben, dass er jetzt sein Idealgewicht habe.

«Innerhalb von sieben Tagen? Wie soll das gehen? Hast du heimlich die magische Kohlsuppendiät gemacht?»

«Nein. Ich wiege immer noch zweiundachtzig Kilo. Aber

ich habe beschlossen, dass das mein neues Idealgewicht ist.»

So einfach hat er sich das gemacht. Völlig naiv und total an den Gesetzen des Body-Mass-Index vorbei. Wenn er joggen geht, weigert er sich, die Pulsuhr mitzunehmen, die ich ihm zum siebenunddreißigsten Geburtstag geschenkt habe. Er sagt, für ihn sei Laufen eine Art Entspannungstechnik, und es sei ihm völlig wurscht, welchen Puls er dabei habe. Mich nimmt er im Übrigen auch nicht mit zum Joggen, weil ich angeblich mit meiner Pulsuhr nicht umgehen könne. Dabei ist es mir nur ein einziges Mal passiert, dass ich völlig in Panik geriet, weil ich glaubte, auf einen Infarkt zuzusteuern. Ich hatte die Herzfrequenz mit der Uhrzeit verwechselt.

Sonja gab dann doch zu, dass Liebeskummer das sicherste Rezept zum Abnehmen ist. Mindestens fünf ihrer zehn Kilo verdanke sie dem treulosen Trottel, den sie vor vier Monaten endlich an die Luft gesetzt habe.

«Wenig feste Nahrung, viel Alkohol, viele Zigaretten, viele durchgeheulte Nächte – ich sage euch, da purzeln die Pfunde.»

Cora und ich nickten verständnisvoll. Ich dachte mit Schaudern an meine Lars-hat-mich-verlassen-Diät, an meine Hat-Lars-wirklich-mit-Biene-geschlafen-Entlastungstage und an die Ja-Lars-hat-mit-Biene-geschlafen-Fastenkur. Eigentlich war ich immer dann am dünnsten, wenn es mir am schlechtesten ging. Und am besten fühlte ich mich immer dann, wenn ich etwas übergewichtig war. Jetzt mal abgesehen von den schlimmen depressiven Verstimmungen, die ich dann wegen meines Gewichts entwickelte.

Cora meinte, das zweitbeste Rezept zum Abnehmen sei, sich frisch zu verlieben.

«Womit wir wieder beim eigentlichen Thema sind: Wann siehst du deinen Robin denn wieder?»

«Morgen Nachmittag. Er holt mich in Portals Nous ab und will mir irgendeine einsame Bucht im Norden zeigen.»

Die beiden brachen in lautes Gekicher aus. Sonja pfiff sogar auf zwei Fingern wie ein Bauarbeiter, an dessen Bagger eine Blondine vorbeigeht. Ich selbst habe lange geübt, auf zwei Fingern zu pfeifen, und schließlich aufgegeben. Das Einzige, was ich hervorbrachte, waren sehr viel Spucke und manchmal auch längst vergessene Speisereste gewesen. Ich beneidete Sonja um dieses Talent, weil ich es irgendwie irre lässig finde. Immerhin kann ich mit den Ohren wackeln, aber das macht natürlich längst nicht so viel her.

Cora wollte mit mir auf einen gelungenen Beischlaf anstoßen. Ich war genauso verwundert wie sie, als ich mich sagen hörte:

«Lieber nicht. Du hast mich doch eben gefragt, ob ich meinen Freund noch liebe. Die Antwort ist ganz eindeutig: ja! Ich will nicht mit einem schlechten Gewissen nach Hause fahren. Ich glaube, auch ohne mit Robin zu schlafen, habe ich in den letzten Tagen genug Abenteuer erlebt. Du hast absolut Recht, Cora, man darf seine Beziehung nicht aufs Spiel setzen, bloß weil man sich gerade mal wieder ein wenig langweilt.»

Beeindruckt lehnte ich mich zurück. Ja, das klang gut. So gar nicht nach mir. Was ich natürlich nicht hinzufügte, war, wie extrem beeindruckend ich es fand, dass sich eine Hammerfrau wie Sonja in meinen Freund verliebt hat. Nichts macht einen Mann attraktiver als eine attraktive Frau, die für ihn schwärmt. Ich sah meinen Benni in ganz neuem Licht. Natürlich war ich mir bewusst, wie primitiv meine Reaktion war: Kaum hast du Angst zu verlieren, was dir gerade noch alltäglich und fad erschien, klammerst du dich mit aller Macht daran fest. Genau wie als Benni vorschlug, wir könnten meinen Laura Ashley-Sessel doch in den Sperrmüll geben. Bis dahin hatte ich ständig an dem Möbel rumgenörgelt. Der Bezug sei speckig und die Kissen zerschlissen. Aber seit ich einmal die Verlustangst zu spüren bekommen hatte, saß ich fast rund um die Uhr in dem alten Sessel und erwog sogar, ihn neu aufpolstern zu lassen. Ähnlich erging es mir jetzt mit Ben. Ich konnte es kaum abwarten, nach Hause zu kommen, ihm alles zu erzählen, ihm den Kontakt mit Sonja zu untersagen und dann ganz doll lieb zu ihm zu sein, damit er gar nicht erst auf den Gedanken kommt, er könnte es bei einer anderen Frau besser haben als bei mir.

«Ach, wie romantisch», seufzte Cora.

Sonja erhob ihr Glas. «Darauf trinken wir. Auf Annabels glücklichen Freund und, wenn ihr erlaubt, auf Superbenni, den ich gestern zum ersten Mal geküsst habe.»

«Was!?», schrie Cora völlig begeistert.

«Nein!!», schrie ich völlig entsetzt.

Ich dachte, ich kippe auf der Stelle vom Stuhl. Das ist doch nicht zu fassen! Da beschließe ich großmütig, auf den Geschlechtsakt mit einem wesentlich jüngeren Mann, noch dazu Yachtbesitzer, zu verzichten und die Krise mit meinem Freund für beendet zu erklären, und was erfahre ich just in diesem Moment? Der knutscht in meiner Abwesenheit rum! Und das, während ich mich zurückziehe, um in Ruhe und mit Sorgfalt über unsere Beziehung zu grübeln. Was für eine bodenlose Respektlosigkeit! Panik, Kummer und Mordlust überkamen mich gleichzeitig.

«Und? Wie ist es dazu gekommen? Hat er zurückgeküsst?»

Geschmeichelt von so viel aufrichtigem Interesse lehnte sich Sonja zurück.

«Ich habe Ben gestern Abend zufällig im ‹Bereuther› getroffen. Als er gehen wollte, habe ich ihn am Ausgang abgefangen. Das war natürlich die absolut supergünstige Gelegenheit. Bisher hatte ich ihn ja immer nur im Büro und einmal zum Kaffeetrinken in der Kantine gesehen. Da war er zwar immer total freundlich, aber ziemlich zurückhaltend und schweigsam. Aber genau das mag ich ja. Dass das nicht einer von den Typen ist, die mir erst unaufgefordert was von den Problemen mit ihrer Freundin erzählen und mich dann fragen, ob ich schon zum Frühstück verabredet bin.»

Ich hakte mit zittrigem Stimmchen nach.

«Er hat Probleme mit seiner Freundin?»

«Bis gestern Abend haben wir nie über sie geredet. Ich weiß nicht mal, was die macht, wie die heißt oder wie die aussieht. Da habe ich ihn auch nie nach gefragt. Aber gestern waren wir beide schon leicht angetrunken, und er wirkte irgendwie bekümmert. Da habe ich das Thema dann mal angeschnitten. Na ja, viel hat er nicht erzählt. Außer, dass sie für ein paar Tage überraschend in Urlaub gefahren ist und er nicht genau weiß, was eigentlich ihr Problem ist. Er sagt, sie hat eine Schwäche für Probleme und steigert sich da gerne mal in was rein. Und dann kam echt der Hammer. Da erzählt er mir doch glatt, dass er mich ihr gegenüber mal erwähnt hat, nur so nebenbei. Da hat die Alte wohl sofort Lunte gerochen, ist auf die Barrikaden gegangen und hat geschimpft, wie dämlich er denn eigentlich ist, dass er nicht merkt, dass da jemand total scharf auf ihn ist.»

«So ganz blöde scheint die jedenfalls nicht zu sein.»

Ich warf Cora einen dankbaren Blick zu.

«Außerdem versorgst du ihn ja auch seit einem halben Jahr mit allen möglichen Kosmetik-Proben. Da würde ich als Frau auch misstrauisch werden, wenn mein Typ im Badezimmer für seine Beauty-Produkte auf einmal mehr Platz braucht als ich. Hast du ihm nicht erst neulich einen riesigen Präsentkarton mit der Männerserie von ‹Clarins› geschenkt? Spätestens da hat seine Freundin doch bestimmt Lunte gerochen.»

«‹Clarins› macht jetzt auch Kosmetik für Männer?»

Ich war kurzzeitig abgelenkt. Denn weder wusste ich davon, noch hatte ich jemals ein Produkt dieser neuen Serie in unserem Badezimmer gesehen. Hatte Ben, der perfide Stratege, die kostbaren Sachen verschwinden lassen, um mich in Sicherheit zu wiegen?

Sonja fuhr fort, sich über Bens Freundin lustig zu machen.

«Und dann sagte Ben noch, dass er ihr am besten gar nicht erzähle, dass wir uns gestern zufällig getroffen haben, weil sie sich dann sowieso wieder nur grundlos aufregen würde. Das war natürlich die perfekte Vorlage für meinen Einsatz.»

Ich erschauerte.

«Nämlich?»

«Ich dachte, dem Typen muss ich jetzt mal mit dem Holzhammer klar machen, was hier läuft. Also hab ich mich ganz nah vor ihn gestellt und gesagt: ‹Bist du auch ganz sicher, dass deine Freundin keinen Grund hat, sich aufzuregen?›»

Cora war begeistert.

«Neee! Das hast du gesagt!? Das ist ja so billig, dass es schon wieder gut ist!»

«Und Ben, was hat er gemacht?», krächzte ich erbleichend.

«Nichts. Der war total verdutzt. Und dann hab ich ihn einfach auf den Mund geküsst und bin gegangen.»

Cora und ich schwiegen ergriffen. Ich musste leider zugeben, dass Sonja da einen ziemlich lässigen Auftritt hingelegt hatte. Könnte durchaus ganz nach Bens Geschmack gewesen sein. Ich musste ihn damals auch zu seinem Glück zwingen. Er ist nicht der Typ Mann, der nicht länger als drei Stunden ohne Freundin sein kann und deswegen nach kurzer Partnerschafts-Abstinenz leicht zu haben ist. Im Gegenteil. Als ich ihn traf, war er anderthalb Jahre lang Single gewesen. Es hatte ihm gefallen: «Das ist gut für die Nerven. Man hat wesentlich mehr Zeit, kann durchschlafen und wird nicht um drei Uhr früh von irgendeiner Bekloppten geweckt, die ein Problem hat, das sie unbedingt mit dir besprechen will.»

Man muss dazu sagen, dass Bens letzte Freundin Anja eine ausgemachte Hypochonderin war. Der Notarzt war häufiger Gast bei ihr zu Hause. Besonders nachdem sie sich ein Blutdruckmessgerät angeschafft hatte, das sie ständig trug, um jede noch so kleine Abweichung von hundertzwanzig zu siebzig als deutliches Zeichen für ihr baldiges Ableben zu empfinden. Einmal hatte sie Ben nachts wachgerüttelt – und mein Benni ist nicht leicht zu wecken, wenn er einmal schläft – und gerufen: «Beenniee, wach auf, es ist was Schreckliches passiert! Ich habe Multiple Sklerose!»

Nun ist Benedikt Cramer, wie schon gesagt, nicht der Typ, der leicht aus der Ruhe zu bringen ist. Nachdem er sich noch einigermaßen höflich nach den Symptomen erkundigt hatte, kränkelte seine Höflichkeit, als sich herausstellte, dass Anja lediglich der Arm eingeschlafen war.

Ben hat schon 'ne Menge mitgemacht mit Frauen. Das mag auch damit zusammenhängen, dass er selbst eher pflegeleicht ist. Das lässt einfach mehr Raum für Kompliziertheiten des Partners. Ich persönlich bin dankbar dafür. Ich könnte nicht gut mit einem Partner zusammen sein, der eine ähnliche Anzahl interessanter Probleme mit in die Beziehung bringt wie ich. Da hätte ich sehr schnell Angst, dass meine Sorgen zu kurz kommen – und man weiß ja, wie das endet. Wenn man eine Sorge nicht regelmäßig pflegt und bespricht, dann schrumpft sie allmählich in sich zusammen, bis sie irgendwann ganz aufhört zu existieren. Das schleichende Sorgensterben: eine schlimme Sache für Beziehungen.

Außerdem passt es nicht zu Männern, allzu viele Probleme zu haben. Genauso wenig wie es zu ihnen passt, auf die Sonnenbank zu gehen, launisch zu sein, Volkshochschulkurse zu besuchen oder sich noch darüber aufzuregen, dass Frauen nun mal so sind, wie sie sind.

Ich finde, dass mein Benni diesbezüglich sehr männlich ist. Ich wäre zutiefst erschrocken, wenn er mich nachts wecken würde, um Trost zu suchen, weil Schalke 04 abgestiegen ist. Ich sähe es auch extrem ungern, wenn er mich bitten würde, beim Zahnarzt seine Hand zu halten. Und unsere Beziehung wäre definitiv in dem Moment beendet, in dem er von mir verlangte, auszusteigen, um ihn in eine Parklücke einzuweisen.

Natürlich erwarte ich von ihm, dass er versucht, meine Probleme zu verstehen. Aber zu viel Einfühlsamkeit wäre mir auch wieder nicht recht. Für gewisse Sachen sind die besten Freundinnen zuständig. Ein Mann, der sich auf eine mehrstündige Diskussion über figurstraffende Pflegelotionen einlässt, wäre mir unheimlich. Das sind diese menstruierenden Männer, die für alles Verständnis haben. Die sich immer die Zeit nehmen, mit dir über deine Frisur, deine Bauchdecke, deinen Chef zu sprechen – selbst dann, wenn gerade Fußball läuft. Nein, Probleme sind im Großen und Ganzen Frauensache.

Ich höre schon, wie man mir vorwirft, dass ich mit zweierlei Maß messe. Aber erstens ist das eine korrekte Feststellung, und zweitens empfinde ich das nicht als Vorwurf. Ich finde es völlig normal und richtig, mit zweierlei Maß zu messen. Wo kämen wir denn hin, wenn wir alles über einen Kamm scheren? Auch Ben wundert sich gelegentlich, warum ich mich bei ihm über Sachen aufrege, die ich bei mir selbstverständlich finde. Eine blöde Frage. Natürlich, weil wir zwei unterschiedliche Menschen sind, bei denen es Unterschiedliches bedeutet, wenn sie dasselbe tun. Ist doch völlig klar. Wenn Ben bis drei Uhr morgens mit Nikos in einer Bar rumhängt, finde ich das schon nur halbwegs lustig. Wenn er aber am nächsten Tag erzählt, dass Nikos schon um eins gegangen ist, hört der

Spaß langsam auf. Und wenn dann noch rauskommt, dass Ben die letzten zwei Stunden mit Barbara, einer Bekannten von Nikos, verbracht hat und das «echt lustig» war, ist endgültig Schluss mit lustig.

Ben wird dann immer sehr kleinlich. «Du warst am Samstag bis drei Uhr mit Steffi weg. Da habe ich auch nichts gesagt.»

«Das ist doch was völlig anderes.»

«Und diesen Typen, den ihr getroffen habt, den du so amüsant fandest?»

«Ich finde ständig irgendwelche Typen gut. Das hat bei mir nichts zu bedeuten. Ich bin einfach aufgeschlossener und menschenfreundlicher als du. Aber wenn du eine Frau lustig findest, dann ist das bedenklich. Du findest Frauen nie lustig.»

«Doch. Dich.»

«Na bitte. Du findest diese Barbara also in etwa so gut wie mich. Und darüber soll ich mich nicht aufregen dürfen?»

«Worin besteht denn der Unterschied, wenn du bis drei weggehst oder ich bis drei weggehe? Erklär mir das bitte.»

Manchmal ist mein Freund wirklich schwer von Begriff.

«Du bist du, und ich bin ich. Nur weil du dich nicht darüber aufregst, wenn ich spät nach Hause komme, heißt das noch lange nicht, dass ich nicht das Recht habe, mich aufzuregen, wenn du zu spät nach Hause kommst.»

An diesem Punkt verlässt Ben jedes Mal den Raum. Das ist auch besser so, weil ich meist schon drauf und dran bin, mich noch zusätzlich darüber aufzuregen, dass er sich nicht aufregt. Wie kann er es völlig normal finden, wenn ich spät nach Hause komme und von einem lustigen

Typen erzähle? Warum ist er nie eifersüchtig? Ben würde sagen: Weil er mir vertraut. Aber das finde ich eine Unverschämtheit. In Wahrheit ist er sich meiner bloß viel zu sicher und traut mir nicht zu, dass ich ihn betrüge. So sieht die Sache aus!

Aber das wird sich jetzt gründlich ändern. Lässt sich der Typ doch glatt im «Bereuther» in aller Öffentlichkeit küssen. Auch noch von einer Frau, die wesentlich besser aussieht als ich. Was sollen denn da die Leute denken? Nicht mit mir. Auge um Auge? Zahn um Zahn? Von wegen! Bei mir heißt es: Zahn gegen Gebiss.

Ich beschloss, zum ultimativen Gegenschlag auszuholen: dem gezielt eingesetzten Geschlechtsverkehr.

Cora riss mich aus meinen verbitterten Überlegungen, als sie Sonja fragte, wie es denn nun mit ihrem Superbenni weitergehen solle.

«Wartest du jetzt, dass er sich meldet, oder was?»

«Meine Nummer hat er jedenfalls. Ich warte noch einen Tag. Aber ich glaube, er gehört zu der Sorte Mann, die man zu ihrem Glück zwingen muss. Ich werde ihm morgen eine SMS schicken, ob wir uns nicht am Sonntagabend bei mir zu Hause treffen wollen. Deutlicher geht's nun wirklich nicht mehr. Und dann werde ich auf seine Antwort warten. Die wird dann alles entscheiden.»

Sonja deutete auf ihr Handy auf dem Tisch. Ich schaute das Telefönchen bedrückt an. Ich würde nie erfahren, was mein Ben auf dieses unmoralische Sonntagabend-Angebot antworten würde. Ob er den heiligen Sonntag, unseren Sonntag, unseren liebsten Abend in der Woche, mit ihr verbringen würde? Ich sah drei furchtbare, von Zweifel,

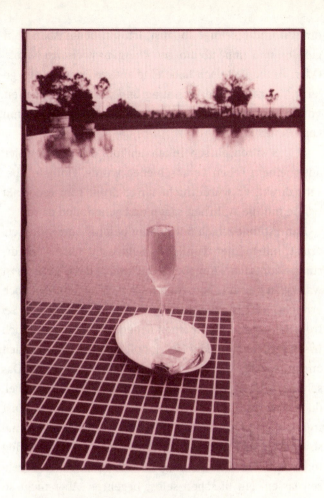

Angst und Eifersucht verseuchte Tage vor mir. Mein Flugzeug würde am Sonntagnachmittag um sechs landen. Um sieben würde ich die Wohnungstür aufschließen. Was würde ich vorfinden?

Vielleicht einen Zettel? «Tut mir Leid, Belle, Großkunde in Not. Kann spät werden heute Abend.» Oder: «Das hast du jetzt davon, dass du mir ständig deine Krisen aufdrängst und beleidigt abhaust. Ich bin heute Abend eingeladen und ziehe ab morgen übergangsweise zu Nikos.» Oder: «Liebe Belle, ich habe eine andere Frau kennen gelernt. Du kannst die Wohnung und die Möbel behalten. Von meiner Seite gibt es nichts mehr zu sagen. Es tut mir Leid. Benedikt.»

Ja, das wäre wahrscheinlich der Ton, mit dem Ben sich aus meinem Leben verabschieden würde. Höflich. Aber sehr direkt. Er würde nicht lange drum rum reden. Er würde mir die Wahrheit sagen und gehen. Und dann?

Dann stünde ich da mit meiner beschissenen Abenteuerlust, mit meiner dämlichen Sehnsucht nach Veränderung. Hauptsache, Annabel Leonhard hat das Gefühl, es ist was los in ihrem Leben. Na toll, da hast du dein Ziel doch erreicht. Jetzt ist so richtig was los in deinem Leben. Sei froh. Bald kannst du dir einen neuen Partner suchen. Dich frisch verlieben. Wieder Herzklopfen haben, wenn er dich anruft, wieder weinen, wenn er dich nicht anruft. Das schöne, alte, immer neue Spiel. Glückwunsch, Annabel, du bist wieder für alles zu haben. Zurück auf Los. Du bist frei. Ach, das hast du nicht gewollt? Du wolltest nur mal so tun, als seiest du frei. Wolltest einen kurzen Ausflug machen in die Welt der Singles, dich ein bisschen begehren lassen, ein bisschen selbst begehren. Aber nicht so richtig. Ernst sollte es nicht werden. Spielen, aber nichts aufs Spiel setzen. Verloren. Selber schuld.

Sonjas Handy riss mich aus meiner Verzweiflung, die ich mir natürlich nicht anmerken lassen durfte. Es klingelte in einer Lautstärke, die anzeigte, dass der Besitzer dieses Telefons wenig Wert darauf legt, andere Menschen nicht zu stören. «Rücksichtslose Pissnelke!», dachte ich verbittert. Ich war jetzt wirklich schlechter Stimmung. Das Telefon hörte nicht auf zu klingeln. Erst jetzt bemerkte ich, dass Sonja während meiner Grübeleien zur Toilette gegangen war. Die Leute um uns rum warfen uns bereits böse Blicke zu, und ein Kellner näherte sich drohend unserem Tisch.

«Sag mal, das ist ja nicht zum Aushalten!» Cora griff beherzt Sonjas Handy und meldete sich mit einem unhöflichen Bellen.

«Hallo? Nein, Sonja kann grade nicht ans Telefon kommen!»

Ich starrte Cora an. War das Ben am anderen Ende der Leitung? Ich hörte auf zu atmen.

«Nein, sie ist in einer Besprechung. Ja, wir arbeiten hier sehr lange. Soll ich ihr was ausrichten?»

Ich war einer Ohnmacht nahe.

«Alles klar, ich sag's ihr. Deine Nummer hat sie? Bis wann kann sie denn … ach so, jederzeit? Alles klar. Wir sind noch bis Sonntag hier. Ja, dir auch, tschüss.»

Mit einem wissenden Lächeln, für das ich sie beinah auf der Stelle erdrosselt hätte, legte Cora das Handy zurück.

«Na, da wird sich Sonja aber ganz besonders freuen.»

«War das …?» hauchte ich und wagte weder den Satz noch den Gedanken zu Ende zu bringen.

«Rat mal, was der gesagt hat, als er hörte, dass wir noch bis Sonntag hier sind?»

Ich hielt immer noch die Luft an.

«Was denn?»

Cora kicherte haltlos vor sich hin.

«Das kann ja wohl nicht Warstein!»

«Dann war das nicht …?»

«Das war Ich-kratz-mir-am-Sack-Ikmas, der fragen wollte, wann seine bezaubernde Kollegin wieder da ist.»

Ich ging erst mal zur Toilette, wo ich meinen Angstschweiß mit einer Rolle Klopapier trocknete. In der Kabine, die ich gewohnheitsgemäß nicht abgeschlossen hatte, überraschte mich eine ältere Dame. Toller Anblick: völlig fertige Frau mit ärmellosem Hängerkleid und dreilagigem Toilettenpapier unter den Achseln. Ich verstehe nicht, warum das durchschnittliche Sommerkleid keine Ärmel hat. Als sei der durchschnittliche weibliche Oberarm makellos. Wobei ich mir einbilde, dass ich durch meine Cindy-Crawford-Hantel-Gymnastik gerade im Bereich des Trizeps einiges mehr an Spannkraft aufgebaut habe. Mein Horror ist, in fünfzehn Jahren statt Oberarmen Quallen zu haben, labberige, haltlose Hautlappen, die ständig aus irgendwelchen Ritzen quellen. Ich setzte mich auf den Toilettendeckel, langsam eine vertraute, lieb gewonnene Pose, und hielt mit einem Fuß die Tür zu. Ich brauchte eine Verschnaufpause.

Bis Sonntag würden Cora und Sonja also auf der Insel bleiben. Ich musste irgendwie versuchen, so viel Zeit wie möglich mit ihnen zu verbringen. Mit Konkurrentinnen ist es wie mit hässlichen Käfern an der Schlafzimmerdecke: Solange du sie im Blickfeld hast, kannst du noch was unternehmen, sie mit einer zusammengerollten Programmzeitschrift platt hauen – oder auf dem Sofa schlafen. Unheimlich wird es erst, wenn du den Käfer aus den Augen verlierst. Dann sitzt dir plötzlich der Feind mitten auf der Stirn, und du bist wehrlos. Ich musste es unbedingt schaffen, möglichst lückenlose Feindbeobachtung zu betreiben. Ich musste wissen, ob Ben sich bei Sonja melden und wie er auf ihre SMS reagieren würde.

Zu diesem Zweck musste Sonja kurzfristig meine beste Freundin werden.

«Habt ihr am Samstag schon was vor? Meine Tante Gesa organisiert eine Abschiedsfeier für mich. Wäre toll, wenn ihr kommt.»

«Eine Party? Klar kommen wir! Oder, warte mal. Sonja, ist am Samstag nicht diese schreckliche Parfüm-Veranstaltung in Palma?»

«Nee, zum Glück ist die morgen. Und lass mich da bloß nicht alleine hingehen. Samstag können wir. Was ist mit Robin, kommt der Samstag auch zur Party? Den würde ich ja zu gerne mal sehen.»

«Klar, den lade ich auch ein.» Ich sagte das so leichthin, aber was für eine Beziehung würden «Stella» und Robin bis dahin haben?

«Sag mal, Sonja, wie wär's, wenn du morgen Abend mit Annabel zu diesem Parfüm-Event gehst? Ich hasse solche Veranstaltungen, ich fühle mich da immer total fehl am Platz. Außerdem würde ich viel lieber meinen ehemaligen Deutschlehrer in Santanyi besuchen. Wir können uns dann ja alle gegen Mitternacht treffen.»

Nur kurz überlegte ich, wie fehl am Platz ich mich wohl bei so einer Veranstaltung fühlen würde. Aber Opfer müssen eben erbracht werden. Eigentlich war ich morgen mit Robin verabredet, aber hier ergab sich nun unverhofft die Gelegenheit, einen weiteren Abend in Gesellschaft von Sonja und ihrem Handy zu verbringen. Das hatte Vorrang vor allem anderen. Damit war die Donnerstagsüberwachung perfekt. Robin hatte mir erzählt, dass die «Lady Harmony» am Freitagabend für einen Polterabend verliehen sei. Robin musste Steuermann spielen. Klar, dass man so eine Yacht nicht einfach aus der Hand gibt. Er hatte mir angeboten, mitzukommen, und ich ging einfach mal davon aus, dass er nichts dagegen hatte, wenn ich meine beiden neuen Freundinnen mitbringen würde. Cora und Sonja waren von meiner Idee begeistert. Damit war die Sonja-rund-um-die-Uhr-Beobachtung bis zu meiner Abreise fast perfekt. Bevor ich mich zu dieser taktischen Meisterleistung beglückwünschen konnte, fiel mir ein, dass ich Sonja unmöglich in einem durchgeschwitzten Strandkleid begleiten konnte. Ich meine, mir war schon klar, dass ich, egal worin, neben Sonja niemals besonders gut aussehen würde, aber man muss es ja nicht unnötig auf die Spitze treiben.

«Dann lass uns doch morgen zusammen einkaufen gehen!», schrie Sonja begeistert, und ich sah meine schlimmsten Albträume wahr werden. Bilder des Grauens entstanden vor meinem inneren Auge. Ich bin wirklich nicht fett, aber die Vorstellung, mich, womöglich in einer gemeinsamen Umkleidekabine, in Kleider zu bugsieren, die Sonja erst im letzten Drittel ihrer Schwangerschaft in Betracht ziehen würde – nein danke!

Ich konnte mir das Horrorszenario nur zu gut vorstellen: Du gehst mit ihr shoppen, zwängst dich in diese sagenhaft hippe Hüfthose und bist heilfroh, dass du noch so gerade in eine groß ausfallende Achtunddreißiger reinpasst, unbequem zwar – an Hinsetzen oder zweihundert Gramm zunehmen ist nicht zu denken –, aber immerhin, ein gutes Kleidungsstück für Stehpartys, bei denen es nichts zu essen gibt. Ein echter Gewinn also. Du drehst dich vor dem Spiegel, und in diesem Moment kommt deine schöne Begleiterin Sonja aus der Kabine. Sie trägt die gleiche Hose. Bloß in sechsunddreißig. Und spätestens wenn du deine Freundin dann sagen hörst: «An den Oberschenkeln sitzt sie, glaube ich, nicht eng genug», wirst du dich auf die Suche machen: nach einer anderen Hose und nach einer Freundin in deiner Größe.

«Wenn du willst, kann ich dir auch was von mir leihen. Du hast das Pech, dass dir sogar meine BHs passen müssten.»

Ich schaute Cora ergriffen an.

«Danke», sagte ich von Herzen. «Du hast auch 80 A?»

«So ist es, Schwester, wir müssen zusammenhalten.»

«Ihr tragt BHs? Na, da könnt ihr doch froh sein! Glaubt ihr etwa, ich hätte nur am Hintern abgenommen? Nee, zu allererst hat sich mein Busen verabschiedet. Nicht, dass ich vorher besonders üppig bestückt gewesen wäre. Aber jetzt? Ich habe schon überlegt, ob ich mir einen Bikini mit Gel-Polstern kaufen soll.»

«So was gibt's?» Ich war fasziniert von der Möglichkeit, in Zukunft mit Brüsten baden zu gehen.

«Klar, eine Freundin von mir war mit so einem Ding im Freibad. Nach zwei Bahnen Kraulen schwammen ihre Brüste neben ihr her.»

«Ich habe neulich etwas Demütigendes in der ‹Gala› gelesen. Angelina Jolie fragte in einer Talk-Show den Gastgeber, ob er wisse, was eine Frau in Los Angeles dazu berechtigt, einen Behindertenparkplatz zu benutzen.»

«Und?»

«Körbchengröße A.»

Es war nach zwei, als die Kellner sich nicht mehr bemühten, ihre Müdigkeit zu verbergen. Als einer mehrmals hintereinander gähnte, ohne sich die Hand vor den Mund zu halten, wurde es Zeit zu gehen. Sonjas Handy hatte mehrmals ein seltsam brummiges Pupsen von sich gegeben zum Zeichen, dass eine SMS eingegangen war. Mir war jedes Mal das Herz stehen geblieben, aber es war immer nur Ich-kratz-mir-am-Sack-Ikmas gewesen, der offenbar im Halbstundentakt Nachrichten versendete, ohne sich im Geringsten daran zu stören, dass keine beantwortet wurde.

«Schade, dass man immer die besonders toll findet, die sich nicht melden», seufzte Sonja weinselig. Ich verabschiedete mich: «Bis dannimanski.»

Den Abend des folgenden Tages kann man wohl ohne zu übertreiben als einen der misslungensten meines Lebens bezeichnen. Mein Mallorca-Urlaub hat seinen Tiefpunkt erreicht. Ich sitze in einer ungefähr fünfundneunzig Meter langen Limousine in einem taubenblauen Kleid, das nicht wirklich gut sitzt, mit zerlaufener Wimperntusche, rotäugig wie ein Albinokaninchen und emotional gesehen total zerrüttet. Immerhin gibt es in der Mini-Bar Whisky-Fläschchen. Ich trinke gerade die zweite. Nicht mit Soda gemixt, sondern mit dicken Tränen, die in kürzesten Abständen in mein Glas fallen. Ich bin untröstlich. Um die Sachlage kurz zusammenzufassen: Sonja ist in diesem Moment dabei, meinen Ben zu betrügen!!!

Dabei hatte der Tag eher vielversprechend begonnen. Ich lag die meiste Zeit mit Tante Gesa am Pool, und wir sprachen über einen dicken Düsseldorfer namens Hermann, der ihr gerade den Hof macht.

«Liebst du ihn denn?»

«Ehrlich gesagt, gefällt er mir schon sehr, sehr gut. Das ist mehr, als ich von meinen Ehemännern behaupten konnte.»

«Und was spricht dann dagegen? Warum erhörst du ihn nicht endlich?»

«Er ist verheiratet.»

«Oh, ich wusste gar nicht, dass du so moralisch bist.»

Irgendwie war ich angenehm überrascht. Meine Männer mordende Tante hatte Hemmungen, sich mit einem gebundenen Mann einzulassen?

«Natürlich bin ich nicht moralisch, Schätzchen. Willst du mich beleidigen? Ich liebe es, mit verheirateten Männern zu schlafen. Die stellen keine Ansprüche und konzentrieren sich ganz aufs Wesentliche: Sex. Mich langweilt dieses Kerzenscheingetue. Das ist doch nur Zeitverschwendung.»

«Und was ist so anders am Hermann?»

«So was habe ich selten erlebt. Es stört mich überhaupt nicht, abends neben ihm einzuschlafen und morgens neben ihm aufzuwachen. Ich habe, wie du vielleicht weißt, in all meinen vier Ehen auf getrennte Schlafzimmer bestanden. Meine Devise war immer: Nichts ist schädlicher für die Erotik, als neben einem Mann zu liegen, der im Schlaf schmatzt. Mein Erster hat geschnarcht wie eine Wagenladung Schweine, es war schlimm. Aber nichts gegen Hermann. Er grunzt wie eine Horde wilder Eber, sobald ich das Licht ausgemacht habe. Mittlerweile schläft er mit einem sehr hässlichen Anti-Schnarch-Nasenpflaster im Gesicht. Und was soll ich sagen? Ich finde ihn deshalb nur noch aufregender.»

«Ich glaube, du bist wirklich verliebt.»

«Da hast du wohl Recht, Kindchen. Aber obwohl wir uns schon seit einem halben Jahr treffen, kann er sich noch immer nicht dazu durchringen, sich scheiden zu lassen. Er hat Skrupel wegen seiner Frau.»

«Wieso? Ist sie alt und krank?»

«Nein. Sie ist gerade vierundzwanzig geworden und bildhübsch. Hermann befürchtet, dass sie es seelisch nicht verkraftet, wenn er sie wegen einer hässlichen alten Schachtel sitzen lässt. Er kommt übrigens auch zur Party am Samstag. Ich hoffe, es macht dir nichts aus, deine greise Tante wie einen verliebten Backfisch zu sehen. Er besucht mich für zwei Wochen. Seine Frau will er von Mallorca aus auf irgendeine Tour schicken. Er sagt, das Problem würde sich auf dieser Reise dann schon ganz von alleine regeln.»

«Das klingt ja, als würde er sie umbringen lassen!»

«Ja, nicht wahr? Ist das nicht herrlich romantisch?» Meine Tante Gesa kicherte unter ihrem gullydeckelgroßen Sonnenhut hervor. «Lass uns anstoßen, kleine Belle. Auf die Liebe und all das, was wir dummen Menschen manchmal für die Liebe halten!»

Sonja und ich hatten uns um acht vor der Bar «Abacco» in Palma verabredet, wo die Parfüm-Party stattfinden sollte. Ich war schon erschrocken, bevor ich den Laden überhaupt betreten hatte. Zum einen, weil vor dem Eingang Fotografen einen roten Teppich umlagerten. Zum anderen, weil ich Sonja sah. Ich fragte mich bei ihrem Anblick, ob sie mich nur als Begleitung gewählt hatte, um neben mir umso heller zu strahlen. Ich war ihr Waisenkind aus Kambodscha. Sie wollte angeben und so tun, als sei sie ein guter Mensch. Dabei war sie drauf und dran, einer arglosen, unbescholtenen, warmherzigen Frau den Mann zu stehlen. Diese Kackbratze!

Ich stampfte wütend auf sie zu, aber Sonja schien von meiner üblen Stimmung nichts zu merken und küsste herzlich den Luftraum neben meinen Wangen

«So, Annabel, und jetzt werden wir Spaß haben. ‹Lancaster› stellt heute Abend ein neues Parfüm vor. Das Zeug heißt ‹Kashba› und stinkt wie ein Kamelfurz. Aber die Party wird sicher großartig. Ach übrigens, kann ich mein Handy in deine Handtasche tun? Ich wollte keine mitnehmen. Man sieht damit immer so trampelig aus.»

Ach was, trampelig? Ich steckte ihr Handy verbittert in meine Tasche. Ich fühle mich unwohl, wenn ich nicht ein Minimum mir vertrauter Gegenstände bei mir habe. Gleichzeitig triumphierte ich natürlich innerlich. Ich war im Besitz des wichtigsten Beweismittels in diesem Fall. Möglichst gelangweilt schaute ich über den roten Teppich.

«Hast du eigentlich schon die SMS an diesen Superbenni geschickt?»

Ich versuchte so zu klingen, als hätte ich mich aus purer Höflichkeit danach erkundigt.

«Klar, gerade eben. Willst du sie lesen? Ich werde dich sowieso den ganzen Abend nerven und fragen, ob schon eine Antwort gekommen ist.»

Sonja holte ihr Handy aus meiner Tasche und zeigte mir den Text:

«Hast du dich von dem kuss erholt? Ich kann übrigens auch kochen! Kommst du am sonntagabend zum essen zu mir? Melde dich bei: SONJA!!!»

«Cool, ein echt lässiger Text.»

«Ich weiß nicht, glaubst du, er kapiert, wie ernst es mir ist?»

«Ich glaube, da brauchst du dir keine Sorgen machen. Das müsste selbst einer wie der kapieren.»

«Ja, ich denke auch. Und jetzt lass uns reingehen. Und versprich mir, dass du mir sofort Bescheid sagst, wenn's in deiner Tasche pupst, ja?»

Sonja zerrte mich ins Gedränge. Als Erstes trat ich einem älteren Herrn auf den Fuß, der mich daraufhin so hasserfüllt anstarrte, dass ich ihn erst erkannte, als er schon vorbei war: Michael Douglas! Obschon einer Ohnmacht nahe, konnte ich einen fachkundigen Blick auf seine Frau Catherine werfen, der mir bestätigte: Diese Frau hat einen Hintern wie ein wohlgenährtes Pony und ist mindestens fünf Jahre älter, als sie in der «Bunten» immer behauptet. Meine Stimmung besserte sich schlagartig. «Hey, Sonja, das war der Michael Douglas mit seiner Frau!»

«Hast du ihren fetten Arsch gesehen?»

Ich schüttelte natürlich energisch den Kopf. Ich kann es eben einfach nicht leiden, wenn man Frauen auf ihre Problemzonen reduziert. Schon gar nicht, wenn das Frauen tun, die keine Problemzonen haben. Ich kann es mir leisten, über voluminöse Hinterbacken zu scherzen. Nur Behinderten ist es erlaubt, Behindertenwitze zu machen.

Das «Abacco» war mit gigantischen Obstkörben und tausenden Rosen geschmückt. Ein herrlicher Ort, sich zu verlieben oder verliebt zu sein. Es roch nach Sünde und Lust, nach Orient und dem Gewürz, mit dem beim Inder das Linsengemüse angemacht wird. Ich dachte an Ben, ich dachte an Robin – und entschied mich einstweilen für einen Cuba Libre, der gerade an mir vorbeigetragen wurde. Ich wollte versuchen, in möglichst kurzer Zeit möglichst viel Alkohol zu mir zu nehmen. Vielleicht würde ich mir dann etwas weniger deplatziert vorkommen.

Ich hatte Sonja aus den Augen verloren und verbrachte die nächste Stunde damit, nach so vielen Cocktails wie möglich zu greifen, alle zehn Minuten Sonjas Handy hervorzuwühlen und mit offenem Mund Männern hinterherzustarren, die so gut aussahen, dass es schon nicht mehr schön war.

Eine ältere Dame musste meine bewundernden Blicke bemerkt haben.

«Dumm wie Bohnenstroh sind die alle. Ich muss es wissen, denn ich leite die Modelagentur, die sie eingeladen hat. Den da hinten mit den schulterlangen Haaren habe ich beim Casting spaßeshalber gefragt, wer zurzeit Bundeskanzler ist. Zehn Minuten lang behauptete er, es läge ihm auf der Zunge.»

Die Dame ging weiter, und ich war irgendwie erleichtert. Ich mag es, wenn sich Vorurteile auf so angenehme Weise bestätigen. Wobei ich mich selber auch nicht gerade als außerordentlich gebildet bezeichnen würde – ich denke, in etwa meiner Figur entsprechend: weder allzu üppig noch allzu mager.

Allmählich war ich genügend angeheitert, um die ganze Veranstaltung mit einer gewissen Gelassenheit über mich ergehen zu lassen. Ja, langsam kam ich sogar richtig in Stimmung und wagte, einen vorbeigehenden Mann anzusprechen.

«Sind Sie schwul? Sie sind einfach viel zu schön, um wahr zu sein.»

Der Herr lächelte gequält. Seine Freundin, so schmal, dass ich sie übersehen hatte, lächelte überhaupt nicht. Was für ein lustiges Fest! Wo wohl Sonja steckte? Nach vier Cocktails fühlte ich mich selbstbewusst genug, es mit ihr aufzunehmen. Ich würde sie zur Rede stellen. Hier und jetzt. Ich würde sie in einen der riesigen Obstkörbe schubsen, würde ihr befehlen, meinen Freund in Ruhe zu lassen, würde auf meine inneren Werte und auf meinen großen, aber festen Hintern verweisen und schließlich mit voluminöser Geste ihr Handy in meinen Cuba Libre fallen lassen. Entschlossen brachte ich meine Brüste in Stellung und marschierte los.

Sonja lehnte an einem Pfeiler. Ich näherte mich ihr von hinten. Einer Todeskralle gleich legte ich meine Hand auf ihre Schulter.

«Sonja, ich will dir jetzt endlich ...»

Sie drehte sich zu mir um – und sah aus wie eine Irre: fiebrige Augen, glühende Wangen, aufgelöste Frisur. Ich erkannte die Symptome sofort.

«Annabel!» Sie fiel mir in die Arme.

«Ich bin verliihiihiebt!»

Der Alkohol in meinem Blut verdunstete schlagartig. Ich war komplett nüchtern.

«Was? In wen denn?»

«Siehst du den Typen da drüben?» Wie ein kleines Mädchen winkte sie einem Mann zu, der an der Bar stand und selbstverständlich nicht zurückwinkte. Gute Männer winken nicht, das ist bewiesen.

«Wer ist das?»

«Das ist Henning. Er ist Architekt in Berlin. Ich habe ihn gerade kennen gelernt und weiß genau, dass er der Mann meines Lebens ist. Ist das nicht unglaublich? Kannst du mich verstehen?»

Ich betrachtete Henning geringschätzig. Was hat er, was mein Benni nicht hatte? Ich war nicht begeistert, wie mein Schnuffelhase so mir nichts dir nichts von dieser flatterhaften Parfüm-Pute abserviert wurde.

«Und was ist mit deinem Superbenni?»

«Super wer? Vergiss ihn! Der ist wie nicht gewesen! Henning ist herrlich. Ich sage dir, dieser Mann ist mein Mann! Kennst du das Gefühl?»

Was sollte ich dazu sagen? Etwa: «Ja, auch ich war einstmals glücklich, bevor du spiddelige Schlampe dir meinen Freund unter den Nagel gerissen hast, um ihn dann bei erstbester Gelegenheit wegen eines anderen sitzen zu lassen!»

Ich schwieg lieber verbittert und beobachtete Henning, der mit zwei Gläsern in der Hand auf uns zusteuerte. Sah nicht schlecht aus, der Mann, dass musste ich zugeben. Grau melierte Schläfen, kantiges Gesicht. Aber pffh, was sagt schon das Aussehen über einen Menschen aus? Henning reichte uns die Gläser und machte eine winzige Verbeugung.

«Guten Abend, ich bin Henning Malik. Es ist mir eine Freude, Sie kennen zu lernen.»

Sonja kicherte verzückt, als hätte sie nicht mehr alle Tassen im Schrank.

«Guten Abend, ich bin Annabel Leonhard. Bis vor zwei Minuten war diese Frau da noch scharf auf meinen Freund. Passen Sie gut auf, worauf Sie sich einlassen. Und Ihr gutes Benehmen können Sie sich übrigens in den Arsch schieben», dachte ich und sagte: «Hallo.»

Ich habe mich in meinem ganzen Leben noch nie so überflüssig gefühlt wie in den folgenden Minuten. Sonja und Henning bemühten sich nicht mal, mich in ihr Gespräch einzubeziehen. Vielleicht waren sie auch nicht in der Lage dazu. Sie schienen völlig entrückt. Hier waren offenbar Urgewalten am Werk. Sie hing an seinen Lippen, er an ihren Brüsten. Na, so soll es sein. Erst als ich vernehmlich sagte: «Ich gehe jetzt», schenkte man mir für Sekunden ein Minimum an Aufmerksamkeit.

«Wie bedauerlich», murmelte Henning scheinheilig. Sonja legte mir die Arme um die Schultern und flüsterte: «Wir werden jetzt auch verschwinden. Henning wohnt in einem Hotel hier ganz in der Nähe. Du bist doch nicht sauer, oder? Du könntest doch mit einer der Limousinen von ‹Lancaster› ins ‹Mardavall› zurückfahren und in meinem Zimmer schlafen. Ich bin ganz sicher, dass ich es heute Nacht nicht brauche. Morgen treffen wir uns dann alle zum Frühstück, und ich werde euch von der unglaublichsten Nacht erzählen, die ich je erlebt haben werde. Einverstanden?»

Ich nickte benommen.

«Mmmmh, klar.»

Sonja drückte mir einen Kuss auf den Mund.

«Oh, klasse, du bist ein Schatz! Wünsch mir Glück.»

Als Sonja Arm in Arm mit Superhenning Richtung Ausgang ging, rieselten plötzlich tausende Rosenblätter auf ihre Köpfe, und aus den Lautsprechern schmetterte «Freude schöner Götterfunken». Kein Zweifel, die Parfüm-Präsentation hatte begonnen. Und kein Zweifel, dass Henning und Sonja noch ihren Enkelkindern von diesem Moment erzählen würden, in dem ihre Liebe so glamourös begann. Ich beneidete sie. Ich hasste sie. Ich hasste mich. Drei Minuten später saß ich in einer Limousine und ruinierte mir mein Make-up.

Im Hotel bestelle ich nun fast schon aus alter Gewohnheit eine Flasche Champagner und lege Sonjas Handy neben mich aufs Bett. Wegen diesem Henning hat sie das Ding völlig vergessen. Ich muss zugeben, dass ich komplett ratlos bin. Nichts, was auch nur im Entferntesten vergleichbar wäre, habe ich je erlebt. Aber ich weiß genau, jede Frau in meiner Lage würde sich genauso fühlen wie ich, nämlich wie ein übergewichtiges, erbarmungswürdiges Nichts. Mein Freund ist verliebt in eine Frau, die ihn nicht mehr liebt! Wenn er ihr nun eine SMS schickt, dass er die Verabredung für Sonntag annimmt? Was für eine Blamage! Für ihn und damit auch für mich. Ich will keinen Mann, der mich nur will, weil ihn die, die er wirklich will, nicht haben will. Und ich will natürlich schon gar keinen Mann, den keine andere will. Verflucht, wäre ich doch nie auf diese Insel gekommen.

Den Champagner trinke ich direkt aus der Flasche. Und ich denke, dass es keinen Unterschied macht, ob man sich bei Champagner schlecht fühlt oder bei Holsten-Bier. Und nur weil man die Vorhänge per Tastendruck schließen

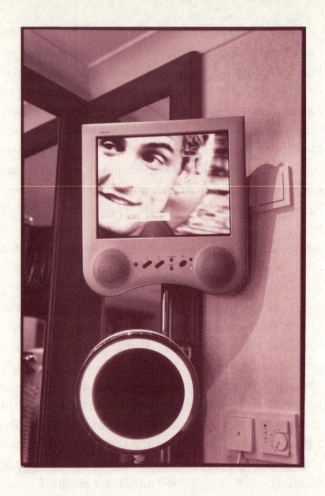

kann, einen Fernseher über der Badewanne, Meerblick und eine echte Eiderdaunendecke hat, ist der Liebeskummer nicht erträglicher. Ich wünsche mir, ich wäre wieder zu Hause. Bei meinen Stofftieren und bei meinem Benni. Ach, wenn doch bloß alles nicht geschehen wäre. Wenn ich nie Frisch gelesen und eine Fettwaage gekauft hätte und nie einunddreißig geworden wäre. Dann wäre vielleicht noch alles so gut, wie es immer war. Aber das fällt mir zu spät auf.

Und dann pupst Sonjas Handy. Aber es ist nur Ikmas, der seiner anbetungswürdigen Kollegin eine angenehme Nacht wünscht. Das kann doch alles nicht Warstein!

«Von welcher Seite sehe ich erotischer aus?»

Es trifft die Sache wohl ganz gut, wenn ich sage, dass ich zu diesem Zeitpunkt wie ein müder Mops aussehe. Verquollen, fahl, faltig, schlecht gelaunt. Irgendwann bin ich wohl, an meine Champagnerflasche gekuschelt, eingeschlafen. Jetzt stehe ich vor einem überwältigenden Frühstücksbüfett und habe keinen Hunger. Das ist mir noch nie passiert. Normalerweise fühle ich mich durch Büfetts immer animiert, von allem etwas und das auch nicht nur einmal zu nehmen. Es macht mich sonst nervös, wenn ich Karawanen älterer, dickerer Frauen im Stechschritt auf die Riesengarnelen in Aioli zumarschieren sehe. Da habe ich einfach keine Ruhe. Aber heute reicht mir ein schwarzer Kaffee. Ich bin wirklich in schlechter Verfassung.

«Annabel! Ich sitze hier!»

Cora winkt mir von der Terrasse zu.

«Na, ihr hattet wohl einen langen Abend. War's nett? Wo ist Sonja? Schläft sie noch?»

«Weiß ich nicht. Sie hat sich schon wieder neu verliebt.»

«Was? Erzähl!»

Ich bin gerade da, wo ich mit der Limousine ins «Mardavall» zurückfahre, als mir auffällt, dass Cora eigentlich auch ziemlich müde aussieht. Ihre Haare sind noch etwas struppiger als sonst, aber dafür glänzen ihre Augen verdächtig.

«Wie war es denn so bei deinem alten Deutschlehrer?»

«Mein ehemaliger Deutschlehrer. Von alt habe ich nichts gesagt.»

Cora grinst, und ich glaube, ich täusche mich nicht: Sie wird unter ihrer leichten Bräune sogar etwas rot. Potztausend, ja war ich denn gestern die einzige Frau in diesem Sonnensystem, die statt mit einem Mann, der nicht der eigene ist, mit einer Flasche ins Bett gegangen ist? Ich fühle mich irgendwie zu kurz gekommen.

«Er war Referendar, als ich gerade Abi machte. Wir hatten eine kurze, aber sehr intensive Beziehung. Über die Jahre haben wir dann nie ganz den Kontakt verloren. Vorletztes Jahr ist er mit seiner Frau nach Mallorca ausgewandert.»

Ich war erleichtert.

«Ach, mit seiner Frau? Und, ist die nett?»

«Keine Ahnung, die ist gerade für ein paar Tage in Deutschland.»

«Und? Habt ihr, ich meine hast du …»

«Weißt du, Annabel, ich habe eins gelernt über Treue und Untreue, über aushäusige Phantasien und Flirts: Das A und O ist Diskretion. Ich glaube, Jungs lernen das schon auf dem Schulhof: Erzähle nichts und leugne alles. Wir Frauen lernen das erst viel, viel später oder gar nicht. Aber ich bin lernfähig. Und deswegen bleiben meine Lippen verschlossen. Ich genieße und schweige.»

Ich schaue sie bewundernd an. Was für eine Disziplin! Für mich ist Schweigen das reine Gegenteil von Genuss. Genau deshalb bin ich ja nicht der Typ für Untreue. Meinen jeweiligen Partnern gegenüber begründe ich das immer mit meinen moralisch, ethisch und altruistisch orientierten Überzeugungen. In Wahrheit ist das Risiko, erwischt zu werden, einfach zu groß für jemanden, der keinen einzigen Namen und keinen einzigen Witz behalten kann und regelmäßig vergisst, die Uhren von Sommer- auf Winterzeit umzustellen. Ich weiß auch nie, ob wir zu Hause noch Teelichter haben. Deswegen gehe ich regelmäßig auf Nummer sicher und kaufe einen Beutel mit fünfzig Stück. Daheim stelle ich dann immer fest, dass ein Dutzend Teelichter-Tüten in der Abstellkammer sehr viel Platz wegnehmen. Sollte jetzt irgendjemand meinen: «Aber Teelichter kann man doch nie genug haben», dem sei hier in aller Deutlichkeit gesagt: «Doch, man kann.»

Untreue erfordert außer einem intakten Erinnerungsvermögen noch vier weitere Eigenschaften, über die ich allesamt nicht verfüge:

1. Diskretion

Das heißt, etwas Außergewöhnliches zu erleben und nachher niemandem davon zu erzählen. Das ist mir absolut nicht möglich. Warum erlebe ich denn Dinge? Doch nicht, um sie dann für mich zu behalten. Das ist doch völlig widernatürlich. Gerade Sex erhält doch erst seine Qualität durch die verbale Nachbearbeitung mit der engsten Freundin. Besonders die ersten Male sind, seien wir doch ehrlich, oft recht kümmerliche Ereignisse. Warum sollte man sich da überhaupt immer wieder durchkämpfen, wenn man nicht durch die Freuden der humorvollen Aufarbeitung im Freundeskreis belohnt würde?

2. Nervenstärke beim Leugnen

Das A und O beim Fremdgehen ist: Alles konsequent abstreiten. Außer er kann mit eindeutigem und aussagekräftigem Filmmaterial aufwarten. Ansonsten darf man niemals irgendwas zugeben. Wieder ein unlösbares Problem für mich. Ich habe sowieso generell das Gefühl, ich hätte irgendwas angestellt. Das war schon immer so. Sehe ich nur aus der Ferne einen uniformierten Menschen, bekomme ich schon einen Gesichtsausdruck, wie ihn nur Frauen haben, die eine Viertelstunde zuvor durch ruckartiges Bremsen vor dem Schaufenster einer Gucci-Boutique, in der Schuhe um fünfzig Prozent runtergesetzt waren, eine Massenkarambolage verursacht haben. Ich sehe schuldig aus, selbst wenn ich gar nicht schuldig bin. Nicht auszudenken, wie ich aussähe, wenn ich tatsächlich was zu verheimlichen hätte!

3. Ausgeglichenheit

Es gibt Menschen, vorzugsweise Männer, die tun immer so, als sei nichts. Das sind die, deren Stimmungen nahezu unbeeinflussbar sind von äußeren Einwirkungen. Das sind die, mit denen man regelmäßig unergiebige Dialoge führt.

«Jetzt freu dich doch mal.»

«Ich freu mich doch.»

«Das merkt man dir aber nicht an. Gefällt dir das Rasier-Set nicht?»

«Doch, sehr.»

«Ich kann es auch umtauschen, wenn du willst.»

«Warum denn? Ich habe doch gesagt, dass es mir gefällt.»

«Und warum freust du dich dann nicht?»

Ben zum Beispiel wäre der perfekte Fremdgeher. Nichts würde ich ihm anmerken, gar nichts. Der könnte gerade von seiner Hochzeit kommen oder eine halbe Stunde zuvor die Nabelschnur seines ersten Kindes durchtrennt haben – auf mich würde er wirken, als habe er einen besonders langweiligen Tag im Büro hinter sich.

Ich bin da anders. Freude, Trauer, Wut, Angst, Glück: Jede Stimmung wird bei mir durch entsprechendes Verhalten dokumentiert. Sogar meine Haare sind ein Spiegel meiner seelischen Verfassung. Wenn es mir gut geht, sehen sie hauchdünn und fieselig aus. Wenn es mir schlecht geht, verlieren sie zusätzlich noch ihren Glanz. Es hat einfach keinen Sinn, auch nur den Versuch zu unternehmen, mich zu verstellen.

Ben sieht mir ja schon an, ob ich gut oder schlecht gegessen habe, wenn ich von einer Verabredung nach Hause komme. Und manchmal, es ist schon fast unheimlich, weiß er aufgrund meiner Stimmung, welches Video ich kurz zuvor angeschaut habe.

«Ach, Belle, ist was passiert oder hast du nur wieder ‹Magnolien aus Stahl› gesehen?»

Oder: «Na, Liebes, warum so betrübt? Du weißt doch, dass Spiderman sich gegen die Liebe entscheiden muss. Sonst könnte es ja keine Fortsetzung geben.»

Und manchmal – wenn mir langweilig ist und ich deswegen schlechte Laune habe und Benni auf die Nerven falle, weil der in Ruhe lesen möchte, ich aber alle drei Minuten Aufmerksamkeit beanspruche und rufe: «Bennniiii, guck mal, mir fällt gerade ein Arm ab!» – sagt er: «Lass mich mit deiner schlechten Laune in Ruhe. Geh ins Wohnzimmer, ‹Shrek› gucken.»

Und das mache ich, und dann geht's mir auch wieder besser. Ach ja, mein Benni kennt mich wirklich gut. Eventuell zu gut.

4. Lust an Gefahr und an Verbotenem

Das ist etwas, was mir völlig abgeht. Ich muss nichts Illegales tun, bloß um mich lebendig zu fühlen. Wenn ich ein Verbrechen begehe, dann grundsätzlich aus Versehen. So wie letztens, als ich erst zu Hause bemerkte, dass ich noch die Sonnenbrille trug, die ich beim Optiker ausprobiert hatte. Natürlich habe ich sie zurückgebracht – vielleicht auch dadurch motiviert, dass ich meine eigene Brille und auch noch meine Handtasche liegen gelassen hatte.

Gefahr halte ich in erster Linie für gefährlich und nicht für stimulierend. Nennt mich altmodisch, aber ich habe bis heute meinen Geschlechtsverkehr lieber im Bett als im Bordklo einer russischen Tupolev, die wegen Spritmangels auf dem vereisten Flughafen von Novosibirsk notlanden muss. Auch die Vorstellung, beim Sex erwischt zu werden, reizt mich überhaupt nicht. Ich habe es einmal unvorsichtigerweise in einem Bett gemacht, über dem ein Deckenspiegel hing. Seither weiß ich nur zu genau, wie unvorteilhaft ein weiblicher Körper in gewissen Positionen aussehen kann. Es wundert mich eigentlich, dass ich nach diesem phobischen Erlebnis überhaupt jemals wieder Sex hatte. Aber auf Zuschauer kann ich dabei wirklich verzichten.

Jemand fällt mir von hinten um den Hals und reißt mich so aus meinen erichfrommhaften Überlegungen. Es ist Sonja.

«Mädels, das ist der reine Wahnsinn!»

Sie trägt ihr Abendkleid von gestern, inzwischen arg zerknittert, ist ungeschminkt und hat einen völlig entrückten Gesichtsausdruck. Cora und ich starren sie an, und ich stelle zufrieden fest, dass Sonja nicht zu dem Typ Frau gehört, der auch ohne Make-up wie gut zurechtgemacht aussieht. Leicht ölige Mischhaut, würde ich aufgrund meiner reichhaltigen Erfahrungen diagnostizieren, wahrscheinlich mit Hang zu Mitessern und Fettglanz auf Stirn, Nase und Kinn. Natürlich freue ich mich über jeden Makel an ihr. Bin ich eine Heilige oder was?

Cora wird ungeduldig.

«Jetzt sag schon! Wie war die Nacht, was ist das für ein Typ, und wann siehst du ihn wieder?»

«Erst in Deutschland. Er macht hier mit ein paar Verwandten Urlaub. Die Nacht war super, unglaublich. Ich will ja nicht indiskret sein, aber wenn Henning bei Asterix mitspielen würde, müssten sie ihn Phallix nennen.»

Cora prustet. Ich hingegen lächle schmallippig. Mein Ben ist auch recht gut gebaut, aber es erscheint mir kleinlich, in diesem Moment darauf hinzuweisen.

«Mich hat's völlig erwischt. Ich glaube, ihn auch. Ich habe so was noch nie erlebt. Wisst ihr, was er gemacht hat, der Verrückte? Er hat mir mit Edding eine Liebeserklärung auf den Rücken geschrieben. Damit ich ihn auf keinen Fall vergesse in der langen Zeit, in der wir getrennt sind. Ist das nicht süüüß?»

Cora erhebt ihre Tasse.

«Na dann, möge Superbenni in Frieden ruhen. Wir begrüßen an dieser Stelle Henning den Großen in Sonjas Leben.»

Sonja lächelt geschmeichelt.

«Ach, sag mal, Annabel, hast du zufällig mein Handy dabei?»

Natürlich hatte ich mich auf diese Frage vorbereitet. Ich war nicht gewillt, das Telefon kampflos wieder herzugeben. Ben hatte sich noch nicht gemeldet, aber ich rechnete im Laufe des Tages mit seiner SMS. Ich musste die Erste und Einzige sein, die seine Antwort lesen würde. Ich mache eine zerknirschte Miene.

«Tut mir wahnsinnig Leid. Das Ding ist mir gestern bei der Rückfahrt aus der Tasche gerutscht. Ich habe aber den Fahrer ausfindig gemacht. Er bringt dein Handy heute Nachmittag zum Haus von Tante Gesa. Ich kann es dir dann beim Polterabend auf der Yacht wiedergeben. Ist das okay?»

«Natürlich. Henning kann mich eh nicht anrufen, weil er mit seiner Sippe segeln geht. Auf die Nachrichten von Ikmas kann ich verzichten, und Superbenni wird den Sonntagabend wohl doch mit seiner Freundin verbringen müssen. Wahrscheinlich beim ‹Tatort› vorm Fernseher. Der Arme!»

Sonja lacht, und es fehlt nicht mehr viel, und ich stürze mich auf sie und reiße ihr büschelweise die Haare aus.

Aber was für eine Schmach wäre das, über eine Frau herzufallen, weil sie mich nicht mehr hintergehen will? Weil sie nicht mehr auf meinen Mann scharf ist? Weil sie sich, auch noch unwissend, über mein kleines, seichtes Leben lustig macht, das ich so dringend wieder zurückhaben will? Nein, ich muss mich zusammenreißen, Haltung bewahren. Ich stehe das hier in Würde durch. Dazu brauche ich nur etwas Ruhe, um meine Gefühlswallungen in den Griff zu kriegen. Außerdem könnte ich auch gut etwas Selbstbestätigung vertragen. Entspannung oder Egomassage? Man muss Prioritäten setzen. Also betrete ich eine Stunde später zu allem entschlossen die «Lady Harmony». Meine Güte, ich bin eine verzweifelte Frau. Ich bin zu allem bereit!

Vielleicht hätte ich die Sauerkrautsaftdiät doch durchziehen sollen. Das denke ich so, während ich über meinen leicht gewölbten Bauch hinweg aufs Meer schaue. Leider ist er noch nicht so dick, dass er mir die freie Sicht auf meine gnubbeligen Knie versperrt. Wann wurde eigentlich beschlossen, sichtbare Bauchmuskeln seien schön? Warum hat niemand vorher mich gefragt? Früher hatten die Frauen runde weiche Bäuche, die Sinnlichkeit und Fruchtbarkeit verkörperten. Heute sollen wir uns Brettbäuche antrainieren mit so ausgeprägten Sehnen- und Muskelsträngen, dass sie mich an die hässlichen Zeichnungen aus dem Biobuch erinnern oder an Walnüsse in einem Kondom. Findet so was wirklich jemand schön? Ich fürchte, ja. Meine Muskeln sind jedenfalls sicher eingebettet und verborgen, und ich fürchte, so wird es auch bleiben. Nicht zuletzt weil Robin mir gerade ein Eis mit Sahne holt. Während er unterwegs ist, verarbeite ich diverse Enttäuschungen.

1) Dieser Strand ist zwar sehr schön, aber keineswegs einsam. Zu körperlichen Annäherungen wird es hier mit Sicherheit nicht kommen.
2) Robin hat gerade zufällig seine Bekannte Maren mit ihrem mallorquinischen Freund Joan getroffen.
3) Maren liegt jetzt ausgerechnet neben mir.
3a) Sie ist wahrscheinlich noch nicht mal volljährig und wiegt so gut wie nichts.
4) Robin ist gar kein Yachtbesitzer.

Wie ich inzwischen weiß, hat Robin die «Lady Harmony» nur von Marbella nach Puerto Andratx überführt. Der eigentliche Besitzer ist ein Juwelier aus dem Rheinland. Als Maren fragte: «Wann will der Alte sein Boot eigentlich mal wieder selber benutzen?», hoffte ich, damit sei Robins Vater gemeint. Als ich nachfragte, schlug sie sich erschrocken auf den Mund.

«Oh Scheiße, du hast ihr gesagt, das sei deine Yacht?»

Robin war empört, aber gleichzeitig verlegen.

«Habe ich nicht! Sie hat mich nie danach gefragt.»

Ja, es stimmt, dass ich ihn nie konkret gefragt habe. Aber man wird doch wohl noch davon ausgehen dürfen, dass Männer sich in der Regel nur mit Yachten fortbewegen, die ihnen auch gehören.

Robin zupfte mich am Ohrläppchen.

«Bist du jetzt enttäuscht?»

Was soll ich sagen? Du denkst, du hast den Kapitän erwischt, und dann stellt sich raus, dass es bloß ein Matrose ist. Natürlich war ich enttäuscht!

«Natürlich nicht», sagte ich.

Erleichtert gab er mir einen Klaps auf meinen Po.

«Spinnst du, der wackelt jetzt noch drei Stunden!»

Ich kann Robin einfach nicht böse sein. Und ich weiß auch, warum. Weil er mir nicht genug bedeutet. Warum sollte ich unser Zusammensein damit belasten, mich über ihn aufzuregen? Ich mag ihn nur, er ist es nicht wert. Aber er ist wirklich ein hübscher Junge. Diese langen Beine. Und so ein schmales Becken. Ben ist ja eher breit gebaut in der Hüfte, sodass ich es häufig bedauere, dass er nicht unsere Kinder bekommen kann. Er hat sich immer noch nicht gemeldet – bei Sonja, meine ich. Ringt er mit seinem

Gewissen, weil er ihr zusagen möchte? Oder weiß er nicht, wie er ihr absagen soll?

Ben ist ein Mensch, der ungern die Gefühle anderer verletzt. Es sei denn, es handelt sich um meine Gefühle.

«Sind Sie zum ersten Mal auf Malle?»

Huch, denke ich, die kann ja sprechen. Ich hatte Maren ganz vergessen. Was der wohl einfällt, mich zu siezen. Als sei ich ihre unbeschlafene Handarbeitslehrerin!

Ich richte meinen Blick konzentriert in die Ferne, um ihr anzudeuten, dass ich an einer Konversation mit einem Kind nicht interessiert bin, das weder in meiner Altersnoch in meiner Gewichtsklasse mitspielen kann. Zu gut erinnere ich mich, wie ich in ihrem Alter über Frauen in meinem Alter gedacht habe. Mit Verwunderung und Interesse beobachtete ich damals diese armen Kreaturen, Greisinnen über dreißig, die sich am Strand ihr Handtuch um die Hüften schlangen, es fallen ließen, wenn sie ins Meer gingen, und dann, egal wie schweinekackekalt das Wasser war, gaaanz schnell zumindest bis zu den Hüften darin verschwanden. Zum Glück haben gnädige Modeschöpfer zu diesem Zwecke sehr kleidsame Textilien erfunden, die Pareos heißen oder auch «Orangenhautabdecker für Frauen, die trotz ihres Alters meinen, noch an den Strand gehen zu müssen, sich aber keine ordentliche Operation leisten können».

Wie habe ich mich, ach, ich junges, unwissendes Ding, zu jener Zeit geekelt vor Männern, deren Brustbehaarung langsam weiß wurde und die deshalb aussahen, als würden sie bei lebendigem Leib verschimmeln. Wie seltsam kam mir der Anblick von Menschen vor, die sich zwar teure Autos leisten konnten, damit aber hauptsächlich zur Kosmetikerin, ins Fitness-Studio oder ins entschlackende Wellness-Wochenende unterwegs waren. Wie erschreckend war es, in den Ferien an der Ostsee Männer zu beobachten, die am Hintern aussahen wie Ilja Rogoff unter den Augen. Ich war so was nicht gewohnt, denn meine Eltern waren glücklicherweise nicht so irre modern, ständig nackig durch die Wohnung zu laufen und mich zu zwingen, sie mit Vornamen anzusprechen.

Es war die Zeit, als ich noch mit Jungs schlief, die jedes Haar, das auf ihrer Brust zu wachsen geruhte, persönlich und feierlich begrüßten. Die Zeit, als ich noch Sport aus Spaß machte und nicht, um abzunehmen. Als ich meine Cremes im Supermarkt kaufte, als meine Fersen noch nicht aussahen wie blasse Bratäpfel und ich noch niemals von der Existenz von Lippenkonturstiften gehört hatte. Als ich hoffte, vielleicht doch noch einen vaginalen Orgasmus zu erleben, und davon ausging, dass meine Brüste bestimmt noch wachsen würden.

Es war eine schöne Zeit, und sie ist lange her. Um genau zu sein: sehr lange.

«Und wo wohnen Sie hier?» Maren lässt nicht locker. Es ist doch immer wieder erstaunlich, wie sehr Menschen um Aufmerksamkeit buhlen, die eigentlich froh sein sollten, dass sie noch keiner bemerkt hat. Maren kaut mit einer Inbrunst Kaugummi, die mir freie Sicht in die Tiefen ihres Rachenraumes gewährt.

«Bei meiner Tante.»

«Und wo wohnt die?»

«Cala Llamp.»

«Das ist ja lustig. Da wohnt meine Schwester auch.»

Ich ziehe es vor, nicht mal mit einem desinteressierten

«Mmmmh» zu antworten. Solche Leute erzählen einem sonst ungebeten ihre ganze langweilige Familiengeschichte. Mein Schweigen wirkt auf Maren aber wie die dringende Aufforderung zu noch mehr Gequatsche.

«Meine Schwester ist die beste Paparazza der Insel. Sie hat auch 'nen echt geilen Künstlernamen: Laura Luchs. Luchs, von wegen Augen wie ein Luchs und so. Sie haben den Namen bestimmt schon mal gehört, oder?»

«Bedaure.»

«Sie schießt hier die ganzen Promis für die ‹Bunte› und die ‹Bild› ab. Neulich hat sie sich drei Tage lang im Tarnanzug auf dem Grundstück von Michael Douglas versteckt.»

«Auch eine Art, seine Zeit zu verbringen», sage ich geringschätzig. Aber Maren scheint ohne mein Dazutun spontane Zuneigung zu mir gefasst zu haben.

«Ja, toll, nicht? Raten Sie mal, wen sie bei ihrer Aktion abgeschossen hat!?»

«Womöglich Michael Douglas?»

«Ja, aber eben nicht alleine. Und jetzt raten Sie mal, wer mit ihm im Pool war!?»

Wiederum halte ich Schweigsamkeit für die beste Antwort.

«Seine Frau!»

«Donnerwetter. Das hat man ja selten. Was für ein Skandal.»

Für Maren ist das die Aufforderung, mir einen ermüdenden Vortrag über die Kunst der Tarnung und die Fertigkeit des Anschleichens zu halten. Sie selbst würde ihrer Schwester öfter mal im Tarnanzug assistieren, unter anderem auch deshalb, weil ihr Naturtöne so gut stünden.

Erst neulich hätten sie Dieter Bohlen über die ganze Insel verfolgt in der Annahme, die Frau auf dem Beifahrersitz sei seine neue Flamme. Mir persönlich wäre das echt nicht aufgefallen. Der Dieter, finde ich, der bleibt seinem Frauentyp ja so irre treu, dass man einige nur per genetischem Fingerabdruck voneinander unterscheiden kann.

Es ist nicht so, dass ich mich für Klatsch nicht interessierte. Ich bin immer sehr aufgeregt, wenn ich glaube, in Hamburg einen Prominenten gesehen zu haben. Ich könnte zum Beispiel schwören, dass ich neulich den Markus Lanz entdeckt habe. Den kenne ich von meiner letzten Grippe.

Ich lag drei Tage lang im Bett und guckte von morgens bis abends Fernsehen. Seine Sendung mochte ich besonders gerne. Meistens handeln die Beiträge von Frauen, die sich ganz entsetzlich für irgendwas schämen, was mit ihrem Körper zu tun hat. Entweder haben sie enorme Hängebrüste, die aussehen wie Eieromeletts, bei denen beim Wenden was schief gegangen ist. Oder sie haben ganz schlimmen Reithosenspeck an den Hüften oder abnormale Hautfalten am Hals. Oder sie haben zwei giftgrüne Muttermale auf dem Rücken, die unentwegt im Kanon singen «He, ho, spann den Wagen an».

Diese Frauen schämen sich so wahnsinnig, dass sie nichts Besseres zu tun haben, als sich ihre Klamotten vom entstellten Körper zu reißen und ihre Makel im Fernsehen vor vier Millionen Zuschauern zu exponieren. Das verstehe ich einfach nicht. Ich meine, wer ist denn froh, wenn er morgens an der Käsetheke angesprochen wird: «Hey, sind Sie nicht die Frau, die sich gestern auf RTL sechs Kilo Eigenfett aus den Oberschenkeln in die Brüste hat spritzen lassen!?» Mir persönlich wäre das unangenehm.

Robin hält es für nötig, Maren vor mir zu warnen.

«Stella heißt übrigens gar nicht Stella. Aber sie erzählt sehr spannende Geschichten.»

«Wie jetzt, Geschichten?»

Maren schaut mich begriffsstutzig an, wie meine Oma Gabi, als sie bemerkte, dass ihr Gebiss ins Kaminfeuer gefallen war.

«Die Idee ist von mir. Das ist so ein altes Spiel, das ich gerne mache.»

Nun bin ich verdutzt.

«Wie jetzt, altes Spiel? Das ist ein Hobby von dir? Wie viele Stellas hattest du denn schon?»

Ich bin pikiert, das muss ich schon sagen. Irgendwie hatte ich gedacht, dass meine spektakulär kreative Ausstrahlung bei Robin diese besondere Eingebung hervorgerufen hätte. Und jetzt stellt sich heraus, dass er das oft macht. Wahrscheinlich immer dann, wenn er jemanden kennen lernt, der so aussieht, als würde er ein langweiliges Leben führen.

Aber Robin scheint sich überhaupt nicht ertappt zu fühlen. Er lacht vor sich hin und zupft mir schon wieder am Ohrläppchen.

«Du bist die einzige Stella in meinem Leben. Und ich kann dir sagen, dass sich noch niemand so viel Mühe gegeben hat, erfundene Geschichten wahr aussehen zu lassen.»

«Sie heißen gar nicht Stella?»

Maren scheint langsam zu begreifen, was sich aber nicht vorteilhaft auf ihren Gesichtsausdruck auswirkt.

«Nein, sie heißt nicht Stella, wohnt nicht in einer Villa in Cala Llamp, und ich habe keine Ahnung, was sie wirklich in den letzten Tagen gemacht hat. Mir hat sie erzählt, dass sie eine Übernachtung im ‹Mardavall› gewonnen hat und auf einer Parfüm-Party in Palma war.»

«Aber dann weißt du ja gar nicht, wer sie wirklich ist.»

Maren scheint die Faszination, die dieses Spiel haben soll, ebenso wenig zu begreifen wie ich. Zumindest ein sympathischer Zug an ihr.

«Schon richtig, aber was sie gerne wäre, sagt ebenso viel über sie aus wie das, was sie wirklich ist.»

Ich brauche einige Sekunden, um zu merken, dass dieser Satz gut klingt, aber inhaltlich einiges zu wünschen übrig lässt. Was will der Junge denn bitte schön aus meinen Träumen deuten, wenn er noch nicht mal meinen Namen kennt?

«Und was sagen deiner Meinung nach meine Geschichten über mich aus? Was haben dir die letzten Tage über mich verraten?»

Robin schaut grübelnd aufs Meer. Plötzlich finde ich es doch ganz schön schmeichelhaft, dass er sich so viele Gedanken macht. Fast tut es mir Leid, dass er sich solche Mühe mit der Interpretation meiner angeblichen Sehnsüchte gibt. Es ist ein seltsames Gefühl, wenn man sich dafür schämt, dass man nicht gelogen hat.

«Die Geschichten, die du dir ausdenkst, sind nicht völlig absurd. Theoretisch könnte das alles so passiert sein. Das spricht dafür, dass du im Grunde ziemlich zufrieden mit dir bist. Selbst wenn du die Möglichkeit hättest, würdest du nicht dein ganzes Leben auf den Kopf stellen. Wenn ich dich frage, ob du morgen mit mir vier Wochen an die Algarve kommst, würdest du ablehnen, fürchte ich. Es geht dir nicht schlecht, du hast keinen Leidensdruck. Du willst ein bisschen was erleben, aber nicht zu viel. Du erfindest eine reiche Tante, du machst dich nicht selber reich. Du gewinnst eine Nacht im Luxushotel, du könntest auch behaupten, es würde dir gehören. Du willst angeblich herausfinden, ob du noch mit deinem Freund zusammenbleiben willst, du könntest dich auch zur begehrten Single-Frau oder zur Geliebten von Heino Ferch machen. Nein, dein Leben muss ziemlich in Ordnung sein. Habe ich Recht?»

Oh. Ich weiß nicht. Hat er Recht? Nun, vielleicht. Vielleicht war mein Leben ziemlich in Ordnung, bevor ich hierher kam. Das hatte ich nur blöderweise nicht bemerkt, und ich bin sehr geneigt, dem Herrn Frisch zumindest eine Mitschuld zu geben. Wenn man so beunruhigende Sachen schreibt, sollte man dafür sorgen, dass sie nicht in falsche Hände geraten.

«Ihr seid ein Paar, jederzeit frei, aber ein Paar. Da ist nicht viel zu machen.»

Wenn du unvermittelt so was liest, dann ist doch klar, dass du mit der eigenen Beziehung schlagartig nicht mehr zufrieden bist. Nein, das ist nicht korrekt formuliert. Es ist vielmehr so, dass du plötzlich Zufriedenheit für einen Makel hältst, für ein Zeichen von Erschlaffung. Und mit einem Mal erscheint es dir, als wabere ein Geruch von Verwesung durch euer Schlafzimmer, bloß weil dort weniger als zweikommadreimal die Woche Sex stattfindet. Du denkst, eure Liebe sei schimmelig geworden, weil du ihm nicht mehr die Hemden vom Leib reißt, sondern die Knöpfe annähst. Du glaubst, dass es schlecht ist, aneinander gewöhnt zu sein, weil die Leidenschaft dabei auf der Strecke bleibt, das unaufschiebbare Begehren, der besinnungslose Sex auf irgendeiner Restauranttoilette. Den du, wenn du dich mal korrekt erinnern magst, nie hattest. Du konntest dir bloß früher vorstellen, ihn zu haben – mit dem Mann, den du jetzt liebst.

Der Frisch hatte mich völlig auf dem falschen Fuß erwischt. Und ich finde, auf solchen gefährlichen Büchern sollten ähnliche Warnungen stehen wie auf Zigarettenpackungen:

«Das Ministerium für auf Dauer angelegte Beziehungen warnt: Nach dem Konsum dieses Buches wird Ihnen Ihre Partnerschaft langweilig vorkommen. Warten Sie auf jeden Fall drei volle Tage ab, bevor Sie daraus irgendwelche Konsequenzen ziehen. Besonders von spontanem Fremdgehen und unüberlegten Kurzurlauben wird dringend abgeraten.»

In meiner Tasche pupst Sonjas Handy. Ich schaue aufs Display. Bens Nummer ist es nicht. Maren räkelt ihr Körperchen.

«Warum gehen Sie nicht ran?»

«Weil dieses Handy der Frau gehört, die vor zwei Tagen meinen Freund geküsst hat. Und jetzt warte ich darauf, dass mein Freund ihr eine SMS schickt. Und wenn er bereit ist, sich am Sonntag mit ihr zu treffen, habe ich wirklich ein großes Problem, weil ich dann nämlich keinen Freund mehr habe. Und das, obwohl sie sich gar nicht mehr mit ihm treffen will, weil sie gestern ihre große Liebe gefunden hat.»

«Ach, hören Sie auf, jetzt spinnen Sie aber wirklich.»

Maren ist jetzt von mir gelangweilt und schweigt erfreulicherweise einige Minuten, sodass ich gerührt einen kleinen Jungen beobachten kann, der mit einer Pump-

Gun bewaffnet ist. Früher hieß so was einfach nur Wasserpistole, heute: Super-Soaker XP310. Ich kenne das Modell von zu Hause. Ben hat sich so ein Teil vor zwei Monaten gekauft, um die Tauben vom Balkon gegenüber zu verscheuchen. Die fingen nämlich um fünf Uhr morgens an zu gurren. Wir bewarfen sie erst mit Möhrenstückchen, was aber nicht sehr effektiv war. Im Gegenteil, wir hatten das Gefühl, dass die Taubenmafia noch etlichen

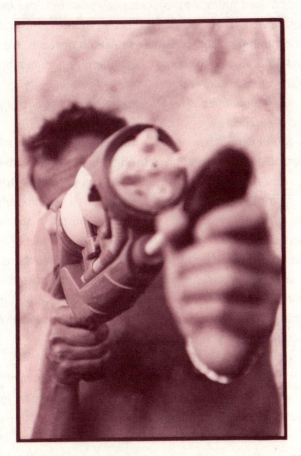

zwielichtigen Freunden gesagt hatte, dass es da in Hamburg-Eimsbüttel einen Balkon gibt, wo man umsonst frische Möhren kriegt.

Aber mit dem Super-Soaker hatte Benedikt Cramer-Wayne heldenhaft unter den Tauben aufgeräumt. Es war ein großer Anblick, wie er im Morgengrauen mit Boxershorts, Brille und einem orange-grün-gelben Plastikgewehr auf den Balkon schlich und den Feind mit drei, vier Volltreffern unter Wasser setzte. Ich war stolz, das muss ich sagen. Die Tauben gaben ihr Hauptquartier unverzüglich auf und verlegten es auf den Balkon über uns, wo sie vor Möhren und Wasser sicher, allerdings immer noch sehr gut zu hören waren.

«Caramba, buenas tardes hasta luego un agua con gas por favor, olé.»

So oder ähnlich klingt es in meinen Ohren, als plötzlich der bisher so erfreulich schweigsame Spanier namens Juan zu sprechen beginnt. Seine außergewöhnliche Brustbehaarung ist das Einzige, was mir bisher an ihm aufgefallen ist. Sie verteilt sich in einzelnen Büscheln über seinen Oberkörper wie Maulwurfshügel über eine Wiese. Aus manchen dieser Büschel wachsen auch noch einzelne Haare heraus von einer Länge, wie man sie ansonsten nur mit Winnetous großer Liebe Ribanna in Verbindung bringt. Ich schaue Maren fragend an, weil ich keine Ahnung habe, was der Eingeborene gesagt hat.

«Ich glaube, der Horst will jetzt abhauen.»

«Wieso Horst? Ich dachte dein Freund heißt Juan?»

«Heißt er ja auch. Aber weil hier jeder Zweite Juan heißt, nenne ich ihn lieber Horst.»

«Verstehst du denn, was er sagt?»

«Nur ein paar Brocken. Macht aber nix. Wir sind jetzt seit zwei Jahren zusammen und verstehen uns echt gut. Ich finde, Kommunikation wird total überschätzt. Probleme, über die man nicht reden kann, hat man auch nicht. So, wir müssen los. Schönen Tag noch.»

Als Horst wieder Laute von sich gibt, sage ich höflich «Adios, Juan.» Und er strahlt mich an, als hätte ich ihm einen Preis für die schönste Brustbehaarung Spaniens verliehen.

Dieses seltsame Paar stimmt mich nachdenklich. Kommunikation ist ja in der Tat der Risikofaktor Nummer eins in Beziehungen. Wahrscheinlich würden die Geschlechter friedlicher miteinander leben, wenn Paare gar nicht miteinander reden. Eine reizvolle Idee, andererseits ist es ja nun wirklich nicht meine Art, länger als, sagen wir, zwei, drei Minuten am Stück nichts zu sagen.

Das erinnert mich an einen gehässigen Witz, den mal mein Ex-Mitbewohner Guido gemacht hat. Ich war einundzwanzig, saß mit Freundinnen in der Gemeinschaftsküche, und wir wollten unbedingt mal demonstrieren. Der Weltfrauentag kam uns da gerade recht. Mona, schon damals meine beste Freundin, fragte: «Was meint ihr, wie können wir am besten auf uns aufmerksam machen?» Ungebeten meldete sich Guido zu Wort: «Wie wär's mit einem Schweigemarsch?»

Am liebsten würde ich jetzt meine Gartenmöbel streichen. Oder meinem Hund das Fell bürsten. Oder meinen Kamin anzünden. Meditative Tätigkeiten, die die Seele ins Gleichgewicht und den Puls auf Normalfrequenz bringen. Aber ich habe keinen Garten, keinen Hund und keinen Kamin. Und selbst wenn, es würde mir nichts nützen, weil ich mich auf einer Yacht befinde. Ich kann mir hier nicht mal die Nägel lackieren, um meine Nerven zu beruhigen. Ich kann nur meinem eiligen Herzschlag lauschen und horchen, ob das Handy klingelt, das in ein Handtuch gewickelt unter meinem Kopf liegt.

Während Robin die «Lady Harmony» aus der Bucht raussteuert, frage ich mich, ob ich mich auf den Bauch oder den Rücken legen soll. Von welcher Seite sehe ich erotischer aus? Wie bei so vielen wesentlichen Fragen des Lebens gibt es auch hier keine eindeutige Antwort. Lege ich mich auf den Bauch, ist der zwar verdeckt, was nie schaden kann, aber dafür liegen dann die Rückseiten meiner Oberschenkel und meine Schrumpelfersen frei, ein Anblick, der der Schaffung einer sexuell aufgeladenen Atmosphäre nicht eben zuträglich ist. Drehe ich mich auf den Rücken, verdecke ich dadurch meinen ausladenden, aber wie ich finde dennoch ansehnlichen Po, lege aber gleichzeitig den Busen frei, immerhin, und zwar unabhängig von der Größe, eines der primären weiblichen Geschlechtsmerkmale. Schön wäre, wenn ich Brüste und Po auf einer Körperseite hätte und Fersen, Bauch, Kniekehlen und Oberschenkel auf der anderen. Was mich zu der Frage bringt, auf welcher Seite ich dann am liebsten das Gesicht tragen würde. Auf der erotischen? Ist mein Gesicht denn sexy?

«Soll ich dir den Rücken eincremen?»

Damit hat Robin meine Frage beantwortet.

Ich finde es sehr intim, wenn mir jemand den Rücken eincremt. Ich würde niemals einen Fremden darum bitten. Es ist so eine feine Mischung aus Zweck und Zärtlichkeit. Auch eine erotische Geste, aber das nur ganz zu Anfang, wenn man sich noch nicht gut kennt. So wie Robin und ich. Wenn Ben mir den Rücken eincremt, dann aus Sorge um mein Wohlergehen. Er braucht ja keinen Vorwand mehr für Berührungen. Was eigentlich schade ist, aber nicht zu ändern, wenn man sich seit langem liebt. Da fasst man sich einfach an, wenn einem danach ist. Da fragt man nicht mehr: «Soll ich dir den Rücken eincremen?», und meint eigentlich: «Darf ich beginnen, dich zu berühren?»

Am Anfang ist jeder Körperkontakt eine Sensation. Daher kann so etwas nicht dem Zufall überlassen bleiben. Aus diesem Grund friert jede Frau bei ihrer ersten Verabredung. Nicht weil ihr kalt ist, sondern weil sie ihm die Gelegenheit geben will, ihr sein Sakko um die Schultern zu legen und sie dabei wie zufällig zu berühren. Deswegen raucht sie besonders viel. Natürlich auch, weil sie nervös ist, aber vor allem, weil sie es liebt, ihre Hand über seine Hand zu legen, wenn er ihr Feuer gibt. Es ist rührend, solche Rituale zu beobachten. Wenn im Restaurant ein frisch verliebtes Paar neben mir sitzt, erinnere ich mich wieder daran, wie es war. Wie ich auch gefroren habe – und ich musste nicht einmal so tun, denn es war Februar, als ich zum ersten Mal mit Benedikt Cramer ausging.

Neben ihm im Auto hatte ich schon das Gefühl, dass wir uns all das sparen können, was Menschen üblicherweise tun, wenn sie herausfinden wollen, ob sie zueinander passen. All die Spiele, die sie spielen, teils aus wirklicher Unsicherheit, teils aus vorgetäuschter Unsicherheit. Ich war mir sicher. Ich brauchte Benedikt Cramer nicht zu kennen, um zu wissen, dass ich ihn liebte.

Beim Italiener an der Alster musste ich mich ständig zusammenreißen, ihm nicht über die Wange zu streichen oder sein Gesicht in beide Hände zu nehmen. Es fiel mir schwer, auf jene Gesten und Berührungen zu verzichten, die Paaren vorbehalten sind, die einander vertraut sind. Aber ich wusste, dass die Spielregeln eine langsame Annäherung vorschreiben.

Wir redeten, lachten, und beinahe hätte ich meinen Kopf an seine Schulter gelegt, als wir darauf warteten, dass der Kellner uns die Rechnung bringt. Ben und ich sind noch in dieser Nacht ein Paar geworden. Nicht, weil wir Sex auf meinem Wohnzimmerteppich hatten. Den hatten wir, aber ein Paar wurden wir schon, als Ben auf dem Nachhauseweg den Arm um mich legte. Da war alles gut. Wir passten zueinander wie …?

Es gab doch mal diese sechsfarbigen Zauberwürfel. Man musste sie so lange drehen, bis jede Seite eine Farbe hat. Stundenlang habe ich gedreht und gedreht und es nur ein einziges Mal geschafft. Ich erinnere mich noch genau an dieses leise, satte Geräusch beim Drehen der Würfelseiten. Als Benedikt Cramer den Arm um mich legte, fühlte ich mich wie in dem Moment, als mein Würfel sechs perfekte einfarbige Seiten hatte. Es war ein Zauber.

Robin gibt sich viel Mühe, mir auf erotischste Weise den Rücken einzucremen. Ich sollte wirklich versuchen, mich total auf das Hier und Jetzt zu konzentrieren. Zum Beispiel darauf, warum Sonjas Handy schon seit einer Stunde kein einziges verdammtes Pupsen mehr von sich gegeben hat.

Robin hat meinen verstohlenen Blick auf das Telefon bemerkt.

«Wir sind zu weit vom Ufer weg, da hast du keinen Empfang. Herrlich, oder? Endlich keine Anrufe mehr und keine SMS. Ich dachte schon, wir würden nie ungestört sein.»

Robin legt sich ganz nah neben mich. Im Grunde liegt er schon fast auf mir.

Aber für mich ist an Entspannung oder gar sexuelle Erregung überhaupt nicht zu denken. Ich muss aus diesem Funkloch raus! Egal wie. Sonst wird es mit Robin zum Äußersten kommen. Er müht sich schon am Verschluss meines Bikinioberteils ab.

«Da braucht man wohl einen Zahlencode, um den aufzukriegen.»

Natürlich wäre es völlig in Ordnung, mit Robin zu schlafen. Egal, wie man die Sachlage betrachtet. Mein Freund hat mit einer anderen rumgeknutscht und will sich womöglich am Sonntag mit ihr treffen, wo es dann unweigerlich zum Äußersten käme. Das heißt, wenn sie noch bereit wäre, ihn zu treffen. Er würde mich also betrügen, wenn er könnte. Jetzt wäre die Gelegenheit, sich einen uneinholbaren Vorsprung zu verschaffen. Wobei es mit größter Wahrscheinlichkeit eine kleinliche und verzweifelte Form des Geschlechtsverkehrs werden würde. Genau genommen die Form, die ich unter Freundinnen gerne als «pechvögeln» oder «notnageln» bezeichne.

Es kann auch sein, dass Ben rumgeknutscht hat, aber nicht bereit ist, weiter zu gehen und sich am Sonntag mit Sonja zu treffen. Das wäre natürlich eine schöne Sache. Ich könnte lustvoll und selbstbewusst mit Robin zur Tat schreiten und nachher behaupten, dass ich mich ja schon quasi von Ben verlassen gefühlt hatte. Ich bräuchte also kein schlechtes Gewissen zu haben. Na ja, höchstens mir selbst gegenüber, weil außer mir ja niemand wüsste, dass ich Bens Nachricht abgefangen habe. So wäre es mir am liebsten.

Was aber gar nicht in Frage kommt, ist, dass es auf der «Lady Harmony» zu einem Geschlechtsakt kommt, bei dem ich überhaupt nicht weiß, wie ich mich dabei fühlen soll: verzweifelt oder erleichtert? Habe ich gewonnen oder verloren? Bin ich eine gedemütigte Frau, die in den Armen eines jugendlichen Liebhabers kurzzeitiges Vergessen sucht? Oder bin ich eine allseits begehrte Frau, die in den Armen ihres jugendlichen Liebhabers Abwechslung sucht, um am Sonntagabend festzustellen, dass es nichts Besseres auf der Welt gibt, als mit dem, den man liebt, Spaghetti Arrabiata mit gestohlenem Parmesan zu essen und ihm nachher auf dem Sofa beim «Tatort»-Finale den Nacken zu kraulen, bis er brummt?

In jedem Fall muss ich einschreiten, bevor meine wenigen Hüllen fallen. Auch wenn es bedeutet, dass ich Robin die Wahrheit sage. Ihm sage, dass ich die ganze Zeit die Wahrheit gesagt habe.

«Du, Robin?»

«Warte, ich hab's gleich.»

«Äh, nein, ich muss mit dir reden.»

«Ist schon klar, ich hab Kondome dabei.»

«Es ist was anderes.»

«Was denn noch?» Robin fummelt weiter, und es steht zu befürchten, dass er das Geheimnis meines Bikiniverschlusses jeden Moment lüftet.

Ich setze mich auf und fahre mir mit entschlossener Geste durch meinen neuen Haarschnitt. Ich bin noch etwas gekränkt, obschon nicht wirklich verwundert, dass Robin sich weder über meine neue Frisur geäußert hat noch über meine neuen Füße oder meine kaviarverwöhnte Haut. Was ihm hingegen leider sofort auffiel, waren die unzähligen Mückenstiche auf nahezu jedem mit Haut überzogenen Teil meines Körpers. Das ist, glaube ich, unter anderem ein Grund, warum Ben so gerne mit mir zusammen in Urlaub fährt: Wo ich bin, wird im Umkreis von zehn Kilometern kein anderer von Mücken belästigt. Ich habe alles versucht: Mich so ausgiebig mit hochgiftigen Chemikalien eingesprüht, dass man mich als Sondermüll hätte entsorgen müssen. Ich habe mir ein Moskitonetz im Survival-Laden gekauft – was zur Folge hatte, dass ich mich in der Dunkelheit auf geradezu lebensbedrohliche Weise in diesem Ding verfangen habe. Benni musste mich befreien, und ich war erst nach mehreren Gläsern Tokayer – wir befanden uns am Plattensee in Ungarn – wieder nervlich in der Lage, mich zu Bett zu begeben. Am nächsten Morgen sah ich aus wie ein Streuselbrötchen, wie es Schulkinder am liebsten mögen: wenig Brötchen, viele Streusel.

«Robin, das mag jetzt ein etwas unpassender Zeitpunkt sein ...»

Ich blicke verstört auf die deutlich sichtbare Beule in seiner Badehose. Dass diese neumodischen Dinger aber auch immer so körpernah geschnitten sein müssen. Früher trugen Männer Shorts. Drinnen konnte die Hölle los sein, ohne dass man draußen etwas davon mitbekam. Fast scheint mir, als sei diese Erektion wie ein drohender Zeigefinger auf mich gerichtet. Keine angenehme Lage, in der ich mich befinde, und ich denke, dass dieses Schiff seinen Namen «Lady Harmony» noch niemals weniger verdient hat als in diesem Moment.

«Es ist nur so, dass ich, nun ja, weißt du, ich muss einfach dringend aus diesem Funkloch raus.»

Robin schaut mich völlig verblüfft an.

«Weißt du, ich mag ja deine Geschichten, aber findest

du nicht, dass du jetzt etwas übertreibst? Wenn du nicht mit mir schlafen willst, dann kannst du mir das auch anders sagen.»

Na, bravo, jetzt ist er beleidigt. Ich sag's ja immer: Mit Männern, die eine Erektion haben, ist nicht zu spaßen. Die nehmen immer alles gleich persönlich.

«Nein, darum geht es nicht. Es ist bloß so, dass ich dir die ganze Zeit die Wahrheit gesagt habe. Und dieses Handy gehört tatsächlich der Frau, die meinen Freund geküsst hat und ihn nun nicht mehr will. Und jetzt warte ich auf seine SMS.»

«Du hast mir die ganze Zeit die Wahrheit gesagt? Warum denn?» Robin schaut mich mit Ärger und Verwunderung an. Der Vollständigkeit halber sei noch kurz erwähnt, dass sich jetzt kein Zeigefinger mehr auf mich richtet.

«Ich wollte, dass du mich richtig kennen lernst. Und ich bin nicht gut im Lügen, weißt du. Also habe ich einfach so getan, als sei die Wahrheit erfunden. Und außerdem finde ich mein Leben nicht so langweilig, dass ich mir unbedingt ein neues ausdenken muss.»

Die Stille, die sich daraufhin breit macht, gehört eindeutig nicht zu jener Sorte Stille, die man genießen und als schweigsames Einverständnis interpretieren kann.

«Du wohnst also wirklich bei deiner Tante in Cala Llamp? Und du hast eine Nacht im ‹Mardavall› gewonnen und dort die Frau kennen gelernt, die sich in deinen Freund verliebt hat, von dem du gar nicht mehr sicher bist, ob du noch mit ihm zusammenbleiben willst?»

«Ja, das heißt, nein. Ich bin mir mittlerweile wieder sicher, dass ich mit ihm zusammenbleiben möchte. Falls er mich überhaupt noch will. Und das kann ich nur herausfinden, wenn du mich aus diesem Funkloch rausbringst.»

«Und welche Rolle spiele ich in dieser ganzen Geschichte, wenn ich fragen darf?»

Uiuiui. Jetzt heißt es sensibel und glaubwürdig sein.

«Eine tragende. Ich war mindestens zwei volle Tage lang verliebt in dich. Und wenn ich nicht, na, du weißt schon, dann würde ich sofort mit dir an die Algarve kommen. Ehrlich.»

Und weil das überhaupt nicht gelogen ist, sehe ich hoffentlich auch so aus, als sei das überhaupt nicht gelogen. Bei mir weiß man ja leider nie. Ich bete, dass Robin jetzt nicht wirklich böse wird. Keine Ahnung, wozu junge Männer fähig sind, wenn sie sich in ihrer Ehre gekränkt fühlen. Ich sehe schon die Schlagzeile im «Mallorca-Magazin»:

«MATUSCHKE-ENKELIN AUF ‹LADY HARMONY› ZERSTÜCKELT UND AN FISCHE VERFÜTTERT. NUR IHRE FÜSSE WOLLTE KEINER HABEN.»

Robin sieht so verwirrt aus, dass er kurzfristig mütterliche Gefühle in mir hervorruft. Aber ich kann mich gerade noch zurückhalten, ihm wie eine italienische Mama in die Wange zu kneifen und zu sagen: «Mach dir nichts draus, mein Junge, auch andere Mütter haben schöne Töchter.»

«Jetzt müssen wir die Sache wohl zu einem guten Ende bringen, was? Ich bring uns erst mal aus dem Funkloch raus. Heute beim Polterabend werde ich ja die ominöse Frau kennen lernen, die deinen Freund geknutscht hat. Und morgen nimmst du mich gefälligst mit zu deinem Fest. Ich will auf keinen Fall verpassen, wie's weitergeht zwischen dir und der Frau, die deinen Mann nicht mehr will. Wenn ich hier schon der Loser bin, will ich wenigstens bis zum Ende dabei sein. Und wenn du Lust hast, machen wir morgen noch eine Abschiedstour mit der ‹Lady›, bevor wir zu deiner großen Abschiedsvorstellung fahren.»

«Sehr gern. Danke. Und du bist nicht der Loser in dieser Geschichte, der bin nämlich ich.»

Ich gebe ihm einen Kuss auf den Mund. Ohne Zunge, versteht sich. Weil diese Zeiten sind ja jetzt vorbei.

Schade eigentlich.

«Warum immer ich?»

Die gute Nachricht ist: Mein Koffer ist wieder da. Er steht neben meinem Bett und strahlt etwas ungeheuer Beruhigendes aus. Ich öffne ihn und hole ganz langsam ein Kleidungsstück nach dem anderen heraus. Jede Unterhose begrüße ich wie eine alte Schulfreundin, die ich seit der Abi-Party nicht mehr gesehen habe. Mein sommerliches Abendkleid hänge ich liebevoll auf einen Bügel. Es soll noch ein wenig auslüften, bevor ich es wieder einpacken muss. Wenn Robin mich nachher zu unserer Abschiedstour mit der «Harmony» abholt, will ich meine Klamotten für die Party heute Abend schon mitnehmen.

Es tut gut, meine eigenen Sachen zu berühren, vertraute Dinge zu sehen. Ich lege «Mein Name sei Gantenbein» auf meinen Nachttisch. Fast scheint es mir, ich sei ein anderer Mensch gewesen, als ich das Buch einpackte. Wild entschlossen, etwas zu erleben. Und jetzt hatte ich mehr erlebt, als mir lieb war. Ich hatte die Vertrautheit, die Gewohnheit hinter mir gelassen. Habe ich einen Fehler gemacht? An manche Orte muss man reisen, bloß um festzustellen, dass sie nicht so schön sind, wie man sie sich vorgestellt hat. Heute feiere ich Abschied. Wovon? Ich schaue aufs Meer hinaus. Das werde ich vermissen: hinausschauen und denken, alles ist möglich.

Ein Waverunner braust am Horizont entlang. Glaube ich zumindest. Meine Kontaktlinsen sind mir gestern bei meiner Flucht verloren gegangen. Auch noch die guten in Royalblau. Macht nichts. Ich brauche ja niemanden mehr zu beeindrucken. Es ist Zeit für farblose Linsen. Auf der Terrasse unter meinem Fenster sitzen Gesa, Cora und Sonja. Ab und zu ist ein Satz zu verstehen, und manchmal dringt ein Schluchzen zu mir nach oben.

«Kinder, ihr habt genau das Richtige getan!»

Das ist Gesa. Und sie hat Recht: Wir haben genau das Richtige getan. Eine große, dramatische Szene zum richtigen Zeitpunkt.

Es war schrecklich.

Es war tragisch.

Es war unvergesslich.

Es war großartig!!!

Robin hatte uns um kurz vor acht im Hafen von Andratx abgeholt. Ich empfand so etwas wie Besitzerstolz, als ich Sonja und Cora auf der «Harmony» herumführte. Die

Yacht war mit Lampions geschmückt, an Deck war ein riesiges Büfett aufgebaut, und drei Kellner waren angeheuert worden, um die Gäste zu bedienen. Ich machte die beiden selbstverständlich auch auf Robins Oberschenkelmuskulatur aufmerksam. Obschon ich mich so selbstlos gegen ihn entschieden hatte, wollte ich doch damit angeben, was ich hätte haben können.

Sonja, fand ich, reagierte kleinlich.

«Er ist süß. Aber findest du ihn nicht etwas zu jung?»

«Zu jung wofür?», fragte ich schnippisch zurück. «Und außerdem ist er geistig schon sehr reif.» Ich betete, dass die beiden nicht die Gelegenheit haben würden, mich dieser Lüge zu überführen.

«Mir wäre das peinlich, mit so einem ins Bett zu gehen», sagte Cora. «Da käme ich mir vor wie eine Dörrpflaume und würde ständig nur darauf achten, wenigstens die allerschlimmsten Körperteile vor ihm zu verbergen.»

Ich nickte verständnisvoll. Schon vor Jahren hatte ich mir versprochen: Sex mit Gleichaltrigen und Jüngeren nur noch nachts und ohne Beleuchtung. Benni ist sechs Jahre älter als ich, und ich begrüße jede Alterserscheinung an ihm mit großem Hallo. Er glaubt, ich würde mich über ihn lustig machen, wenn ich zärtlich die Runzeln unter seinen Pobacken zähle. Dabei liebe ich ihn mit jeder neuen Falte mehr: Je älter er aussieht, desto jünger wirke ich neben ihm.

Sonja fragte Robin nach dem Bräutigam.

«Es ist einer der Söhne des Yachtbesitzers aus zweiter oder dritter Ehe. Wir holen die ganze Mischpoke jetzt in Portals Nous ab und schippern sie rum, bis sie betrunken sind. Und das war's dann.»

Eine halbe Stunde später gingen Sonja, Cora und ich unter Deck, verglichen unsere Lippenstifte, tauschten Erfahrungen mit Wimperntusche, Chat-Rooms und Männerpos aus und lauschten, was über uns vor sich ging. Wir wollten uns erst später unter die Gäste mischen. Schließlich waren wir nicht eingeladen und wollten die Hochzeitsgesellschaft erst mal anstoßen lassen, bevor wir aus dem Untergrund auftauchten.

Sonja legte silbernen Lidschatten auf.

«Ich möchte auch heiraten. Ich finde, heiraten ist wie einen Parkplatz direkt vorm Haus zu bekommen. Wenn man den einmal hat, sollte man so schnell nicht wieder wegfahren. Oder, Cora, was sagst du dazu? Du bist doch hier die Fachfrau.»

«So albern das ist, aber es hat was sehr Beruhigendes, verheiratet zu sein. Klar weiß man, dass jede zweite Ehe scheitert, aber natürlich denkt man, dass es einen selbst nicht trifft. Und ehrlich gesagt finde ich es immer noch besser, geschieden zu sein als unverheiratet. Sorry, wenn ich das so sage, aber meiner Ansicht nach sollte jede Frau mit vierzig mindestens einmal verheiratet gewesen sein.»

Ben und ich hatten nie übers Heiraten gesprochen. Äh, nein, das ist nicht ganz korrekt. Ben und ich hatten genau einmal übers Heiraten gesprochen. Eine Konversation, die ich bis heute zu verdrängen versuche.

«Und, Annabel, hat dein Liebster schon mal Anstalten gemacht, dich vor den Traualtar zu zerren?»

«Nö. Wisst ihr was, ich schleich mich mal nach oben und frage Robin, wann wir uns sehen lassen dürfen.»

Das Thema behagte mir nicht. Mit einer frisch Verheirateten und einer frisch Verliebten über die Vorteile der

Ehe zu diskutieren, das erschien mir als wahrscheinlich frisch Verlassene doch zu schmerzlich. Das ist ja, als turne man mit Cindy Crawford persönlich das Cindy Crawford-Fitnessvideo. So masochistisch bin ich nicht.

Ich lugte aufs Deck. Etwa dreißig Leute standen da und plünderten das Büffet.

«Na, seid ihr bereit da unten?»

Robin hatte mich entdeckt.

«Ihr könnt jetzt hochkommen.»

«Zeig mir doch mal, wer von denen das Brautpaar ist.»

«Die da in Rosa ist die Braut. Der Bräutigam steht links neben ihr.»

«Okay, verstehe. Ich gehe dann mal runter und kläre, ob wir überhaupt an Deck kommen.»

«Was ist denn jetzt schon wieder?»

«Erklär ich dir später.»

Ich atmete tief durch. Gleich würde es hier drunter und drüber gehen.

«Bist du dir auch wirklich sicher?» Cora fragte mich das jetzt schon zum vierten Mal.

«Tut mir Leid, ganz sicher.»

«Das kann doch einfach nicht wahr sein!

Sonjas Wimperntusche hatte sich komplett verabschiedet. Sie tat mir wirklich Leid – ehrlich! Und ich war stinksauer. Schließlich war hier nicht nur Sonjas Würde in den Schmutz gestoßen worden. Nein, hier hatte man alle Frauen kollektiv mit Füßen getreten!

«Hör jetzt auf zu heulen!»

Ich meinte es nicht so hart. Ich wollte nur, dass Sonja wütend wurde, statt sich zu bedauern.

«Lass uns überlegen, was wir jetzt tun.»

«Was wir tun? Ich bleibe hier unten sitzen, bis dieser beschissene Polterabend vorbei ist, und dann haue ich ab.»

Jetzt mischte sich Cora ein.

«Spinnst du? Das kommt überhaupt nicht in Frage. Du versteckst dich hier nicht länger. Wir gehen da jetzt sofort raus!»

«Und dann?»

Nach einigen Cuba Libre stand unser Plan. Cora war für das Fluchtfahrzeug zuständig. Ich kannte mich an Bord aus und würde Sonja begleiten. Ich fühlte mich wie in «Drei Engel für Charlie», als wir die Uhren vergleichen wollten. Nur Cora trug eine, aber manchmal zählt auch die Geste.

«Cora, du gehst vor und machst das Schlauchboot klar. Wir kommen nach, wenn die Mission erledigt ist.»

Ich versuchte, in etwa den Tonfall meiner Grundschullehrerin zu treffen, wenn sie der Klasse die Hausaufgaben auftrug: ruhig, sachlich und keine Widerrede duldend.

Ein paar Minuten später schob ich Sonja die Treppe hoch.

«Du schaffst das. Sei böse. Du hast allen Grund dazu. Du machst da oben jetzt eine Szene, die keiner von denen jemals vergisst. Versprich mir das, hörst du?»

Sonja nickte, atmete tief durch und trat auf das wunderschön beleuchtete Deck hinaus, das sich wie eine Bühne vor ihr ausbreitete. Sie sah beeindruckend aus, wie sie da mit langen Schritten direkt auf ihn zuging. Bei so einem Auftritt kommt einem eine ansehnliche Körpergröße gepaart mit erheblichem Untergewicht und langen, wehenden Haaren natürlich sehr zu Gute.

Ich hielt mich im Hintergrund. Cora hatte das Schlauchboot bereits in Position gebracht. Hoffentlich würde es ihr gelingen, den Motor rechtzeitig zu starten. Nichts ist peinlicher, als wenn man einen fulminanten Abgang plant und dann im Schneckentempo davonpaddeln muss.

Ich hatte Herzrasen. Hoffentlich würde Sonja ihre Sache gut machen. Sie stand jetzt direkt vor ihm und sprach so laut, dass alle Gespräche verstummten.

«Hallo, mein Schatz.»

Henning starrte sie an. Es war deutlich zu sehen, dass er in nächster Zeit keinen einzigen Ton hervorbringen würde. Seine Braut stand neben ihm und sah auch einigermaßen erstaunt aus.

«Ich möchte nicht versäumen, dir zur Hochzeit zu gratulieren. Gestern Nacht bin ich irgendwie nicht dazu gekommen. Ich war wohl zu beschäftigt, einen Orgasmus vorzutäuschen.»

Sonja schüttete Henning ihren Cuba Libre ins Gesicht, warf ihm das Glas vor die Füße, zog sich mit einer sehr gekonnten Bewegung ihr Kleid über den Kopf und sagte zur Braut:

«Ich denke, die Schrift wird Ihnen bekannt vorkommen. Es tut mir Leid, aber Sie sollten sich die Sache vielleicht nochmal überlegen.»

Sonja drehte sich um und schritt sehr langsam, nur mit hohen Schuhen und einem pinken Tanga bekleidet, Richtung Schlauchboot. Alle starrten auf ihren Rücken. Umrahmt von einem großen Herzen stand da:

Tante Gesa tätschelte der schniefenden Sonja die Hand.

«Das haben Sie großartig gemacht, wirklich ganz großartig. Daran werden Sie noch in vielen Jahren voller Stolz zurückdenken.»

«Meinen Sie? Aber ich habe eine Ehe ruiniert, bevor sie geschlossen wurde. Das gehört sich irgendwie nicht, oder?»

«Ach, Kindchen, wer sagt denn, dass die beiden heute nicht trotzdem heiraten? Da machen Sie sich mal besser kein schlechtes Gewissen. Ich würde das an Stelle der Braut nicht so eng sehen.»

Jetzt musste ich allerdings das Wort ergreifen.

«Was soll man daran bitte schön nicht so eng sehen können? Dieser Typ hat seine Frau zwei Nächte vor der Hochzeit betrogen!»

«Das ist doch der verständlichste Zeitpunkt zum Fremdgehen. Er ist in Panik, weil er in zwei Tagen verheiratet sein wird. Er hat Angst, ob die Entscheidung richtig war. Das ist normal. Und außerdem weiß er, dass er noch keinen Ehebruch begeht, wenn er jetzt fremdgeht. Es ist also die letzte Gelegenheit. Und wenn es einem dann auch noch so leicht gemacht wird – also ich habe schon Verständnis für den Jungen. Und seine Braut, wenn sie vernünftig ist, sicherlich auch.»

Wir schauten Gesa vorwurfsvoll an. Aber sie zuckte nur gelassen ihre klapprigen Schultern.

«Also wirklich, Fräulein Sonja, jetzt weinen Sie doch nicht schon wieder. So was kommt vor. Der Mann hat sie benutzt. Quasi als letzte Tankstelle vor der Autobahn.»

Ich musste mir Mühe geben, nicht loszuprusten. Sonja hingegen schien der Vergleich mit der Tankstelle nicht besonders aufzumuntern. Dass Henning sie ausgenutzt hatte, kränkte sie, aber die Aussicht, dass es ihr vielleicht nicht mal gelungen war, durch ihren Auftritt seine Ehe zu verhindern, machte sie vollends fertig.

«Ich dachte, dieser Scheißkerl sei in mich verliebt!»

«Der Typ hat Sie ausgetrickst. Hoffentlich hatten Sie wenigstens guten Sex. Möchte noch jemand etwas Käse?»

Das Hausmädchen meldete einen Gast. Es war Robin.

«Guten Morgen allerseits. Annabel, eigentlich bist du an allem schuld.»

Ich habe bis zu diesem Zeitpunkt nicht geahnt, dass man auch mit einer Yacht im Stau stehen kann. Es gibt kein Vor und Zurück, und die Boote der Wasserpolizei umkreisen uns wie Fliegen einen Kuhfladen. Wir haben keine Chance mehr, es pünktlich zu Gesas Haus zu schaffen, wo um acht mein Abschiedsfest beginnen soll. Falls wir überhaupt lebend ankommen – denn wahrscheinlich explodieren wir gleich.

Dabei ist mein Bedarf an Verwicklungen und Dramen für die nächsten Jahre wirklich gedeckt. Ich könnte mich sehr gut morgen in einem kleinen, reetgedeckten Häuschen zur Ruhe setzen, Rosen schneiden und meinen noch zu zeugenden Kindern abends vor dem Kaminfeuer von meiner Vergangenheit erzählen, die seit gestern eine opulente ist.

Robin hatte uns überzeugend dargelegt, dass Sonja sich grundlos vor fremden Leuten ausgezogen hatte. Schuld war meine ausgeprägte Rechts-Links-Schwäche. Wenn einer «rechts» sagt, muss ich erst lange überlegen und erreiche auch dann nur eine fünfzigprozentige Trefferquote. In diesem Fall hatte ich blöderweise daneben gelegen.

Henning hatte links von der Braut gestanden, der Bräutigam rechts. Henning war der Trauzeuge! Einige Gäste hatten nach unserer Abfahrt sogar geklatscht, weil sie dachten, wir seien eine extra für den Abend engagierte Schauspielgruppe. «Ist mal was anderes als immer so blöde Bauchtänzerinnen», hatte einer gerufen. Was wiederum die Braut verärgerte, die zu späterer Stunde als Überraschung eine Bauchtanzeinlage geplant hatte.

Sonja schrie, sie wolle auf der Stelle sterben. So was Peinliches sei ihr im ganzen Leben noch nicht passiert. Und erst nach und nach wurde ihr klar, dass die beschämende Aktion auch eine positive Seite hatte.

«Henning ist gar nicht verheiratet? Dann könnte es ja sein, dass er mich doch liebt?»

Robin nickte.

«Henning wartet in seinem Hotel auf eine Nachricht von dir. Ich fände es allerdings cooler, wenn du ihn persönlich erlösen würdest.»

Sonja ließ sich sofort ein Taxi rufen, und das Angenehme war, dass sie vor lauter Aufregung und Glück vergaß, mir böse zu sein und sich ihr Handy wiedergeben zu lassen.

Robin und ich haben erstmals harmonische Stunden auf der «Lady Harmony» verbracht. Sonnen, schwimmen, plaudern. Einmal fragte ich kokett, ob wir wohl ein gutes Paar hätten werden können. «Wahrscheinlich nicht», fügte ich hinzu und hoffte auf Widerspruch.

«Ja, wahrscheinlich nicht», antwortete Robin. Ich war beleidigt und holte mir aus meiner Tasche was zu lesen. Ich überflog die markierten Stellen. Ich kannte sie längst auswendig:

«... *es ist die Sehnsucht nach Begierde; da packt Ihr die Koffer ...*»

Und wenn man's wirklich tut? Den Koffer packen und der Sehnsucht nachgeben? Macht das glücklicher? Leidenschaft statt Liebe. Und immer gibt es neue Begierden zu stillen. Dann ist man unterwegs für immer. Man sollte bleiben, wenn man das Gefühl hat, angekommen zu sein.

In hohem Bogen schmiss ich das Buch ins Meer. «Ich hoffe, Sie können schwimmen, Herr Frisch», dachte ich und beschloss, meine Fettwaage und die Faltencreme zurückzubringen, wenn ich nach Hause kommen würde. Beide hatten nur Unfrieden in mein Leben gebracht.

«Ich liebe die Einsamkeit auf dem Wasser. Ich finde, das Meer ist die reinste Form der Natur, die es gibt.»

Ich tat so, als würde ich Robins sonnigen Monologen zustimmen und die ursprüngliche Natur genießen. Ich bin kein besonderer Naturfreund. Klar, dass auch ich schon mal die Grünen gewählt habe und gegen das Waldsterben und für den Erhalt bedrohter Arten bin. Aber ich habe es nicht gern, wenn mir eine bedrohte Art mit vielen haarigen Beinen den Hals entlangkrabbelt, oder wenn ein gesunder Wald Geräusche macht, die mich an den Film «The Blair Witch Project» erinnern.

Im Naturzustand ist mir die Natur eher unheimlich. Ich schaue sie mir lieber in Bildbänden an oder aus Ausflugsbussen heraus. Wenn ich zum Beispiel im Meer schwimme, fürchte ich mich immer vor Haien und Tiefseekraken, selbst am Timmendorfer Strand. Lieber nehme ich im Freibad Chlor und Kinderpipi in Kauf. Da muss man sich nicht fürchten, hochgefährliche Kreaturen zu entdecken, für die Biologen vermutlich noch gar keinen Namen haben. Gut, im Freibad ist der Anblick von dicken Beinen nicht schön. Es sieht aus wie in einem

Glas mit eingelegten Gurken. Aber Gurken tun einem wenigstens nichts.

Ich schätze die Natur in aufbereiteter Form. Ich mag auch keine Speisen, denen man ansieht, dass sie vor kurzem noch gelebt haben. Deshalb esse ich sehr gern Paniertes und Toastbrot mit Nutella. Auf einem Bauernhof in Ungarn wurde mir einmal eine landestypische Hühnersuppe vorgesetzt. Über einen Mangel an Appetit kann ich eigentlich nie klagen, aber ich musste trocken schlucken, als ich aus den Tiefen der undurchsichtigen Suppe eine komplette Hühnerkralle hervorzog.

Einsamkeit schätze ich auch nicht besonders. Ich wundere mich, was Leute so toll daran finden, da zu sein, wo sonst keiner ist. Es wird schon einen Grund haben, dass es einsame Gegenden sind. Ich gehe davon aus, dass die sehenswerten Regionen dieser Welt mittlerweile touristisch erschlossen sind. So, wie zum Beispiel Camp de Mar auf Mallorca, wo Claudia Schiffer wohnt. Deren Anwesen habe ich mir mal mit dem Fernglas angeschaut.

Bei aller Bescheidenheit hatte ich mir auch für mich immer vorstellen können, berühmt zu werden. Nun gut, eine Karriere als Supermodel wäre nur dann ernsthaft in Frage gekommen, wenn ich mit zwölf Jahren aufgehört hätte zu essen. Aber ich konnte mir immer gut vorstellen, Autogramme zu geben, auf der Straße ergriffen angestarrt zu werden und in vornehmen Restaurants auch ohne Reservierung den besten Tisch zu bekommen. Aber ich fürchte, den Zug habe ich verpasst. Was mir jedoch noch offen steht, ist, durch die Bekanntschaft mit einem Berühmten berühmt zu werden. Gut, das ist zwar Ruhm zweiter Klasse, aber damit würde ich mich zufrieden geben. Irgendwann muss George Clooney ja mal heiraten.

Unter keinen Umständen hingegen würde ich Harald Schmidt heiraten. Auch wenn das hart klingt: Der braucht mich gar nicht erst zu fragen! Der Mann legt so unpassend viel Wert auf sein Privatleben. Wie soll man denn da als Gattin neben ihm auffallen? Wie Chopard-Juwelen für Galaabende geliehen bekommen? Wie die Herren Dolce und Gabbana als Ausstatter gewinnen? Wie einen Plattenvertrag angeboten bekommen, ohne je einen Ton gesungen zu haben?

Der Schmidt, der geht ja fast nie zu Partys, der verklagt Paparazzi. Womöglich würde er es seiner Partnerin auch nicht gestatten, sich für den «Playboy» total niveauvoll zu entkleiden. Es ist mir ein Rätsel, warum sich eine moderne Frau eine derartig patriarchalische Gängelei heutzutage noch gefallen lässt. Dasselbe gilt übrigens für die Gemahlin von Joschka Fischer. Eine arme Kreatur, die in seinem Schatten friert.

Vorbildlich hingegen sind die Herren Bohlen und Lauterbach, die immer dafür sorgen, dass ihre Lebensgefährtinnen entweder Kinder oder eine eigene Fernsehsendung bekommen.

Wir waren mit der «Lady Harmony» fast schon wieder in Andratx, als ein Hubschrauber über uns auftauchte und wir per Lautsprecher aufgefordert wurden, zu stoppen.

Robin, ein Drogenschmuggler? Ein international gesuchter Heiratsschwindler? In meinem Leben musste ich mittlerweile auf alles gefasst sein.

Robin erhielt über Funk Anweisungen.

«Was ist denn los?»

«Hier soll irgendwo eine Seemine aus dem Zweiten Weltkrieg im Wasser treiben. Es kommen Spezialisten der Marine. Bis dahin ist der Hafen gesperrt.»

Was für ein durch und durch unangenehmes Gefühl: In einem Boot zu sitzen, das jede Sekunde von einer Mine zerfetzt werden kann. Ich war heilfroh, dass ich noch Wichtiges zu tun hatte, mit dem ich mich ablenken konnte.

Ein Frau, die sich in Gefahr befindet, sollte vor allem gut angezogen sein. Ich packte mein Abendkleid für die Party aus: schwarz, knielang und leicht tailliert. Dazu würde ich rote Sandalen mit hohen Absätzen tragen, um meine manikürten Füße zur Geltung zu bringen. Ein ganz ungewohntes Gefühl für mich, mich nicht für meine Zehen schämen zu müssen. Wobei ich zugeben musste, dass sie, so braun wie jetzt, ein bisschen aussahen wie Cocktailwürstchen.

Warum?

Warum immer ich?

Es ist doch wirklich schon belastend genug, dass ich mich auf einem schwankenden Boot umziehen muss, das sich in unmittelbarer Umgebung einer gefährlichen Seemine befindet. Und jetzt auch noch das!

Ich betrachte mich im Spiegel und könnte heulen. Ich sehe aus wie ein Elefant im Abendkleid eines Hamsters. Mein Kleid, mein wunderschönes Kleid, das ich vergangenes Jahr im Sommerschlussverkauf erbeutet hatte, passt mir nicht mehr. Ich musste einfach verdrängt haben, dass ich es das letzte Mal im Herbst trug, als ich noch dreißig Zigaretten am Tag rauchte und Menschen verachtete, deren Oberschenkel beim Gehen aneinander reiben. Meine Taille war kurz nach Weihnachten so plötzlich verschwunden, dass ich keine Gelegenheit hatte, mich von ihr zu verabschieden. Ich stand eines Morgens auf – und sie war fort. Und ich sah aus wie eine Litfaßsäule.

Und ich hatte auch verdrängt, dass mein Tattoo – ein kleiner Delphin auf der rechten Pobacke – im letzten halben Jahr mit mir auseinander gegangen und zu einem Pottwal herangewachsen war.

Schon der Delphin war übrigens kein Meisterwerk. Verliebt, ich weiß allerdings nicht mehr in wen, und schon ziemlich betrunken waren wir in ein Tattoostudio auf der Reeperbahn getorkelt. Zum Beweis unserer Liebe, sie hatte erst vor einer halben Stunde begonnen, wollten wir uns beide einen Delphin mit Sonnenuntergang auf die Hinterbacke tätowieren lassen. Nach den ersten Stichen war ich wieder nüchtern genug, um zu bemerken, dass mein Tätowierer offenbar ein Lehrling war, der seine Lehre noch gar nicht begonnen hatte. Als er zum siebten Mal «Ups» sagte, bat ich ihn, auf den Sonnenuntergang zu verzichten.

Den Typen, in den ich so verliebt war, würde ich heute nur wiedererkennen, wenn er keine Hose anhätte.

Noch niemals habe ich es so sehr bereut wie jetzt, mit dem Rauchen aufgehört zu haben. Wie soll ich bloß auf meiner Abschiedsparty erscheinen? Mit geblümten Shorts und Bikinioberteil? Könnte es sein, dass es in den vielen Schränken unter Deck was Anziehbares gibt?

«Robin, ich habe ein Problem.»

«Keine Angst, die Marinetaucher sind schon da. Gleich müsste das hier vorbei sein.»

«Das ist es nicht. Ich habe nichts anzuziehen.»

Robin schaut mich an, als hätte ich etwas Sonderbares gesagt.

«Ich habe noch keine Frau gekannt, die diesen Satz nicht gesagt hat. Aber ich habe auch noch keine Frau gekannt, die diesen Satz in so einer Situation sagt. Du kannst dich aus den Schränken bedienen. Der Alte hat allerdings in vierter Ehe eine Frau geheiratet, die Anfang zwanzig ist und etwas, äh, kleiner als du. Da müssten aber auch noch Klamotten von der dritten Frau hängen. Die könnten dir passen.»

Das Geheimnis reicher Frauen habe ich gelüftet. Die sind gar nicht so schlank. Die können sich bloß Kleider leisten, die so gut geschnitten sind, dass sie spielend zwei, drei Kilo wegmogeln. Ich schaue mich im Spiegel an und sehe eine Frau mit Idealgewicht. Es hatte gedauert, was Passendes zu finden. Es war unfassbar: Ich stieß auf Röcke, die kleiner waren als die Taschentücher, die ich benutze. Ich sah Hosen, aus denen ich Fingerpuppen hätte basteln können. Diese junge Frau von dem Yachtbesitzer, was war die? Ein Embryo?

Die Anzüge des Alten hingegen waren so groß wie ein Familienschlafsack. Ich habe mich schon manches Mal gefragt, warum diese alten, dicken Männer sich nicht schämen, wenn sie mit jungen, dünnen Frauen ins Bett gehen. Haben die nicht ständig Angst, was kaputtzumachen?

Dieses Kleid ist wie für mich gemacht. Endlich die Garderobe, die zu meiner Hamburger Einkaufstüte passt! Endlich ich in Gucci! Mein Busen sieht aus, als wäre er groß, meine Oberschenkel sehen aus, als seien sie schmal, und mein Po wirkt knackig. Ein champagnerfarbenes Unterkleid mit eingebautem Push-up-BH und verstärkter

Taille macht aus mir eine perfekt gerundete Frau. Dieses Kleid werde ich mein Lebtag nicht wieder ausziehen!

Ein kleiner Ratschlag an dieser Stelle: Nur figurformende Unterwäsche formt die Figur. Ich habe alles versucht: Straffende Körpergels, die ich schließlich fürs Hairstyling verwendet habe, Noppenbürsten, Kaltwassergüsse, regelmäßige Zupfmassagen – alles umsonst. Ich habe mir sogar eine Anti-Orangenhaut-Maschine gekauft. Ein bösartiges Gerät, das sich so verbissen an meinem Oberschenkel festsaugte, dass ich vor Schmerzen schrie und nach der Behandlung nicht nur Orangenhaut hatte, sondern auch noch ein paar hässliche blaue Flecken.

«Schau dir das an!! Sie holen das Ding jetzt aus dem Wasser!» Die Seemine habe ich bei meinem Anblick ganz vergessen. Ich schreite gemessenen Schrittes, so wie wir Frauen eben gehen, die sich ein mit schwarzen Perlen verziertes Gucci-Kleid leisten können, zum Bug. Das gefährliche Objekt wird gerade aus dem Wasser gehoben. Vielleicht hat der ein oder andere die Meldung in der «Bild»-Zeitung noch vor Augen: «Der dümmste Deutsche: Ein Mallorca-Urlauber hielt ein mit Wasser gefülltes Kondom für eine Seemine!»

«Warum rufst du deinen Freund nicht einfach an?»

Robin und ich fahren vom Yachthafen zu Tante Gesas Haus.

«Na, komm schon. Ruf ihn an und sag ihm, dass du einen Fehler gemacht hast. Und sag ihm auch, dass du morgen zurückkommst und dich sehr auf den Abend mit ihm freust.»

«Und wenn er sich schon für Sonja entschieden hat?»

«Viel unglücklicher als jetzt kannst du nicht mehr werden. Und irgendwann musst du dich ohnehin der Wahrheit stellen.»

«Bevor ich ihm sage, dass ich ihn liebe, möchte ich aber erst wissen, ob er mich noch liebt.»

Ich lasse das Taxi bei «Don Giovanni» halten, weil ich schnell aufs Klo will. Ich möchte nicht als Letzte auf meiner eigenen Party erscheinen und dann gleich als Erstes auf die Toilette verschwinden. Es ist dunkel geworden, und viele Häuser auf den Hügeln sind beleuchtet. Es sieht aus, als hätte jemand die Landschaft mit endlosen Lichterketten dekoriert. Paare schlendern am Hafen entlang, und manchen kann man ansehen, dass sie gehofft haben, im Urlaub ihre Liebe wiederzufinden. Und man kann ihnen ansehen, dass es nicht gelungen ist. Andere halten Händchen und sehen glücklich aus, weil sie ihre Liebe schon von zu Hause mitgebracht haben.

Bei «Don Giovanni» sind draußen alle Tische besetzt. Die Damen tragen ärmellose Kleider, um zu zeigen, wie braun sie geworden sind und was man mit gezieltem Hanteltraining alles erreichen kann. Ein junger Mann, vielleicht Ende zwanzig, nimmt das Gesicht seiner Freundin in seine Hände. Als wolle er ihr einen Heiratsantrag machen. Er hat den besten Tisch bekommen, erste Reihe Mitte. Vielleicht plant er diesen Abend seit Wochen. Er sieht nicht sehr hübsch aus. Moppelig, würde Tante Gesa sagen. Mit einem Kinn, das auf der Flucht ist, und einem ordentlichen Sonnenbrand im Gesicht.

Sie sieht auch nicht besonders gut aus, etwas pausbäckig und mit einer Stupsnase, die wie eine Steckdose aussieht. Er aber schaut sie an, als sei sie Miss World, und ich wünsche ihm, dass sie ja sagt. Jeder Gully findet seinen Deckel, habe ich früher, als ich noch jung und glücklich war, gerne gescherzt.

Ich finde, Leute, die sich lieben, sind immer schön. Egal, ob sie dick und runzelig sind. Es fällt gar nicht mehr auf, wie jemand ausschaut, wenn er einen anderen von Herzen anschaut. Ich glaube, in diesem Sinne waren Ben und ich auch ein schönes Paar. Aber jetzt? Bin ich überhaupt noch Teil eines Paares? Ich könnte verrückt werden. Und wie soll ich bloß diese Party überstehen? Ich wähle seine Nummer.

«Dies ist die Mobilbox von Benedikt Cramer. Bitte hinterlassen Sie eine Nachricht, und ich rufe so bald wie möglich zurück. Vielen Dank.»

Und ich rede los. Ohne nachzudenken. Wenn er mich verlassen will, dann soll er ruhig wissen, dass ich ihn nicht verlassen wollte. Ich wollte doch nur mal so tun als ob. Ich dumme Nuss.

«Endlich, da bist du ja! Verehrte Gäste, liebe Freunde, das ist meine bezaubernde Nichte Annabel!»

Ich fühle mich auf den Stufen zur Terrasse wie auf einer Showtreppe. Wäre ich blond gelockt, ich käme mir vor wie Thomas Gottschalk, wenn er zu den Klängen der Eurovisionshymne in die Stadthalle von Wilhelmshaven kommt. Hunderte Fackeln und Kerzen erleuchten den Garten, und die Unterwasserstrahler lassen den Pool wie einen hellblauen Diamanten aussehen. Es duftet nach gegrillten Gambas und Knoblauch, Kellner im weißen Sakko schenken Wein und Champagner aus. Ich kenne so was nur aus Filmen, in denen der Hauptdarsteller adelig ist und sich gegen den Willen seiner Familie in das Mädchen verliebt, welches das Catering bei seiner Hochzeit mit der schwerreichen Industriellentochter organisiert. Ach, ich wünschte, ich wäre glücklich. Dann wäre ich jetzt glücklicher denn je.

Ich sehe Robin im Gespräch mit einem älteren Herrn, der sehr dick ist und ein Jackett trägt, das so über alle Maßen hässlich ist, dass es mich sofort an meinen Therapeuten erinnert.

Nun muss man mir zugute halten, dass ich nicht besonders lange in Therapie war. Genau genommen war es eine Paartherapie, und sie dauerte exakt eine Sitzung lang, also fünfundvierzig Minuten.

Ich hatte gerade ein Buch aus dem Englischen übersetzt mit dem Titel «Neurotisch sind wir alle». Der Autor erklärte darin sehr eindrücklich, warum es in einer überreizten Gesellschaft wie unserer für jedermann eine Selbstverständlichkeit sein sollte, einen Therapeuten zu haben. Besonders therapiebedürftig, so stand da geschrieben, seien «Menschen, die annehmen, sie hätten keine Therapie nötig. Sie stehen bereits wenige Schritte vor dem Abgrund. Es ist wichtig, dass Angehörige in diesem Fall unauffällige Maßnahmen ergreifen, um den Kranken sanft zu einer Behandlung zu bewegen.»

Natürlich war ich sofort alarmiert. Ich hatte ja schon immer vermutet, dass Ben nur deshalb so wenige Probleme hatte, weil er sie verdrängte. Mir war es von Anfang an suspekt, dass er behauptete, meine Sorgen seien eigentlich seine einzigen. Ich ergriff also unauffällige Maßnahmen und schenkte ihm zum Nikolaus einen selbst gebastelten Gutschein über eine Dreiviertelstunde Paartherapie. Er tat nicht mal so, als würde er sich freuen. Letztendlich konnte ich ihn nur zu dem Besuch überreden, indem ich behauptete, ich würde für mich selbst eine Behandlung in Erwägung ziehen, und es sei mir wichtig, dass er den Therapeuten auch kennen lernt.

«Warum willst du denn in Therapie, Belle?»

«Ach, weißt du, so wegen allem.»

«Na ja, tut dir vielleicht wirklich mal ganz gut.»

Man kann sich unschwer vorstellen, dass ich mich kurz vor der Explosion befand. Ich nahm mich nur deshalb zusammen, weil ich wusste, ich hatte es mit einem kranken Menschen zu tun, der dicht vor dem Abgrund stand.

Die fünfundvierzig Minuten waren eine einzige Katastrophe. Schon im Wartezimmer nölte Ben rum, warum es hier keine anständigen Zeitschriften gäbe, sondern nur so was wie «Psychologie heute» und Bücher mit Luftaufnahmen von Hamburg.

Als uns Dr. Roman Beier im Behandlungszimmer begrüßte, sagte Benedikt Cramer eigentlich so gut wie gar nichts mehr. Zugegeben, ich war auch irritiert. Dr. Beier trug, obschon er mir von einer ernst zu nehmenden Bekannten empfohlen worden war, ein Sakko mit großen grünen Karos auf senfgelbem Fond. Ich wüsste gar nicht, wo man so was legal kaufen kann. Hemd und Hose waren schlammfarben, und seine Füße steckten in Gesundheitssandalen, die freie Sicht gewährten auf nackte, mit dunklen Haaren üppig bebüschelte Zehen.

Es war nicht so, dass er keinen Wert auf seine Kleidung legte, nein, dieses Ensemble musste er akribisch zusammengestellt haben. Er selbst schien sich recht gut zu gefallen, was sich nicht zuletzt darin kundtat, dass er einen großen Spiegel aufgehängt hatte, der ihm erlaubte, sich selber darin zu sehen. Im Grunde therapierte Dr. Beier sich selbst. Aber als wir ihn verließen, hatte ich nicht den Eindruck, dass auch nur einer von uns dreien einen Schritt weitergekommen war. Er hatte Ben bereits nach zehn Minuten eine gefährliche Aversion gegen Problemgespräche attestiert. Aber wer von uns will denn einen Mann haben, der keine gefährliche Aversion gegen Problemgespräche hat?

Mich hielt Dr. Beier für absolut selbstreferenziell und egoman. Ach was? Ich zahle doch keine fünfundsiebzig Euro, bloß damit mir einer sagt, was ich längst weiß. Und was ich eigentlich nicht mal besonders schlimm finde. Ich bin gerne egoman.

Ben und ich waren uns einig, dass wir nie wieder in Therapie gehen, und das hat uns, möchte ich sagen, irgendwie noch mehr zusammengeschweißt.

«Liebe Annabel, dies ist der Mann, der nicht rechts von der Braut stand, sondern links.»

Strahlend und Arm in Arm mit Henning steht Sonja vor mir. Der Mann wirkt ein wenig reserviert, aber ich kann ihm seine Skepsis nicht verdenken. Schließlich bin ich mittelbar dafür verantwortlich, dass nun alle seine Kumpels glauben, Sonja habe in der ersten Nacht mit ihm ihren Orgasmus nur vorgetäuscht. Ich sehe allerdings auf die Schnelle keine Möglichkeit, diesen Fauxpas wieder gutzumachen. Nebenbei bemerkt: Ich würde hundert Euro wetten, dass Sonja ihren Orgasmus tatsächlich nur vorgetäuscht hat. Es ist jetzt vielleicht nicht der günstigste Moment, sie danach zu fragen, aber meiner privaten

Statistik nach sind bei sexuellen Erstkontakten fünfundachtzig Prozent der weiblichen Höhepunkte vorgetäuscht. Schließlich will man doch, dass die Nacht nicht ewig dauert und der Partner einen in guter Erinnerung behält.

«Henning, wie schön, dass Sie hier sind. Mir tut das alles wahnsinnig Leid, und ich weiß wirklich nicht, wie ich meinen blöden Fehler wieder gutmachen kann.»

«Aber ich. Duzen Sie mich. Und werde meine Trauzeugin, wenn ich schon sehr bald wirklich heirate.»

«Sie wollen, du willst …?»

«Henning hat mir heute Nachmittag einen Antrag gemacht. Ist das nicht der Wahnsinn? Und eigentlich ist alles deine Schuld.»

Henning übernimmt es, mir den Sachverhalt zu erklären, geduldig, sehr langsam, als hätte er es mit einer Vollidiotin zu tun.

«Sonjas Auftritt hat mich völlig umgehauen. Ich hatte ihren Cuba Libre im Gesicht, alle lachten, und mir wurde auf einmal völlig klar, dass ich genau so eine Frau immer haben wollte. Eine, die mutig ist und sich nichts gefallen lässt. Die ihre Gefühle zeigt und Stolz besitzt. Und die den schönsten Rücken hat, den ich jemals gesehen habe.»

Ich lächelte tapfer. Das hat mir gerade noch gefehlt: ich als Sonjas Trauzeugin! Womit habe ich diese Schmach verdient? Ich wette, dass irgendwo in der himmlischen Abteilung für die Zuteilung kurioser Schicksalsschläge gerade drei Typen sitzen, die sich höllisch kaputtlachen und auf die Schenkel schlagen. Ich bin todunglücklich. Wenn ich nicht aufpasse, bin ich bald die Einzige, die ich kenne, die unverheiratet ist. Schlimme Sache. Gut, Mona ist zurzeit Single. Aber an Sonjas abschreckendem Beispiel kann man ja sehen, wie schnell sich so was ändern kann.

Sonja und Henning küssen sich. Beleuchtet von Fackeln und Kerzen sehen sie aus wie der Schlusssequenz einer Rosamunde Pilcher-Verfilmung entsprungen. Oder als machten sie Werbung für Rafaello, den locker-leichten Genuss ganz ohne Schokolade.

Ich habe eine Horrorphantasie: Ich komme nach Hamburg zurück und habe nichts anderes zu berichten, als dass ich in sieben Tagen meine Beziehung ruiniert habe und miterleben musste, wie meine übelste Konkurrentin die Insel als Braut verließ und meine steinalte Tante die Liebe ihres Lebens fand. Nicht, dass ich ihr das Glück nicht gönne – Tante Gesa, meine ich.

Sonja hingegen gönne ich überhaupt nichts. Und wenn ich ehrlich bin, hoffe ich immer noch heimlich, dass sich Henning als bisexueller, polygamer Volltrottel mit gewürzgürkchengroßem Genital erweist. Aber so wie es aussieht, werde ich Mallorca als Verliererin auf ganzer Linie verlassen. Wäre ich Politikerin, ich müsste von meinem Leben zurücktreten: Wahlversprechen nicht gehalten!

Aber ich reiße mich zusammen. Ich bin hier der Ehrengast und muss mich meiner Funktion und Frisur würdig erweisen.

Eine Hand legt sich von hinten auf meine Schultern. Als ich mich umdrehe, liegen meine Nerven blank. Ich könnte mich jetzt gut ins Bett legen und erst dann wieder aufwachen, wenn ich verheiratet bin, ein Haus und zwei Kinder, einen Labrador und einen begehbaren Kleiderschrank habe. Vor mir steht Tante Gesa und hält an der rechten

Hand den dicken Mann mit dem unsäglichen Therapeuten-Sakko.

«Hermann, das ist meine Nichte Annabel. Annabel, das ist der alte Schnarchsack, der mein Herz erobert hat!»

Der Dicke lacht dröhnend und gutmütig und drückt mich herzlich an sich.

«Mädschen, isch freue misch ehrlisch, disch endlisch

kennen zu lernen. Dein Kleid is' spitze. Isch jlaube, eine von meinen Frauen hatte mal wat Ähnliches.»

«Kein Wunder, dass du bei deinen ganzen Ehen langsam den Überblick verlierst. Immerhin, dass du mal eine Frau mit Kleidergröße über vierunddreißig hattest, spricht wirklich für dich.»

«Jesa, Liebelein, das musst du jerade sagen. Du bist doch selbs so mager, als wärste schon vor langer Zeit jestorben.»

Hermann nimmt Gesa so innig in die Arme, dass ich mich frage, ob sie diese Form der Zärtlichkeit ohne Rippenquetschungen überstehen wird. Aber sie taucht unversehrt wieder auf, drückt mir einen Kuss auf die Wange und befiehlt mir, mich zu amüsieren. Ich schaue den beiden nach. Dem alten jungen Liebespaar. Wie schön, dass sie den gleichen Sinn für Humor haben, auch wenn es sich um einen recht seltsamen handelt. Hauptsache ist doch, man kann zusammen lachen, worüber ist fast schon egal. Als die beiden auch noch anfangen, wie die Teenager zu knutschen, drehe ich mich verschämt weg. Diese ganze verdammte Welt scheint voller Liebespaare zu sein.

Mir fällt ein, dass Mona mir eigentlich eine SMS schicken wollte. Mit ihrer Ansicht über Routine und Abenteuer, lange Liebe und kurze Versuchung.

Mein Handy zeigt eine neue SMS an. Ich muss lachen und weinen. Mona hat Recht. Natürlich hat sie Recht. Und natürlich wusste ich das von Anfang an. Aber manchmal muss eine Frau verdrängen, was sie weiß. Wie sollte sie sonst jemals voller Stolz sagen können: «Ich kann mich zwischen zwei Männern nicht entscheiden.»

Das war gelogen gewesen. Und alle hatten mir geglaubt. Mich eingeschlossen. Ich lese nochmal Monas SMS:

«Neue Besen kehren gut. Aber die alte Bürste kennt die Ecken …»

Ich drücke auf «Text löschen» und versuche, nicht ganz so schlecht auszusehen, wie ich mich fühle.

Robin hält mir ein Glas Champagner hin. «Dir geht's nicht gut, oder?» Ich nicke und kämpfe mit den Tränen. Ich kann ganz gut so tun, als fehle mir nichts, aber wenn einer ein bisschen bohrt, brechen alle Dämme. Ich schniefe.

«Alle sind glücklich. Das ist so ungerecht!»

Ich weiß selbst, dass das albern klingt. Aber es gibt Momente im Leben unglücklicher Frauen, da ist ihnen das schlicht und ergreifend total egal. Im Übrigen habe ich mit Robin schon so viel erlebt, dass man auch ruhig mal albern sein darf. Wir waren verliebt, haben uns geküsst, sind Freunde geworden und wurden von einem Kondom bedroht. So was schweißt zusammen.

«Sei nicht albern.»

Er streicht mir über den Kopf.

«Du bist ein tolles Mädchen. Dein Typ muss ein kompletter Trottel sein, wenn er dich wegen Sonja verlässt.»

Er wischt mir eine Träne aus dem Gesicht.

«Und ich wollte dir noch etwas sagen, bevor das alles hier vorbei ist. Ich glaube, dass wir ein sehr gutes Paar geworden wären.»

Robin gibt mir einen ganz kleinen Kuss. Und es wird mir für immer Leid tun, dass er ausgerechnet in diesem Moment Opfer einer Gewalttat wird.

«Für wen hältst du mich eigentlich?»

Ich begreife überhaupt nicht, was da gerade passiert. In Erwartung von Robins Kuss habe ich meine Augen geschlossen. Als ich sie wieder öffne, sehe ich eine Faust an mir vorbeifliegen, die auf Robins Kinn prallt. Was sich da vor meinen Augen abspielt, ist so unverständlich, dass ich bloß zuschauen kann – in der Hoffnung, dass mein Gehirn irgendwann seine Arbeit wieder aufnimmt und mir die dazugehörigen Schlussfolgerungen nachliefert.

Ich sehe zwei Männer, die vor mir auf dem Boden herumrollen und versuchen, sich so zu hauen, wie sie es wohl aus Westernfilmen kennen. Offenbar sind beide nicht im Nahkampf ausgebildet. Die Angelegenheit sieht eher befremdlich als bedrohlich aus.

Die Gäste laufen herbei und sind begeistert.

«Das möchte ich auch mal, dass sich zwei Männer um mich prügeln. Ein Traum.»

Das war Cora. Und dann höre ich Sonja:

«Sag mal, Annabel, das kann doch nicht sein, dass es hier um dich geht!»

Und dann höre ich ein lautes Platschen, weil die Kämpfenden in den Pool stürzen. Ich begreife endlich, was hier geschieht – und springe hinterher.

Ich hätte nicht gedacht, dass ein paillettenbesetztes Gucci-Kleid so wenig robust ist. Ich finde, für das Geld sollte ein spontanes Bad und die passive Teilnahme an einer

Prügelei möglich sein, ohne dass sich das Kleidungsstück praktisch in nichts auflöst.

Doch schon in den ersten Sekunden im Wasser spüre ich, dass der Zersetzungsprozess beginnt. Aber darauf kann ich jetzt keine Rücksicht nehmen. Ich umklammere von hinten Bens Schultern und gebe Robin so die Gelegenheit zu fliehen.

«Sag mal, spinnst du, Ben?»

Wir stehen uns gegenüber. Ihm reicht das Wasser bis zur Brust, mir bis zum Hals. Ich kann mir denken, dass ich keine sonderlich gute Figur mache.

«Du knutschst hier mit einem Typen rum und machst mir Vorwürfe?»

Ben ist augenscheinlich aufgebracht. Sehr schmeichelhaft! Ihm scheint noch was an mir zu liegen. Vielleicht ist er aber auch nur gekränkt, dass ich ihn betrogen habe, bevor er mich offiziell verlässt. Die männliche Logik ist in solchen Fällen abstrus und mit nichts zu vergleichen. Außer vielleicht mit der weiblichen Logik in solchen Fällen.

«Du hast doch damit angefangen und letzte Woche mit Sonja geknutscht! Und morgen seid ihr verabredet. Ich weiß alles. Du brauchst mich nicht anzulügen!»

Um meiner Wut Ausdruck zu verleihen, stemme ich meine Arme in die Hüften was unter Wasser leider nicht zu sehen ist.

«Mit wem? Was für ein Blödsinn ist das denn? Die hat mir einen Abschiedskuss gegeben, mehr nicht. Da kann ich doch nichts dafür. Und woher weißt du das überhaupt?»

Ich schweige und versuche trotz des ungünstigen Wasserstandes abweisend und würdevoll auszusehen. Ab und an schwappt mir eine kleine Welle in den Mund. Um mich herum steigen die ersten Pailletten an die Oberfläche.

«Ich habe ihr natürlich abgesagt, verdammt nochmal! Glaubst du etwa, ich interessiere mich für diese streichholzdünne Kosmetik-Else, die zu blöd ist, ihren Computer einzuschalten? Für wen hältst du mich eigentlich?»

Ich höre Sonjas gereizte Stimme vom Beckenrand.

«Das ist kein Grund, persönlich zu werden, Benedikt Cramer! Und im Übrigen bin ich so gut wie verheiratet!»

Henning hält sie davon ab, sich wutentbrannt zu uns in den Pool zu stürzen. Cora winkt mir zu, Gesa hopst um den Pool herum und macht Fotos. Und Benni sieht so aus, als würde es ihn noch Jahre kosten, die augenblickliche Situation zu verarbeiten.

«Du hast ihr abgesagt? Das kann ja gar nicht sein. Ich habe doch die ganze Zeit ihr Handy überwacht. Da gab's keine SMS von dir.»

«Weil ich ihr im Büro aufs Band gesprochen habe. Du hast ihr Handy überwacht? Was ist hier eigentlich los?»

Ja, was ist hier eigentlich los? Soll ich jetzt von Max Frisch und meiner Fettwaage anfangen? Wie soll ich das in wenigen Sätzen erklären?

«Wie bist du überhaupt hierher gekommen?»

«Mit dem Flugzeug natürlich.»

«Du bist geflogen? Warum ...»

«Ich wollte dich nach Hause holen.»

«Du wolltest ...?»

«Ich habe keine Ahnung, warum du überhaupt weggegangen bist. Aber es gefällt mir nicht ohne dich, so viel ist schon mal sicher. Und eines sage ich dir: Das Flugzeug, in dem ich saß, wäre beinahe abgestürzt. Wenn du nochmal abhaust, dann bleib gefälligst auf dem Kontinent.»

Wir küssen uns, und die Leute klatschen, und ich höre meine Tante Gesa überwältigt rufen:

«Das Kind kommt ganz nach mir!»

Um Benni und mich schwimmen Pailletten. Und viele kleine, durchweichte Papiertüten. Tüten mit Parmesankäse. Eine nach der anderen taucht aus Bens Sakkotaschen auf und schwimmt auf dem Wasser. Ich bin so gerührt. Er muss die gesamten Mirácoli-Vorräte eines Supermarktes geplündert haben.

Und dann stellt mir Benni – fast möchte ich sagen: Superbenni – die Frage aller Fragen.

Die Frage, die jede Frau in ihrem Leben mindestens einmal hören möchte.

Und ich weiß, dass ich «JA!» sagen und ihn fortan für immer lieben würde.

Benedikt Cramer schaut mir in die Augen und fragt:

«Hast du abgenommen?»

Vielen Dank ...

Inga und Peter für den schönsten Schreibtisch der Welt!

Kerstin und David für Eure Freundschaft, für Super-Soaker und Reisekoffer und vieles mehr!

Britta für Deinen Anruf und Dein Vertrauen!

Hannes für einen guten Namen und die richtige Musik!

Gabo für den Pottwal und Deine Begeisterung!

Oliver fürs Reden!

Frank fürs Zuhören!

Bianca für Dein Bett, viele tolle Geschichten und dass Du meine Freundin bist!

Dagmar für Dein großes Herz für klare Worte!

Zoltán a barátságért és a csokoladéért!

Michael für Michael!

Udo für deine Ehrlichkeit bezüglich meines Deckhaares!

Nina und Christoph für Gespräche, bei denen das Mitschreiben lohnt!

Susanne für alles!

Das für dieses Buch verwendete FSC®-zertifizierte Papier
Creamy liefert Stora Enso, Finnland.